THE LOEB CLASSICAL LIBRARY

APOLLONIUS RHODIUS

APOLLONIUS RHODIUS

THE ARGONAUTICA

WITH AN ENGLISH TRANSLATION BY

R. C. SEATON, M.A.

FORMERLY FELLOW OF JESUS COLLEGE, CAMBRIDGE

CAMBRIDGE, MASSACHUSETTS
HARVARD UNIVERSITY PRESS
LONDON
WILLIAM HEINEMANN LTD
MCMLV

First printed 1912
Reprinted 1919, 1921, 1930, 1955

884

APP

Printed in Great Britain

CONTENTS

158335

v

INTRODUCTION

MUCH has been written about the chronology of
Alexandrian literature and the famous Library,
founded by Ptolemy Soter, but the dates of the chief
writers are still matters of conjecture. The birth
of Apollonius Rhodius is placed by scholars at various
times between 296 and 260 B.C., while the year of
his death is equally uncertain. In fact, we have very
little information on the subject. There are two
"lives" of Apollonius in the Scholia, both derived
from an earlier one which is lost. From these we
learn that he was of Alexandria by birth,[1] that he
lived in the time of the Ptolemies, and was a pupil
of Callimachus; that while still a youth he composed
and recited in public his *Argonautica*, and that the
poem was condemned, in consequence of which
he retired to Rhodes; that there he revised his

---

[1] "Or of Naucratis," according to Aelian and Athenaeus.

poem, recited it with great applause, and hence
called himself a Rhodian. The second "life" adds:
" Some say that he returned to Alexandria and again
recited his poem with the utmost success, so that he
was honoured with the libraries of the Museum [1]
and was buried with Callimachus." The last sen-
tence may be interpreted by the notice of Suidas,
who informs us that Apollonius was a contemporary
of Eratosthenes, Euphorion and Timarchus, in the
time of Ptolemy Euergetes, and that he succeeded
Eratosthenes in the headship of the Alexandrian
Library. Suidas also informs us elsewhere that
Aristophanes at the age of sixty-two succeeded
Apollonius in this office. Many modern scholars
deny the " bibliothecariate" of Apollonius for chrono-
logical reasons, and there is considerable difficulty
about it. The date of Callimachus' *Hymn to Apollo*,
which closes with some lines (105–113) that are
admittedly an allusion to Apollonius, may be put
with much probability at 248 or 247 B.C. Apollonius
must at that date have been at least twenty years
old. Eratosthenes died 196–193 B.C. This would
make Apollonius seventy-two to seventy-five when
he succeeded Eratosthenes. This is not impossible,
it is true, but it is difficult. But the difficulty is

---

[1] ὡς καὶ τῶν βιβλιοθηκῶν τοῦ μουσείου ἀξιωθῆναι αὐτόν.

INTRODUCTION

taken away if we assume with Ritschl that Eratosthenes resigned his office some years before his death, which allows us to put the birth of Apollonius at about 280, and would solve other difficulties. For instance, if the Librarians were buried within the precincts, it would account for the burial of Apollonius next to Callimachus—Eratosthenes being still alive. However that may be, it is rather arbitrary to take away the "bibliothecariate" of Apollonius, which is clearly asserted by Suidas, on account of chronological calculations which are themselves uncertain. Moreover, it is more probable that the words following "some say" in the second "life" are a remnant of the original life than a conjectural addition, because the first "life" is evidently incomplete, nothing being said about the end of Apollonius' career.

The principal event in his life, so far as we know, was the quarrel with his master Callimachus, which was most probably the cause of his condemnation at Alexandria and departure to Rhodes. This quarrel appears to have arisen from differences of literary aims and taste, but, as literary differences often do, degenerated into the bitterest personal strife. There are references to the quarrel in the writings of both. Callimachus attacks Apollonius in the passage at the end of the *Hymn to Apollo,* already mentioned, also probably in some epigrams, but most of all in his *Ibis,* of which we have an imitation, or perhaps nearly a translation, in Ovid's poem of the same name. On the part of Apollonius there is a passage in the third book of the *Argonautica* (ll. 927–947) which is of a polemical nature and stands out from the context, and the well-known savage epigram upon Callimachus.[1] Various combinations have been attempted by scholars, notably by Couat, in his *Poésie Alexandrine,* to give a connected account of the quarrel, but we have not *data* sufficient to determine the order of the attacks, and replies, and counter-attacks. The *Ibis* has been thought to mark the termination of the feud on the curious ground that it was impossible for abuse to go further. It was an age when literary men were more inclined to comment on writings of the past than to produce original work. Literature was engaged in taking stock of itself. Homer was, of course, professedly admired by all, but more admired than imitated. Epic poetry was out of fashion and we find many epigrams of this period—some by Callimachus—directed against the " cyclic " poets, by whom were meant at that time those who were always dragging in con-

[1] Anth. Pal. xi. 275.

ventional and commonplace epithets and phrases
peculiar to epic poetry. Callimachus was in accord-
ance with the spirit of the age when he proclaimed
" a great book " to be " a great evil," and sought to
confine poetical activity within the narrowest limits
both of subject and space. Theocritus agreed with
him, both in principle and practice. The chief
characteristics of Alexandrianism are well summarized
by Professor Robinson Ellis as follows: " Precision in
form and metre, refinement in diction, a learning
often degenerating into pedantry and obscurity, a
resolute avoidance of everything commonplace in
subject, sentiment or allusion." These traits are
more prominent in Callimachus than in Apollonius,
but they are certainly to be seen in the latter. He
seems to have written the *Argonautica* out of bravado,
to show that he *could* write an epic poem. But the
influence of the age was too strong. Instead of
the unity of an Epic we have merely a series of
episodes, and it is the great beauty and power of one
of these episodes that gives the poem its permanent
value—the episode of the love of Jason and Medea.
This occupies the greater part of the third book.
The first and second books are taken up with the
history of the voyage to Colchis, while the fourth
book describes the return voyage. These portions

constitute a metrical guide book, filled no doubt with
many pleasing episodes, such as the rape of Hylas,
the boxing match between Pollux and Amycus, the
account of Cyzicus, the account of the Amazons, the
legend of Talos, but there is no unity running
through the poem beyond that of the voyage itself.

The Tale of the Argonauts had been told often
before in verse and prose, and many authors'
names are given in the Scholia to Apollonius, but
their works have perished. The best known earlier
account that we have is that in Pindar's fourth
Pythian ode, from which Apollonius has taken many
details. The subject was one for an epic poem, for
its unity might have been found in the working out
of the expiation due for the crime of Athamas; but
this motive is barely mentioned by our author.

As we have it, the motive of the voyage is the
command of Pelias to bring back the golden fleece,
and this command is based on Pelias' desire to
destroy Jason, while the divine aid given to Jason
results from the intention of Hera to punish Pelias
for his neglect of the honour due to her. The
learning of Apollonius is not deep but it is curious;
his general sentiments are not according to the
Alexandrian standard, for they are simple and obvious.
In the mass of material from which he had to choose

the difficulty was to know what to omit, and much skill is shewn in fusing into a tolerably harmonious whole conflicting mythological and historical details. He interweaves with his narrative local legends and the founding of cities, accounts of strange customs, descriptions of works of art, such as that of Ganymede and Eros playing with knucklebones,[1] but prosaically calls himself back to the point from these pleasing digressions by such an expression as "but this would take me too far from my song." His business is the straightforward tale and nothing else. The astonishing geography of the fourth book reminds us of the interest of the age in that subject, stimulated no doubt by the researches of Eratosthenes and others.

The language is that of the conventional epic. Apollonius seems to have carefully studied Homeric glosses, and gives many examples of isolated uses, but his choice of words is by no means limited to Homer. He freely avails himself of Alexandrian words and late uses of Homeric words. Among his contemporaries Apollonius suffers from a comparison with Theocritus, who was a little his senior, but he was much admired by Roman writers who derived inspiration from the great classical writers of Greece by way of Alexandria. In fact Alexandria was a

[1] iii. 117–124.

useful bridge between Athens and Rome. The *Argonautica* was translated by Varro Atacinus, copied by Ovid and Virgil, and minutely studied by Valerius Flaccus in his poem of the same name. Some of his finest passages have been appropriated and improved upon by Virgil by the divine right of superior genius.[1] The subject of love had been treated in the romantic spirit before the time of Apollonius in writings that have perished, for instance, in those of Antimachus of Colophon, but the *Argonautica* is perhaps the first poem still extant in which the expression of this spirit is developed with elaboration. The Medea of Apollonius is the direct precursor of the Dido of Virgil, and it is the pathos and passion of the fourth book of the Aeneid that keep alive many a passage of Apollonius.

---

[1] *e.g.* compare *Aen.* iv. 305 foll. with Ap. Rh. iv. 355 foll., *Aen.* iv. 327–330 with Ap. Rh. i. 897, 898, *Aen.* iv. 522 foll., with Ap. Rh. iii. 744 foll.

BIBLIOGRAPHY.

Two editions of the Argonautica were published by Apollonius. Of these we have only the second. The Scholia preserve a few passages of the first edition, from which the second seems to have differed only slightly. The old opinion that our MSS. preserve any traces of the first edition has long been given up. The principal MSS. are the following:—

The Laurentian, also called the Medicean, XXXII. 9, of the early eleventh century, the excellent MS. at Florence which contains Sophocles, Aeschylus and Apollonius Rhodius. This is far the best authority for the text (here denoted by L).

The Guelferbytanus of the thirteenth century, which closely agrees with another Laurentian, XXXII. 16, of the same date (here denoted by G and L² respectively).

There were in the early eleventh century two types of text, the first being best known to us by L, the second by G and L² and the corrections made in L. Quotations in the Etymologicum Magnum agree with the second type and show that this is as old as the fifth century. Besides these there are, of inferior MSS., four Vatican and five Parisian which are occasionally useful. Most of them have Scholia; the best Scholia are those of L.

The principal editions are :—

Florence, 1496, 4to. This is the *editio princeps*, by Lascaris, based on L, with Scholia, a very rare book.

Venice, 1521, 8vo. The Aldine, by Franciscus Asulanus, with Scholia.

Paris, 1541, 8vo, based on the Parisian MSS.

Geneva, 1574, 4to, by Stephanus, with Scholia.

Leyden, 1641, 2 vols., 8vo, by J. Hölzlin, with a Latin version.

Oxford, 1777, 2 vols., 4to, by J. Shaw, with a Latin version.

Strassburg, 1780, 8vo and 4to, by R. F. P. Brunck.

BIBLIOGRAPHY

Rome, 1791–1794, 2 vols., 4to, by Flangini, with an Italian translation.

Leipzig, 1797, 8vo, by Ch. D. Beck, with a Latin version. A second volume, to contain the Scholia and a commentary, was never published.

Leipzig, 1810-1813, 2 vols., 8vo. A second edition of Brunck by G. H. Schäfer, with the Florentine and Parisian Scholia, the latter printed for the first time.

Leipzig, 1828, 8vo, by A. Wellauer, with the Scholia, both Florentine and Parisian.

Paris, 1841, 4to, by F. S. Lehrs, with a Latin version. In the Didot series.

Leipzig, 1852, 8vo, by R. Merkel, "ad cod. MS. Laurentianum." The Teubner Text.

Leipzig, 1854, 2 vols., 8vo, by R. Merkel. The second volume contains Merkel's prolegomena and the Scholia to L, edited by H. Keil.

Oxford, 1900, 8vo, by R. C. Seaton. In the "Scriptorum Classicorum Bibliotheca Oxoniensis" series.

The text of the present edition is, with a few exceptions, that of the Oxford edition prepared by me for the Delegates of the Clarendon Press, whom I hereby thank for their permission to use it.

The English translations of Apollonius are as follows:—

By E. B. Greene, by F. Fawkes, both 1780 ; by W. Preston, 1803. None of these are of value. There is a prose translation by E. P. Coleridge in the Bohn Series. The most recent and also the best is a verse translation by Mr. A. S. Way, 1901, in "The Temple Classics."

I may also mention the excellent transla'ion in French by Prof. H. de La Ville de Mirmont of the University of Bordeaux, 1892.

Upon Alexandrian literature in general Couat's *Poésie Alexandrine sous les trois premiers Ptolemées*, 1882, may be recommended. Susemihl's *Geschichte der Griechischen Litteratur in der Alexandinerzeit*, 2 vols., 1891, is a perfect storehouse of facts and authorities, but more adapted for reference than for general reading. Morris' *Life and Death of Jason* is a poem that in many passages singularly resembles Apollonius in its pessimistic tone and spirit.

APOLLONIUS RHODIUS
THE ARGONAUTICA

BOOK I

SUMMARY OF BOOK I

INVOCATION *of Phoebus and cause of the expedition* (1–22).—*Catalogue of the Argonauts* (23–233).—*March of the heroes to the port: farewell of Jason and Alcimede* (234–305).—*Preparations for departure and launching of Argo: sacrifice to Apollo: prediction of Idmon* (306–447).—*The festival, insolence of Idas, song of Orpheus and departure* (448–558).—*Voyage along the coast of Thessaly and across to Lemnos* (559–608).—*Recent history of Lemnos and stay of the Argonauts there: farewell of Jason and Hypsipyle* (609–909).—*Voyage from Lemnos by Samothrace to the Propontis: reception by the Doliones of Cyzicus* (910–988).—*Fight against the Giants: departure and return of the Argonauts to Cyzicus: sacrifice to Rhea on Mt. Dindymum* (989–1152). —*Arrival among the Mysians: rape of Hylas, which is announced to Heracles* (1153-1260).—*While Heracles and Polyphemus search for Hylas they are left behind* (1261–1328).—*The fate of Heracles and Polyphemus: arrival of Argo among the Bebrycians* (1329–1362).

ΑΠΟΛΛΩΝΙΟΥ ΡΟΔΙΟΥ

ΑΡΓΟΝΑΥΤΙΚΩΝ

Α

Ἀρχόμενος σέο, Φοῖβε, παλαιγενέων κλέα φωτῶν
μνήσομαι, οἳ Πόντοιο κατὰ στόμα καὶ διὰ πέτρας
Κυανέας βασιλῆος ἐφημοσύνῃ Πελίαο
χρύσειον μετὰ κῶας ἐύζυγον ἤλασαν Ἀργώ.

Τοίην γὰρ Πελίης φάτιν ἔκλυεν, ὥς μιν ὀπίσσω
μοῖρα μένει στυγερή, τοῦδ' ἀνέρος, ὅντιν' ἴδοιτο
δημόθεν οἰοπέδιλον, ὑπ' ἐννεσίῃσι δαμῆναι.
δηρὸν δ' οὐ μετέπειτ' ἐτεὴν[1] κατὰ βάξιν Ἰήσων
χειμερίοιο ῥέεθρα κιὼν διὰ ποσσὶν Ἀναύρου
ἄλλο μὲν ἐξεσάωσεν ὑπ' ἰλύος, ἄλλο δ' ἔνερθεν   10
κάλλιπεν αὖθι πέδιλον ἐνισχόμενον προχοῇσιν.
ἵκετο δ' ἐς Πελίην αὐτοσχεδὸν ἀντιβολήσων
εἰλαπίνης, ἣν πατρὶ Ποσειδάωνι καὶ ἄλλοις
ῥέζε θεοῖς, Ἥρης δὲ Πελασγίδος οὐκ ἀλέγιζεν.
αἶψα δὲ τόνγ' ἐσιδὼν ἐφράσσατο, καί οἱ ἄεθλον
ἔντυε ναυτιλίης πολυκηδέος, ὄφρ' ἐνὶ πόντῳ
ἠὲ καὶ ἀλλοδαποῖσι μετ' ἀνδράσι νόστον ὀλέσσῃ.

---

[1] μετέπειτ' ἐτεὴν Merkel : μετέπειτα τεὴν LG.

APOLLONIUS RHODIUS

THE ARGONAUTICA

BOOK I

Beginning with thee, O Phoebus, I will recount the famous deeds of men of old, who, at the behest of King Pelias, down through the mouth of Pontus and between the Cyanean rocks, sped well-benched Argo in quest of the golden fleece.

Such was the oracle that Pelias heard, that a hateful doom awaited him—to be slain at the prompting of the man whom he should see coming forth from the people with but one sandal. And no long time after, in accordance with that true report, Jason crossed the stream of wintry Anaurus on foot, and saved one sandal from the mire, but the other he left in the depths held back by the flood. And straightway he came to Pelias to share the banquet which the king was offering to his father Poseidon and the rest of the gods, though he paid no honour to Pelasgian Hera. Quickly the king saw him and pondered, and devised for him the toil of a troublous voyage, in order that on the sea or among strangers he might lose his home-return.

Νῆα μὲν οὖν οἱ πρόσθεν ἐπικλείουσιν[1] ἀοιδοὶ
Ἄργον Ἀθηναίης καμέειν ὑποθημοσύνῃσιν.
νῦν δ' ἂν ἐγὼ γενεήν τε καὶ οὔνομα μυθησαίμην   20
ἡρώων, δολιχῆς τε πόρους ἁλός, ὅσσα τ' ἔρεξαν
πλαζόμενοι· Μοῦσαι δ' ὑποφήτορες εἶεν ἀοιδῆς.

Πρῶτά νυν Ὀρφῆος μνησώμεθα, τόν ῥά ποτ'
αὐτὴ
Καλλιόπη Θρήικι φατίζεται εὐνηθεῖσα
Οἰάγρῳ σκοπιῆς Πιμπληΐδος ἄγχι τεκέσθαι.
αὐτὰρ τόνγ' ἐνέπουσιν ἀτειρέας οὔρεσι πέτρας
θέλξαι ἀοιδάων ἐνοπῇ ποταμῶν τε ῥέεθρα.
φηγοὶ δ' ἀγριάδες, κείνης ἔτι σήματα μολπῆς,
ἀκτῆς Θρηικίης Ζώνης ἔπι τηλεθόωσαι
ἑξείης στιχόωσιν ἐπήτριμοι, ἃς ὅγ' ἐπιπρὸ   30
θελγομένας φόρμιγγι κατήγαγε Πιερίηθεν.
Ὀρφέα μὲν δὴ τοῖον ἑῶν ἐπαρωγὸν ἀέθλων
Αἰσονίδης Χείρωνος ἐφημοσύνῃσι πιθήσας
δέξατο, Πιερίῃ Βιστωνίδι κοιρανέοντα.

Ἦλθε δ' Ἀστερίων αὐτοσχεδόν, ὅν ῥα Κομήτης
γείνατο δινήεντος ἐφ' ὕδασιν Ἀπιδανοῖο,
Πειρεσιὰς ὄρεος Φυλληΐου ἀγχόθι ναίων,
ἔνθα μὲν Ἀπιδανός τε μέγας καὶ δῖος Ἐνιπεὺς
ἄμφω συμφορέονται, ἀπόπροθεν εἰς ἓν ἰόντες.

Λάρισαν δ' ἐπὶ τοῖσι λιπὼν Πολύφημος ἵκανεν   40
Εἰλατίδης, ὃς πρὶν μὲν ἐρισθενέων Λαπιθάων,
ὁππότε Κενταύροις Λαπίθαι ἐπὶ θωρήσσοντο,
ὁπλότερος πολέμιζε· τότ' αὖ βαρύθεσκέ οἱ ἤδη
γυῖα, μένεν δ' ἔτι θυμὸς ἀρήιος, ὡς τὸ πάρος περ.

Οὐδὲ μὲν Ἴφικλος Φυλάκῃ ἔνι δηρὸν ἔλειπτο,
μήτρως Αἰσονίδαο· κασιγνήτην γὰρ ὄπυιεν

----

[1] ἐπικλείουσιν Brunck : ἔτι κλείουσιν MSS.

4

The ship, as former bards relate, Argus wrought by the guidance of Athena. But now I will tell the lineage and the names of the heroes, and of the long sea-paths and the deeds they wrought in their wanderings; may the Muses be the inspirers of my song!

First then let us name Orpheus whom once Calliope bare, it is said, wedded to Thracian Oeagrus, near the Pimpleian height. Men say that he by the music of his songs charmed the stubborn rocks upon the mountains and the course of rivers. And the wild oak-trees to this day, tokens of that magic strain, that grow at Zone on the Thracian shore, stand in ordered ranks close together, the same which under the charm of his lyre he led down from Pieria. Such then was Orpheus whom Aeson's son welcomed to share his toils, in obedience to the behest of Cheiron, Orpheus ruler of Bistonian Pieria.

Straightway came Asterion, whom Cometes begat by the waters of eddying Apidanus; he dwelt at Peiresiae near the Phylleian mount, where mighty Apidanus and bright Enipeus join their streams, coming together from afar.

Next to them from Larisa came Polyphemus, son of Eilatus, who aforetime among the mighty Lapithae, when they were arming themselves against the Centaurs, fought in his younger days; now his limbs were grown heavy with age, but his martial spirit still remained, even as of old.

Nor was Iphiclus long left behind in Phylace, the uncle of Aeson's son; for Aeson had wedded his

Αἴσων Ἀλκιμέδην Φυλακηίδα· τῆς μιν ἀνώγει
πηοσύνη καὶ κῆδος ἐνικρινθῆναι ὁμίλῳ.
  Οὐδὲ Φεραῖς Ἄδμητος ἐυρρήνεσσιν ἀνάσσων
μίμνεν ὑπὸ σκοπιὴν ὄρεος Χαλκωδονίοιο.   50
  Οὐδ᾽ Ἀλόπῃ μίμνον πολυλήιοι Ἑρμείαο
υἱέες εὖ δεδαῶτε δόλους, Ἔρυτος καὶ Ἐχίων,
τοῖσι δ᾽ ἐπὶ τρίτατος γνωτὸς κίε νισσομένοισιν
Αἰθαλίδης· καὶ τὸν μὲν ἐπ᾽ Ἀμφρυσσοῖο ῥοῇσιν
Μυρμιδόνος κούρη Φθιὰς τέκεν Εὐπολέμεια·
τὼ δ᾽ αὖτ᾽ ἐκγεγάτην Μενετηίδος Ἀντιανείρης.
  Ἦλυθε δ᾽ ἀφνειὴν προλιπὼν Γυρτῶνα Κόρωνος
Καινεΐδης, ἐσθλὸς μέν, ἑοῦ δ᾽ οὐ πατρὸς ἀμείνων.
Καινέα γὰρ ζωόν περ ἔτι κλείουσιν ἀοιδοὶ
Κενταύροισιν ὀλέσθαι, ὅτε σφέας οἶος ἀπ᾽ ἄλλων   60
ἤλασ᾽ ἀριστήων· οἱ δ᾽ ἔμπαλιν ὁρμηθέντες
οὔτε μιν ἀγκλῖναι προτέρω σθένον, οὔτε δαΐξαι·
ἀλλ᾽ ἄρρηκτος ἄκαμπτος ἐδύσετο νειόθι γαίης,
θεινόμενος στιβαρῇσι καταΐγδην ἐλάτῃσιν.
  Ἦλυθε δ᾽ αὖ Μόψος Τιταρήσιος, ὃν περὶ πάντων
Λητοΐδης ἐδίδαξε θεοπροπίας οἰωνῶν·
ἠδὲ καὶ Εὐρυδάμας Κτιμένου πάις· ἄγχι δὲ λίμνης
Ξυνιάδος Κτιμένην Δολοπηίδα ναιετάασκεν.
  Καὶ μὴν Ἄκτωρ υἷα Μενοίτιον ἐξ Ὀπόεντος
ὦρσεν, ἀριστήεσσι σὺν ἀνδράσιν ὄφρα νέοιτο.   70
  Εἵπετο δ᾽ Εὐρυτίων τε καὶ ἀλκήεις Ἐριβώτης,
υἷες ὁ μὲν Τελέοντος, ὁ δ᾽ Ἴρου Ἀκτορίδαο·
ἤτοι ὁ μὲν Τελέοντος ἐυκλεὴς Ἐριβώτης,
Ἴρου δ᾽ Εὐρυτίων. σὺν καὶ τρίτος ἦεν Ὀιλεύς,
ἔξοχος ἠνορέην καὶ ἐπαΐξαι μετόπισθεν
εὖ δεδαὼς δήοισιν, ὅτε κλίνωσι φάλαγγας.
  Αὐτὰρ ἀπ᾽ Εὐβοίης Κάνθος κίε, τόν ῥα Κάνηθος
πέμπεν Ἀβαντιάδης λελιημένον· οὐ μὲν ἔμελλεν

6

sister Alcimede, daughter of Phylacus: his kinship
with her bade him be numbered in the host.

Nor did Admetus, the lord of Pherae rich in sheep,
stay behind beneath the peak of the Chalcodonian
mount.

Nor at Alope stayed the sons of Hermes, rich in
corn-land, well skilled in craftiness, Erytus and
Echion, and with them on their departure their
kinsman Aethalides went as the third; him near the
streams of Amphrysus Eupolemeia bare, the
daughter of Myrmidon, from Phthia; the two others
were sprung from Antianeira, daughter of Menetes.

From rich Gyrton came Coronus, son of Caeneus,
brave, but not braver than his father. For bards
relate that Caeneus though still living perished at
the hands of the Centaurs, when apart from other
chiefs he routed them; and they, rallying against
him, could neither bend nor slay him; but uncon-
quered and unflinching he passed beneath the earth,
overwhelmed by the downrush of massy pines.

There came too Titaresian Mopsus, whom above all
men the son of Leto taught the augury of birds; and
Eurydamas the son of Ctimenus; he dwelt at
Dolopian Ctimene near the Xynian lake.

Moreover Actor sent his son Menoetius from Opus
that he might accompany the chiefs.

Eurytion followed and strong Eribotes, one the
son of Teleon, the other of Irus, Actor's son; the
son of Teleon renowned Eribotes, and of Irus
Eurytion. A third with them was Oileus, peerless
in courage and well skilled to attack the flying foe,
when they break their ranks.

Now from Euboea came Canthus eager for the
quest, whom Canethus son of Abas sent; but he was

νοστήσειν Κήρινθον ὑπότροπος. αἶσα γὰρ ἦεν
αὐτὸν ὁμῶς Μόψον τε δαήμονα μαντοσυνάων   80
πλαγχθέντας Λιβύης ἐνὶ πείρασι δῃωθῆναι.
ὡς οὐκ ἀνθρώποισι κακὸν [1] μήκιστον ἐπαυρεῖν,
ὁππότε κἀκείνους Λιβύῃ ἔνι ταρχύσαντο,
τόσσον ἑκὰς Κόλχων, ὅσσον τέ περ ἠελίοιο
μεσσηγὺς δύσιές τε καὶ ἀντολαὶ εἰσορόωνται·

Τῷ δ' ἄρ' ἐπὶ Κλυτίος τε καὶ Ἴφιτος ἠγερέθοντο,
Οἰχαλίης ἐπίουροι, ἀπηνέος Εὐρύτου υἷες,
Εὐρύτου, ᾧ πόρε τόξον Ἑκηβόλος· οὐδ' ἀπόνητο
δωτίνης· αὐτῷ γὰρ ἑκὼν ἐρίδηνε δοτῆρι.

Τοῖσι δ' ἐπ' Αἰακίδαι μετεκίαθον· οὐ μὲν ἅμ'
   ἄμφω,   90
οὐδ' ὁμόθεν· νόσφιν γὰρ ἀλευάμενοι κατένασθεν
Αἰγίνης, ὅτε Φῶκον ἀδελφεὸν ἐξενάριξαν
ἀφραδίῃ. Τελαμὼν μὲν ἐν Ἀτθίδι νάσσατο νήσῳ·
Πηλεὺς δὲ Φθίῃ ἐνὶ δώματα ναῖε λιασθείς.

Τοῖς δ' ἐπὶ Κεκροπίηθεν ἀρήιος ἤλυθε Βούτης,
παῖς ἀγαθοῦ Τελέοντος, ἐυμμελίης τε Φάληρος.
Ἄλκων μιν προέηκε πατὴρ ἑός. οὐ μὲν ἔτ' ἄλλους
γήραος υἷας ἔχεν βιότοιό τε κηδεμονῆας.
ἀλλά ἑ τηλύγετόν περ ὁμῶς καὶ μοῦνον ἐόντα
πέμπεν, ἵνα θρασέεσσι μεταπρέποι ἡρώεσσιν.   100
Θησέα δ', ὃς περὶ πάντας Ἐρεχθεΐδας ἐκέκαστο,
Ταιναρίην ἀίδηλος ὑπὸ χθόνα δεσμὸς ἔρυκεν,
Πειρίθῳ ἑσπόμενον κείνην [2] ὁδόν· ἦ τέ κεν ἄμφω
ῥηίτερον καμάτοιο τέλος πάντεσσιν ἔθεντο.

Τῖφυς δ' Ἀγνιάδης Σιφαέα κάλλιπε δῆμον

---

[1] κακὸν scholia and four Parisian: κακὸν corrected into
κακῶν G : κακῶν all other MSS.
[2] κείνην corrected into κοινὴν by another hand G: κεινὴν L :
κοινὴν two Parisian.

not destined to return to Cerinthus. For fate had ordained that he and Mopsus, skilled in the seer's art, should wander and perish in the furthest ends of Libya. For no ill is too remote for mortals to incur, seeing that they buried them in Libya, as far from the Colchians as is the space that is seen between the setting and the rising of the sun.

To him Clytius and Iphitus joined themselves, the warders of Oechalia, sons of Eurytus the ruthless, Eurytus, to whom the Far-shooting god gave his bow; but he had no joy of the gift; for of his own choice he strove even with the giver.

After them came the sons of Aeacus, not both together, nor from the same spot; for they settled far from Aegina in exile, when in their folly they had slain their brother Phocus. Telamon dwelt in the Attic island; but Peleus departed and made his home in Phthia.

After them from Cecropia came warlike Butes, son of brave Teleon, and Phalerus of the ashen spear. Alcon his father sent him forth; yet no other sons had he to care for his old age and livelihood. But him, his well-beloved and only son, he sent forth that amid bold heroes he might shine conspicuous. But Theseus, who surpassed all the sons of Erechtheus, an unseen bond kept beneath the land of Taenarus, for he had followed that path with Peirithous; assuredly both would have lightened for all the fulfilment of their toil.

Tiphys, son of Hagnias, left the Siphaean people of

Θεσπιέων, ἐσθλὸς μὲν ὀρινόμενον προδαῆναι
κῦμ' ἁλὸς εὐρείης, ἐσθλὸς δ' ἀνέμοιο θυέλλας
καὶ πλόον ἠελίῳ τε καὶ ἀστέρι τεκμήρασθαι.
αὐτή μιν Τριτωνὶς ἀριστήων ἐς ὅμιλον
ὦρσεν Ἀθηναίη, μετὰ δ' ἤλυθεν ἐλδομένοισιν.   110
αὐτὴ γὰρ καὶ νῆα θοὴν κάμε· σὺν δέ οἱ Ἄργος
τεῦξεν Ἀρεστορίδης κείνης ὑποθημοσύνῃσιν.
τῷ καὶ πασάων προφερεστάτη ἔπλετο νηῶν,
ὅσσαι ὑπ' εἰρεσίῃσιν ἐπειρήσαντο θαλάσσης.

Φλίας δ' αὖτ' ἐπὶ τοῖσιν Ἀραιθυρέηθεν ἵκανεν,
ἔνθ' ἀφνειὸς ἔναιε Διωνύσοιο ἕκητι,
πατρὸς ἑοῦ, πηγῇσιν ἐφέστιος Ἀσωποῖο.

Ἀργόθεν αὖ Ταλαὸς καὶ Ἀρήιος, υἷε Βίαντος,
ἤλυθον ἴφθιμός τε Λεώδοκος, οὓς τέκε Πηρὼ
Νηληίς· τῆς δ' ἀμφὶ δύην ἐμόγησε βαρεῖαν   120
Αἰολίδης σταθμοῖσιν ἐν Ἰφίκλοιο Μελάμπους.

Οὐδὲ μὲν οὐδὲ βίην κρατερόφρονος Ἡρακλῆος
πευθόμεθ' Αἰσονίδαο λιλαιομένου ἀθερίξαι.
ἀλλ' ἐπεὶ ἄιε βάξιν ἀγειρομένων ἡρώων,
νεῖον ἀπ' Ἀρκαδίης Λυρκήιον [1] Ἄργος ἀμείψας
τὴν ὁδόν, ᾗ ζωὸν φέρε κάπριον, ὅς ῥ' ἐνὶ βήσσῃς
φέρβετο Λαμπείης, Ἐρυμάνθιον ἂμ μέγα τῖφος,
τὸν μὲν ἐνὶ πρώτῃσι Μυκηναίων ἀγορῇσιν
δεσμοῖς ἰλλόμενον μεγάλων ἀπεθήκατο νώτων·
αὐτὸς δ' ᾗ ἰότητι παρὲκ νόον Εὐρυσθῆος   130
ὡρμήθη· σὺν καί οἱ Ὕλας κίεν, ἐσθλὸς ὀπάων,
πρωθήβης, ἰῶν τε φορεὺς φύλακός τε βιοῖο.

Τῷ δ' ἐπὶ δὴ θείοιο κίεν Δαναοῖο γενέθλη,
Ναύπλιος. ἦ γὰρ ἔην Κλυτονήου Ναυβολίδαο·
Ναύβολος αὖ Λέρνου· Λέρνον γε μὲν ἴδμεν ἐόντα

_____
[1] Λυρκήιον scholia : Λυγκήιον MSS.

the Thespians, well skilled to foretell the rising wave
on the broad sea, and well skilled to infer from sun
and star the stormy winds and the time for sailing.
Tritonian Athena herself urged him to join the
band of chiefs, and he came among them a welcome
comrade. She herself too fashioned the swift ship;
and with her Argus, son of Arestor, wrought it by
her counsels. Wherefore it proved the most excel-
lent of all ships that have made trial of the sea with
oars.

After them came Phlias from Araethyrea, where
he dwelt in affluence by the favour of his father
Dionysus, in his home by the springs of Asopus.

From Argos came Talaus and Areius, sons of Bias,
and mighty Leodocus, all of whom Pero daughter of
Neleus bare; on her account the Aeolid Melampus
endured sore affliction in the steading of Iphiclus.

Nor do we learn that Heracles of the mighty
heart disregarded the eager summons of Aeson's
son. But when he heard a report of the heroes'
gathering and had reached Lyrccian Argos from
Arcadia by the road along which he carried the boar
alive that fed in the thickets of Lampeia, near the
vast Erymanthian swamp, the boar bound with
chains he put down from his huge shoulders at the
entrance to the market-place of Mycenae; and him-
self of his own will set out against the purpose of
Eurystheus; and with him went Hylas, a brave
comrade, in the flower of youth, to bear his arrows
and to guard his bow.

Next to him came a scion of the race of divine
Danaus, Nauplius. He was the son of Clytonaeus
son of Naubolus; Naubolus was son of Lernus;

Προίτου Ναυπλιάδαο· Ποσειδάωνι δὲ κούρη
πρίν ποτ' Ἀμυμώνη Δαναῒς τέκεν εὐνηθεῖσα
Ναύπλιον, ὃς περὶ πάντας ἐκαίνυτο ναυτιλίῃσιν.

Ἴδμων δ' ὑστάτιος μετεκίαθεν, ὅσσοι ἔναιον
Ἄργος, ἐπεὶ δεδαὼς τὸν ἑὸν μόρον οἰωνοῖσιν   140
ἤιε, μή οἱ δῆμος ἐυκλείης ἀγάσαιτο.
οὐ μὲν ὅγ' ἦεν Ἄβαντος ἐτήτυμον, ἀλλά μιν αὐτὸς
γείνατο κυδαλίμοις ἐναρίθμιον Αἰολίδῃσιν
Λητοΐδης· αὐτὸς δὲ θεοπροπίας ἐδίδαξεν
οἰωνούς τ' ἀλέγειν ἠδ' ἔμπυρα σήματ' ἰδέσθαι.

Καὶ μὴν Αἰτωλὶς κρατερὸν Πολυδεύκεα Λήδη
Κάστορά τ' ὠκυπόδων ὦρσεν δεδαημένον ἵππων
Σπάρτηθεν· τοὺς δ' ἧγε δόμοις ἔνι Τυνδαρέοιο
τηλυγέτους ὠδῖνι μιῇ τέκεν· οὐδ' ἀπίθησεν
νισσομένοις· Ζηνὸς γὰρ ἐπάξια μήδετο λέκτρων.   150

Οἵ τ' Ἀφαρητιάδαι Λυγκεὺς καὶ ὑπέρβιος Ἴδας
Ἀρήνηθεν ἔβαν, μεγάλῃ περιθαρσέες ἀλκῇ
ἀμφότεροι· Λυγκεὺς δὲ καὶ ὀξυτάτοις ἐκέκαστο
ὄμμασιν, εἰ ἐτεόν γε πέλει κλέος, ἀνέρα κεῖνον
ῥηιδίως καὶ νέρθε κατὰ χθονὸς αὐγάζεσθαι.

Σὺν δὲ Περικλύμενος Νηλήιος ὦρτο νέεσθαι,
πρεσβύτατος παίδων, ὅσσοι Πύλῳ ἐξεγένοντο
Νηλῆος θείοιο· Ποσειδάων δέ οἱ ἀλκὴν
δῶκεν ἀπειρεσίην ἠδ' ὅττι κεν ἀρήσαιτο
μαρνάμενος, τὸ πέλεσθαι ἐνὶ ξυνοχῇ πολέμοιο.   160

Καὶ μὴν Ἀμφιδάμας Κηφεύς τ' ἴσαν Ἀρκαδί-
     ηθεν,
οἳ Τεγέην καὶ κλῆρον Ἀφειδάντειον ἔναιον,
υἷε δύω Ἀλεοῦ· τρίτατός γε μὲν ἕσπετ' ἰοῦσιν
Ἀγκαῖος, τὸν μέν ῥα πατὴρ Λυκόοργος ἔπεμπεν,
τῶν ἄμφω γνωτὸς προγενέστερος. ἀλλ' ὁ μὲν ἤδη

Lernus we know was the son of Proetus son of
Nauplius; and once Amymone daughter of Danaus,
wedded to Poseidon, bare Nauplius, who surpassed
all men in naval skill.

Idmon came last of all them that dwelt at
Argos, for though he had learnt his own fate by
augury, he came, that the people might not grudge
him fair renown. He was not in truth the son of
Abas, but Leto's son himself begat him to be
numbered among the illustrious Aeolids; and himself
taught him the art of prophecy—to pay heed to
birds and to observe the signs of the burning
sacrifice.

Moreover Aetolian Leda sent from Sparta strong
Polydeuces and Castor, skilled to guide swift-footed
steeds; these her dearly-loved sons she bare at one
birth in the house of Tyndareus; nor did she
forbid their departure; for she had thoughts worthy
of the bride of Zeus.

The sons of Aphareus, Lynceus and proud Idas,
came from Arene, both exulting in their great
strength; and Lynceus too excelled in keenest sight,
if the report is true that that hero could easily
direct his sight even beneath the earth.

And with them Neleian Periclymenus set out to
come, eldest of all the sons of godlike Neleus who
were born at Pylos; Poseidon had given him bound-
less strength and granted him that whatever shape
he should crave during the fight, that he should
take in the stress of battle.

Moreover from Arcadia came Amphidamas and
Cepheus, who inhabited Tegea and the allotment of
Apheidas, two sons of Aleus; and Ancaeus followed
them as the third, whom his father Lycurgus sent, the

γηράσκοντ' 'Αλεὸν λίπετ' ἂμ πόλιν ὄφρα κομίζοι,
παῖδα δ' ἑὸν σφετέροισι κασιγνήτοισιν ὄπασσεν.
βῆ δ' ὅγε Μαιναλίης ἄρκτου δέρος, ἀμφίτομόν τε
δεξιτερῇ πάλλων πέλεκυν μέγαν. ἔντεα γάρ οἱ
πατροπάτωρ 'Αλεὸς μυχάτῃ ἐνέκρυψε καλιῇ,   170
αἴ κέν πως ἔτι καὶ τὸν ἐρητύσειε νέεσθαι.
    Βῆ δὲ καὶ Αὐγείης, ὃν δὴ φάτις 'Ηελίοιο
ἔμμεναι· 'Ηλείοισι δ' ὅγ' ἀνδράσιν ἐμβασίλευεν,
ὄλβῳ κυδιόων· μέγα δ' ἵετο Κολχίδα γαῖαν
αὐτόν τ' Αἰήτην ἰδέειν σημάντορα Κόλχων.
    'Αστέριος δὲ καὶ 'Αμφίων 'Υπερασίου υἷες
Πελλήνης ἀφίκανον 'Αχαιίδος, ἥν ποτε Πέλλης
πατροπάτωρ ἐπόλισσεν ἐπ' ὀφρύσιν Αἰγιαλοῖο.
    Ταίναρον αὖτ' ἐπὶ τοῖσι λιπὼν Εὔφημος ἵκανεν,
τόν ῥα Ποσειδάωνι ποδωκηέστατον ἄλλων   180
Εὐρώπη Τιτυοῖο μεγασθενέος τέκε κούρη.
κεῖνος ἀνὴρ καὶ πόντου ἐπὶ γλαυκοῖο θέεσκεν
οἴδματος, οὐδὲ θοοὺς βάπτεν πόδας, ἀλλ' ὅσον
    ἄκροις
ἴχνεσι τεγγόμενος διερῇ πεφόρητο κελεύθῳ.
    Καὶ δ' ἄλλω δύο παῖδε Ποσειδάωνος ἵκοντο·
ἤτοι ὁ μὲν πτολίεθρον ἀγαυοῦ Μιλήτοιο
νοσφισθεὶς 'Εργῖνος, ὁ δ' 'Ιμβρασίης ἕδος "Ηρης,
Παρθενίην, 'Αγκαῖος ὑπέρβιος· ἵστορε δ' ἄμφω
ἠμὲν ναυτιλίης, ἠδ' ἄρεος εὐχετόωντο.
    Οἰνεΐδης δ' ἐπὶ τοῖσιν ἀφορμηθεὶς Καλυδῶνος   190
ἀλκήεις Μελέαγρος ἀνήλυθε, Λαοκόων τε,
Λαοκόων Οἰνῆος ἀδελφεός, οὐ μὲν ἰῆς γε
μητέρος· ἀλλά ἑ θῆσσα γυνὴ τέκε· τὸν μὲν ἄρ'
    Οἰνεὺς
ἤδη γηραλέον κοσμήτορα παιδὸς ἴαλλεν·
ὧδ' ἔτι κουρίζων περιθαρσέα δῦνεν ὅμιλον

brother older than both. But he was left in the city to care for Aleus now growing old, while he gave his son to join his brothers. Ancaeus went clad in the skin of a Maenalian bear, and wielding in his right hand a huge two-edged battleaxe. For his armour his grandsire had hidden in the house's innermost recess, to see if he might by some means still stay his departure.

There came also Augeias, whom fame declared to be the son of Helios; he reigned over the Eleans, glorying in his wealth; and greatly he desired to behold the Colchian land and Aeetes himself the ruler of the Colchians.

Asterius and Amphion, sons of Hyperasius, came from Achaean Pellene, which once Pelles their grandsire founded on the brows of Aegialus.

After them from Taenarus came Euphemus whom, most swift-footed of men, Europe, daughter of mighty Tityos, bare to Poseidon. He was wont to skim the swell of the grey sea, and wetted not his swift feet, but just dipping the tips of his toes was borne on the watery path.

Yea, and two other sons of Poseidon came; one Erginus, who left the citadel of glorious Miletus, the other proud Ancaeus, who left Parthenia, the seat of Imbrasion Hera; both boasted their skill in sea-craft and in war.

After them from Calydon came the son of Oeneus, strong Meleagrus, and Laocoon—Laocoon the brother of Oeneus, though not by the same mother, for a serving-woman bare him; him, now growing old, Oeneus sent to guard his son: thus Meleagrus, still a youth, entered the bold band of heroes. No other

ἡρώων. τοῦ δ' οὔτιν' ὑπέρτερον ἄλλον ὀΐω,
νόσφιν γ' Ἡρακλῆος, ἐπελθέμεν, εἴ κ' ἔτι μοῦνον
αὖθι μένων λυκάβαντα μετετράφη Αἰτωλοῖσιν.
καὶ μήν οἱ μήτρως αὐτὴν ὁδόν, εὖ μὲν ἄκοντι,
εὖ δὲ καὶ ἐν σταδίῃ δεδαημένος ἀντιφέρεσθαι,   200
Θεστιάδης Ἴφικλος ἐφωμάρτησε κιόντι.

Σὺν δὲ Παλαιμόνιος Λέρνου πάϊς Ὠλενίοιο,
Λέρνου ἐπίκλησιν, γενεήν γε μὲν Ἡφαίστοιο·
τούνεκ' ἔην πόδα σιφλός· ἀτὰρ δέμας οὔ κέ τις ἔτλη
ἠνορέην τ' ὀνόσασθαι, ὃ καὶ μεταρίθμιος ἦεν
πᾶσιν ἀριστήεσσιν, Ἰήσονι κῦδος ἀέξων.

Ἐκ δ' ἄρα Φωκήων κίεν Ἴφιτος Ὀρνυτίδαο
Ναυβόλου ἐκγεγαώς· ξεῖνος δέ οἱ ἔσκε πάροιθεν,
ἦμος ἔβη Πυθώδε θεοπροπίας ἐρεείνων
ναυτιλίης· τότε γάρ μιν ἑοῖς ὑπέδεκτο δόμοισιν.   210

Ζήτης αὖ Κάλαΐς τε Βορήϊοι υἷες ἵκοντο,
οὕς ποτ' Ἐρεχθηὶς Βορέῃ τέκεν Ὠρείθυια
ἐσχατιῇ Θρήκης δυσχειμέρου· ἔνθ' ἄρα τήνγε
Θρήϊκιος Βορέης ἀνερείψατο Κεκροπίηθεν
Ἰλισσοῦ προπάροιθε χορῷ ἔνι δινεύουσαν.
καί μιν ἄγων ἕκαθεν, Σαρπηδονίην ὅθι πέτρην
κλείουσιν, ποταμοῖο παρὰ ῥόον Ἐργίνοιο,
λυγαίοις ἐδάμασσε περὶ νεφέεσσι καλύψας.
τὼ μὲν ἐπ' ἀκροτάτοισι ποδῶν ἑκάτερθεν ἐρεμνὰς
σεῖον ἀειρομένω πτέρυγας, μέγα θάμβος ἰδέσθαι,   220
χρυσείαις φολίδεσσι διαυγέας· ἀμφὶ δὲ νώτοις
κράατος ἐξ ὑπάτοιο καὶ αὐχένος ἔνθα καὶ ἔνθα
κυάνεαι δονέοντο μετὰ πνοιῇσιν ἔθειραι.

Οὐδὲ μὲν οὐδ' αὐτοῖο πάϊς μενέαινεν Ἄκαστος
ἰφθίμου Πελίαο δόμοις ἔνι πατρὸς ἑῆος [1]

---

[1] ἑοῖο G.

had come superior to him, I ween, except Heracles, if for one year more he had tarried and been nurtured among the Aetolians. Yea, and his uncle, well skilled to fight whether with the javelin or hand to hand, Iphiclus son of Thestius, bare him company on his way.

With him came Palaemonius, son of Olenian Lernus, of Lernus by repute, but his birth was from Hephaestus; and so he was crippled in his feet, but his bodily frame and his valour no one would dare to scorn. Wherefore he was numbered among all the chiefs, winning fame for Jason.

From the Phocians came Iphitus sprung from Naubolus son of Ornytus; once he had been his host when Jason went to Pytho to ask for a response concerning his voyage; for there he welcomed him in his own halls.

Next came Zetes and Calais, sons of Boreas, whom once Oreithyia, daughter of Erechtheus, bare to Boreas on the verge of wintry Thrace; thither it was that Thracian Boreas snatched her away from Cecropia as she was whirling in the dance, hard by Ilissus' stream. And, carrying her far off, to the spot that men called the rock of Sarpedon, near the river Erginus, he wrapped her in dark clouds and forced her to his will. There they were making their dusky wings quiver upon their ankles on both sides as they rose, a great wonder to behold, wings that gleamed with golden scales: and round their backs from the top of the head and neck, hither and thither, their dark tresses were being shaken by the wind.

No, nor had Acastus son of mighty Pelias himself any will to stay behind in the palace of his brave sire,

μιμνάζειν, Ἄργος τε θεᾶς ὑποεργὸς Ἀθήνης·
ἀλλ' ἄρα καὶ τὼ μέλλον ἐνικρινθῆναι ὁμίλῳ.

Τόσσοι ἄρ' Αἰσονίδῃ συμμήστορες ἠγερέθοντο.
τοὺς μὲν ἀριστῆας Μινύας περιναιετάοντες
κίκλησκον μάλα πάντας, ἐπεὶ Μινύαο θυγατρῶν   230
οἱ πλεῖστοι καὶ ἄριστοι ἀφ' αἵματος εὐχετόωντο
ἔμμεναι· ὡς δὲ καὶ αὐτὸν Ἰήσονα γείνατο μήτηρ
Ἀλκιμέδη, Κλυμένης Μινυηίδος ἐκγεγαυῖα.

Αὐτὰρ ἐπεὶ δμώεσσιν ἐπαρτέα πάντ' ἐτέτυκτο,
ὅσσα περ ἐντύνονται ἐπαρτέες ἔνδοθι νῆες,
εὖτ' ἂν ἄγῃ χρέος ἄνδρας ὑπεὶρ ἅλα ναυτίλλεσθαι,
δὴ τότ' ἴσαν μετὰ νῆα δι' ἄστεος, ἔνθα περ ἀκταὶ
κλείονται Παγασαὶ Μαγνήτιδες· ἀμφὶ δὲ λαῶν
πληθὺς σπερχομένων [1] ἄμυδις θέεν· οἱ δὲ φαεινοὶ
ἀστέρες ὣς νεφέεσσι μετέπρεπον· ὧδε δ' ἕκαστος   240
ἔννεπεν εἰσορόων σὺν τεύχεσιν ἀίσσοντας·

' Ζεῦ ἄνα, τίς Πελίαο νόος; πόθι τόσσον ὅμιλον
ἡρώων γαίης Παναχαιίδος ἔκτοθι βάλλει;
αὐτῆμάρ κε δόμους ὀλοῷ πυρὶ δῃώσειαν
Αἰήτεω, ὅτε μή σφιν ἑκὼν δέρος ἐγγυαλίξῃ.
ἀλλ' οὐ φυκτὰ κέλευθα, πόνος δ' ἄπρηκτος ἰοῦσιν.'

Ὣς φάσαν ἔνθα καὶ ἔνθα κατὰ πτόλιν· αἱ δὲ
      γυναῖκες
πολλὰ μάλ' ἀθανάτοισιν ἐς αἰθέρα χεῖρας ἄειρον,
εὐχόμεναι νόστοιο τέλος θυμηδὲς ὀπάσσαι.
ἄλλη δ' εἰς ἑτέρην ὀλοφύρετο δακρυχέουσα·   250

' Δειλὴ Ἀλκιμέδη, καὶ σοὶ κακὸν ὀψέ περ ἔμπης
ἤλυθεν, οὐδ' ἐτέλεσσας ἐπ' ἀγλαΐῃ βιότοιο.

----

[1] σπερχομένων Meineke : ἐπερχομένων MSS.

nor Argus, helper of the goddess Athena; but they too were ready to be numbered in the host.

So many then were the helpers who assembled to join the son of Aeson. All the chiefs the dwellers thereabout called Minyae, for the most and the bravest avowed that they were sprung from the blood of the daughters of Minyas; thus Jason himself was the son of Alcimede who was born of Clymene the daughter of Minyas.

Now when all things had been made ready by the thralls, all things that fully-equipped ships are furnished withal when men's business leads them to voyage across the sea, then the heroes took their way through the city to the ship where it lay on the strand that men call Magnesian Pagasae; and a crowd of people hastening rushed together; but the heroes shone like gleaming stars among the clouds; and each man as he saw them speeding along with their armour would say:

"King Zeus, what is the purpose of Pelias? Whither is he driving forth from the Panachaean land so great a host of heroes? On one day they would waste the palace of Aeetes with baleful fire, should he not yield them the fleece of his own goodwill. But the path is not to be shunned, the toil is hard for those who venture."

Thus they spake here and there throughout the city; but the women often raised their hands to the sky in prayer to the immortals to grant a return, their hearts' desire. And one with tears thus lamented to her fellow:

"Wretched Alcimede, evil has come to thee at last though late, thou hast not ended with splendour

Αἴσων αὖ μέγα δή τι δυσάμμορος. ἦ τέ οἱ ἦεν
βέλτερον, εἰ τὸ πάροιθεν ἐνὶ κτερέεσσιν ἐλυσθεὶς
νειόθι γαίης κεῖτο, κακῶν ἔτι νῆις ἀέθλων.
ὡς ὄφελεν καὶ Φρίξον, ὅτ᾽ ὤλετο παρθένος Ἕλλη,
κῦμα μέλαι κριῷ ἅμ᾽ ἐπικλύσαι· ἀλλὰ καὶ αὐδὴν
ἀνδρομέην προέηκε κακὸν τέρας, ὥς κεν ἀνίας
Ἀλκιμέδη μετόπισθε καὶ ἄλγεα μυρία θείη.᾽

Αἱ μὲν ἄρ᾽ ὣς ἀγόρευον ἐπὶ προμολῇσι κιόντων. 260
ἤδη δὲ δμῶές τε πολεῖς δμωαί τ᾽ ἀγέροντο,
μήτηρ δ᾽ ἀμφ᾽ αὐτὸν βεβολημένη. ὀξὺ δ᾽ ἑκάστην
δῦνεν ἄχος· σὺν δέ σφι πατὴρ ὀλοῷ ὑπὸ γήραι
ἐντυπὰς ἐν λεχέεσσι καλυψάμενος γοάασκεν.
αὐτὰρ ὁ τῶν μὲν ἔπειτα κατεπρήυνεν ἀνίας
θαρσύνων, δμώεσσι δ᾽ ἀρήια τεύχε᾽ ἀείρειν
πέφραδεν· οἱ δὲ τὰ[1] σῖγα κατηφέες ἠείροντο.
μήτηρ δ᾽ ὡς τὰ πρῶτ᾽ ἐπεχεύατο πήχεε παιδί,
ὣς ἔχετο κλαίουσ᾽ ἀδινώτερον, ἠύτε κούρη
οἰόθεν ἀσπασίως πολιὴν τροφὸν ἀμφιπεσοῦσα 270
μύρεται, ᾗ οὐκ εἰσὶν ἔτ᾽ ἄλλοι κηδεμονῆες,
ἀλλ᾽ ὑπὸ μητρυιῇ βίοτον βαρὺν ἡγηλάζει·
καί ἑ νέον πολέεσσιν ὀνείδεσιν ἐστυφέλιξεν,
τῇ δέ τ᾽ ὀδυρομένῃ δέδεται κέαρ ἔνδοθεν ἄτῃ,
οὐδ᾽ ἔχει ἐκφλύξαι τόσσον γόον, ὅσσον ὀρεχθεῖ·
ὣς ἀδινὸν κλαίεσκεν ἑὸν παῖδ᾽ ἀγκὰς ἔχουσα
Ἀλκιμέδη, καὶ τοῖον ἔπος φάτο κηδοσύνῃσιν·

‘ Αἴθ᾽ ὄφελον κεῖν᾽ ἦμαρ, ὅτ᾽ ἐξειπόντος ἄκουσα
δειλὴ ἐγὼ Πελίαο κακὴν βασιλῆος ἐφετμήν,
αὐτίκ᾽ ἀπὸ ψυχὴν μεθέμεν, κηδέων τε λαθέσθαι, 280
ὄφρ᾽ αὐτός με τεῇσι φίλαις ταρχύσαο χερσίν,

---

[1] δὲ τὰ Merkel : δὲ MSS.

of life. Aeson too, ill-fated man! Surely better
had it been for him, if he were lying beneath the
earth, enveloped in his shroud, still unconscious of
bitter toils. Would that the dark wave, when the
maiden Helle perished, had overwhelmed Phrixus
too with the ram; but the dire portent even sent
forth a human voice, that it might cause to
Alcimede sorrows and countless pains hereafter."

Thus the women spake at the departure of the
heroes. And now many thralls, men and women,
were gathered together, and his mother, smitten
with grief for Jason. And a bitter pang seized every
woman's heart; and with them groaned the father
in baleful old age, lying on his bed, closely wrapped
round. But the hero straightway soothed their pain,
encouraging them, and bade the thralls take up his
weapons for war; and they in silence with downcast
looks took them up. And even as the mother had
thrown her arms about her son, so she clung, weeping
without stint, as a maiden all alone weeps, falling
fondly on the neck of her hoary nurse, a maid who
has now no others to care for her, but she drags on
a weary life under a stepmother, who maltreats her
continually with ever fresh insults, and as she weeps,
her heart within her is bound fast with misery, nor
can she sob forth all the groans that struggle for
utterance; so without stint wept Alcimede straining
her son in her arms, and in her yearning grief
spake as follows:

"Would that on that day when, wretched woman
that I am, I heard King Pelias proclaim his evil
behest, I had straightway given up my life and for-
gotten my cares, so that thou thyself, my son, with

τέκνον ἐμόν· τὸ γὰρ οἶον ἔην ἔτι λοιπὸν ἐέλδωρ
ἐκ σέθεν, ἄλλα δὲ πάντα πάλαι θρεπτήρια πέσσω.
νῦν γε μὲν ἡ τὸ πάροιθεν Ἀχαιιάδεσσιν ἀγητὴ
δμωὶς ὅπως κενεοῖσι λελείψομαι ἐν μεγάροισιν,
σεῖο πόθῳ μινύθουσα δυσάμμορος, ᾧ ἔπι πολλὴν
ἀγλαΐην καὶ κῦδος ἔχον πάρος, ᾧ ἔπι μούνῳ
μίτρην πρῶτον ἔλυσα καὶ ὕστατον. ἔξοχα γάρ
                                              μοι
Εἰλείθυια θεὰ πολέος ἐμέγηρε τόκοιο.
ᾧ μοι ἐμῆς ἄτης· τὸ μὲν οὐδ᾽ ὅσον, οὐδ᾽ ἐν ὀνείρῳ   290
ὠισάμην, εἰ Φρίξος ἐμοὶ κακὸν ἔσσετ᾽ ἀλύξας.'

   Ὣς ἥγε στενάχουσα κινύρετο· ταὶ δὲ γυναῖκες
ἀμφίπολοι γοάασκον ἐπισταδόν· αὐτὰρ ὁ τήνγε
μειλιχίοις ἐπέεσσι παρηγορέων προσέειπεν·

   ' Μή μοι λευγαλέας ἐνιβάλλεο, μῆτερ, ἀνίας
ὧδε λίην, ἐπεὶ οὐ μὲν ἐρητύσεις κακότητος
δάκρυσιν, ἀλλ᾽ ἔτι κεν καὶ ἐπ᾽ ἄλγεσιν ἄλγος ἄροιο.
πήματα γάρ τ᾽ ἀίδηλα θεοὶ θνητοῖσι νέμουσιν,
τῶν μοῖραν κατὰ θυμὸν ἀνιάζουσά περ ἔμπης
τλῆθι φέρειν· θάρσει δὲ συνημοσύνῃσιν Ἀθήνης,   300
ἠδὲ θεοπροπίοισιν, ἐπεὶ μάλα δεξιὰ Φοῖβος
ἔχρη, ἀτὰρ μετέπειτά γ᾽ ἀριστήων ἐπαρωγῇ.
ἀλλὰ σὺ μὲν νῦν αὖθι μετ᾽ ἀμφιπόλοισιν ἕκηλος
μίμνε δόμοις, μηδ᾽ ὄρνις ἀεικελίη πέλε νηί·
κεῖσε δ᾽ ὁμαρτήσουσιν ἔται δμῶές τε κιόντι.'

   Ἦ, καὶ ὁ μὲν προτέρωσε δόμων ἐξῶρτο νέεσθαι.
οἷος δ᾽ ἐκ νηοῖο θυώδεος εἶσιν Ἀπόλλων
Δῆλον ἀν᾽ ἠγαθέην, ἠὲ Κλάρον, ἢ ὅγε Πυθώ,
ἢ Λυκίην εὐρεῖαν, ἐπὶ Ξάνθοιο ῥοῇσιν,
τοῖος ἀνὰ πληθὺν δήμου κίεν· ὦρτο δ᾽ αὐτὴ   310
κεκλομένων ἄμυδις.   τῷ δὲ ξύμβλητο γεραιὴ

22

thine own hands, mightest have buried me; for that was the only wish left me still to be fulfilled by thee, all the other rewards for thy nurture have I long enjoyed. Now I, once so admired among Achaean women, shall be left behind like a bondwoman in my empty halls, pining away, ill-fated one, for love of thee, thee on whose account I had aforetime so much splendour and renown, my only son for whom I loosed my virgin zone first and last. For to me beyond others the goddess Eileithyia grudged abundant offspring. Alas for my folly! Not once, not even in my dreams did I forebode this, that the flight of Phrixus would bring me woe."

Thus with moaning she wept, and her handmaidens, standing by, lamented; but Jason spake gently to her with comforting words:

"Do not, I pray thee, mother, store up bitter sorrows overmuch, for thou wilt not redeem me from evil by tears, but wilt still add grief to grief. For unseen are the woes that the gods mete out to mortals; be strong to endure thy share of them though with grief in thy heart; take courage from the promises of Athena, and from the answers of the gods (for very favourable oracles has Phoebus given), and then from the help of the chieftains. But do thou remain here, quiet among thy handmaids, and be not a bird of ill omen to the ship; and thither my clansmen and thralls will follow me."

He spake, and started forth to leave the house. And as Apollo goes forth from some fragrant shrine to divine Delos or Claros or Pytho or to broad Lycia near the stream of Xanthus, in such beauty moved Jason through the throng of people; and a cry arose as they shouted together. And there met him aged

Ἰφιὰς Ἀρτέμιδος πολιηόχου ἀρήτειρα,
καί μιν δεξιτερῆς χειρὸς κύσεν, οὐδέ τι φάσθαι
ἔμπης ἱεμένη δύνατο, προθέοντος ὁμίλου·
ἀλλ᾽ ἡ μὲν λίπετ᾽ αὖθι παρακλιδόν, οἷα γεραιὴ
ὁπλοτέρων, ὁ δὲ πολλὸν ἀποπλαγχθεὶς ἐλιάσθη.

Αὐτὰρ ἐπεί ῥα πόληος ἐϋδμήτους λίπ᾽ ἀγυιάς,
ἀκτὴν δ᾽ ἵκανεν Παγασηίδα, τῇ μιν ἑταῖροι
δειδέχατ᾽, Ἀργῴη ἄμυδις παρὰ νηὶ μένοντες.
στῆ δ᾽ ἄρ᾽ ἐπὶ προμολῆς·[1] οἱ δ᾽ ἀντίοι ἠγερέθοντο.   320
ἐς δ᾽ ἐνόησαν Ἄκαστον ὁμῶς Ἄργον τε πόληος
νόσφι καταβλώσκοντας, ἐθάμβησαν δ᾽ ἐσιδόντες
πασσυδίῃ Πελίαο παρὲκ νόον ἰθύοντας.[2]
δέρμα δ᾽ ὁ μὲν ταύροιο ποδηνεκὲς ἀμφέχετ᾽ ὤμους
Ἄργος Ἀρεστορίδης λάχνῃ μέλαν· αὐτὰρ ὁ καλὴν
δίπλακα, τήν οἱ ὄπασσε κασιγνήτη Πελόπεια.
ἀλλ᾽ ἔμπης τὼ μέν τε διεξερέεσθαι ἕκαστα
ἔσχετο· τοὺς δ᾽ ἀγορήνδε συνεδριάασθαι ἄνωγεν.
αὐτοῦ δ᾽ ἱλλομένοις ἐπὶ λαίφεσιν, ἠδὲ καὶ ἱστῷ
κεκλιμένῳ μάλα πάντες ἐπισχερὼ ἑδριόωντο.   330
τοῖσιν δ᾽ Αἴσονος υἱὸς ἐϋφρονέων μετέειπεν·

    "Ἄλλα μὲν ὅσσα τε νηὶ ἐφοπλίσσασθαι ἔοικεν—
πάντα γὰρ εὖ κατὰ κόσμον—ἐπαρτέα κεῖται
    ἰοῦσιν.
τῶ οὐκ ἂν δηναιὸν ἐχοίμεθα τοῖο ἕκητι
ναυτιλίης, ὅτε μοῦνον ἐπιπνεύσωσιν[3] ἀῆται.
ἀλλά, φίλοι,—ξυνὸς γὰρ ἐς Ἑλλάδα νόστος
    ὀπίσσω,
ξυναὶ δ᾽ ἄμμι πέλονται ἐς Αἰήταο κέλευθοι—
τοὔνεκα νῦν τὸν ἄριστον ἀφειδήσαντες ἕλεσθε

---

[1] προμολῆς LG.
[2] ἰθύοντας Brunck : ἰθύνοντας MSS.
[3] ἐπιπνεύσωσιν one Parisian : ἐπιπνεύσουσιν all other MSS.

24

Iphias, priestess of Artemis guardian of the city, and kissed his right hand, but she had not strength to say a word, for all her eagerness, as the crowd rushed on, but she was left there by the wayside, as the old are left by the young, and he passed on and was gone afar.

Now when he had left the well-built streets of the city, he came to the beach of Pagasae, where his comrades greeted him as they stayed together near the ship Argo. And he stood at the entering in, and they were gathered to meet him. And they perceived Acastus and Argus coming from the city, and they marvelled when they saw them hasting with all speed, despite the will of Pelias. The one, Argus, son of Arestor, had cast round his shoulders the hide of a bull reaching to his feet, with the black hair upon it, the other, a fair mantle of double fold, which his sister Pelopeia had given him. Still Jason forebore from asking them about each point but bade all be seated for an assembly. And there, upon the folded sails and the mast as it lay on the ground, they all took their seats in order. And among them with goodwill spake Aeson's son:

"All the equipment that a ship needs—for all is in due order—lies ready for our departure. Therefore we will make no long delay in our sailing for these things' sake, when the breezes but blow fair. But, friends,—for common to all is our return to Hellas hereafter, and common to all is our path to the land of Aeetes—now therefore with ungrudging heart choose the bravest to be our leader, who shall

25

ὄρχαμον ἡμείων,[1] ᾧ κεν τὰ ἕκαστα μέλοιτο,
νείκεά συνθεσίας τε μετὰ ξείνοισι βαλέσθαι.'   340
    Ὣς φάτο· πάπτηναν δὲ νέοι θρασὺν Ἡρακλῆα
ἥμενον ἐν μέσσοισι· μιῇ δέ ἑ πάντες ἀυτῇ
σημαίνειν ἐπέτελλον· ὁ δ' αὐτόθεν, ἔνθα περ ἧστο,
δεξιτερὴν ἀνὰ χεῖρα τανύσσατο φώνησέν τε·
    'Μήτις ἐμοὶ τόδε κῦδος ὀπαζέτω. οὐ γὰρ ἔγωγε
πείσομαι· ὥστε καὶ ἄλλον ἀναστήσεσθαι ἐρύξω.
αὐτός, ὅτις ξυνάγειρε, καὶ ἀρχεύοι ὁμάδοιο.'
    Ἦ ῥα μέγα φρονέων, ἐπὶ δ' ἥνεον, ὡς ἐκέλευεν
Ἡρακλέης· ἀνὰ δ' αὐτὸς ἀρήιος ὦρνυτ' Ἰήσων
γηθόσυνος, καὶ τοῖα λιλαιομένοις ἀγόρευεν·   350
    'Εἰ μὲν δή μοι κῦδος ἐπιτρωπᾶτε μέλεσθαι,
μηκέτ' ἔπειθ', ὡς καὶ πρίν, ἐρητύοιτο κέλευθα.
νῦν γε μὲν ἤδη Φοῖβον ἀρεσσάμενοι θυέεσσιν
δαῖτ' ἐντυνώμεσθα παρασχεδόν. ὄφρα δ' ἴωσιν
δμῶες ἐμοὶ σταθμῶν σημάντορες, οἷσι μέμηλεν
δεῦρο βόας ἀγέληθεν ἐὺ κρίναντας ἐλάσσαι,
τόφρα κε νῆ' ἐρύσαιμεν ἔσω ἁλός, ὅπλα δὲ πάντα
ἐνθέμενοι πεπάλαχθε κατὰ κληῖδας ἐρετμά.
τείως δ' αὖ καὶ βωμὸν ἐπάκτιον Ἐμβασίοιο
θείομεν Ἀπόλλωνος, ὅ μοι χρείων ὑπέδεκτο   360
σημανέειν δείξειν τε πόρους ἁλός, εἴ κε θυηλαῖς
οὗ ἕθεν ἐξάρχωμαι ἀεθλεύων βασιλῆι.'
    Ἦ ῥα, καὶ εἰς ἔργον πρῶτος τράπεθ'· οἱ δ'
          ἐπανέσταν
πειθόμενοι· ἀπὸ δ' εἵματ' ἐπήτριμα νηήσαντο
λείῳ ἐπὶ πλαταμῶνι, τὸν οὐκ ἐπέβαλλε θάλασσα
κύμασι, χειμερίη δὲ πάλαι ἀποέκλυσεν ἅλμη.

---

[1] ἡμείων one Vatican, three Parisian : ὑμείων LG.

be careful for everything, to take upon him our quarrels and covenants with strangers."

Thus he spake; and the young heroes turned their eyes towards bold Heracles sitting in their midst, and with one shout they all enjoined upon him to be their leader; but he, from the place where he sat, stretched forth his right hand and said :

"Let no one offer this honour to me. For I will not consent, and I will forbid any other to stand up. Let the hero who brought us together, himself be the leader of the host."

Thus he spake with high thoughts, and they assented, as Heracles bade; and warlike Jason himself rose up, glad at heart, and thus addressed the eager throng :

"If ye entrust your glory to my care, no longer as before let our path be hindered. Now at last let us propitiate Phoebus with sacrifice and straightway prepare a feast. And until my thralls come, the overseers of my steading, whose care it is to choose out oxen from the herd and drive them hither, we will drag down the ship to the sea, and do ye place all the tackling within, and draw lots for the benches for rowing. Meantime let us build upon the beach an altar to Apollo Embasius [1] who by an oracle promised to point out and show me the paths of the sea, if by sacrifice to him I should begin my venture for King Pelias."

He spake, and was the first to turn to the work, and they stood up in obedience to him; and they heaped their garments, one upon the other, on a smooth stone, which the sea did not strike with its waves, but the stormy surge had cleansed it long before.

---

[1] *i.e.* God of embarcation.

νῆα δ' ἐπικρατέως Ἄργου ὑποθημοσύνῃσιν
ἔζωσαν πάμπρωτον ἐυστρεφεῖ ἔνδοθεν[1] ὅπλῳ
τεινάμενοι ἑκάτερθεν, ἵν' εὖ ἀραροίατο γόμφοις
δούρατα καὶ ῥοθίοιο βίην ἔχοι ἀντιόωσαν.   370
σκάπτον δ' αἶψα κατ' εὖρος ὅσον περιβάλλετο
    χῶρον,[2]
ἠδὲ κατὰ πρώειραν ἔσω[3] ἁλὸς ὀσσάτιόν περ
ἑλκομένη χείρεσσιν ἐπιδραμέεσθαι ἔμελλεν.
αἰεὶ δὲ προτέρω χθαμαλώτερον ἐξελάχαινον
στείρης, ἐν δ' ὁλκῷ ξεστὰς στορέσαντο φάλαγγας·
τὴν δὲ κατάντη κλῖναν ἐπὶ πρώτῃσι φάλαγξιν,
ὥς κεν ὀλισθαίνουσα δι' αὐτάων φορέοιτο.
ὕψι δ' ἄρ' ἔνθα καὶ ἔνθα μεταστρέψαντες ἐρετμὰ
πήχυιον προύχοντα περὶ σκαλμοῖσιν ἔδησαν.
τῶν δ' ἐναμοιβαδὶς αὐτοὶ ἐνέσταθεν ἀμφοτέρωθεν,   380
στέρνα θ' ὁμοῦ καὶ χεῖρας ἐπήλασαν. ἐν δ' ἄρα
    Τῖφυς
βήσαθ', ἵν' ὀτρύνειε νέους κατὰ καιρὸν ἐρύσσαι·
κεκλόμενος δ' ἤυσε μάλα μέγα· τοὶ δὲ παρᾶσσον
ᾧ κράτεϊ βρίσαντες ἰῇ στυφέλιξαν ἐρωῇ
νειόθεν ἐξ ἕδρης, ἐπὶ δ' ἐρρώσαντο πόδεσσιν
προπροβιαζόμενοι· ἡ δ' ἕσπετο Πηλιὰς Ἀργὼ
ῥίμφα μάλ'· οἱ δ' ἑκάτερθεν ἐπίαχον ἀίσσοντες.
αἱ δ' ἄρ' ὑπὸ τρόπιδι στιβαρῇ στενάχοντο
    φάλαγγες
τριβόμεναι· περὶ δέ σφιν ἀιδνὴ κήκιε λιγνὺς
βριθοσύνῃ, κατόλισθε δ' ἔσω ἁλός· οἱ δέ μιν αὖθι   390
ἂψ ἀνασειράζοντες ἔχον προτέρωσε κιοῦσαν.

---

[1] ἔκτοθεν Sanctamandus.
[2] χῶρον G : χῶρος all other MSS.
[3] πρώειραν ἔσω Th. Bergk : πρώραν ἔσω LG : πρῴραν εἴσω L².

28

First of all, by the command of Argus, they strongly girded the ship with a rope well twisted within,[1] stretching it tight on each side, in order that the planks might be well compacted by the bolts and might withstand the opposing force of the surge. And they quickly dug a trench as wide as the space the ship covered, and at the prow as far into the sea as it would run when drawn down by their hands. And they ever dug deeper in front of the stem, and in the furrow laid polished rollers; and inclined the ship down upon the first rollers, that so she might glide and be borne on by them. And above, on both sides, reversing the oars, they fastened them round the thole-pins, so as to project a cubit's space. And the heroes themselves stood on both sides at the oars in a row, and pushed forward with chest and hand at once. And then Tiphys leapt on board to urge the youths to push at the right moment; and calling on them he shouted loudly; and they at once, leaning with all their strength, with one push started the ship from her place, and strained with their feet, forcing her onward; and Pelian Argo followed swiftly; and they on each side shouted as they rushed on. And then the rollers groaned under the sturdy keel as they were chafed, and round them rose up a dark smoke owing to the weight, and she glided into the sea; but the heroes stood there and kept dragging her back as she sped

---

[1] Or, reading ἔκτοθεν, "they strongly girded the ship outside with a well-twisted rope." In either case there is probably no allusion to ὑποζώματα (ropes for undergirding) which were carried loose and only used in stormy weather.

σκαλμοῖς δ' ἀμφὶς ἐρετμὰ κατήρτυον· ἐν δέ οἱ ἱστὸν
λαίφεά τ' εὐποίητα καὶ ἁρμαλίην ἐβάλοντο.

Αὐτὰρ ἐπεὶ τὰ ἕκαστα περιφραδέως ἀλέγυναν,
κληῖδας μὲν πρῶτα πάλῳ διεμοιρήσαντο,
ἄνδρ' ἐντυναμένω δοιὼ μίαν· ἐκ δ' ἄρα μέσσην
ἥρεον Ἡρακλῆι καὶ ἡρώων ἄτερ ἄλλων
Ἀγκαίῳ, Τεγέης ὅς ῥα πτολίεθρον ἔναιεν.
τοῖς μέσσην οἴοισιν ἀπὸ κληῖδα λίποντο
αὔτως, οὔτι πάλῳ· ἐπὶ δ' ἕτερον αἰνήσαντες   400
Τῖφυν ἐυστείρης οἰήια νηὸς ἔρυσθαι.

Ἔνθεν δ' αὖ λάιγγας ἁλὸς σχεδὸν ὀχλίζοντες
νήεον αὐτόθι βωμὸν ἐπάκτιον Ἀπόλλωνος,
Ἀκτίου Ἐμβασίοιό τ' ἐπώνυμον· ὦκα δὲ τοίγε
φιτροὺς ἀζαλέης στόρεσαν καθύπερθεν ἐλαίης.
τείως δ' αὖτ' ἀγέληθεν ἐπιπροέηκαν ἄγοντες
βουκόλοι Αἰσονίδαο δύω βόε. τοὺς δ' ἐρύσαντο
κουρότεροι ἑτάρων βωμοῦ σχεδόν, οἱ δ' ἄρ' ἔπειτα
χέρνιβά τ' οὐλοχύτας τε παρέσχεθον. αὐτὰρ
                                    Ἰήσων
εὔχετο κεκλόμενος πατρώιον Ἀπόλλωνα·   410
'Κλῦθι ἄναξ, Παγασάς τε πόλιν τ' Αἰσωνίδα
                           ναίων,
ἡμετέροιο τοκῆος ἐπώνυμον, ὅς μοι ὑπέστης
Πυθοῖ χρειομένῳ ἄνυσιν καὶ πείραθ' ὁδοῖο
σημανέειν, αὐτὸς γὰρ ἐπαίτιος ἔπλευ ἀέθλων·
αὐτὸς νῦν ἄγε νῆα σὺν ἀρτεμέεσσιν ἑταίροις
κεῖσέ τε καὶ παλίνορσον ἐς Ἑλλάδα. σοὶ δ' ἂν
                           ὀπίσσω
τόσσων, ὅσσοι κεν νοστήσομεν, ἀγλαὰ ταύρων
ἱρὰ πάλιν βωμῷ ἐπιθήσομεν· ἄλλα δὲ Πυθοῖ,
ἄλλα δ' ἐς Ὀρτυγίην ἀπερείσια δῶρα κομίσσω.
νῦν δ' ἴθι, καὶ τήνδ' ἧμιν, Ἑκηβόλε, δέξο θυηλήν,   420

onward. And round the thole-pins they fitted the oars, and in the ship they placed the mast and the well-made sails and the stores.

Now when they had carefully paid heed to everything, first they distributed the benches by lot, two men occupying one seat; but the middle bench they chose for Heracles and Ancaeus apart from the other heroes, Ancaeus who dwelt in Tegea. For them alone they left the middle bench just as it was and not by lot; and with one consent they entrusted Tiphys with guarding the helm of the well-stemmed ship.

Next, piling up shingle near the sea, they raised there an altar on the shore to Apollo, under the name of Actius [1] and Embasius, and quickly spread above it logs of dried olive-wood. Meantime the herdsmen of Aeson's son had driven before them from the herd two steers. These the younger comrades dragged near the altars, and the others brought lustral water and barley meal, and Jason prayed, calling on Apollo the god of his fathers:

"Hear, O King, that dwellest in Pagasae and the city Aesonis, the city called by my father's name, thou who didst promise me, when I sought thy oracle at Pytho, to show the fulfilment and goal of my journey, for thou thyself hast been the cause of my venture; now do thou thyself guide the ship with my comrades safe and sound, thither and back again to Hellas. Then in thy honour hereafter we will lay again on thy altar the bright offerings of bulls—all of us who return; and other gifts in countless numbers I will bring to Pytho and Ortygia. And now, come, Far-darter, accept this sacrifice at our hands, which first of all we have offered

---

[1] *i.e.* God of the shore.

ἤν τοι τῆσδ' ἐπίβαθρα χάριν προτεθείμεθα νηὸς
πρωτίστην· λύσαιμι δ', ἄναξ, ἐπ' ἀπήμονι μοίρῃ
πείσματα σὴν διὰ μῆτιν· ἐπιπνεύσειε δ' ἀήτης
μείλιχος, ᾧ κ' ἐπὶ πόντον ἐλευσόμεθ' εὐδιόωντες.'
    Ἦ, καὶ ἅμ' εὐχωλῇ προχύτας βάλε.   τὼ δ' ἐπὶ
        βουσὶν
ζωσάσθην, Ἀγκαῖος ὑπέρβιος, Ἡρακλέης τε.
ἤτοι ὁ μὲν ῥοπάλῳ μέσσον κάρη ἀμφὶ μέτωπα
πλῆξεν, ὁ δ' ἀθρόος αὖθι πεσὼν ἐνερείσατο γαίῃ·
Ἀγκαῖος δ' ἑτέροιο κατὰ πλατὺν αὐχένα κόψας
χαλκείῳ πελέκει κρατεροὺς διέκερσε τένοντας·   430
ἤριπε δ' ἀμφοτέροισι περιρρηδὴς κεράεσσιν.
τοὺς δ' ἕταροι σφάξαν τε θοῶς, δεῖράν τε βοείας,
κόπτον, δαίτρευόν τε, καὶ ἱερὰ μῆρ' ἐτάμοντο,
κὰδ δ' ἄμυδις τάγε πάντα καλύψαντες πύκα δημῷ
καῖον ἐπὶ σχίζῃσιν· ὁ δ' ἀκρήτους χέε λοιβὰς
Αἰσονίδης, γήθει δὲ σέλας θηεύμενος Ἴδμων
πάντοσε λαμπόμενον θυέων ἄπο τοῖό τε λιγνὺν
πορφυρέαις ἑλίκεσσιν ἐναίσιμον ἀίσσουσαν·
αἶψα δ' ἀπηλεγέως νόον ἔκφατο Λητοΐδαο·
    ''Υμῖν μὲν δὴ μοῖρα θεῶν χρειώ τε περῆσαι   440
ἐνθάδε κῶας ἄγοντας· ἀπειρέσιοι δ' ἐνὶ μέσσῳ
κεῖσέ τε δεῦρό τ' ἔασιν ἀνερχομένοισιν ἄεθλοι.
αὐτὰρ ἐμοὶ θανέειν στυγερῇ ὑπὸ δαίμονος αἴσῃ
τηλόθι που πέπρωται ἐπ' Ἀσίδος ἠπείροιο.
ὧδε κακοῖς δεδαὼς ἔτι καὶ πάρος οἰωνοῖσιν
πότμον ἐμὸν πάτρης ἐξήιον, ὄφρ' ἐπιβαίην
νηός, εὐκλείη δὲ δόμοις ἐπιβάντι λίπηται.'
    Ὣς ἄρ' ἔφη· κοῦροι δὲ θεοπροπίης ἀίοντες
νόστῳ μὲν γήθησαν, ἄχος δ' ἕλεν Ἴδμονος αἴσῃ.

thee for this ship on our embarcation; and grant, O
King, that with a prosperous weird I may loose the
hawsers, relying on thy counsel, and may the breeze
blow softly with which we shall sail over the sea in
fair weather."

He spake, and with his prayer cast the barley
meal. And they two girded themselves to slay the
steers, proud Ancaeus and Heracles. The latter
with his club smote one steer mid-head on the brow,
and falling in a heap on the spot, it sank to the
ground; and Ancaeus struck the broad neck of the
other with his axe of bronze, and shore through the
mighty sinews; and it fell prone on both its horns.
Their comrades quickly severed the victims' throats,
and flayed the hides: they sundered the joints
and carved the flesh, then cut out the sacred thigh
bones, and covering them all together closely with
fat burnt them upon cloven wood. And Aeson's son
poured out pure libations, and Idmon rejoiced be-
holding the flame as it gleamed on every side from
the sacrifice, and the smoke of it mounting up with
good omen in dark spiral columns; and quickly he
spake outright the will of Leto's son:

"For you it is the will of heaven and destiny that
ye shall return here with the fleece; but meanwhile
both going and returning, countless trials await you.
But it is my lot, by the hateful decree of a god, to die
somewhere afar off on the mainland of Asia. Thus,
though I learnt my fate from evil omens even
before now, I have left my fatherland to embark on
the ship, that so after my embarking fair fame may
be left me in my house."

Thus he spake; and the youths hearing the divine
utterance rejoiced at their return, but grief seized

ἦμος δ' ἠέλιος σταθερὸν παραμείβεται ἦμαρ,　　450
αἱ δὲ νέον σκοπέλοισιν ὑποσκιόωνται ἄρουραι,
δειελινὸν κλίνοντος ὑπὸ ζόφον ἠελίοιο,
τῆμος ἄρ' ἤδη πάντες ἐπὶ ψαμάθοισι βαθεῖαν
φυλλάδα χευάμενοι πολιοῦ πρόπαρ αἰγιαλοῖο
κέκλινθ' ἑξείης· παρὰ δέ σφισι μυρί' ἔκειτο
εἴδατα, καὶ μέθυ λαρόν, ἀφυσσαμένων προχόῃσιν
οἰνοχόων· μετέπειτα δ' ἀμοιβαδὶς ἀλλήλοισιν
μυθεῦνθ', οἷά τε πολλὰ νέοι παρὰ δαιτὶ καὶ οἴνῳ
τερπνῶς ἑψιόωνται, ὅτ' ἄατος ὕβρις ἀπείη.
ἔνθ' αὖτ' Αἰσονίδης μὲν ἀμήχανος εἰν ἑοῖ αὐτῷ　　460
πορφύρεσκεν ἕκαστα κατηφιόωντι ἐοικώς.
τὸν δ' ἄρ' ὑποφρασθεὶς μεγάλῃ ὀπὶ νείκεσεν Ἴδας·
　'Αἰσονίδη, τίνα τήνδε μετὰ φρεσὶ μῆτιν ἑλίσ-
　　σεις;
αὖδα ἐνὶ μέσσοισι τεὸν νόον. ἦέ σε δαμνᾷ
τάρβος ἐπιπλόμενον, τό τ' ἀνάλκιδας ἄνδρας
　　ἀτύζει;
ἴστω νῦν δόρυ θοῦρον, ὅτῳ περιώσιον ἄλλων
κῦδος ἐνὶ πτολέμοισιν ἀείρομαι, οὐδέ μ' ὀφέλλει
Ζεὺς τόσον, ὁσσάτιόν περ ἐμὸν δόρυ, μή νύ τι πῆμα
λοίγιον ἔσσεσθαι, μηδ' ἀκράαντον ἄεθλον
Ἴδεω ἑσπομένοιο, καὶ εἰ θεὸς ἀντιόωτο.　　470
τοῖόν μ' Ἀρήνηθεν ἀοσσητῆρα κομίζεις.'
　Ἦ, καὶ ἐπισχόμενος πλεῖον δέπας ἀμφοτέρῃσιν
πῖνε χαλίκρητον λαρὸν μέθυ· δεύετο δ' οἴνῳ
χείλεα, κυάνεαί τε γενειάδες· οἱ δ' ὁμάδησαν
πάντες ὁμῶς, Ἴδμων δὲ καὶ ἀμφαδίην ἀγόρευσεν·
　'Δαιμόνιε, φρονέεις ὀλοφώια καὶ πάρος αὐτῷ.
ἦέ τοι εἰς ἄτην ζωρὸν μέθυ θαρσαλέον κῆρ
οἰδάνει ἐν στήθεσσι, θεοὺς δ' ἀνέηκεν ἀτίζειν;

them for the fate of Idmon. Now at the hour when the sun passes his noon-tide halt and the plough-lands are just being shadowed by the rocks, as the sun slopes towards the evening dusk, at that hour all the heroes spread leaves thickly upon the sand and lay down in rows in front of the hoary surf-line; and near them were spread vast stores of viands and sweet wine, which the cupbearers had drawn off in pitchers; afterwards they told tales one to another in turn, such as youths often tell when at the feast and the bowl they take delightful pastime, and insatiable insolence is far away. But here the son of Aeson, all helpless, was brooding over each event in his mind, like one oppressed with thought. And Idas noted him and assailed him with loud voice :

"Son of Aeson, what is this plan thou art turning over in mind. Speak out thy thought in the midst. Does fear come on and master thee, fear, that con-founds cowards? Be witness now my impetuous spear, wherewith in wars I win renown beyond all others (nor does Zeus aid me so much as my own spear), that no woe will be fatal, no venture will be unachieved, while Idas follows, even though a god should oppose thee. Such a helpmeet am I that thou bringest from Arene."

He spake, and holding a brimming goblet in both hands drank off the unmixed sweet wine; and his lips and dark cheeks were drenched with it; and all the heroes clamoured together and Idmon spoke out openly :

"Vain wretch, thou art devising destruction for thyself before the time. Does the pure wine cause thy bold heart to swell in thy breast to thy ruin, and has it set thee on to dishonour the gods? Other

35

ἄλλοι μῦθοι ἔασι παρήγοροι, οἷσί περ ἀνὴρ
θαρσύνοι ἔταρον· σὺ δ᾽ ἀτάσθαλα πάμπαν ἔειπας. 480
τοῖα φάτις καὶ τοὺς πρὶν ἐπιφλύειν μακάρεσσιν
υἷας ᾽Αλωιάδας, οἷς οὐδ᾽ ὅσον ἰσοφαρίζεις
ἠνορέην· ἔμπης δὲ θοοῖς ἐδάμησαν ὀιστοῖς
ἄμφω Λητοΐδαο, καὶ ἴφθιμοί περ ἐόντες.᾽

   ῝Ως ἔφατ᾽· ἐκ δ᾽ ἐγέλασσεν ἄδην ᾽Αφαρήιος
῎Ιδας,
καί μιν ἐπιλλίζων ἠμείβετο κερτομίοισιν·
   ῾῎Αγρει νυν τόδε σῇσι θεοπροπίῃσιν ἐνίσπες,
εἰ καὶ ἐμοὶ τοιόνδε θεοὶ τελέουσιν ὄλεθρον,
οἷον ᾽Αλωιάδῃσι πατὴρ τεὸς ἐγγυάλιξεν.
φράζεο δ᾽ ὅππως χεῖρας ἐμὰς σόος ἐξαλέοιο,   490
χρειὼ θεσπίζων μεταμώνιον εἴ κεν ἁλώῃς.᾽

   Χὤετ᾽ ἐνιπτάζων· προτέρω δέ κε νεῖκος ἐτύχθη,
εἰ μὴ δηριόωντας ὁμοκλήσαντες ἑταῖροι
αὐτός τ᾽ Αἰσονίδης κατερήτυεν· ἂν δὲ καὶ ᾽Ορφεὺς
λαιῇ ἀνασχόμενος κίθαριν πείραζεν ἀοιδῆς.

   ῎Ηειδεν δ᾽ ὡς γαῖα καὶ οὐρανὸς ἠδὲ θάλασσα,
τὸ πρὶν ἐπ᾽ ἀλλήλοισι μιῇ συναρηρότα μορφῇ,
νείκεος ἐξ ὀλοοῖο διέκριθεν ἀμφὶς ἕκαστα·
ἠδ᾽ ὡς ἔμπεδον αἰὲν ἐν αἰθέρι τέκμαρ ἔχουσιν
ἄστρα σεληναίη τε καὶ ἠελίοιο κέλευθοι·   500
οὐρεά θ᾽ ὡς ἀνέτειλε, καὶ ὡς ποταμοὶ κελάδοντες
αὐτῇσιν νύμφῃσι καὶ ἑρπετὰ πάντ᾽ ἐγένοντο.
ἤειδεν δ᾽ ὡς πρῶτον ᾽Οφίων Εὐρυνόμη τε
᾽Ωκεανὶς νιφόεντος ἔχον κράτος Οὐλύμποιο·
ὥς τε βίῃ καὶ χερσὶν ὁ μὲν Κρόνῳ εἴκαθε τιμῆς,
ἡ δὲ ῾Ρέῃ, ἔπεσον δ᾽ ἐνὶ κύμασιν ᾽Ωκεανοῖο·
οἱ δὲ τέως μακάρεσσι θεοῖς Τιτῆσιν ἄνασσον,

words of comfort there are with which a man might encourage his comrade; but thou hast spoken with utter recklessness. Such taunts, the tale goes, did the sons of Aloeus once blurt out against the blessed gods, and thou dost no wise equal them in valour; nevertheless they were both slain by the swift arrows of Leto's son, mighty though they were."

Thus he spake, and Aphareian Idas laughed out, loud and long, and eyeing him askance replied with biting words:

"Come now, tell me this by thy prophetic art, whether for me too the gods will bring to pass such doom as thy father promised for the sons of Aloeus. And bethink thee how thou wilt escape from my hands alive, if thou art caught making a prophecy vain as the idle wind."

Thus in wrath Idas reviled him, and the strife would have gone further had not their comrades and Aeson's son himself with indignant cry restrained the contending chiefs; and Orpheus lifted his lyre in his left hand and made essay to sing.

He sang how the earth, the heaven and the sea, once mingled together in one form, after deadly strife were separated each from other; and how the stars and the moon and the paths of the sun ever keep their fixed place in the sky; and how the mountains rose, and how the resounding rivers with their nymphs came into being and all creeping things. And he sang how first of all Ophion and Eurynome, daughter of Ocean, held the sway of snowy Olympus, and how through strength of arm one yielded his prerogative to Cronos and the other to Rhea, and how they fell into the waves of Ocean; but the other two meanwhile ruled over the blessed Titan-gods,

ὄφρα Ζεὺς ἔτι κοῦρος, ἔτι φρεσὶ νήπια εἰδώς,
Δικταῖον ναίεσκεν ὑπὸ σπέος· οἱ δέ μιν οὔπω
γηγενέες Κύκλωπες ἐκαρτύναντο κεραυνῷ, 510
βροντῇ τε στεροπῇ τε· τὰ γὰρ Διὶ κῦδος ὀπάζει.
  Ἦ, καὶ ὁ μὲν φόρμιγγα σὺν ἀμβροσίῃ σχέθεν
    αὐδῇ.
τοὶ δ' ἄμοτον λήξαντος ἔτι προύχοντο κάρηνα
πάντες ὁμῶς ὀρθοῖσιν ἐπ' οὔασιν ἠρεμέοντες
κηληθμῷ· τοῖον σφιν ἐνέλλιπε θέλκτρον ἀοιδῆς.
οὐδ' ἐπὶ δὴν μετέπειτα κερασσάμενοι Διὶ[1] λοιβάς,
ἢ θέμις, εὐαγέως[2] ἐπί τε γλώσσῃσι χέοντο
αἰθομέναις, ὕπνου δὲ διὰ κνέφας ἐμνώοντο.
  Αὐτὰρ ὅτ' αἰγλήεσσα φαεινοῖς ὄμμασιν Ἠὼς
Πηλίου αἰπεινὰς ἴδεν ἄκριας, ἐκ δ' ἀνέμοιο 520
εὔδιοι ἐκλύζοντο τινασσομένης ἁλὸς ἄκραι,
δὴ τότ' ἀνέγρετο Τῖφυς· ἄφαρ δ' ὀρόθυνεν ἑταίρους
βαινέμεναί τ' ἐπὶ νῆα καὶ ἀρτύνασθαι ἐρετμά.
σμερδαλέον δὲ λιμὴν Παγασήιος ἠδὲ καὶ αὐτὴ
Πηλιὰς ἴαχεν Ἀργὼ ἐπισπέρχουσα νέεσθαι.
ἐν γάρ οἱ δόρυ θεῖον ἐλήλατο, τό ῥ' ἀνὰ μέσσην
στεῖραν Ἀθηναίη Δωδωνίδος ἥρμοσε φηγοῦ.
οἱ δ' ἀνὰ σέλματα βάντες ἐπισχερὼ ἀλλήλοισιν,
ὡς ἐδάσαντο πάροιθεν ἐρεσσέμεν ᾧ ἐνὶ χώρῳ,
εὐκόσμως σφετέροισι παρ' ἔντεσιν ἑδριόωντο. 530
μέσσῳ δ' Ἀγκαῖος μέγα τε σθένος Ἡρακλῆος
ἵζανον· ἄγχι δέ οἱ ῥόπαλον θέτο, καί οἱ ἔνερθεν
ποσσὶν ὑπεκλύσθη νηὸς τρόπις. εἵλκετο δ' ἤδη
πείσματα, καὶ μέθυ λεῖβον ὕπερθ' ἁλός. αὐτὰρ
  Ἰήσων
δακρυόεις γαίης ἀπὸ πατρίδος ὄμματ' ἔνεικεν.

---

[1] Διὶ one Vatican: δὴ all other MSS.
[2] εὐαγέως Merkel: ἐστὶ τέως MSS.

while Zeus, still a child and with the thoughts of a child, dwelt in the Dictaean cave; and the earth-born Cyclopes had not yet armed him with the bolt, with thunder and lightning; for these things give renown to Zeus.

He ended, and stayed his lyre and divine voice. But though he had ceased they still bent forward with eagerness all hushed to quiet, with ears intent on the enchanting strain; such a charm of song had he left behind in their hearts. Not long after they mixed libations in honour of Zeus, with pious rites as is customary, and poured them upon the burning tongues, and bethought them of sleep in the darkness.

Now when gleaming dawn with bright eyes beheld the lofty peaks of Pelion, and the calm headlands were being drenched as the sea was ruffled by the winds, then Tiphys awoke from sleep; and at once he roused his comrades to go on board and make ready the oars. And a strange cry did the harbour of Pagasae utter, yea and Pelian Argo herself, urging them to set forth. For in her a beam divine had been laid which Athena had brought from an oak of Dodona and fitted in the middle of the stem. And the heroes went to the benches one after the other, as they had previously assigned for each to row in his place, and took their seats in due order near their fighting gear. In the middle sat Ancaeus and mighty Heracles, and near him he laid his club, and beneath his tread the ship's keel sank deep. And now the hawsers were being slipped and they poured wine on the sea. But Jason with tears held his eyes away

οἱ δ᾽, ὥστ᾽ ἠίθεοι Φοίβῳ χορὸν ἢ ἐνὶ Πυθοῖ
ἤ που ἐν Ὀρτυγίῃ, ἢ ἐφ᾽ ὕδασιν Ἰσμηνοῖο
στησάμενοι, φόρμιγγος ὑπαὶ περὶ βωμὸν ὁμαρτῇ
ἐμμελέως κραιπνοῖσι πέδον ῥήσσωσι πόδεσσιν·
ὣς οἱ ὑπ᾽ Ὀρφῆος κιθάρῃ πέπληγον ἐρετμοῖς   540
πόντου λάβρον ὕδωρ, ἐπὶ δὲ ῥόθια κλύζοντο·
ἀφρῷ δ᾽ ἔνθα καὶ ἔνθα κελαινὴ κήκιεν ἅλμη
δεινὸν μορμύρουσα ἐρισθενέων μένει ἀνδρῶν.
στράπτε δ᾽ ὑπ᾽ ἠελίῳ φλογὶ εἴκελα νηὸς ἰούσης
τεύχεα· μακραὶ δ᾽ αἰὲν ἐλευκαίνοντο κέλευθοι,
ἀτραπὸς ὣς χλοεροῖο διειδομένη πεδίοιο.
πάντες δ᾽ οὐρανόθεν λεῦσσον θεοὶ ἤματι κείνῳ
νῆα καὶ ἡμιθέων ἀνδρῶν μένος, οἳ τότ᾽ ἄριστοι
πόντον ἐπιπλώεσκον· ἐπ᾽ ἀκροτάτῃσι δὲ νύμφαι
Πηλιάδες κορυφῇσιν ἐθάμβεον εἰσορόωσαι   550
ἔργον Ἀθηναίης Ἰτωνίδος[1] ἠδὲ καὶ αὐτοὺς
ἥρωας χείρεσσιν ἐπικραδάοντας ἐρετμά.
αὐτὰρ ὅγ᾽ ἐξ ὑπάτου ὄρεος κίεν ἄγχι θαλάσσης
Χείρων Φιλλυρίδης, πολιῇ δ᾽ ἐπὶ κύματος ἀγῇ
τέγγε πόδας, καὶ πολλὰ βαρείῃ χειρὶ κελεύων
νόστον ἐπευφήμησεν ἀκηδέα νισσομένοισιν.
σὺν καί οἱ παράκοιτις ἐπωλένιον φορέουσα
Πηλείδην Ἀχιλῆα, φίλῳ δειδίσκετο πατρί.

Οἱ δ᾽ ὅτε δὴ λιμένος περιηγέα κάλλιπον ἀκτὴν
φραδμοσύνῃ μήτι τε δαΐφρονος Ἁγνιάδαο   560
Τίφυος, ὅς ῥ᾽ ἐνὶ χερσὶν εὔξοα τεχνηέντως
πηδάλι᾽ ἀμφιέπεσκ᾽, ὄφρ᾽ ἔμπεδον ἐξιθύνοι,
δή ῥα τότε μέγαν ἱστὸν ἐνεστήσαντο μεσόδμῃ,
δῆσαν δὲ προτόνοισι, τανυσσάμενοι ἑκάτερθεν,

---

[1] Ἰτωνίδος schol., L by correction : Τριτωνίδος G, five
Parisian.

from his fatherland. And just as youths set up a dance in honour of Phoebus either in Pytho or haply in Ortygia, or by the waters of Ismenus, and to the sound of the lyre round his altar all together in time beat the earth with swiftly-moving feet; so they to the sound of Orpheus' lyre smote with their oars the rushing sea-water, and the surge broke over the blades; and on this side and on that the dark brine seethed with foam, boiling terribly through the might of the sturdy heroes. And their arms shone in the sun like flame as the ship sped on; and ever their wake gleamed white far behind, like a path seen over a green plain. On that day all the gods looked down from heaven upon the ship and the might of the heroes, half-divine, the bravest of men then sailing the sea; and on the topmost heights the nymphs of Pelion wondered as they beheld the work of Itonian Athena, and the heroes themselves wielding the oars. And there came down from the mountain-top to the sea Chiron, son of Philyra, and where the white surf broke he dipped his feet, and, often waving with his broad hand, cried out to them at their departure, " Good speed and a sorrowless home-return ! " And with him his wife, bearing Peleus' son Achilles on her arm, showed the child to his dear father.

Now when they had left the curving shore of the harbour through the cunning and counsel of prudent Tiphys son of Hagnias, who skilfully handled the well-polished helm that he might guide them steadfastly, then at length they set up the tall mast in the mast-box, and secured it with forestays, drawing them

κὰδ δ' αὐτοῦ λίνα χεῦαν, ἐπ' ἠλακάτην ἐρύσαντες.
ἐν δὲ λιγὺς πέσεν οὖρος· ἐπ' ἰκριόφιν δὲ κάλωας
ξεστῇσιν περόνῃσι διακριδὸν ἀμφιβαλόντες
Τισαίην εὔκηλοι ὑπὲρ δολιχὴν θέον ἄκρην.
τοῖσι δὲ φορμίζων εὐθήμονι μέλπεν ἀοιδῇ
Οἰάγροιο πάις νηοσσόον εὐπατέρειαν   570
Ἄρτεμιν, ἣ κείνας σκοπιὰς ἁλὸς ἀμφιέπεσκεν
ῥυομένη καὶ γαῖαν Ἰωλκίδα· τοὶ δὲ βαθείης
ἰχθύες ἀίσσοντες ὕπερθ' ἁλός, ἄμμιγα παύροις
ἄπλετοι, ὑγρὰ κέλευθα διασκαίροντες ἕποντο.
ὡς δ' ὁπότ' ἀγραύλοιο κατ' ἴχνια σημαντῆρος
μυρία μῆλ' ἐφέπονται ἄδην κεκορημένα ποίης
εἰς αὖλιν, ὁ δέ τ' εἶσι πάρος σύριγγι λιγείῃ
καλὰ μελιζόμενος νόμιον μέλος· ὧς ἄρα τοίγε
ὡμάρτευν· τὴν δ' αἰὲν ἐπασσύτερος φέρεν οὖρος.

Αὐτίκα δ' ἠερίη πολυλήιος αἶα Πελασγῶν   580
δύετο, Πηλιάδας δὲ παρεξήμειβον ἐρίπνας
αἰὲν ἐπιπροθέοντες· ἔδυνε δὲ Σηπιὰς ἄκρη,
φαίνετο δ' εἰναλίη Σκίαθος, φαίνοντο δ' ἄπωθεν
Πειρεσιαὶ Μάγνησά θ' ὑπεύδιος ἠπείροιο
ἀκτὴ καὶ τύμβος Δολοπήιος· ἔνθ' ἄρα τοίγε
ἑσπέριοι ἀνέμοιο παλιμπνοίῃσιν ἔκελσαν,
καί μιν κυδαίνοντες ὑπὸ κνέφας ἔντομα μήλων
κεῖαν, ὀρινομένης ἁλὸς οἴδματι· διπλόα δ' ἀκταῖς
ἤματ' ἐλινύεσκον· ἀτὰρ τριτάτῳ προέηκαν
νῆα, τανυσσάμενοι περιώσιον ὑψόθι λαῖφος.   590
τὴν δ' ἀκτὴν Ἀφέτας Ἀργοῦς ἔτι κικλήσκουσιν.

Ἔνθεν δὲ προτέρωσε παρεξέθεον Μελίβοιαν,

taut on each side, and from it they let down the
sail when they had hauled it to the top-mast. And a
breeze came down piping shrilly; and upon the
deck they fastened the ropes separately round the
well-polished pins, and ran quietly past the long
Tisaean headland. And for them the son of
Oeagrus touched his lyre and sang in rhythmical song
of Artemis, saviour of ships, child of a glorious sire,
who hath in her keeping those peaks by the sea,
and the land of Iolcos; and the fishes came darting
through the deep sea, great mixed with small, and
followed gambolling along the watery paths. And
as when in the track of the shepherd, their master,
countless sheep follow to the fold that have fed
to the full of grass, and he goes before gaily piping
a shepherd's strain on his shrill reed; so these fishes
followed; and a chasing breeze ever bore the
ship onward.

And straightway the misty land of the Pelasgians,
rich in cornfields, sank out of sight, and ever
speeding onward they passed the rugged sides of
Pelion; and the Sepian headland sank away, and
Sciathus appeared in the sea, and far off appeared
Piresiae and the calm shore of Magnesia on the
mainland and the tomb of Dolops; here then in the
evening, as the wind blew against them, they put to
land, and paying honour to him at nightfall burnt
sheep as victims, while the sea was tossed by the
swell: and for two days they lingered on the shore,
but on the third day they put forth the ship,
spreading on high the broad sail. And even now
men call that beach Aphetae [1] of Argo.

Thence going forward they ran past Meliboea,

---

[1] *i.e.* The Starting.

ἀκτήν τ' αἰγιαλόν τε δυσήνεμον ἐκπερόωντες.[1]
ἠῶθεν δ' Ὁμόλην αὐτοσχεδὸν εἰσορόωντες
πόντῳ κεκλιμένην παρεμέτρεον· οὐδ' ἔτι δηρὸν
μέλλον ὑπὲκ ποταμοῖο βαλεῖν Ἀμύροιο ῥέεθρα.
κεῖθεν δ' Εὐρυμένας τε πολυκλύστους τε φάραγγας
Ὄσσης Οὐλύμποιό τ' ἐσέδρακον· αὐτὰρ ἔπειτα
κλίτεα Παλλήναια, Καναστραίην ὑπὲρ ἄκρην,
ἤνυσαν ἐννύχιοι πνοιῇ ἀνέμοιο θέοντες.   600
ἦρι δὲ νισσομένοισιν Ἄθω ἀνέτελλε κολώνη
Θρηικίη, ἣ τόσσον ἀπόπροθι Λῆμνον ἐοῦσαν,
ὅσσον ἐς ἔνδιόν κεν εὔστολος ὁλκὰς ἀνύσσαι,
ἀκροτάτῃ κορυφῇ σκιάει, καὶ ἐσάχρι Μυρίνης.
τοῖσιν δ' αὐτῆμαρ μὲν ἄεν καὶ ἐπὶ κνέφας οὖρος
πάγχυ μάλ' ἀκραής, τετάνυστο δὲ λαίφεα νηός.
αὐτὰρ ἅμ' ἠελίοιο βολαῖς ἀνέμοιο λιπόντος
εἰρεσίῃ κραναὴν Σιντηίδα Λῆμνον ἵκοντο.

   Ἔνθ' ἄμυδις πᾶς δῆμος ὑπερβασίῃσι γυναικῶν
νηλειῶς δέδμητο παροιχομένῳ λυκάβαντι.   610
δὴ γὰρ κουριδίας μὲν ἀπηνήναντο γυναῖκας
ἀνέρες ἐχθήραντες, ἔχον δ' ἐπὶ ληιάδεσσιν
τρηχὺν ἔρον, ἃς αὐτοὶ ἀγίνεον ἀντιπέρηθεν
Θρηικίην δηοῦντες· ἐπεὶ χόλος αἰνὸς ὄπαζεν
Κύπριδος, οὕνεκά μιν γεράων ἐπὶ δηρὸν ἄτισσαν.
ὦ μέλεαι, ζήλοιό τ' ἐπισμυγερῶς ἀκόρητοι.
οὐκ οἶον σὺν τῇσιν ἑοὺς ἔρραισαν ἀκοίτας
ἀμφ' εὐνῇ, πᾶν δ' ἄρσεν ὁμοῦ γένος, ὥς κεν ὀπίσσω
μήτινα λευγαλέοιο φόνου τίσειαν ἀμοιβήν.
οἴη δ' ἐκ πασέων γεραροῦ περιφείσατο πατρὸς   620
Ὑψιπύλεια Θόαντος, ὃ δὴ κατὰ δῆμον ἄνασσεν·

---

[1] ἐκπερόωντες Meineke : εἰσορόωντες MSS.

44

escaping a stormy beach and surf-line. And in the morning they saw Homole close at hand leaning on the sea, and skirted it, and not long after they were about to pass by the outfall of the river Amyrus. From there they beheld Eurymenae and the sea-washed ravines of Ossa and Olympus; next they reached the slopes of Pallene, beyond the headland of Canastra, running all night with the wind. And at dawn before them as they journeyed rose Athos, the Thracian mountain, which with its topmost peak overshadows Lemnos, even as far as Myrine, though it lies as far off as the space that a well-trimmed merchantship would traverse up to mid-day. For them on that day, till darkness fell, the breeze blew exceedingly fresh, and the sails of the ship strained to it. But with the setting of the sun the wind left them, and it was by the oars that they reached Lemnos, the Sintian isle.

Here the whole of the men of the people together had been ruthlessly slain through the transgressions of the women in the year gone by. For the men had rejected their lawful wives, loathing them, and had conceived a fierce passion for captive maids whom they themselves brought across the sea from their forays in Thrace; for the terrible wrath of Cypris came upon them, because for a long time they had grudged her the honours due. O hapless women, and insatiate in jealousy to their own ruin! Not their husbands alone with the captives did they slay on account of the marriage-bed, but all the males at the same time, that they might thereafter pay no retribution for the grim murder. And of all the women, Hypsipyle alone spared her aged father

λάρνακι δ' ἐν κοίλῃ μιν ὕπερθ' ἁλὸς ἧκε φέρεσθαι,
αἴ κε φύγῃ. καὶ τὸν μὲν ἐς Οἰνοίην ἐρύσαντο
πρόσθεν, ἀτὰρ Σίκινόν γε μεθύστερον αὐδηθεῖσαν
νῆσον, ἐπακτῆρες, Σικίνου ἄπο, τόν ῥα Θόαντι
νηιὰς Οἰνοίη νύμφη τέκεν εὐνηθεῖσα.
τῇσι δὲ βουκόλιαί τε βοῶν χάλκειά τε δύνειν
τεύχεα, πυροφόρους τε διατμήξασθαι ἀρούρας
ῥηίτερον πάσῃσιν Ἀθηναίης πέλεν ἔργων,
οἷς αἰεὶ τὸ πάροιθεν ὁμίλεον. ἀλλὰ γὰρ ἔμπης   630
ἢ θαμὰ δὴ πάπταινον ἐπὶ πλατὺν ὄμμασι πόντον
δείματι λευγαλέῳ, ὁπότε Θρήικες ἴασιν.
τῶ καὶ ὅτ' ἐγγύθι νήσου ἐρεσσομένην ἴδον Ἀργώ,
αὐτίκα πασσυδίῃ πυλέων ἔκτοσθε Μυρίνης
δήια τεύχεα δῦσαι ἐς αἰγιαλὸν προχέοντο,
Θυιάσιν ὠμοβόροις ἴκελαι· φὰν γάρ που ἱκάνειν
Θρήικας· ἡ δ' ἅμα τῇσι Θοαντιὰς Ὑψιπύλεια
δῦν' ἐνὶ τεύχεσι πατρός. ἀμηχανίῃ δ' ἐχέοντο
ἄφθογγοι· τοῖόν σφιν ἐπὶ δέος ἠωρεῖτο.

Τείως δ' αὖτ' ἐκ νηὸς ἀριστῆες προέηκαν   640
Αἰθαλίδην κήρυκα θοόν, τῷπέρ τε μέλεσθαι
ἀγγελίας καὶ σκῆπτρον ἐπέτρεπον Ἑρμείαο,
σφωιτέροιο τοκῆος, ὅ οἱ μνῆστιν πόρε πάντων
ἄφθιτον· οὐδ' ἔτι νῦν περ ἀποιχομένου Ἀχέροντος
δίνας ἀπροφάτους ψυχὴν ἐπιδέδρομε λήθη·
ἀλλ' ἥγ' ἔμπεδον αἰὲν ἀμειβομένη μεμόρηται,
ἄλλοθ' ὑποχθονίοις ἐναρίθμιος, ἄλλοτ' ἐς αὐγὰς
ἠελίου ζωοῖσι μετ' ἀνδράσιν. ἀλλὰ τί μύθους
Αἰθαλίδεω χρειώ με διηνεκέως ἀγορεύειν;
ὅς ῥα τόθ' Ὑψιπύλην μειλίξατο δέχθαι ἰόντας   650

46

Thoas, who was king over the people; and she sent him in a hollow chest to drift over the sea, if haply he should escape. And fishermen dragged him to shore at the island of Oenoe, formerly Oenoe, but afterwards called Sicinus from Sicinus, whom the water-nymph Oenoe bore to Thoas. Now for all the women to tend kine, to don armour of bronze, and to cleave with the plough-share the wheat-bearing fields, was easier than the works of Athena, with which they were busied aforetime. Yet for all that did they often gaze over the broad sea, in grievous fear against the Thracians' coming. So when they saw Argo being rowed near the island, straightway crowding in multitude from the gates of Myrine and clad in their harness of war, they poured forth to the beach like ravening Thyiades; for they deemed that the Thracians were come; and with them Hypsipyle, daughter of Thoas, donned her father's harness. And they streamed down speechless with dismay; such fear was wafted about them.

Meantime from the ship the chiefs had sent Aethalides the swift herald, to whose care they entrusted their messages and the wand of Hermes, his sire, who had granted him a memory of all things, that never grew dim; and not even now, though he has entered the unspeakable whirlpools of Acheron, has forgetfulness swept over his soul, but its fixed doom is to be ever changing its abode; at one time to be numbered among the dwellers beneath the earth, at another to be in the light of the sun among living men. But why need I tell at length tales of Aethalides? He at that time persuaded Hypsipyle to receive the new-comers as the

ἤματος ἀνομένοιο διὰ κνέφας· οὐδὲ μὲν ἠοῖ
πείσματα νηὸς ἔλυσαν ἐπὶ πνοιῇ βορέαο.

Λημνιάδες δὲ γυναῖκες ἀνὰ πτόλιν ἷζον ἰοῦσαι
εἰς ἀγορήν· αὐτὴ γὰρ ἐπέφραδεν Ὑψιπύλεια.
καί ῥ' ὅτε δὴ μάλα πᾶσαι ὁμιλαδὸν ἠγερέθοντο,
αὐτίκ' ἄρ' ἥγ' ἐνὶ τῆσιν ἐποτρύνουσ' ἀγόρευεν·

'Ὦ φίλαι, εἰ δ' ἄγε δὴ μενοεικέα δῶρα πόρωμεν
ἀνδράσιν, οἷά τ' ἔοικεν ἄγειν ἐπὶ νηὸς ἔχοντας,
ἤια, καὶ μέθυ λαρόν, ἵν' ἔμπεδον ἔκτοθι πύργων
μίμνοιεν, μηδ' ἄμμε κατὰ χρειὼ μεθέποντες   660
ἀτρεκέως γνώωσι, κακὴ δ' ἐπὶ πολλὸν ἵκηται
βάξις· ἐπεὶ μέγα ἔργον ἐρέξαμεν, οὐδέ τι πάμπαν
θυμηδὲς καὶ τοῖσι τόγ' ἔσσεται, εἴ κε δαεῖεν.
ἡμετέρη μὲν νῦν τοίη παρενήνοθε μῆτις·
ὑμέων δ' εἴ τις ἄρειον ἔπος μητίσεται ἄλλη,
ἐγρέσθω· τοῦ γάρ τε καὶ εἵνεκα δεῦρο κάλεσσα.'

'Ὣς ἄρ' ἔφη, καὶ θῶκον ἐφίζανε πατρὸς ἑοῖο
λάινον· αὐτὰρ ἔπειτα φίλη τροφὸς ὦρτο Πολυξώ,
γήραϊ δὴ ῥικνοῖσιν ἐπισκάζουσα πόδεσσιν,
βάκτρῳ ἐρειδομένη, περὶ δὲ μενέαιν' ἀγορεῦσαι.   670
τῇ καὶ παρθενικαὶ πίσυρες σχεδὸν ἑδριόωντο
ἀδμῆτες λευκῇσιν ἐπιχνοάουσαι [1] ἐθείραις.
στῆ δ' ἄρ' ἐνὶ μέσσῃ ἀγορῇ, ἀνὰ δ' ἔσχεθε δειρὴν
ἦκα μόλις κυφοῖο μεταφρένου, ὧδέ τ' ἔειπεν·

'Δῶρα μέν, ὡς αὐτῇ περ ἐφανδάνει Ὑψιπυλείῃ,
πέμπωμεν ξείνοισιν, ἐπεὶ καὶ ἄρειον ὀπάσσαι.
ὕμμι γε μὴν τίς μῆτις ἐπαύρεσθαι βιότοιο
αἴ κεν ἐπιβρίσῃ Θρήιξ στρατός, ἠέ τις ἄλλος
δυσμενέων, ἅτε πολλὰ μετ' ἀνθρώποισι πέλονται;
ὡς καὶ νῦν ὅδ' ὅμιλος ἀνωίστως ἐφικάνει.   680

---

[1] ἐπιχνοαούσῃ Passow and recent editors.

48

day was waning into darkness; nor yet at dawn
did they loose the ship's hawsers to the breath of
the north wind.

Now the Lemnian women fared through the city
and sat down to the assembly, for Hypsipyle herself
had so bidden. And when they were all gathered
together in one great throng straightway she spake
among them with stirring words :

" O friends, come let us grant these men gifts to
their hearts' desire, such as it is fitting that they
should take on ship-board, food and sweet wine,
in order that they may steadfastly remain outside
our towers, and may not, passing among us for need's
sake, get to know us all too well, and so an evil
report be widely spread; for we have wrought a
terrible deed and in nowise will it be to their liking,
should they learn it. Such is our counsel now, but
if any of you can devise a better plan let her rise, for
it was on this account that I summoned you hither."

Thus she spake and sat upon her father's seat of
stone, and then rose up her dear nurse Polyxo,
for very age halting upon her withered feet, bowed
over a staff, and she was eager to address them.
Near her were seated four virgins, unwedded,
crowned with white hair. And she stood in the
midst of the assembly and from her bent back she
feebly raised her neck and spake thus :

" Gifts, as Hypsipyle herself wishes, let us send to
the strangers, for it is better to give them. But for
you what device have ye to get profit of your life if
the Thracian host fall upon us, or some other foe,
as often happens among men, even as now this
company is come unforeseen ? But if one of the

εἰ δὲ τὸ μὲν μακάρων τις ἀποτρέποι, ἄλλα δ'
ὀπίσσω
μυρία δηιοτῆτος ὑπέρτερα πήματα μίμνει,
εὖτ' ἂν δὴ γεραραὶ μὲν ἀποφθινύθωσι γυναῖκες,
κουρότεραι δ' ἄγονοι στυγερὸν ποτὶ γῆρας ἵκησθε.
πῶς τῆμος βώσεσθε δυσάμμοροι; ἦε βαθείαις
αὐτόματοι βόες ὕμμιν ἐνιζευχθέντες ἀρούραις
γειοτόμον νειοῖο διειρύσσουσιν ἄροτρον,
καὶ πρόκα τελλομένου ἔτεος στάχυν ἀμήσονται;
ἦ μὲν ἐγών, εἰ καί με τὰ νῦν ἔτι πεφρίκασιν
Κῆρες, ἐπερχόμενόν που ὀίομαι εἰς ἔτος ἤδη   690
γαῖαν ἐφέσσεσθαι, κτερέων ἀπὸ μοῖραν ἑλοῦσαν
αὔτως, ἢ θέμις ἐστί, πάρος κακότητα πελάσσαι.
ὁπλοτέρῃσι δὲ πάγχυ τάδε φράζεσθαι ἄνωγα.
νῦν γὰρ δὴ παρὰ ποσσὶν ἐπήβολός ἐστ' ἀλεωρή,
εἴ κεν ἐπιτρέψητε δόμους καὶ ληίδα πᾶσαν
ὑμετέρην ξείνοισι καὶ ἀγλαὸν ἄστυ μέλεσθαι.'
    'Ὣς ἔφατ'· ἐν δ' ἀγορῇ πλῆτο θρόου. εὔαδε γάρ
σφιν
μῦθος. ἀτὰρ μετὰ τήνγε παρασχεδὸν αὖτις ἀνῶρτο
Ὑψιπύλη, καὶ τοῖον ὑποβλήδην ἔπος ηὔδα·
    'Εἰ μὲν δὴ πάσῃσιν ἐφανδάνει ἥδε μενοινή,   70
ἤδη κεν μετὰ νῆα καὶ ἄγγελον ὀτρύναιμι.'
    Ἦ ῥα, καὶ Ἰφινόην μετεφώνεεν ἆσσον ἐοῦσαν·
    'Ὄρσο μοι, Ἰφινόη, τοῦδ' ἀνέρος ἀντιόωσα,
ἡμετερόνδε μολεῖν, ὅστις στόλου ἡγεμονεύει,
ὄφρα τί οἱ δήμοιο ἔπος θυμῆρες ἐνίσπω·
καὶ δ' αὐτοὺς γαίης τε καὶ ἄστεος, αἴ κ' ἐθέλωσιν,
κέκλεο θαρσαλέως ἐπιβαινέμεν εὐμενέοντας.'
    'Ἦ, καὶ ἔλυσ' ἀγορήν, μετὰ δ' εἰς ἑὸν ὦρτο
νέεσθαι.
ὣς δὲ καὶ Ἰφινόη Μινύας ἵκεθ'. οἱ δ' ἐρέεινον,

blessed gods should turn this aside yet countless other woes, worse than battle, remain behind, when the aged women die off and ye younger ones, without children, reach hateful old age. How then will ye live, hapless ones? Will your oxen of their own accord yoke themselves for the deep plough-lands and draw the earth-cleaving share through the fallow, and forthwith, as the year comes round, reap the harvest? Assuredly, though the fates till now have shunned me in horror, I deem that in the coming year I shall put on the garment of earth, when I have received my meed of burial even so as is right, before the evil days draw near. But I bid you who are younger give good heed to this. For now at your feet a way of escape lies open, if ye trust to the strangers the care of your homes and all your stock and your glorious city."

Thus she spake, and the assembly was filled with clamour. For the word pleased them. And after her straightway Hypsipyle rose up again, and thus spake in reply.

"If this purpose please you all, now will I even send a messenger to the ship."

She spake and addressed Iphinoe close at hand: "Go, Iphinoe, and beg yonder man, whoever it is that leads this array, to come to our land that I may tell him a word that pleases the heart of my people, and bid the men themselves, if they wish, boldly enter the land and the city with friendly intent."

She spake, and dismissed the assembly, and there-after started to return home. And so Iphinoe came to the Minyae; and they asked with what intent

χρεῖος ὅ τι φρονέουσα μετήλυθεν. ὦκα δὲ τούσγε 710
πασσυδίῃ μύθοισι προσέννεπεν ἐξερέοντας·

'Κούρη τοί μ' ἐφέηκε Θοαντιὰς ἐνθάδ' ἰοῦσαν,
Ὑψιπύλη, καλέειν νηὸς πρόμον, ὅστις ὄρωρεν,
ὄφρα τί οἱ δήμοιο ἔπος θυμῆρες ἐνίσπῃ·
καὶ δ' αὐτοὺς γαίης τε καὶ ἄστεος, αἴ κ' ἐθέλητε,
κέκλεται αὐτίκα νῦν ἐπιβαινέμεν εὐμενέοντας.'

Ὣς ἄρ' ἔφη· πάντεσσι δ' ἐναίσιμος ἥνδανε
    μῦθος.
Ὑψιπύλην δ' εἴσαντο καταφθιμένοιο Θόαντος
τηλυγέτην γεγαυῖαν ἀνασσέμεν· ὦκα δὲ τόνγε
πέμπον ἴμεν, καὶ δ' αὐτοὶ ἐπεντύνοντο νέεσθαι. 720

Αὐτὰρ ὅγ' ἀμφ' ὤμοισι θεᾶς Τριτωνίδος ἔργον
δίπλακα πορφυρέην περονήσατο, τήν οἱ ὄπασσεν
Παλλάς, ὅτε πρῶτον δρυόχους ἐπεβάλλετο νηὸς
Ἀργοῦς, καὶ κανόνεσσι δάε ζυγὰ μετρήσασθαι.
τῆς μὲν ῥηίτερόν κεν ἐς ἠέλιον ἀνιόντα
ὄσσε βάλοις, ἢ κεῖνο μεταβλέψειας ἔρευθος.
δὴ γάρ τοι μέσσῃ μὲν ἐρευθήεσσα τέτυκτο,
ἄκρα δὲ πορφυρέη πάντῃ πέλεν· ἐν δ' ἄρ' ἑκάστῳ
τέρματι δαίδαλα πολλὰ διακριδὸν εὖ ἐπέπαστο.[1]

Ἐν μὲν ἔσαν Κύκλωπες ἐπ' ἀφθίτῳ ἥμενοι ἔργῳ, 730
Ζηνὶ κεραυνὸν ἄνακτι πονεύμενοι· ὃς τόσον ἤδη
παμφαίνων ἐτέτυκτο, μιῆς δ' ἔτι δεύετο μοῦνον
ἀκτῖνος, τὴν οἵγε σιδηρείῃς ἐλάασκον
σφύρῃσιν μαλεροῖο πυρὸς ζείουσαν ἀυτμήν.

Ἐν δ' ἔσαν Ἀντιόπης Ἀσωπίδος υἱέε δοιώ,
Ἀμφίων καὶ Ζῆθος· ἀπύργωτος δ' ἔτι Θήβη

---

[1] ἐπέπαστο Ruhnken : ἐκέκαστο MSS.

she had come among them. And quickly she
addressed her questioners with all speed in these
words :

"The maiden Hypsipyle daughter of Thoas, sent
me on my way here to you, to summon the captain
of your ship, whoever he be, that she may tell him
a word that pleases the heart of the people, and
she bids yourselves, if ye wish it, straightway enter
the land and the city with friendly intent."

Thus she spake and the speech of good omen
pleased all. And they deemed that Thoas was dead
and that his beloved daughter Hypsipyle was queen,
and quickly they sent Jason on his way and them-
selves made ready to go.

Now he had buckled round his shoulders a purple
mantle of double fold, the work of the Tritonian
goddess, which Pallas had given him when she first
laid the keel-props of the ship Argo and taught him
how to measure timbers with the rule. More easily
wouldst thou cast thy eyes upon the sun at its rising
than behold that blazing splendour. For indeed in
the middle the fashion thereof was red, but at the
ends it was all purple, and on each margin many
separate devices had been skilfully inwoven.

In it were the Cyclops seated at their imperishable
work, forging a thunderbolt for King Zeus; by now
it was almost finished in its brightness and still it
wanted but one ray, which they were beating out
with their iron hammers as it spurted forth a breath
of raging flame.

In it too were the twin sons of Antiope, daughter
of Asopus, Amphion and Zethus, and Thebe still
ungirt with towers was lying near, whose foundations

53

κεῖτο πέλας, τῆς οἵγε νέον βάλλοντο δομαίους
ἱέμενοι. Ζῆθος μὲν ἐπωμαδὸν ἠέρταζεν
οὔρεος ἠλιβάτοιο κάρη, μογέοντι ἐοικώς·
Ἀμφίων δ' ἐπὶ οἷ χρυσέῃ φόρμιγγι λιγαίνων   740
ἤιε, δὶς τόσση δὲ μετ' ἴχνια νίσσετο πέτρη.

Ἑξείης δ' ἤσκητο βαθυπλόκαμος Κυθέρεια
Ἄρεος ὀχμάζουσα θοὸν σάκος· ἐκ δέ οἱ ὤμου
πῆχυν ἔπι σκαιὸν ξυνοχὴ κεχάλαστο χιτῶνος
νέρθεν ὑπὲκ μαζοῖο· τὸ δ' ἀντίον ἀτρεκὲς αὔτως
χαλκείῃ δείκηλον ἐν ἀσπίδι φαίνετ' ἰδέσθαι.

Ἐν δὲ βοῶν ἔσκεν λάσιος νομός· ἀμφὶ δὲ βουσὶν
Τηλεβόαι μάρναντο καὶ υἱέες Ἠλεκτρύωνος·
οἱ μὲν ἀμυνόμενοι, ἀτὰρ οἵγ' ἐθέλοντες ἀμέρσαι,
λῃσταὶ Τάφιοι· τῶν δ' αἵματι δεύετο λειμὼν   750
ἑρσήεις, πολέες δ' ὀλίγους βιόωντο νομῆας.

Ἐν δὲ δύω δίφροι πεπονήατο δηριόωντες.
καὶ τὸν μὲν προπάροιθε Πέλοψ ἴθυνε, τινάσσων
ἡνία, σὺν δέ οἱ ἔσκε παραιβάτις Ἱπποδάμεια·
τὸν δὲ μεταδρομάδην ἐπὶ Μυρτίλος ἤλασεν ἵππους,
σὺν τῷ δ' Οἰνόμαος προτενὲς δόρυ χειρὶ μεμαρπὼς
ἄξονος ἐν πλήμνῃσι παρακλιδὸν ἀγνυμένοιο
πῖπτεν, ἐπεσσύμενος Πελοπήια νῶτα δαΐξαι.

Ἐν καὶ Ἀπόλλων Φοῖβος ὀιστεύων ἐτέτυκτο,
βούπαις οὔπω πολλός, ἑὴν ἐρύοντα καλύπτρης   760
μητέρα θαρσαλέως Τιτυὸν μέγαν, ὅν ῥ' ἔτεκέν γε
δῖ' Ἐλάρη, θρέψεν δὲ καὶ ἂψ ἐλοχεύσατο Γαῖα.

Ἐν καὶ Φρίξος ἔην Μινυήιος ὡς ἐτεόν περ
εἰσαΐων κριοῦ, ὁ δ' ἄρ' ἐξενέποντι ἐοικώς.
κείνους κ' εἰσορόων ἀκέοις, ψεύδοιό τε θυμόν,

54

they were just then laying in eager haste. Zethus on his shoulders was lifting the peak of a steep mountain, like a man toiling hard, and Amphion after him, singing loud and clear on his golden lyre, moved on, and a rock twice as large followed his footsteps.

Next in order had been wrought Cytherea with drooping tresses, wielding the swift shield of Ares; and from her shoulder to her left arm the fastening of her tunic was loosed beneath her breast; and opposite in the shield of bronze her image appeared clear to view as she stood.

And in it there was a well-wooded pasturage of oxen; and about the oxen the Teleboae and the sons of Electryon were fighting; the one party defending themselves, the others, the Taphian raiders, longing to rob them; and the dewy meadow was drenched with their blood, and the many were overmastering the few herdsmen.

And therein were fashioned two chariots, racing, and the one in front Pelops was guiding, as he shook the reins, and with him was Hippodameia at his side, and in pursuit Myrtilus urged his steeds, and with him Oenomaus had grasped his couchèd spear, but fell as the axle swerved and broke in the nave, while he was eager to pierce the back of Pelops.

And in it was wrought Phoebus Apollo, a stripling not yet grown up, in the act of shooting at mighty Tityos who was boldly dragging his mother by her veil, Tityos whom glorious Elare bare, but Earth nursed him and gave him second birth.

And in it was Phrixus the Minyan as though he were in very deed listening to the ram, while it was like one speaking. Beholding them thou wouldst

55

ἐλπόμενος πυκινήν τιν' ἀπὸ σφείων ἐσακοῦσαι
βάξιν, ὃ καὶ δηρόν περ ἐπ' ἐλπίδι θηήσαιο.
Τοῖ' ἄρα δῶρα θεᾶς Τριτωνίδος ἦεν Ἀθήνης.
δεξιτερῇ δ' ἕλεν ἔγχος ἑκηβόλον, ὅ ῥ' Ἀταλάντῃ
Μαινάλῳ ἔν ποτέ οἱ ξεινήιον ἐγγυάλιξεν,   770
πρόφρων ἀντομένη· περὶ γὰρ μενέαινεν ἔπεσθαι
τὴν ὁδόν. ἀλλὰ γὰρ αὐτὸς ἑκὼν ἀπερήτυε κούρην,
δεῖσεν δ' ἀργαλέας ἔριδας φιλότητος ἕκητι.
Βῆ δ' ἴμεναι προτὶ ἄστυ, φαεινῷ ἀστέρι ἶσος,
ὅν ῥά τε νηγατέῃσιν ἐεργόμεναι καλύβῃσιν
νύμφαι θηήσαντο δόμων ὕπερ ἀντέλλοντα,
καί σφισι κυανέοιο δι' ἠέρος ὄμματα θέλγει
καλὸν ἐρευθόμενος, γάνυται δέ τε ἠιθέοιο
παρθένος ἱμείρουσα μετ' ἀλλοδαποῖσιν ἐόντος
ἀνδράσιν, ᾧ καί μιν μνηστὴν κομέουσι τοκῆες·   780
τῷ ἴκελος πρὸ πόληος ἀνὰ στίβον ἤιεν ἥρως.
καί ῥ' ὅτε δὴ πυλέων τε καὶ ἄστεος ἐντὸς ἔβησαν,
δημότεραι μὲν ὄπισθεν ἐπεκλονέοντο γυναῖκες,
γηθόσυναι ξείνῳ· ὁ δ' ἐπὶ χθονὸς ὄμματ' ἐρείσας
νίσσετ' ἀπηλεγέως, ὄφρ' ἀγλαὰ δώμαθ' ἵκανεν
Ὑψιπύλης· ἄνεσαν δὲ πύλας προφανέντι θεράπναι
δικλίδας, εὐτύκτοισιν ἀρηρεμένας σανίδεσσιν.
ἔνθα μιν Ἰφινόη κλισμῷ ἔνι παμφανόωντι
ἐσσυμένως καλῆς διὰ παστάδος εἷσεν ἄγουσα
ἀντία δεσποίνης· ἡ δ' ἐγκλιδὸν ὄσσε βαλοῦσα   790
παρθενικὰς ἐρύθηνε παρηίδας· ἔμπα δὲ τόνγε
αἰδομένη μύθοισι προσέννεπεν αἱμυλίοισιν·
'Ξεῖνε, τίη μίμνοντες ἐπὶ χρόνον ἔκτοθι πύργων
ἧσθ' αὔτως; ἐπεὶ οὐ μὲν ὑπ' ἀνδράσι ναίεται ἄστυ,
ἀλλὰ Θρηικίης ἐπινάστιοι ἠπείροιο
πυροφόρους ἀρόωσι γύας. κακότητα δὲ πᾶσαν
ἐξερέω νημερτές, ἵν' εὖ γνοίητε καὶ αὐτοί.

be silent and wouldst cheat thy soul with the hope of hearing some wise speech from them, and long wouldst thou gaze with that hope.

Such then were the gifts of the Tritonian goddess Athena. And in his right hand Jason held a far-darting spear, which Atalanta gave him once as a gift of hospitality in Maenalus as she met him gladly; for she eagerly desired to follow on that quest; but he himself of his own accord prevented the maid, for he feared bitter strife on account of her love.

And he went on his way to the city like to a bright star, which maidens, pent up in new-built chambers, behold as it rises above their homes, and through the dark air it charms their eyes with its fair red gleam and the maid rejoices, love-sick for the youth who is far away amid strangers, for whom her parents are keeping her to be his bride; like to that star the hero trod the way to the city. And when they had passed within the gates and the city, the women of the people surged behind them, delighting in the stranger, but he with his eyes fixed on the ground fared straight on, till he reached the glorious palace of Hypsipyle; and when he appeared the maids opened the folding doors, fitted with well-fashioned panels. Here Iphinoe leading him quickly through a fair porch set him upon a shining seat opposite her mistress, but Hypsipyle turned her eyes aside and a blush covered her maiden cheeks, yet for all her modesty she addressed him with crafty words:

" Stranger, why stay ye so long outside our towers? for the city is not inhabited by the men, but they, as sojourners, plough the wheat-bearing fields of the Thracian mainland. And I will tell out truly all our evil plight, that ye yourselves too may know it well.

εὖτε Θόας ἀστοῖσι πατὴρ ἐμὸς ἐμβασίλευεν,
τηνίκα Θρηικίην, οἵτ' ἀντία ναιετάουσιν,
δήμου ἀπορνύμενοι λαοὶ πέρθεσκον ἐπαύλους   800
ἐκ νηῶν, αὐτῇσι δ' ἀπείρονα ληίδα κούραις
δεῦρ' ἄγον· οὐλομένης δὲ θεᾶς πορσύνετο μῆτις
Κύπριδος, ἥτε σφιν θυμοφθόρον ἔμβαλεν ἄτην.
δὴ γὰρ κουριδίας μὲν ἀπέστυγον, ἐκ δὲ μελάθρων,
ἦ ματίῃ εἴξαντες, ἀπεσσεύοντο γυναῖκας·
αὐτὰρ ληιάδεσσι δορικτήταις παρίαυον,
σχέτλιοι. ἦ μὲν δηρὸν ἐτέτλαμεν, εἴ κέ ποτ' αὖτις
ὀψὲ μεταστρέψωσι νόον· τὸ δὲ διπλόον αἰεὶ
πῆμα κακὸν προύβαινεν. ἀτιμάζοντο δὲ τέκνα
γνήσι' ἐνὶ μεγάροις, σκοτίη δ' ἀνέτελλε γενέθλη.   810
αὔτως δ' ἀδμῆτες κοῦραι,[1] χῆραί τ' ἐπὶ τῇσιν
μητέρες ἂμ πτολίεθρον ἀτημελέες ἀλάληντο.
οὐδὲ πατὴρ ὀλίγον περ ἑῆς ἀλέγιζε θυγατρός,
εἰ καὶ ἐν ὀφθαλμοῖσι δαϊζομένην ὁρόῳτο
μητρυιῆς ὑπὸ χερσὶν ἀτασθάλου· οὐδ' ἀπὸ μητρὸς
λώβην, ὡς τὸ πάροιθεν, ἀεικέα παῖδες ἄμυνον·
οὐδὲ κασιγνήτοισι κασιγνήτη μέλε θυμῷ.
ἀλλ' οἷαι κοῦραι ληίτιδες ἔν τε δόμοισιν
ἔν τε χοροῖς ἀγορῇ τε καὶ εἰλαπίνῃσι μέλοντο·
εἰσόκε τις θεὸς ἄμμιν ὑπέρβιον ἔμβαλε θάρσος,   820
ἂψ ἀναερχομένους Θρηκῶν ἄπο μηκέτι πύργοις
δέχθαι, ἵν' ἢ φρονέοιεν ἅπερ θέμις, ἠέ πη ἄλλη
αὐταῖς ληιάδεσσιν ἀφορμηθέντες ἵκοιντο.
οἱ δ' ἄρα θεσσάμενοι παίδων γένος, ὅσσον ἔλειπτο
ἄρσεν ἀνὰ πτολίεθρον, ἔβαν πάλιν, ἔνθ' ἔτι νῦν περ
Θρηικίης ἄροσιν χιονώδεα ναιετάουσιν.

---

[1] κοῦραι Rzach : τε κόραι MSS.

When my father Thoas reigned over the citizens, then our folk starting from their homes used to plunder from their ships the dwellings of the Thracians who live opposite, and they brought back hither measureless booty and maidens too. But the counsel of the baneful goddess Cypris was working out its accomplishment, who brought upon them soul-destroying infatuation. For they hated their lawful wives, and, yielding to their own mad folly, drove them from their homes; and they took to their beds the captives of their spear, cruel ones. Long in truth we endured it, if haply again, though late, they might change their purpose, but ever the bitter woe grew, twofold. And the lawful children were being dishonoured in their halls, and a bastard race was rising. And thus unmarried maidens and widowed mothers too wandered uncared for through the city ; no father heeded his daughter ever so little even though he should see her done to death before his eyes at the hands of an insolent step-dame, nor did sons, as before, defend their mother against unseemly outrage ; nor did brothers care at heart for their sister. But in their homes, in the dance, in the assembly and the banquet all their thought was only for their captive maidens ; until some god put desperate courage in our hearts no more to receive our lords on their return from Thrace within our towers so that they might either heed the right or might depart and begone elsewhither, they and their captives. So they begged of us all the male children that were left in the city and went back to where even now they dwell on the snowy tilths of Thrace.

τῷ ὑμεῖς στρωφᾶσθ' ἐπιδήμιοι· εἰ δέ κεν αὖθι
ναιετάειν ἐθέλοις, καί τοι ἄδοι, ἦ τ' ἂν ἔπειτα
πατρὸς ἐμεῖο Θόαντος ἔχοις γέρας· οὐδέ τί σ' οἴω
γαῖαν ὀνόσσεσθαι· περὶ γὰρ βαθυλήιος ἄλλων   830
νήσων, Αἰγαίῃ ὅσαι εἰν ἁλὶ ναιετάουσιν.
ἀλλ' ἄγε νῦν ἐπὶ νῆα κιὼν ἑτάροισιν ἐνίσπες
μύθους ἡμετέρους, μηδ' ἔκτοθι μίμνε πόληος.'
    Ἴσκεν, ἀμαλδύνουσα φόνου τέλος, οἷον ἐτύχθη
ἀνδράσιν· αὐτὰρ ὁ τήνγε παραβλήδην προσέειπεν·
  'Ὑψιπύλη, μάλα κεν θυμηδέος ἀντιάσαιμεν
χρησμοσύνης, ἣν ἄμμι σέθεν χατέουσιν ὀπάζεις.
εἶμι δ' ὑπότροπος αὖτις ἀνὰ πτόλιν, εὖτ' ἂν ἕκαστα
ἐξείπω κατὰ κόσμον. ἀνακτορίη δὲ μελέσθω
σοίγ' αὐτῇ καὶ νῆσος· ἔγωγε μὲν οὐκ ἀθερίζων   840
χάζομαι, ἀλλά με λυγροὶ ἐπισπέρχουσιν ἄεθλοι.'
    Ἦ, καὶ δεξιτερῆς χειρὸς θίγεν· αἶψα δ' ὀπίσσω
βῆ ῥ' ἴμεν, ἀμφὶ δὲ τόνγε νεήνιδες ἄλλοθεν ἄλλαι
μυρίαι εἱλίσσοντο κεχαρμέναι, ὄφρα πυλάων
ἐξέμολεν. μετέπειτα δ' ἐυτροχάλοισιν ἀμάξαις
ἀκτὴν εἰσαπέβαν, ξεινήια πολλὰ φέρουσαι,
μῦθον ὅτ' ἤδη πάντα διηνεκέως ἀγόρευσεν,
τόν ῥα καλεσσαμένη διεπέφραδεν Ὑψιπύλεια·
καὶ δ' αὐτοὺς ξεινοῦσθαι ἐπὶ σφέα δώματ' ἄγεσκον
ῥηιδίως. Κύπρις γὰρ ἐπὶ γλυκὺν ἵμερον ὦρσεν   850
Ἡφαίστοιο χάριν πολυμήτιος, ὄφρα κεν αὖτις
ναίηται μετόπισθεν ἀκήρατος ἀνδράσι Λῆμνος.
    Ἔνθ' ὁ μὲν Ὑψιπύλης βασιλήιον ἐς δόμον ὦρτο
Αἰσονίδης· οἱ δ' ἄλλοι ὅπῃ καὶ ἔκυρσαν ἕκαστος,
Ἡρακλῆος ἄνευθεν, ὁ γὰρ παρὰ νηὶ λέλειπτο

Do ye therefore stay and settle with us; and shouldst thou desire to dwell here, and this finds favour with thee, assuredly thou shalt have the prerogative of my father Thoas; and I deem that thou wilt not scorn our land at all; for it is deep-soiled beyond all other islands that lie in the Aegaean sea. But come now, return to the ship and relate my words to thy comrades, and stay not outside our city."

She spoke, glozing over the murder that had been wrought upon the men; and Jason addressed her in answer:

" Hypsipyle, very dear to our hearts is the help we shall meet with, which thou grantest to us who need thee. And I will return again to the city when I have told everything in order due. But let the sovereignty of the island be thine; it is not in scorn I yield it up, but grievous trials urge me on."

He spake, and touched her right hand; and quickly he turned to go back: and round him the young maids on every side danced in countless numbers in their joy till he passed through the gates. And then they came to the shore in smooth-running wains, bearing with them many gifts, when now he had related from beginning to end the speech which Hypsipyle had spoken when she summoned them; and the maids readily led the men back to their homes for entertainment. For Cypris stirred in them a sweet desire, for the sake of Hephaestus of many counsels, in order that Lemnos might be again inhabited by men and not be ruined.

Thereupon Aeson's son started to go to the royal home of Hypsipyle; and the rest went each his way as chance took them, all but Heracles; for he of his

αὐτὸς ἑκὼν παῦροί τε διακρινθέντες ἑταῖροι.
αὐτίκα δ' ἄστυ χοροῖσι καὶ εἰλαπίνῃσι γεγήθει
καπνῷ κνισήεντι περίπλεον· ἔξοχα δ' ἄλλων
ἀθανάτων Ἥρης υἷα κλυτὸν ἠδὲ καὶ αὐτὴν
Κύπριν ἀοιδῆσιν θυέεσσί τε μειλίσσοντο.   860
ἀμβολίη δ' εἰς ἦμαρ ἀεὶ ἐξ ἤματος ἦεν
ναυτιλίης· δηρὸν δ' ἂν ἐλίνυον αὖθι μένοντες,
εἰ μὴ ἀολλίσσας ἑτάρους ἀπάνευθε γυναικῶν
Ἡρακλέης τοίοισιν ἐνιπτάζων μετέειπεν·

'Δαιμόνιοι, πάτρης ἐμφύλιον αἷμ' ἀποέργει
ἡμέας; ἦε γάμων ἐπιδευέες ἐνθάδ' ἔβημεν
κεῖθεν, ὀνοσσάμενοι πολιήτιδας; αὖθι δ' ἔαδεν
ναίοντας λιπαρὴν ἄροσιν Λήμνοιο ταμέσθαι;
οὐ μὰν εὐκλειεῖς γε σὺν ὀθνείῃσι γυναιξὶν
ἐσσόμεθ' ὧδ' ἐπὶ δηρὸν ἐελμένοι· οὐδέ τι κῶας   870
αὐτόματον δώσει τις ἑλὼν θεὸς εὐξαμένοισιν.
ἴομεν αὖτις ἕκαστοι ἐπὶ σφέα· τὸν δ' ἐνὶ λέκτροις
Ὑψιπύλης εἴατε πανήμερον, εἰσόκε Λῆμνον
παισὶν ἐσανδρώσῃ, μεγάλη τέ ἑ βάξις ἵκηται.'

Ὣς νείκεσσεν ὅμιλον· ἐναντία δ' οὔ νύ τις ἔτλη
ὄμματ' ἀνασχεθέειν, οὐδὲ προτιμυθήσασθαι·
ἀλλ' αὔτως ἀγορῆθεν ἐπαρτίζοντο νέεσθαι
σπερχόμενοι. ταὶ δέ σφιν ἐπέδραμον, εὖτ' ἐδάησαν.
ὡς δ' ὅτε λείρια καλὰ περιβρομέουσι μέλισσαι
πέτρης ἐκχύμεναι σιμβληίδος, ἀμφὶ δὲ λειμὼν   880
ἑρσήεις γάνυται, ταὶ δὲ γλυκὺν ἄλλοτε ἄλλον
καρπὸν ἀμέργουσιν πεποτημέναι· ὣς ἄρα ταίγε
ἐνδυκὲς ἀνέρας ἀμφὶ κινυρόμεναι προχέοντο,
χερσί τε καὶ μύθοισιν ἐδεικανόωντο ἕκαστον,

own will was left behind by the ship and a few
chosen comrades with him. And straightway the
city rejoiced with dances and banquets, being filled
with the steam of sacrifice ; and above all the
immortals they propitiated with songs and sacrifices
the illustrious son of Hera and Cypris herself. And
the sailing was ever delayed from one day to another ;
and long would they have lingered there, had not
Heracles, gathering together his comrades apart
from the women, thus addressed them with reproach-
ful words :

"Wretched men, does the murder of kindred keep
us from our native land ? Or is it in want of
marriage that we have come hither from thence, in
scorn of our countrywomen ? Does it please us to
dwell here and plough the rich soil of Lemnos ?
No fair renown shall we win by thus tarrying
so long with stranger women ; nor will some god
seize and give us at our prayer a fleece that moves
of itself. Let us then return each to his own ; but
him leave ye to rest all day long in the embrace of
Hypsipyle until he has peopled Lemnos with men-
children, and so there come to him great glory."

Thus did he chide the band ; but no one dared to
meet his eye or to utter a word in answer. But just
as they were in the assembly they made ready their
departure in all haste, and the women came running
towards them, when they knew their intent. And
as when bees hum round fair lilies pouring forth
from their hive in the rock, and all around the dewy
meadow rejoices, and they gather the sweet fruit,
flitting from one to another ; even so the women
eagerly poured forth, clustering round the men with
loud lament, and greeted each one with hands and

εὐχόμεναι μακάρεσσιν ἀπήμονα νόστον ὀπάσσαι.
ὡς δὲ καὶ Ὑψιπύλη ἠρήσατο χεῖρας ἑλοῦσα
Αἰσονίδεω, τὰ δέ οἱ ῥέε δάκρυα χήτει ἰόντος·

' Νίσσεο, καὶ σὲ θεοὶ σὺν ἀπηρέσιν αὖτις ἑταίροις
χρύσειον βασιλῆι δέρος κομίσειαν ἄγοντα
αὔτως, ὡς ἐθέλεις καί τοι φίλον· ἤδε δὲ νῆσος   890
σκῆπτρά τε πατρὸς ἐμεῖο παρέσσεται, ἢν καὶ ὀπίσσω
δή ποτε νοστήσας ἐθέλῃς ἄψορρον ἱκέσθαι.
ῥηιδίως δ' ἂν ἑοῖ καὶ ἀπείρονα λαὸν ἀγείραις
ἄλλων ἐκ πολίων.   ἀλλ' οὐ σύγε τήνδε μενοινὴν
σχήσεις, οὔτ' αὐτὴ προτιόσσομαι ὧδε τελεῖσθαι.
μνώεο μὴν ἀπεὼν περ ὁμῶς καὶ νόστιμος ἤδη
Ὑψιπύλης· λίπε δ' ἧμιν ἔπος, τό κεν ἐξανύσαιμι
πρόφρων, ἢν ἄρα δή με θεοὶ δώωσι τεκέσθαι.'

Τὴν δ' αὖτ Αἴσονος υἱὸς ἀγαιόμενος προσέειπεν·
' Ὑψιπύλη, τὰ μὲν οὕτω ἐναίσιμα πάντα γένοιτο   900
ἐκ μακάρων· τύνη δ' ἐμέθεν πέρι θυμὸν ἀρείω
ἴσχαν,' ἐπεὶ πάτρην μοι ἅλις Πελίαο ἕκητι
ναιετάειν· μοῦνόν με θεοὶ λύσειαν ἀέθλων.
εἰ δ' οὔ μοι πέπρωται ἐς Ἑλλάδα γαῖαν ἱκέσθαι
τηλοῦ ἀναπλώοντι, σὺ δ' ἄρσενα παῖδα τέκηαι,
πέμπε μιν ἡβήσαντα Πελασγίδος ἔνδον Ἰωλκοῦ
πατρί τ' ἐμῷ καὶ μητρὶ δύης ἄκος, ἢν ἄρα τούσγε
τέτμῃ ἔτι ζώοντας, ἵν' ἄνδιχα τοῖο ἄνακτος
σφοῖσιν πορσύνωνται ἐφέστιοι ἐν μεγάροισιν.'

Ἦ, καὶ ἔβαιν' ἐπὶ νῆα παροίτατος· ὣς δὲ καὶ ἄλλοι
                                                      910
βαῖνον ἀριστῆες· λάζοντο δὲ χερσὶν ἐρετμὰ
ἐνσχερὼ ἑζόμενοι· πρυμνήσια δέ σφισιν Ἄργος
λῦσεν ὑπὲκ πέτρης ἁλιμυρέος.   ἔνθ' ἄρα τοίγε

voice, praying the blessed gods to grant him a safe return. And so Hypsipyle too prayed, seizing the hands of Aeson's son, and her tears flowed for the loss of her lover :

" Go, and may heaven bring thee back again with thy comrades unharmed, bearing to the king the golden fleece, even as thou wilt and thy heart desireth ; and this island and my father's sceptre will be awaiting thee, if on thy return hereafter thou shouldst choose to come hither again ; and easily couldst thou gather a countless host of men from other cities. But thou wilt not have this desire, nor do I myself forbode that so it will be. Still remember Hypsipyle when thou art far away and when thou hast returned ; and leave me some word of bidding, which I will gladly accomplish, if haply heaven shall grant me to be a mother."

And Aeson's son in admiration thus replied : " Hypsipyle, so may all these things prove propitious by the favour of the blessed gods. But do thou hold a nobler thought of me, since by the grace of Pelias it is enough for me to dwell in my native land ; may the gods only release me from my toils. But if it is not my destiny to sail afar and return to the land of Hellas, and if thou shouldst bear a male child, send him when grown up to Pelasgian Iolcus, to heal the grief of my father and mother if so be that he find them still living, in order that, far away from the king, they may be cared for by their own hearth in their home."

He spake, and mounted the ship first of all ; and so the rest of the chiefs followed, and, sitting in order, seized the oars ; and Argus loosed for them the hawsers from under the sea-beaten rock. Where-

κόπτον ὕδωρ δολιχῇσιν ἐπικρατέως ἐλάτῃσιν.
ἑσπέριοι δ' Ὀρφῆος ἐφημοσύνῃσιν ἔκελσαν
νῆσον ἐς Ἠλέκτρης Ἀτλαντίδος, ὄφρα δαέντες
ἀρρήτους ἀγανῇσι τελεσφορίῃσι θέμιστας
σωότεροι κρυόεσσαν ὑπεὶρ ἅλα ναυτίλλοιντο.
τῶν μὲν ἔτ' οὐ προτέρω μυθήσομαι· ἀλλὰ καὶ αὐτὴ
νῆσος ὁμῶς κεχάροιτο καὶ οἳ λάχον ὄργια κεῖνα   920
δαίμονες ἐνναέται, τὰ μὲν οὐ θέμις ἄμμιν ἀείδειν.

Κεῖθεν δ' εἰρεσίῃ μέλανος διὰ βένθεα πόντου
ἱέμενοι τῇ μὲν Θρηκῶν χθόνα, τῇ δὲ περαίην
Ἴμβρον ἔχον καθύπερθε· νέον γε μὲν ἠελίοιο
δυομένου Χερόνησον ἐπὶ προύχουσαν ἵκοντο.
ἔνθα σφιν λαιψηρὸς ἄη νότος, ἱστία δ' οὔρῳ
στησάμενοι κούρης Ἀθαμαντίδος αἰπὰ ῥέεθρα
εἰσέβαλον· πέλαγος δὲ τὸ μὲν καθύπερθε λέλειπτο
ἦρι, τὸ δ' ἐννύχιοι Ῥοιτειάδος ἔνδοθεν ἀκτῆς
μέτρεον, Ἰδαίην ἐπὶ δεξιὰ γαῖαν ἔχοντες.   930
Δαρδανίην δὲ λιπόντες ἐπιπροσέβαλλον Ἀβύδῳ,
Περκώτην δ' ἐπὶ τῇ καὶ Ἀβαρνίδος ἠμαθόεσσαν
ἠιόνα ζαθέην τε παρήμειβον Πιτύειαν.
καὶ δὴ τοίγ' ἐπὶ νυκτὶ διάνδιχα νηὸς ἰούσης
δίνῃ πορφύροντα διήνυσαν Ἑλλήσποντον.

Ἔστι δέ τις αἰπεῖα Προποντίδος ἔνδοθι νῆσος
τυτθὸν ἀπὸ Φρυγίης πολυληίου ἠπείροιο
εἰς ἅλα κεκλιμένη, ὅσσον τ' ἐπιμύρεται ἰσθμὸς
χέρσῳ ἐπιπρηνὴς καταειμένος. ἐν δέ οἱ ἀκταὶ
ἀμφίδυμοι, κεῖνται δ' ὑπὲρ ὕδατος Αἰσήποιο·   9
Ἄρκτων μιν καλέουσιν ὄρος περιναιετάοντες·

upon they mightily smote the water with their long
oars, and in the evening by the injunctions of
Orpheus they touched at the island of Electra,[1]
daughter of Atlas, in order that by gentle initiation
they might learn the rites that may not be uttered,
and so with greater safety sail over the chilling sea.
Of these I will make no further mention ; but I bid
farewell to the island itself and the indwelling
deities, to whom belong those mysteries, which it is
not lawful for me to sing.

Thence did they row with eagerness over the
depths of the black Sea, having on the one side the
land of the Thracians, on the other Imbros on the
south ; and as the sun was just setting they reached
the foreland of the Chersonesus. There a strong
south wind blew for them ; and raising the sails to
the breeze they entered the swift stream of the
maiden daughter of Athamas ; and at dawn the sea
to the north was left behind and at night they were
coasting inside the Rhoeteian shore, with the land
of Ida on their right. And leaving Dardania they
directed their course to Abydus, and after it they
sailed past Percote and the sandy beach of Abarnis
and divine Pityeia. And in that night, as the ship
sped on by sail and oar, they passed right through
the Hellespont dark-gleaming with eddies.

There is a lofty island inside the Propontis, a short
distance from the Phrygian mainland with its rich
cornfields, sloping to the sea, where an isthmus in
front of the mainland is flooded by the waves, so low
does it lie. And the isthmus has double shores, and
they lie beyond the river Aesepus, and the inhabit-
ants round about call the island the Mount of Bears.

[1] Samothrace.

καὶ τὸ μὲν ὑβρισταί τε καὶ ἄγριοι ἐνναίουσιν
Γηγενέες, μέγα θαῦμα περικτιόνεσσιν ἰδέσθαι·
ἐξ γὰρ ἐκάστῳ χεῖρες ὑπέρβιοι ἠερέθονται,
αἱ μὲν ἀπὸ στιβαρῶν ὤμων δύο, ταὶ δ' ὑπένερθεν
τέσσαρες αἰνοτάτῃσιν ἐπὶ πλευρῆς ἀραρυῖαι.
ἰσθμὸν δ' αὖ πεδίον τε Δολίονες ἀμφενέμοντο
ἀνέρες· ἐν δ' ἥρως Αἰνήιος υἱὸς ἄνασσεν
Κύζικος, ὃν κούρη δίου τέκεν Εὐσώροιο
Αἰνήτη.   τοὺς δ' οὔτι καὶ ἔκπαγλοί περ ἐόντες   950
Γηγενέες σίνοντο, Ποσειδάωνος ἀρωγῇ·
τοῦ γὰρ ἔσαν τὰ πρῶτα Δολίονες ἐκγεγαῶτες.
ἔνθ' Ἀργὼ προύτυψεν ἐπειγομένη ἀνέμοισιν
Θρηικίοις, Καλὸς δὲ λιμὴν ὑπέδεκτο θέουσαν.
κεῖσε καὶ εὐναίης ὀλίγον λίθον ἐκλύσαντες
Τίφυος ἐννεσίῃσιν ὑπὸ κρήνῃ ἐλίποντο,
κρήνῃ ὑπ' Ἀρτακίῃ· ἕτερον δ' ἕλον, ὅστις ἀρήρε·,
βριθύν· ἀτὰρ κεῖνόν γε θεοπροπίαις Ἑκάτοιο
Νηλεΐδαι μετόπισθεν Ἰάονες ἱδρύσαντο
ἱερόν, ἧ θέμις ἦεν, Ἰησονίης ἐν Ἀθήνης.   960

Τοὺς δ' ἄμυδις φιλότητι Δολίονες ἠδὲ καὶ αὐτὸς
Κύζικος ἀντήσαντες ὅτε στόλον ἠδὲ γενέθλην
ἔκλυον, οἵτινες εἶεν, ἐυξείνως ἀρέσαντο,
καί σφεας εἰρεσίῃ πέπιθον προτέρωσε κιόντας
ἄστεος ἐν λιμένι πρυμνήσια νηὸς ἀνάψαι.
ἔνθ' οἵγ' Ἐκβασίῳ βωμὸν θέσαν Ἀπόλλωνι
εἱσάμενοι παρὰ θῖνα, θυηπολίης τ' ἐμέλοντο.
δῶκεν δ' αὐτὸς ἄναξ λαρὸν μέθυ δευομένοισιν
μῆλά θ' ὁμοῦ· δὴ γάρ οἱ ἔην φάτις, εὖτ' ἂν ἵκωνται
ἀνδρῶν ἡρώων θεῖος στόλος, αὐτίκα τόνγε   970
μείλιχον ἀντιάαν, μηδὲ πτολέμοιο μέλεσθαι.

And insolent and fierce men dwell there, Earthborn,
a great marvel to the neighbours to behold; for each
one has six mighty hands to lift up, two from his
sturdy shoulders, and four below, fitting close to his
terrible sides. And about the isthmus and the plain
the Doliones had their dwelling, and over them
Cyzicus son of Aeneus was king, whom Aenete the
daughter of goodly Eusorus bare. But these men
the Earthborn monsters, fearful though they were,
in nowise harried, owing to the protection of
Poseidon; for from him had the Doliones first
sprung. Thither Argo pressed on, driven by the
winds of Thrace, and the Fair haven received her as
she sped. There they cast away their small anchor-
stone by the advice of Tiphys and left it beneath a
fountain, the fountain of Artacie; and they took
another meet for their purpose, a heavy one; but
the first, according to the oracle of the Far-Darter,
the Ionians, sons of Neleus, in after days laid to
be a sacred stone, as was right, in the temple of
Jasonian Athena.

Now the Doliones and Cyzicus himself all came
together to meet them with friendliness, and when
they knew of the quest and their lineage welcomed
them with hospitality, and persuaded them to row
further and to fasten their ship's hawsers at the city
harbour. Here they built an altar to Ecbasian[1]
Apollo and set it up on the beach, and gave heed to
sacrifices. And the king of his own bounty gave
them sweet wine and sheep in their need; for he
had heard a report that whenever a godlike band of
heroes should come, straightway he should meet it
with gentle words and should have no thought of

[1] *i.e.* god of disembarcation.

69

ἶσόν που κἀκείνῳ ἐπισταχύεσκον ἴουλοι,
οὐδέ νύ πω παίδεσσιν ἀγαλλόμενος μεμόρητο·
ἀλλ' ἔτι οἱ κατὰ δώματ' ἀκήρατος ἦεν ἄκοιτις
ὠδίνων, Μέροπος Περκωσίου ἐκγεγαυῖα,
Κλείτη εὐπλόκαμος, τὴν μὲν νέον ἐξέτι πατρὸς
θεσπεσίοις ἕδνοισιν ἀνήγαγεν ἀντιπέρηθεν.
ἀλλὰ καὶ ὣς θάλαμόν τε λιπὼν καὶ δέμνια νύμφης
τοῖς μέτα δαῖτ' ἀλέγυνε, βάλεν δ' ἀπὸ δείματα
    θυμοῦ.
ἀλλήλους δ' ἐρέεινον ἀμοιβαδίς. ἤτοι ὁ μέν σφεων   980
πεύθετο ναυτιλίης ἄνυσιν, Πελίαό τ' ἐφετμάς·
οἱ δὲ περικτιόνων πόλιας καὶ κόλπον ἅπαντα
εὐρείης πεύθοντο Προποντίδος· οὐ μὲν ἐπιπρὸ
ἠείδει καταλέξαι ἐελδομένοισι δαῆναι.
ἠοῖ δ' εἰσανέβαν μέγα Δίνδυμον, ὄφρα καὶ αὐτοὶ
θηήσαιντο πόρους κείνης ἁλός· ἐκ δ' ἄρα τοίγε
νῆα Χυτὸν λιμένα[1] προτέρου ἐξήλασαν ὅρμου·
ἥδε δ' Ἰησονίη πέφαται ὁδός, ἥνπερ ἔβησαν.

    Γηγενέες δ' ἑτέρωθεν ἀπ' οὔρεος ἀΐξαντες
φράξαν ἀπειρεσίοιο Χυτοῦ στόμα νειόθι πέτρης   990
πόντιον, οἷά τε θῆρα λοχώμενοι ἔνδον ἐόντα.
ἀλλὰ γὰρ αὖθι λέλειπτο σὺν ἀνδράσιν ὁπλο-
    τέροισιν
Ἡρακλέης, ὃς δή σφι παλίντονον αἶψα τανύσσας
τόξον, ἐπασσυτέρους πέλασε χθονί· τοὶ δὲ καὶ
    αὐτοὶ
πέτρας ἀμφιρρῶγας ἀερτάζοντες ἔβαλλον.
δὴ γάρ που κἀκεῖνα θεὰ τρέφεν αἰνὰ πέλωρα
Ἥρη, Ζηνὸς ἄκοιτις, ἀέθλιον Ἡρακλῆι.
σὺν δὲ καὶ ὦλλοι δῆθεν ὑπότροποι ἀντιόωντες,
πρίν περ ἀνελθέμεναι σκοπιήν, ἥπτοντο φόνοιο

---

[1] Χυτὸν λιμένα Merkel : χυτοῦ λιμένος MSS.

war. As with Jason, the soft down was just blooming
on his chin, nor yet had it been his lot to rejoice in
children, but still in his palace his wife was
untouched by the pangs of child-birth, the daughter
of Percosian Merops, fair-haired Cleite, whom lately
by priceless gifts he had brought from her father's
home from the mainland opposite. But even so he
left his chamber and bridal bed and prepared a
banquet among the strangers, casting all fears from
his heart. And they questioned one another in
turn. Of them would he learn the end of their
voyage and the injunctions of Pelias; while they
enquired about the cities of the people round and all
the gulf of the wide Propontis; but further he could
not tell them for all their desire to learn. In the
morning they climbed mighty Dindymum that they
might themselves behold the various paths of that
sea; and they brought their ship from its former
anchorage to the harbour, Chytus; and the path they
trod is named the path of Jason.

But the Earthborn men on the other side rushed
down from the mountain and with crags below blocked
up the mouth of vast Chytus towards the sea, like
men lying in wait for a wild beast within. But there
Heracles had been left behind with the younger
heroes and he quickly bent his back-springing bow
against the monsters and brought them to earth one
after another; and they in their turn raised huge
ragged rocks and hurled them. For these dread
monsters too, I ween, the goddess Hera, bride of
Zeus, had nurtured to be a trial for Heracles. And
therewithal came the rest of the martial heroes
returning to meet the foe before they reached the

Γηγενέων ἥρωες ἀρήιοι, ἠμὲν ὀιστοῖς   1000
ἠδὲ καὶ ἐγχείῃσι δεδεγμένοι, εἰσόκε πάντας
ἀντιβίην ἀσπερχὲς ὀρινομένους ἐδάιξαν.
ὡς δ' ὅτε δούρατα μακρὰ νέον πελέκεσσι τυπέντα
ὑλοτόμοι στοιχηδὸν ἐπὶ ῥηγμῖνι βάλωσιν,
ὄφρα νοτισθέντα κρατεροὺς ἀνεχοίατο γόμφους·
ὣς οἱ ἐνὶ ξυνοχῇ λιμένος πολιοῖο τέταντο
ἑξείης, ἄλλοι μὲν ἐς ἁλμυρὸν ἀθρόοι ὕδωρ
δύπτοντες κεφαλὰς καὶ στήθεα, γυῖα δ' ὕπερθεν
χέρσῳ τεινάμενοι· τοὶ δ' ἔμπαλιν, αἰγιαλοῖο
κράατα μὲν ψαμάθοισι, πόδας δ' εἰς βένθος
ἔρειδον,
ἄμφω ἅμ' οἰωνοῖσι καὶ ἰχθύσι κύρμα γενέσθαι.   1010
Ἥρωες δ', ὅτε δή σφιν ἀταρβὴς ἔπλετ' ἄεθλος,
δὴ τότε πείσματα νηὸς ἐπὶ πνοιῇς ἀνέμοιο
λυσάμενοι προτέρωσε διὲξ ἁλὸς οἶδμα νέοντο.
ἡ δ' ἔθεεν λαίφεσσι πανήμερος· οὐ μὲν ἰούσης
νυκτὸς ἔτι ῥιπὴ μένεν ἔμπεδον, ἀλλὰ θύελλαι
ἀντίαι ἁρπάγδην ὀπίσω φέρον, ὄφρ' ἐπέλασσαν
αὖτις ἐυξείνοισι Δολίοισιν. ἐκ δ' ἄρ' ἔβησαν
αὐτονυχί· Ἱερὴ δὲ φατίζεται ἥδ' ἔτι πέτρη,
ᾗ πέρι πείσματα νηὸς ἐπεσσύμενοι ἐβάλοντο.   1020
οὐδέ τις αὐτὴν νῆσον ἐπιφραδέως ἐνόησεν
ἔμμεναι· οὐδ' ὑπὸ νυκτὶ Δολίονες ἂψ ἀνιόντας
ἥρωας νημερτὲς ἐπήισαν· ἀλλά που ἀνδρῶν
Μακριέων εἴσαντο Πελασγικὸν ἄρεα κέλσαι.
τῷ καὶ τεύχεα δύντες ἐπὶ σφίσι χεῖρας ἄειραν.
σὺν δ' ἔλασαν μελίας τε καὶ ἀσπίδας ἀλλήλοισιν
ὀξείῃ ἴκελοι ῥιπῇ πυρός, ἥ τ' ἐνὶ θάμνοις
αὐαλέοισι πεσοῦσα κορύσσεται· ἐν δὲ κυδοιμὸς
δεινός τε ζαμενής τε Δολιονίῳ πέσε δήμῳ.

height of outlook, and they fell to the slaughter of the Earthborn, receiving them with arrows and spears until they slew them all as they rushed fiercely to battle. And as when woodcutters cast in rows upon the beach long trees just hewn down by their axes, in order that, once sodden with brine, they may receive the strong bolts; so these monsters at the entrance of the foam-fringed harbour lay stretched one after another, some in heaps bending their heads and breasts into the salt waves with their limbs spread out above on the land; others again were resting their heads on the sand of the shore and their feet in the deep water, both alike a prey to birds and fishes at once.

But the heroes, when the contest was ended without fear, loosed the ship's hawsers to the breath of the wind and pressed on through the sea-swell. And the ship sped on under sail all day; but when night came the rushing wind did not hold steadfast, but contrary blasts caught them and held them back till they again approached the hospitable Doliones. And they stepped ashore that same night; and the rock is still called the Sacred Rock round which they threw the ship's hawsers in their haste. Nor did anyone note with care that it was the same island; nor in the night did the Doliones clearly perceive that the heroes were returning; but they deemed that Pelasgian war-men of the Macrians had landed. Therefore they donned their armour and raised their hands against them. And with clashing of ashen spears and shields they fell on each other, like the swift rush of fire which falls on dry brushwood and rears its crest; and the din of battle, terrible and furious, fell upon the people of the

οὐδ' ὅγε δηιοτῆτος ὑπὲρ μόρον αὖτις ἔμελλεν 1030
οἴκαδε νυμφιδίους θαλάμους καὶ λέκτρον ἱκέσθαι.
ἀλλά μιν Αἰσονίδης τετραμμένον ἰθὺς ἑοῖο
πλῆξεν ἐπαΐξας στῆθος μέσον, ἀμφὶ δὲ δουρὶ
ὀστέον ἐρραίσθη· ὁ δ' ἐνὶ ψαμάθοισιν ἐλυσθεὶς
μοῖραν ἀνέπλησεν. τὴν γὰρ θέμις οὔποτ' ἀλύξαι
θνητοῖσιν· πάντη δὲ περὶ μέγα πέπταται ἕρκος.
ὣς τὸν ὀιόμενόν που ἀδευκέος ἔκτοθεν ἄτης
εἶναι ἀριστήων αὐτῇ ὑπὸ νυκτὶ πέδησεν
μαρνάμενον κείνοισι· πολεῖς δ' ἐπαρηγόνες ἄλλοι
ἔκταθεν· Ἡρακλέης μὲν ἐνήρατο Τηλεκλῆα 1040
ἠδὲ Μεγαβρόντην· Σφόδριν δ' ἐνάριξεν Ἄκαστος·
Πηλεὺς δὲ Ζέλυν εἷλεν ἀρηίθοόν τε Γέφυρον.
αὐτὰρ ἐυμμελίης Τελαμὼν Βασιλῆα κατέκτα.
Ἴδας δ' αὖ Προμέα, Κλυτίος δ' Ὑάκινθον ἔπεφνεν,
Τυνδαρίδαι δ' ἄμφω Μεγαλοσσάκεα Φλογίον τε.
Οἰνεΐδης δ' ἐπὶ τοῖσιν ἕλεν θρασὺν Ἰτυμονῆα
ἠδὲ καὶ Ἀρτακέα, πρόμον ἀνδρῶν· οὓς ἔτι πάντας
ἐνναέται τιμαῖς ἡρῴσι κυδαίνουσιν.
οἱ δ' ἄλλοι εἴξαντες ὑπέτρεσαν, ἠύτε κίρκους
ὠκυπέτας ἀγεληδὸν ὑποτρέσσωσι πέλειαι. 1050
ἐς δὲ πύλας ὁμάδῳ πέσον ἀθρόοι· αἶψα δ' ἀυτῆς
πλῆτο πόλις στονόεντος ὑποτροπίῃ πολέμοιο.
ἠῶθεν δ' ὀλοὴν καὶ ἀμήχανον εἰσενόησαν
ἀμπλακίην ἄμφω· στυγερὸν δ' ἄχος εἷλεν ἰδόντας
ἥρωας Μινύας Αἰνήιον υἷα πάροιθεν
Κύζικον ἐν κονίῃσι καὶ αἵματι πεπτηῶτα.
ἤματα δὲ τρία πάντα γόων, τίλλοντό τε χαίτας
αὐτοὶ ὁμῶς λαοί τε Δολίονες. αὐτὰρ ἔπειτα
τρὶς περὶ χαλκείοις σὺν τεύχεσι δινηθέντες
τύμβῳ ἐνεκτερέιξαν, ἐπειρήσαντό τ' ἀέθλων, 1060
ἣ θέμις, ἂμ πεδίον λειμώνιον, ἔνθ' ἔτι νῦν περ

Doliones. Nor was the king to escape his fate and
return home from battle to his bridal chamber and
bed. But Aeson's son leapt upon him as he turned
to face him, and smote him in the middle of the
breast, and the bone was shattered round the spear;
he rolled forward in the sand and filled up the
measure of his fate. For that no mortal may escape;
but on every side a wide snare encompasses us. And
so, when he thought that he had escaped bitter
death from the chiefs, fate entangled him that very
night in her toils while battling with them; and
many champions withal were slain; Heracles killed
Telecles and Megabrontes, and Acastus slew Sphodris;
and Peleus slew Zelus and Gephyrus swift in war.
Telamon of the strong spear slew Basileus. And
Idas slew Promeus, and Clytius Hyacinthus, and the
two sons of Tyndareus slew Megalossaces and
Phlogius. And after them the son of Oeneus slew
bold Itomeneus, and Artaceus, leader of men; all of
whom the inhabitants still honour with the worship
due to heroes. And the rest gave way and fled in
terror just as doves fly in terror before swift-winged
hawks. And with a din they rushed in a body to
the gates; and quickly the city was filled with loud
cries at the turning of the dolorous fight. But
at dawn both sides perceived the fatal and cure-
less error; and bitter grief seized the Minyan heroes
when they saw before them Cyzicus son of Aeneus
fallen in the midst of dust and blood. And for three
whole days they lamented and rent their hair, they
and the Doliones. Then three times round his tomb
they paced in armour of bronze and performed
funeral rites and celebrated games, as was meet,
upon the meadow-plain, where even now rises the

ἀγκέχυται τόδε σῆμα καὶ ὀψιγόνοισιν ἰδέσθαι.
οὐδὲ μὲν οὐδ' ἄλοχος Κλείτη φθιμένοιο λέλειπτο
οὗ πόσιος μετόπισθε· κακῷ δ' ἐπὶ κύντερον ἄλλο
ἤνυσεν, ἁψαμένη βρόχον αὐχένι. τὴν δὲ καὶ αὐταὶ
νύμφαι ἀποφθιμένην ἀλσηίδες ὠδύραντο·
καί οἱ ἀπὸ βλεφάρων ὅσα δάκρυα χεῦαν ἔραζε,
πάντα τάγε κρήνην τεῦξαν θεαί, ἣν καλέουσιν
Κλείτην, δυστήνοιο περικλεὲς οὔνομα νύμφης.
αἰνότατον δὴ κεῖνο Δολιονίῃσι γυναιξὶν   1070
ἀνδράσι τ' ἐκ Διὸς ἦμαρ ἐπήλυθεν· οὐδὲ γὰρ αὐτῶν
ἔτλη τις πάσσασθαι ἐδητύος, οὐδ' ἐπὶ δηρὸν
ἐξ ἀχέων ἔργοιο μυληφάτου ἐμνώοντο·
ἀλλ' αὔτως ἄφλεκτα διαζώεσκον ἔδοντες.
ἔνθ' ἔτι νῦν, εὖτ' ἄν σφιν ἐτήσια χύτλα χέωνται
Κύζικον ἐνναίοντες Ἰάονες, ἔμπεδον αἰεὶ
πανδήμοιο μύλης πελάνους ἐπαλετρεύουσιν.

Ἐκ δὲ τόθεν τρηχεῖαι ἀνηέρθησαν ἄελλαι
ἤμαθ' ὁμοῦ νύκτας τε δυώδεκα, τοὺς δὲ καταῦθι
ναυτίλλεσθαι ἔρυκον. ἐπιπλομένῃ δ' ἐνὶ νυκτὶ   1080
ὧλλοι μέν ῥα πάρος δεδμημένοι εὐνάζοντο
ὕπνῳ ἀριστῆες πύματον λάχος· αὐτὰρ Ἄκαστος
Μόψος τ' Ἀμπυκίδης ἀδινὰ κνώσσοντας ἔρυντο.
ἡ δ' ἄρ' ὑπὲρ ξανθοῖο καρήατος Αἰσονίδαο
πωτᾶτ' ἀλκυονὶς λιγυρῇ ὀπὶ θεσπίζουσα
λῆξιν ὀρινομένων ἀνέμων· συνέηκε δὲ Μόψος
ἀκταίης ὄρνιθος ἐναίσιμον ὄσσαν ἀκούσας.
καὶ τὴν μὲν θεὸς αὖτις ἀπέτραπεν, ἷζε δ' ὕπερθεν
νηίου ἀφλάστοιο μετήορος ἀίξασα·
τὸν δ' ὅγε κεκλιμένον μαλακοῖς ἐνὶ κώεσιν οἰῶν   1090
κινήσας ἀνέγειρε παρασχεδόν, ὧδέ τ' ἔειπεν·

mound of his grave to be seen by men of a later day. No, nor was his bride Cleite left behind her dead husband, but to crown the ill she wrought an ill yet more awful, when she clasped a noose round her neck. Her death even the nymphs of the grove bewailed; and of all the tears for her that they shed to earth from their eyes the goddesses made a fountain, which they call Cleite,[1] the illustrious name of the hapless maid. Most terrible came that day from Zeus upon the Doliones, women and men; for no one of them dared even to taste food, nor for a long time by reason of grief did they take thought for the toil of the cornmill, but they dragged on their lives eating their food as it was, untouched by fire. Here even now, when the Ionians that dwell in Cyzicus pour their yearly libations for the dead, they ever grind the meal for the sacrificial cakes at the common mill.[2]

After this, fierce tempests arose for twelve days and nights together and kept them there from sailing. But in the next night the rest of the chieftains, overcome by sleep, were resting during the latest period of the night, while Acastus and Mopsus the son of Ampycus kept guard over their deep slumbers. And above the golden head of Aeson's son there hovered a halcyon prophesying with shrill voice the ceasing of the stormy winds; and Mopsus heard and understood the cry of the bird of the shore, fraught with good omen. And some god made it turn aside, and flying aloft it settled upon the stern-ornament of the ship. And the seer touched Jason as he lay wrapped in soft sheepskins and woke him at once, and thus spake:

[1] Cleite means illustrious.
[2] *i.e.* to avoid grinding it at home.

'Αἰσονίδη, χρειώ σε τόδ' ἱερὸν εἰσανιόντα
Δινδύμου ὀκριόεντος ἐύθρονον ἱλάξασθαι
μητέρα συμπάντων μακάρων· λήξουσι δ' ἄελλαι
ζαχρηεῖς· τοίην γὰρ ἐγὼ νέον ὄσσαν ἄκουσα
ἀλκυόνος ἁλίης, ἥ τε κνώσσοντος ὕπερθεν
σεῖο πέριξ τὰ ἕκαστα πιφαυσκομένη πεπότηται.
ἐκ γὰρ τῆς ἄνεμοί τε θάλασσά τε νειόθι τε χθὼν
πᾶσα πεπείρανται [1] νιφόεν θ' ἕδος Οὐλύμποιο·
καί οἱ, ὅτ' ἐξ ὀρέων μέγαν οὐρανὸν εἰσαναβαίνῃ,   1100
Ζεὺς αὐτὸς Κρονίδης ὑποχάζεται. ὣς δὲ καὶ ὧλλοι
ἀθάνατοι μάκαρες δεινὴν θεὸν ἀμφιέπουσιν.'
Ὣς φάτο· τῷ δ' ἀσπαστὸν ἔπος γένετ' εἰσαΐοντι.
ὤρνυτο δ' ἐξ εὐνῆς κεχαρημένος· ὦρσε δ' ἑταίρους
πάντας ἐπισπέρχων, καί τέ σφισιν ἐγρομένοισιν
Ἀμπυκίδεω Μόψοιο θεοπροπίας ἀγόρευεν.
αἶψα δὲ κουρότεροι μὲν ἀπὸ σταθμῶν ἐλάσαντες
ἔνθεν ἐς αἰπεινὴν ἄναγον βόας οὔρεος ἄκρην.
οἱ δ' ἄρα λυσάμενοι Ἱερῆς ἐκ πείσματα πέτρης
ἤρεσαν ἐς λιμένα Θρηΐκιον· ἂν δὲ καὶ αὐτοὶ   1110
βαῖνον, παυροτέρους ἑτάρων ἐν νηῒ λιπόντες.
τοῖσι δὲ Μακριάδες σκοπιαὶ καὶ πᾶσα περαίη
Θρηικίης ἐνὶ χερσὶν ἑαῖς προυφαίνετ' ἰδέσθαι·
φαίνετο δ' ἠερόεν στόμα Βοσπόρου ἠδὲ κολῶναι
Μυσίαι· ἐκ δ' ἑτέρης ποταμοῦ ῥόος Αἰσήποιο
ἄστυ τε καὶ πεδίον Νηπήιον Ἀδρηστείης.
ἔσκε δέ τι στιβαρὸν στύπος ἀμπέλου ἔντροφον ὕλῃ,
πρόχνυ γεράνδρυον· τὸ μὲν ἔκταμον, ὄφρα πέλοιτο
δαίμονος οὐρείης ἱερὸν βρέτας· ἔξεσε δ' Ἄργος
εὐκόσμως, καὶ δή μιν ἐπ' ὀκριόεντι κολωνῷ   1120
ἵδρυσαν φηγοῖσιν ἐπηρεφὲς ἀκροτάτῃσιν
αἵ ῥά τε πασάων πανυπέρταται ἐρρίζωνται.

[1] πεπείρανται Köchly : πεπείρηται MSS.

" Son of Aeson, thou must climb to this temple on rugged Dindymum and propitiate the mother [1] of all the blessed gods on her fair throne, and the stormy blasts shall cease. For such was the voice I heard but now from the halcyon, bird of the sea, which, as as it flew above thee in thy slumber, told me all. For by her power the winds and the sea and all the earth below and the snowy seat of Olympus are complete ; and to her, when from the mountains she ascends the mighty heaven, Zeus himself, the son of Cronos, gives place. In like manner the rest of the immortal blessed ones reverence the dread goddess."

Thus he spake, and his words were welcome to Jason's ear. And he arose from his bed with joy and woke all his comrades hurriedly and told them the prophecy of Mopsus the son of Ampycus. And quickly the younger men drove oxen from their stalls and began to lead them to the mountain's lofty summit. And they loosed the hawsers from the sacred rock and rowed to the Thracian harbour ; and the heroes climbed the mountain, leaving a few of their comrades in the ship. And to them the Macrian heights and all the coast of Thrace opposite appeared to view close at hand. And there appeared the misty mouth of Bosporus and the Mysian hills ; and on the other side the stream of the river Aesepus and the city and Nepeian plain of Adrasteia. Now there was a sturdy stump of vine that grew in the forest, a tree exceeding old ; this they cut down, to be the sacred image of the mountain goddess ; and Argus smoothed it skilfully, and they set it upon that rugged hill beneath a canopy of lofty oaks, which of all trees have their roots deepest. And near it they

[1] Rhea.

βωμὸν δ᾽ αὖ χέραδος παρενήνεον· ἀμφὶ δὲ φύλλοις
στεψάμενοι δρυΐνοισι θυηπολίης ἐμέλοντο,
Μητέρα Διδυμίην πολυπότνιαν ἀγκαλέοντες,
ἐνναέτιν Φρυγίης, Τιτίην θ᾽ ἅμα Κύλληνόν τε,
οἳ μοῦνοι πολέων μοιρηγέται ἠδὲ πάρεδροι
Μητέρος Ἰδαίης κεκλῆαται, ὅσσοι ἔασιν
Δάκτυλοι Ἰδαῖοι Κρηταιέες, οὕς ποτε νύμφη
Ἀγχιάλη Δικταῖον ἀνὰ σπέος ἀμφοτέρῃσιν   113
δραξαμένη γαίης Οἰαξίδος ἐβλάστησεν.
πολλὰ δὲ τήνγε λιτῇσιν ἀποστρέψαι ἐριώλας
Αἰσονίδης γουνάζετ᾽ ἐπιλλείβων ἱεροῖσιν
αἰθομένοις· ἄμυδις δὲ νέοι Ὀρφῆος ἀνωγῇ
σκαίροντες βηταρμὸν ἐνόπλιον ὠρχήσαντο,
καὶ σάκεα ξιφέεσσιν ἐπέκτυπον, ὥς κεν ἰωὴ
δύσφημος πλάζοιτο δι᾽ ἠέρος, ἣν ἔτι λαοὶ
κηδείῃ βασιλῆος ἀνέστενον. ἔνθεν ἐσαιεὶ
ῥόμβῳ καὶ τυπάνῳ Ῥείην Φρύγες ἱλάσκονται.
ἡ δέ που εὐαγέεσσιν ἐπὶ φρένα θῆκε θυηλαῖς   114
ἀνταίη δαίμων· τὰ δ᾽ ἐοικότα σήματ᾽ ἔγεντο.
δένδρεα μὲν καρπὸν χέον ἄσπετον, ἀμφὶ δὲ ποσσὶν
αὐτομάτη φύε γαῖα τερείνης ἄνθεα ποίης.
θῆρες δ᾽ εἰλυούς τε κατὰ ξυλόχους τε λιπόντες
οὐρῇσιν σαίνοντες ἐπήλυθον. ἡ δὲ καὶ ἄλλο
θῆκε τέρας· ἐπεὶ οὔτι παροίτερον ὕδατι νᾶεν
Δίνδυμον· ἀλλά σφιν τότ᾽ ἀνέβραχε διψάδος
        αὔτως
ἐκ κορυφῆς ἄλληκτον. Ἰησονίην δ᾽ ἐνέπουσιν
κεῖνο ποτὸν κρήνην περιναιέται ἄνδρες ὀπίσσω.
καὶ τότε μὲν δαῖτ᾽ ἀμφὶ θεᾶς θέσαν οὔρεσιν
        Ἄρκτων,   115
μέλποντες Ῥείην πολυπότνιαν· αὐτὰρ ἐς ἠῶ
ληξάντων ἀνέμων νῆσον λίπον εἰρεσίῃσιν.

80

heaped an altar of small stones, and wreathed their brows with oak leaves and paid heed to sacrifice, invoking the mother of Dindymum, most venerable, dweller in Phrygia, and Titias and Cyllenus, who alone of many are called dispensers of doom and assessors of the Idaean mother,—the Idaean Dactyls of Crete, whom once the nymph Anchiale, as she grasped with both hands the land of Oaxus, bare in the Dictaean cave. And with many prayers did Aeson's son beseech the goddess to turn aside the stormy blasts as he poured libations on the blazing sacrifice ; and at the same time by command of Orpheus the youths trod a measure dancing in full armour, and clashed with their swords on their shields, so that the ill-omened cry might be lost in the air—the wail which the people were still sending up in grief for their king. Hence from that time forward the Phrygians propitiate Rhea with the wheel and the drum. And the gracious goddess, I ween, inclined her heart to pious sacrifices ; and favourable signs appeared. The trees shed abundant fruit, and round their feet the earth of its own accord put forth flowers from the tender grass. And the beasts of the wild wood left their lairs and thickets and came up fawning on them with their tails. And she caused yet another marvel ; for hitherto there was no flow of water on Dindymum, but then for them an unceasing stream gushed forth from the thirsty peak just as it was, and the dwellers around in after times called that stream, the spring of Jason. And then they made a feast in honour of the goddess on the Mount of Bears, singing the praises of Rhea most venerable ; but at dawn the winds had ceased and they rowed away from the island.

Ἔνθ᾽ ἔρις ἄνδρα ἕκαστον ἀριστήων ὀρόθυνεν,
ὅστις ἀπολλήξειε πανύστατος. ἀμφὶ γὰρ αἰθὴρ
νήνεμος ἐστόρεσεν δίνας, κατὰ δ᾽ εὔνασε πόντον.
οἱ δὲ γαληναίῃ πίσυνοι ἐλάασκον ἐπιπρὸ
νῆα βίῃ· τὴν δ᾽ οὔ κε διὲξ ἁλὸς ἀίσσουσαν
οὐδὲ Ποσειδάωνος ἀελλόποδες κίχον ἵπποι.
ἔμπης δ᾽ ἐγρομένοιο σάλου ζαχρηέσιν αὔραις,
αἳ νέον ἐκ ποταμῶν ὑπὸ δείελον ἠερέθονται,
τειρόμενοι καὶ δὴ μετελώφεον· αὐτὰρ ὁ τούσγε
πασσυδίῃ μογέοντας ἐφέλκετο κάρτεϊ χειρῶν
Ἡρακλέης, ἐτίνασσε δ᾽ ἀρηρότα δούρατα νηός.
ἀλλ᾽ ὅτε δὴ Μυσῶν λελιημένοι ἠπείροιο
Ῥυνδακίδας προχοὰς μέγα τ᾽ ἠρίον Αἰγαίωνος
τυτθὸν ὑπὲκ Φρυγίης παρεμέτρεον εἰσορόωντες,
δὴ τότ᾽ ἀνοχλίζων τετρηχότος οἴδματος ὁλκοὺς
μεσσόθεν ἆξεν ἐρετμόν. ἀτὰρ τρύφος ἄλλο μὲν
    αὐτὸς
ἄμφω χερσὶν ἔχων πέσε δόχμιος, ἄλλο δὲ πόντος
κλύζε παλιρροθίοισι φέρων. ἀνὰ δ᾽ ἕζετο σιγῇ
παπταίνων· χεῖρες γὰρ ἀήθεον ἠρεμέουσαι.
Ἦμος δ᾽ ἀγρόθεν εἶσι φυτοσκάφος ἤ τις ἀροτρεὺς
ἀσπασίως εἰς αὖλιν ἑήν, δόρποιο χατίζων,
αὐτοῦ δ᾽ ἐν προμολῇ τετρυμένα γούνατ᾽ ἔκαμψεν
αὐσταλέος κονίῃσι, περιτριβέας δέ τε χεῖρας
εἰσορόων κακὰ πολλὰ ἑῇ ἠρήσατο γαστρί·
τῆμος ἄρ᾽ οἵγ᾽ ἀφίκοντο Κιανίδος ἤθεα γαίης
ἀμφ᾽ Ἀργανθώνειον ὄρος προχοάς τε Κίοιο.
τοὺς μὲν εὐξείνως Μυσοὶ φιλότητι κιόντας
δειδέχατ᾽, ἐνναέται κείνης χθονός, ἠιά τέ σφιν
μῆλά τε δευομένοις μέθυ τ᾽ ἄσπετον ἐγγυάλιξαν.
ἔνθα δ᾽ ἔπειθ᾽ οἱ μὲν ξύλα κάγκανα, τοὶ δὲ
    λεχαίην

82

Thereupon a spirit of contention stirred each chieftain, who should be the last to leave his oar. For all around the windless air smoothed the swirling waves and lulled the sea to rest. And they, trusting in the calm, mightily drove the ship forward; and as she sped through the salt sea, not even the storm-footed steeds of Poseidon would have overtaken her. Nevertheless when the sea was stirred by violent blasts which were just rising from the rivers about evening, forspent with toil, they ceased. But Heracles by the might of his arms pulled the weary rowers along all together, and made the strong-knit timbers of the ship to quiver. But when, eager to reach the Mysian mainland, they passed along in sight of the mouth of Rhyndacus and the great cairn of Aegaeon, a little way from Phrygia, then Heracles, as he ploughed up the furrows of the roughened surge, broke his oar in the middle. And one half he held in both his hands as he fell sideways, the other the sea swept away with its receding wave. And he sat up in silence glaring round; for his hands were unaccustomed to lie idle.

Now at the hour when from the field some delver or ploughman goes gladly home to his hut, longing for his evening meal, and there on the threshold, all squalid with dust, bows his wearied knees, and, beholding his hands worn with toil, with many a curse reviles his belly; at that hour the heroes reached the homes of the Cianian land near the Arganthonian mount and the outfall of Cius. Them as they came in friendliness, the Mysians, inhabitants of that land, hospitably welcomed, and gave them in their need provisions and sheep and abundant wine. Hereupon some brought dried wood, others from the

φυλλάδα λειμώνων φέρον ἄσπετον ἀμήσαντες,
στόρνυσθαι· τοὶ δ' ἀμφὶ πυρήια δινεύεσκον·
οἱ δ' οἶνον κρητῆρσι κέρων, πονέοντό τε δαῖτα,
Ἐκβασίῳ ῥέξαντες ὑπὸ κνέφας Ἀπόλλωνι.

Αὐτὰρ ὁ δαῖτ' αἴνυσθαι ἑταίροις[1] εὖ ἐπιτείλας
βῆ ῥ' ἴμεν εἰς ὕλην υἱὸς Διός, ὥς κεν ἐρετμὸν
οἷ αὐτῷ φθαίη καταχείριον ἐντύνασθαι.
εὗρεν ἔπειτ' ἐλάτην ἀλαλήμενος, οὔτε τι πολλοῖς   119
ἀχθομένην ὄζοις, οὐδὲ μέγα τηλεθόωσαν,
ἀλλ' οἷον ταναῆς ἔρνος πέλει αἰγείροιο·
τόσση ὁμῶς μῆκός τε καὶ ἐς πάχος ἦεν ἰδέσθαι.
ῥίμφα δ' οἰστοδόκην μὲν ἐπὶ χθονὶ θῆκε φαρέτρην
αὐτοῖσιν τόξοισιν, ἔδυ δ' ἀπὸ δέρμα λέοντος.
τὴν δ' ὅγε χαλκοβαρεῖ ῥοπάλῳ δαπέδοιο τινάξας
νειόθεν ἀμφοτέρῃσι περὶ στύπος ἔλλαβε χερσίν,
ἠνορέῃ πίσυνος· ἐν δὲ πλατὺν ὦμον ἔρεισεν
εὖ διαβάς· πεδόθεν δὲ βαθύρριζόν περ ἐοῦσαν
προσφὺς ἐξήειρε σὺν αὐτοῖς ἔχμασι γαίης.   120
ὡς δ' ὅταν ἀπροφάτως ἱστὸν νεός, εὖτε μάλιστα
χειμερίη ὀλοοῖο δύσις πέλει Ὠρίωνος,
ὑψόθεν ἐμπλήξασα θοὴ ἀνέμοιο κατάϊξ
αὐτοῖσι σφήνεσσιν ὑπὲκ προτόνων ἐρύσηται·
ὣς ὅγε τὴν ἤειρεν. ὁμοῦ δ' ἀνὰ τόξα καὶ ἰοὺς
δέρμα θ' ἑλὼν ῥόπαλόν τε παλίσσυτος ὦρτο
      νέεσθαι.

Τόφρα δ' Ὕλας χαλκέῃ σὺν κάλπιδι νόσφιν
      ὁμίλου
δίζητο κρήνης ἱερὸν ῥόον, ὥς κέ οἱ ὕδωρ
φθαίη ἀφυσσάμενος ποτιδόρπιον, ἄλλα τε πάντα
ὀτραλέως κατὰ κόσμον ἐπαρτίσσειεν ἰόντι.   12

---

[1] δαῖτ' αἴνυσθαι ἑταίροις O. Schneider: δαίνυσθαι ἑτάροις L :
δαίνυσθαι ἑτάροισιν G : δαίνυσθαι ἑτάροις οἷς one Parisian.

84

meadows leaves for beds which they gathered in abundance for strewing, whilst others were twirling sticks to get fire ; others again were mixing wine in the bowl and making ready the feast, after sacrificing at nightfall to Apollo Ecbasius.

But the son of Zeus having duly enjoined on his comrades to prepare the feast took his way into a wood, that he might first fashion for himself an oar to fit his hand. Wandering about he found a pine not burdened with many branches, nor too full of leaves, but like to the shaft of a tall poplar ; so great was it both in length and thickness to look at. And quickly he laid on the ground his arrow-holding quiver together with his bow, and took off his lion's skin. And he loosened the pine from the ground with his bronze-tipped club and grasped the trunk with both hands at the bottom, relying on his strength ; and he pressed it against his broad shoulder with legs wide apart; and clinging close he raised it from the ground deep-rooted though it was, together with clods of earth. And as when unexpectedly, just at the time of the stormy setting of baleful Orion, a swift gust of wind strikes down from above, and wrenches a ship's mast from its stays, wedges and all ; so did Heracles lift the pine. And at the same time he took up his bow and arrows, his lion skin and club, and started on his return.

Meantime Hylas with pitcher of bronze in hand had gone apart from the throng, seeking the sacred flow of a fountain, that he might be quick in drawing water for the evening meal and actively make all things ready in due order against his lord's

δὴ γάρ μιν τοίοισιν ἐν ἤθεσιν αὐτὸς ἔφερβεν,
νηπίαχον τὰ πρῶτα δόμων ἐκ πατρὸς ἀπούρας,
δίου Θειοδάμαντος, ὃν ἐν Δρυόπεσσιν ἔπεφνεν
νηλειῶς, βοὸς ἀμφὶ γεωμόρου ἀντιόωντα.
ἤτοι ὁ μὲν νειοῖο γύας τέμνεσκεν ἀρότρῳ
Θειοδάμας ἄτῃ¹ βεβολημένος· αὐτὰρ ὁ τόνγε
βοῦν ἀρότην ἤνωγε παρασχέμεν οὐκ ἐθέλοντα.
ἵετο γὰρ πρόφασιν πολέμου Δρυόπεσσι βαλέσθαι
λευγαλέην, ἐπεὶ οὔτι δίκης ἀλέγοντες ἔναιον.
ἀλλὰ τὰ μὲν τηλοῦ κεν ἀποπλάγξειεν ἀοιδῆς.   1220
αἶψα δ' ὅγε κρήνην μετεκίαθεν, ἣν καλέουσιν
Πηγὰς ἀγχίγυοι περιναιέται. οἱ δέ που ἄρτι
νυμφάων ἵσταντο χοροί· μέλε γάρ σφισι πάσαις,
ὅσσαι κεῖσ' ἐρατὸν νύμφαι ῥίον ἀμφενέμοντο,
Ἄρτεμιν ἐννυχίῃσιν ἀεὶ μέλπεσθαι ἀοιδαῖς.
αἱ μέν, ὅσαι σκοπιὰς ὀρέων λάχον ἢ καὶ ἐναύλους,
αἵγε μὲν ὑληωροὶ ἀπόπροθεν ἐστιχόωντο,
ἡ δὲ νέον κρήνης ἀνεδύετο καλλινάοιο
νύμφη ἐφυδατίη· τὸν δὲ σχεδὸν εἰσενόησεν
κάλλεϊ καὶ γλυκερῇσιν ἐρευθόμενον χαρίτεσσιν.   1230
πρὸς γάρ οἱ διχόμηνις ἀπ' αἰθέρος αὐγάζουσα
βάλλε σεληναίη. τὴν δὲ φρένας ἐπτοίησεν
Κύπρις, ἀμηχανίη δὲ μόλις συναγείρατο θυμόν.
αὐτὰρ ὅγ' ὡς τὰ πρῶτα ῥόῳ ἔνι κάλπιν ἔρεισεν
λέχρις ἐπιχριμφθείς, περὶ δ' ἄσπετον ἔβραχεν
        ὕδωρ
χαλκὸν ἐς ἠχήεντα φορεύμενον, αὐτίκα δ' ἥγε
λαιὸν μὲν καθύπερθεν ἐπ' αὐχένος ἄνθετο πῆχυν
κύσσαι ἐπιθύουσα τέρεν στόμα· δεξιτερῇ δὲ
ἀγκῶν' ἔσπασε χειρί, μέσῃ δ' ἐνικάββαλε δίνῃ.

¹ ἄτῃ Merkel : ἀνίῃ MSS.

return.   For in such ways did Heracles nurture him
from his first childhood when he had carried him off
from the house of his father, goodly Theiodamas,
whom the hero pitilessly slew among the Dryopians
because he withstood him about an ox for the plough.
Theiodamas was cleaving with his plough the soil of
fallow land when he was smitten with the curse;
and Heracles bade him give up the ploughing ox
against his will.   For he desired to find some pretext
for war against the Dryopians for their bane, since
they dwelt there reckless of right.   But these tales
would lead me far astray from my song.   And
quickly Hylas came to the spring which the
people who dwell thereabouts call Pegae.   And the
dances of the nymphs were just now being held
there; for it was the care of all the nymphs that
haunted that lovely headland ever to hymn Artemis
in songs by night.   All who held the mountain peaks
or glens, all they were ranged far off guarding the
woods; but one, a water-nymph was just rising
from the fair-flowing spring; and the boy she per-
ceived close at hand with the rosy flush of his beauty
and sweet grace.   For the full moon beaming from
the sky smote him.   And Cypris made her heart faint,
and in her confusion she could scarcely gather her
spirit back to her.   But as soon as he dipped the
pitcher in the stream, leaning to one side, and the
brimming water rang loud as it poured against the
sounding bronze, straightway she laid her left arm
above upon his neck yearning to kiss his tender
mouth; and with her right hand she drew down his
elbow, and plunged him into the midst of the eddy.

Τοῦ δ᾽ ἥρως ἰάχοντος ἐπέκλυεν οἶος ἑταίρων   1240
Εἰλατίδης Πολύφημος, ἰὼν προτέρωσε κελεύθου,
δέκτο γὰρ Ἡρακλῆα πελώριον, ὁππόθ᾽ ἵκοιτο.
βῆ δὲ μεταΐξας Πηγέων σχεδόν, ἠΰτε τις θὴρ
ἄγριος, ὅν ῥά τε γῆρυς ἀπόπροθεν ἵκετο μήλων,
λιμῷ δ᾽ αἰθόμενος μετανίσσεται, οὐδ᾽ ἐπέκυρσεν
ποίμνησιν· πρὸ γὰρ αὐτοὶ ἐνὶ σταθμοῖσι νομῆες
ἔλσαν· ὁ δὲ στενάχων βρέμει ἄσπετον, ὄφρα
   κάμησιν·
ὡς τότ᾽ ἄρ᾽ Εἰλατίδης μεγάλ᾽ ἔστενεν, ἀμφὶ δὲ
   χῶρον
φοίτα κεκληγώς· μελέη δέ οἱ ἔπλετο φωνή.
αἶψα δ᾽ ἐρυσσάμενος μέγα φάσγανον ὦρτο δίεσθαι,   1250
μήπως ἢ θήρεσσιν ἕλωρ πέλοι, ἠέ μιν ἄνδρες
μοῦνον ἐόντ᾽ ἐλόχησαν, ἄγουσι δὲ ληΐδ᾽ ἑτοίμην.
ἔνθ᾽ αὐτῷ ξύμβλητο κατὰ στίβον Ἡρακλῆι
γυμνὸν ἐπαΐσσων παλάμῃ ξίφος· εὖ δέ μιν ἔγνω
σπερχόμενον μετὰ νῆα διὰ κνέφας. αὐτίκα δ᾽
   ἄτην
ἔκφατο λευγαλέην, βεβαρημένος ἄσθματι θυμόν·
'Δαιμόνιε, στυγερόν τοι ἄχος πάμπρωτος ἐνίψω
οὐ γὰρ Ὕλας κρήνηνδε κιὼν σόος αὖτις ἱκάνει.
ἀλλά ἑ ληιστῆρες ἐνιχρίμψαντες ἄγουσιν,
ἢ θῆρες σίνονται· ἐγὼ δ᾽ ἰάχοντος ἄκουσα.'   1260
Ὣς φάτο· τῷ δ᾽ ἀΐοντι κατὰ κροτάφων ἅλις
   ἱδρὼς
κήκιεν, ἐν δὲ κελαινὸν ὑπὸ σπλάγχνοις ζέεν
   αἷμα.
χωόμενος δ᾽ ἐλάτην χαμάδις βάλεν, ἐς δὲ κέλευθον
τὴν θέεν, ᾗ πόδες αὐτὸν ὑπέκφερον ἀΐσσοντα.
ὡς δ᾽ ὅτε τίς τε μύωπι τετυμμένος ἔσσυτο ταῦρος
πίσεά τε προλιπὼν καὶ ἑλεσπίδας, οὐδὲ νομήων,

Alone of his comrades the hero Polyphemus, son of
Eilatus, as he went forward on the path, heard the
boy's cry, for he expected the return of mighty
Heracles. And he rushed after the cry, near Pegae,
like some beast of the wild wood whom the bleating
of sheep has reached from afar, and burning with
hunger he follows, but does not fall in with the
flocks; for the shepherds beforehand have penned
them in the fold, but he groans and roars vehemently
until he is weary. Thus vehemently at that time
did the son of Eilatus groan and wandered shouting
round the spot; and his voice rang piteous. Then
quickly drawing his great sword he started in pur-
suit, in fear lest the boy should be the prey of wild
beasts, or men should have lain in ambush for him
faring all alone, and be carrying him off, an easy prey.
Hereupon as he brandished his bare sword in his
hand he met Heracles himself on the path, and well
he knew him as he hastened to the ship through
the darkness. And straightway he told the wretched
calamity while his heart laboured with his panting
breath.

"My poor friend, I shall be the first to bring thee
tidings of bitter woe. Hylas has gone to the well
and has not returned safe, but robbers have attacked
and are carrying him off, or beasts are tearing him to
pieces; I heard his cry."

Thus he spake; and when Heracles heard his
words, sweat in abundance poured down from his
temples and the black blood boiled beneath his
heart. And in wrath he hurled the pine to the
ground and hurried along the path whither his feet
bore on his impetuous soul. And as when a bull
stung by a gadfly tears along, leaving the meadows

οὐδ' ἀγέλης ὄθεται, πρήσσει δ' ὁδόν, ἄλλοτ'
    ἄπαυστος,
ἄλλοτε δ' ἱστάμενος, καὶ ἀνὰ πλατὺν αὐχέν'
    ἀείρων
ἵησιν μύκημα, κακῷ βεβολημένος οἴστρῳ·
ὣς ὅγε μαιμώων ὁτὲ μὲν θοὰ γούνατ' ἔπαλλεν   1270
συνεχέως, ὁτὲ δ' αὖτε μεταλλήγων καμάτοιο
τῆλε διαπρύσιον μεγάλῃ βοάασκεν ἀϋτῇ.

    Αὐτίκα δ' ἀκροτάτας ὑπερέσχεθεν ἄκριας ἀστὴρ
ἠῷος, πνοιαὶ δὲ κατήλυθον· ὦκα δὲ Τῖφυς
ἐσβαίνειν ὀρόθυνεν, ἐπαύρεσθαί τ' ἀνέμοιο.
οἱ δ' εἴσβαινον ἄφαρ λελιημένοι· ὕψι δὲ νηὸς
εὐναίας ἐρύσαντες ἀνεκρούσαντο κάλωας.
κυρτώθη δ' ἀνέμῳ λίνα μεσσόθι, τῆλε δ' ἀπ' ἀκτῆς
γηθόσυνοι φορέοντο παραὶ Ποσιδήϊον ἄκρην.
ἦμος δ' οὐρανόθεν χαροπὴ ὑπολάμπεται ἠὼς   1280
ἐκ περάτης ἀνιοῦσα, διαγλαύσσουσι δ' ἀταρποί,
καὶ πεδία δροσόεντα φαεινῇ λάμπεται αἴγλῃ,
τῆμος τούσγ' ἐνόησαν ἀϊδρείῃσι λιπόντες.
ἐν δέ σφιν κρατερὸν νεῖκος πέσεν, ἐν δὲ κολῳὸς
ἄσπετος, εἰ τὸν ἄριστον ἀποπρολιπόντες ἔβησαν
σφωϊτέρων ἑτάρων.   ὁ δ' ἀμηχανίῃσιν ἀτυχθεὶς
οὔτε τι τοῖον ἔπος μετεφώνεεν, οὔτε τι τοῖον
Αἰσονίδης· ἀλλ' ἧστο βαρείῃ νειόθεν ἄτῃ
θυμὸν ἔδων· Τελαμῶνα δ' ἕλεν χόλος, ὧδέ τ' ἔειπεν·

    'Ἧσ' αὔτως εὔκηλος, ἐπεί νύ τοι ἄρμενον ἦεν   1290
Ἡρακλῆα λιπεῖν· σέο δ' ἔκτοθι μῆτις ὄρωρεν,
ὄφρα τὸ κείνου κῦδος ἀν' Ἑλλάδα μή σε καλύψῃ,
αἴ κε θεοὶ δώωσιν ὑπότροπον οἴκαδε νόστον.
ἀλλὰ τί μύθων ἦδος; ἐπεὶ καὶ νόσφιν ἑταίρων
εἶμι τεῶν, οἳ τόνγε δόλον συνετεκτήναντο.'

    Ἦ, καὶ ἐς Ἁγνιάδην Τῖφυν θόρε· τὼ δέ οἱ ὄσσε

and the marsh land, and recks not of herdsmen or
herd, but presses on, now without check, now stand-
ing still, and raising his broad neck he bellows
loudly, stung by the maddening fly; so he in his
frenzy now would ply his swift knees unresting,
now again would cease from toil and shout afar with
loud pealing cry.

But straightway the morning star rose above the
topmost peaks and the breeze swept down; and
quickly did Tiphys urge them to go aboard and avail
themselves of the wind. And they embarked eagerly
forthwith; and they drew up the ship's anchors and
hauled the ropes astern. And the sails were bellied
out by the wind, and far from the coast were they
joyfully borne past the Posideian headland. But at
the hour when gladsome dawn shines from heaven,
rising from the east, and the paths stand out clearly,
and the dewy plains shine with a bright gleam, then
at length they were aware that unwittingly they had
abandoned those men. And a fierce quarrel fell
upon them, and violent tumult, for that they had
sailed and left behind the bravest of their comrades.
And Aeson's son, bewildered by their hapless plight,
said never a word, good or bad; but sat with his
heavy load of grief, eating out his heart. And wrath
seized Telamon, and thus he spake:

"Sit there at thy ease, for it was fitting for thee
to leave Heracles behind; from thee the project
arose, so that his glory throughout Hellas should not
overshadow thee, if so be that heaven grants us a
return home. But what pleasure is there in words?
For I will go, I only, with none of thy comrades,
who have helped thee to plan this treachery."

He spake, and rushed upon Tiphys son of Hagnias;

ὄστλιγγες μαλεροῖο πυρὸς ὣς ἰνδάλλοντο.
καί νύ κεν ἂψ ὀπίσω Μυσῶν ἐπὶ γαῖαν ἵκοντο
λαῖτμα βιησάμενοι ἀνέμου τ᾽ ἄλληκτον ἰωήν,
εἰ μὴ Θρηικίοιο δύω υἷες Βορέαο   1300
Αἰακίδην χαλεποῖσιν ἐρητύεσκον ἔπεσσιν,
σχέτλιοι· ἦ τέ σφιν στυγερὴ τίσις ἔπλετ᾽ ὀπίσσω
χερσὶν ὑφ᾽ Ἡρακλῆος, ὅ μιν δίζεσθαι ἔρυκον.
ἄθλων γὰρ Πελίαο δεδουπότος ἂψ ἀνιόντας
Τήνῳ ἐν ἀμφιρύτῃ πέφνεν, καὶ ἀμήσατο γαῖαν
ἀμφ᾽ αὐτοῖς, στήλας τε δύω καθύπερθεν ἔτευξεν,
ὧν ἑτέρη, θάμβος περιώσιον ἀνδράσι λεύσσειν,
κίνυται ἠχήεντος ὑπὸ πνοιῇ βορέαο.
καὶ τὰ μὲν ὣς ἤμελλε μετὰ χρόνον ἐκτελέεσθαι.
τοῖσιν δὲ Γλαῦκος βρυχίης ἁλὸς ἐξεφαάνθη,   1310
Νηρῆος θείοιο πολυφράδμων ὑποφήτης·
ὕψι δὲ λαχνῆέν τε κάρη καὶ στήθε᾽ ἀείρας
νειόθεν ἐκ λαγόνων στιβαρῇ ἐπορέξατο χειρὶ
νηίου ὁλκαίοιο, καὶ ἴαχεν ἐσσυμένοισιν·
   ‘Τίπτε παρὲκ μεγάλοιο Διὸς μενεαίνετε βουλὴν
Αἰήτεω πτολίεθρον ἄγειν θρασὺν Ἡρακλῆα;
Ἄργεΐ οἱ μοῖρ᾽ ἐστὶν ἀτασθάλῳ Εὐρυσθῆι
ἐκπλῆσαι μογέοντα δυώδεκα πάντας ἀέθλους,
ναίειν δ᾽ ἀθανάτοισι συνέστιον, εἴ κ᾽ ἔτι παύρους
ἐξανύσῃ· τῶ μή τι ποθὴ κείνοιο πελέσθω.   1320
αὔτως δ᾽ αὖ Πολύφημον ἐπὶ προχοῇσι Κίοιο
πέπρωται Μυσοῖσι περικλεὲς ἄστυ καμόντα
μοῖραν ἀναπλήσειν Χαλύβων ἐν ἀπείρονι γαίῃ.
αὐτὰρ Ὕλαν φιλότητι θεὰ ποιήσατο νύμφη
ὃν πόσιν, οἷό περ οὕνεκ᾽ ἀποπλαγχθέντες ἔλειφθεν.᾽
   Ἦ, καὶ κῦμ᾽ ἀλίαστον ἐφέσσατο νειόθι δύψας·

and his eyes sparkled like flashes of ravening flame. And they would quickly have turned back to the land of the Mysians, forcing their way through the deep sea and the unceasing blasts of the wind, had not the two sons of Thracian Boreas held back the son of Aeacus with harsh words. Hapless ones, assuredly a bitter vengeance came upon them thereafter at the hands of Heracles, because they stayed the search for him. For when they were returning from the games over Pelias dead he slew them in sea-girt Tenos and heaped the earth round them, and placed two columns above, one of which, a great marvel for men to see, moves at the breath of the blustering north wind. These things were thus to be accomplished in after times. But to them appeared Glaucus from the depths of the sea, the wise interpreter of divine Nereus, and raising aloft his shaggy head and chest from his waist below, with sturdy hand he seized the ship's keel, and then cried to the eager crew :

"Why against the counsel of mighty Zeus do ye purpose to lead bold Heracles to the city of Aeetes? At Argos it is his fate to labour for insolent Eurystheus and to accomplish full twelve toils and dwell with the immortals, if so be that he bring to fulfilment a few more yet; wherefore let there be no vain regret for him. Likewise it is destined for Polyphemus to found a glorious city at the mouth of Cius among the Mysians and to fill up the measure of his fate in the vast land of the Chalybes. But a goddess-nymph through love has made Hylas her husband, on whose account those two wandered and were left behind."

He spake, and with a plunge wrapped him about

ἀμφὶ δέ οἱ δίνῃσι κυκώμενον ἄφρεεν ὕδωρ
πορφύρεον, κοίλην δὲ διὲξ ἁλὸς ἔκλυσε νῆα.
γήθησαν δ᾽ ἥρωες· ὁ δ᾽ ἐσσυμένως ἐβεβήκει
Αἰακίδης Τελαμὼν ἐς Ἰήσονα, χεῖρα δὲ χειρὶ   1330
ἄκρην ἀμφιβαλὼν προσπτύξατο, φώνησέν τε·

‘ Αἰσονίδη, μή μοί τι χολώσεαι, ἀφραδίῃσιν
εἴ τί περ ἀασάμην· περὶ γάρ μ᾽ ἄχος εἷλεν ἐνισπεῖν
μῦθον ὑπερφίαλόν τε καὶ ἄσχετον. ἀλλ᾽ ἀνέμοισιν
δώομεν ἀμπλακίην, ὡς καὶ πάρος εὐμενέοντες.’

Τὸν δ᾽ αὖτ᾽ Αἴσονος υἱὸς ἐπιφραδέως προσέειπεν·
‘ Ὦ πέπον, ἦ μάλα δή με κακῷ ἐκυδάσσαο μύθῳ,
φὰς ἐνὶ τοῖσιν ἅπασιν ἐνηέος ἀνδρὸς ἀλείτην
ἔμμεναι. ἀλλ᾽ οὐ θήν τοι ἀδευκέα μῆνιν ἀέξω,
πρίν περ ἀνιηθείς· ἐπεὶ οὐ περὶ πώεσι μήλων,   1340
οὐδὲ περὶ κτεάτεσσι χαλεψάμενος μενέηνας,
ἀλλ᾽ ἑτάρου περὶ φωτός. ἔολπα δέ τοι σὲ καὶ
    ἄλλῳ
ἀμφ᾽ ἐμεῦ, εἰ τοιόνδε πέλοι ποτέ, δηρίσασθαι.’

Ἦ ῥα, καὶ ἀρθμηθέντες, ὅπῃ πάρος, ἑδριόωντο.
τὼ δὲ Διὸς βουλῇσιν, ὁ μὲν Μυσοῖσι βαλέσθαι
μέλλεν ἐπώνυμον ἄστυ πολισσάμενος ποταμοῖο
Εἰλατίδης Πολύφημος· ὁ δ᾽ Εὐρυσθῆος ἀέθλους
αὖτις ἰὼν πονέεσθαι. ἐπηπείλησε δὲ γαῖαν
Μυσίδ᾽ ἀναστήσειν αὐτοσχεδόν, ὁππότε μή οἱ
ἢ ζωοῦ εὕροιεν Ὕλα μόρον, ἠὲ θανόντος.   1350
τοῖο δὲ ῥύσι᾽ ὄπασσαν ἀποκρίναντες ἀρίστους
υἱέας ἐκ δήμοιο, καὶ ὅρκια ποιήσαντο,
μήποτε μαστεύοντες ἀπολλήξειν καμάτοιο.
τούνεκεν εἰσέτι νῦν περ Ὕλαν ἐρέουσι Κιανοί,

with the restless wave; and round him the dark water foamed in seething eddies and dashed against the hollow ship as it moved through the sea. And the heroes rejoiced, and Telamon son of Aeacus came in haste to Jason, and grasping his hand in his own embraced him with these words:

"Son of Aeson, be not wroth with me, if in my folly I have erred, for grief wrought upon me to utter a word arrogant and intolerable. But let me give my fault to the winds and let our hearts be joined as before."

Him the son of Aeson with prudence addressed: "Good friend, assuredly with an evil word didst thou revile me, saying before them all that I was the wronger of a kindly man. But not for long will I nurse bitter wrath, though indeed before I was grieved. For it was not for flocks of sheep, no, nor for possessions that thou wast angered to fury, but for a man, thy comrade. And I were fain thou wouldst even champion me against another man if a like thing should ever befall me."

He spake, and they sat down, united as of old. But of those two, by the counsel of Zeus, one, Polyphemus son of Eilatus, was destined to found and build a city among the Mysians bearing the river's name, and the other, Heracles, to return and toil at the labours of Eurystheus. And he threatened to lay waste the Mysian land at once, should they not discover for him the doom of Hylas, whether living or dead. And for him they gave pledges choosing out the noblest sons of the people and took an oath that they would never cease from their labour of search. Therefore to this day the people of Cius enquire for Hylas the son of

κοῦρον Θειοδάμαντος, ἐυκτιμένης τε μέλονται
Τρηχῖνος. δὴ γάρ ῥα κατ' αὐτόθι νάσσατο παῖδας,
οὕς οἱ ῥύσια κεῖθεν ἐπιπροέηκαν ἄγεσθαι.
    Νηῦν δὲ πανημερίην ἄνεμος φέρε νυκτί τε πάσῃ
λάβρος ἐπιπνείων· ἀτὰρ οὐδ' ἐπὶ τυτθὸν ἄητο
ἠοῦς τελλομένης, οἱ δὲ χθονὸς εἰσανέχουσαν   1360
ἀκτὴν ἐκ κόλποιο μάλ' εὐρεῖαν ἐσιδέσθαι
φρασσάμενοι, κώπῃσιν ἄμ' ἠελίῳ ἐπέκελσαν.

Theiodamas, and take thought for the well-built Trachis. For there did Heracles settle the youths whom they sent from Cius as pledges.

And all day long and all night the wind bore the ship on, blowing fresh and strong; but when dawn rose there was not even a breath of air. And they marked a beach jutting forth from a bend of the coast, very broad to behold, and by dint of rowing came to land at sunrise.

BOOK II

BOOK II

SUMMARY OF BOOK II

FIGHT *between Polydeuces and Amycus, King of the Bebrycians; defeat and death of Amycus (1–97).— Victory of the Argonauts over the Bebrycians; arrival at the abode of Phineus (98–177).—History of Phineus and the Harpies, who are chased by Zetes and Calais, sons of Boreas (178–300).—Prediction of Phineus and return of the sons of Boreas (301–447).—Episode of Paraebius (448–499).—Origin of the Etesian winds (500–527).—Argo passes between the Symplegades by the aid of Athena (528–647).—Arrival at the isle Thynias: apparition of Apollo, to whom they pay honour (648–719).—Arrival among the Mariandyni, where King Lycus welcomes them (720–814).—Deaths of Idmon and Tiphys: Ancaeus chosen pilot (815–910).— The Argonauts pass Sinope and the Cape of the Amazons, and reach the Chalybes (911–1008).—Customs of the Tibareni and Mossynoeci (1009–1029).— Contest with the birds of the isle Aretias, where they meet with the sons of Phrixus, shipwrecked on their way to Hellas (1030–1225).—Arrival in Colchis (1226–1285).*

B

Ἔνθα δ᾽ ἔσαν σταθμοί τε βοῶν αὖλίς τ᾽ Ἀμύκοιο,
Βεβρύκων βασιλῆος ἀγήνορος, ὅν ποτε νύμφη
τίκτε Ποσειδάωνι Γενεθλίῳ εὐνηθεῖσα
Βιθυνὶς Μελίη, ὑπεροπληέστατον ἀνδρῶν·
ὅστ᾽ ἐπὶ καὶ ξείνοισιν ἀεικέα θεσμὸν ἔθηκεν,
μήτιν᾽ ἀποστείχειν, πρὶν πειρήσασθαι ἑοῖο
πυγμαχίης· πολέας δὲ περικτιόνων ἐδάιξεν.
καὶ δὲ τότε προτὶ νῆα κιών, χρειώ μιν ἐρέσθαι
ναυτιλίης, οἵ τ᾽ εἶεν, ὑπερβασίῃσιν ἄτισσεν,
τοῖον δ᾽ ἐν πάντεσσι παρασχεδὸν ἔκφατο μῦθον·   10
  ‘Κέκλυθ᾽, ἁλίπλαγκτοι, τάπερ ἴδμεναι ὔμμιν
      ἔοικεν.
οὔτινα θέσμιόν ἐστιν ἀφορμηθέντα νέεσθαι
ἀνδρῶν ὀθνείων, ὅς κεν Βέβρυξι πελάσσῃ,
πρὶν χείρεσσιν ἐμῇσιν ἑὰς ἀνὰ χεῖρας ἀεῖραι.
τῶ καί μοι τὸν ἄριστον ἀποκριδὸν οἶον ὁμίλου
πυγμαχίῃ στήσασθε καταυτόθι δηρινθῆναι.
εἰ δ᾽ ἂν ἀπηλεγέοντες ἐμὰς πατέοιτε θέμιστας,
ἦ κέν τις στυγερῶς κρατερὴ ἐπιέψετ᾽ ἀνάγκη.’
  Ἦ ῥα μέγα φρονέων· τοὺς δ᾽ ἄγριος εἰσαΐοντας
εἷλε χόλος· περὶ δ᾽ αὖ Πολυδεύκεα τύψεν
      ὁμοκλή.   20
αἶψα δ᾽ ἐῶν ἑτάρων πρόμος ἵστατο, φώνησέν τε·
  ‘Ἴσχεο νῦν, μηδ᾽ ἄμμι κακήν, ὅτις εὔχεαι εἶναι,
φαῖνε βίην· θεσμοῖς γὰρ ὑπείξομεν, ὡς ἀγορεύεις.
αὐτὸς ἑκὼν ἤδη τοι ὑπίσχομαι ἀντιάασθαι.’

BOOK II

HERE were the oxstalls and farm of Amycus, the haughty king of the Bebrycians, whom once a nymph, Bithynian Melie, united to Poseidon Genethlius, bare—the most arrogant of men; for even for strangers he laid down an insulting ordinance, that none should depart till they had made trial of him in boxing; and he had slain many of the neighbours. And at that time too he went down to the ship and in his insolence scorned to ask them the occasion of their voyage, and who they were, but at once spake out among them all:

"Listen, ye wanderers by sea, to what it befits you to know. It is the rule that no stranger who comes to the Bebrycians should depart till he has raised his hands in battle against mine. Wherefore select your bravest warrior from the host and set him here on the spot to contend with me in boxing. But if ye pay no heed and trample my decrees under foot, assuredly to your sorrow will stern necessity come upon you."

Thus he spake in his pride, but fierce anger seized them when they heard it, and the challenge smote Polydeuces most of all. And quickly he stood forth his comrades' champion, and cried:

"Hold now, and display not to us thy brutal violence, whoever thou art; for we will obey thy rules, as thou sayest. Willingly now do I myself undertake to meet thee."

Ὡς φάτ᾽ ἀπηλεγέως· ὁ δ᾽ ἐσέδρακεν ὄμμαθ᾽
  ἑλίξας,
ὥστε λέων ὑπ᾽ ἄκοντι τετυμμένος, ὅντ᾽ ἐν ὄρεσσιν
ἀνέρες ἀμφιπένονται· ὁ δ᾽ ἰλλόμενός περ ὁμίλῳ
τῶν μὲν ἔτ᾽ οὐκ ἀλέγει, ἐπὶ δ᾽ ὄσσεται οἰόθεν οἶος
ἄνδρα τόν, ὅς μιν ἔτυψε παροίτατος, οὐδ᾽ ἐδά-
  μασσεν.
ἔνθ᾽ ἀπὸ[1] Τυνδαρίδης μὲν ἐΰστιππον θέτο φᾶρος   30
λεπταλέον, τό ῥά οἵ τις ἑὸν ξεινήιον εἶναι
ὤπασε Λημνιάδων· ὁ δ᾽ ἐρεμνὴν δίπτυχα λώπην
αὐτῇσιν περόνῃσι καλαύροπά τε τρηχεῖαν
κάββαλε, τὴν φορέεσκεν, ὀριτρεφέος κοτίνοιο.
αὐτίκα δ᾽ ἐγγύθι χῶρον ἑαδότα παπτήναντες
ἷζον ἑοὺς δίχα πάντας ἐνὶ ψαμάθοισιν ἑταίρους,
οὐ δέμας, οὐδὲ φυὴν ἐναλίγκιοι εἰσοράασθαι.
ἀλλ᾽ ὁ μὲν ἢ ὀλοοῖο Τυφωέος, ἠὲ καὶ αὐτῆς
Γαίης εἶναι ἔικτο πέλωρ τέκος, οἷα πάροιθεν
χωομένη Διὶ τίκτεν· ὁ δ᾽ οὐρανίῳ ἀτάλαντος   40
ἀστέρι Τυνδαρίδης, οὗπερ κάλλισται ἔασιν
ἑσπερίην διὰ νύκτα φαεινομένου ἀμαρυγαί.
τοῖος ἔην Διὸς υἱός, ἔτι χνοάοντας ἰούλους
ἀντέλλων, ἔτι φαιδρὸς ἐν ὄμμασιν. ἀλλά οἱ ἀλκὴ
καὶ μένος ἠΰτε θηρὸς ἀέξετο· πῆλε δὲ χεῖρας
πειράζων, εἴθ᾽ ὡς πρὶν εὐτρόχαλοι φορέονται,
μηδ᾽ ἄμυδις καμάτῳ τε καὶ εἰρεσίῃ βαρύθοιεν.
οὐ μὰν αὖτ᾽ Ἄμυκος πειρήσατο· σῖγα δ᾽ ἄπωθεν
ἑστηὼς εἰς αὐτὸν ἔχ᾽ ὄμματα, καί οἱ ὀρέχθει
θυμὸς ἐελδομένῳ στηθέων ἔξ αἷμα κεδάσσαι.   50
τοῖσι δὲ μεσσηγὺς θεράπων Ἀμύκοιο Λυκωρεὺς
θῆκε πάροιθε ποδῶν δοιοὺς ἑκάτερθεν ἱμάντας

---

[1] ἀπὸ Merkel : αὖ MSS.

Thus he spake outright; but the other with rolling eyes glared on him, like to a lion struck by a javelin when hunters in the mountains are hemming him round, and, though pressed by the throng, he recks no more of them, but keeps his eyes fixed, singling out that man only who struck him first and slew him not. Hereupon the son of Tyndareus laid aside his mantle, closely-woven, delicately-wrought, which one of the Lemnian maidens had given him as a pledge of hospitality; and the king threw down his dark cloak of double fold with its clasps and the knotted crook of mountain olive which he carried. Then straightway they looked and chose close by a spot that pleased them and bade their comrades sit upon the sand in two lines; nor were they alike to behold in form or in stature. The one seemed to be a monstrous son of baleful Typhoeus or of Earth herself, such as she brought forth aforetime, in her wrath against Zeus; but the other, the son of Tyndareus, was like a star of heaven, whose beams are fairest as it shines through the nightly sky at eventide. Such was the son of Zeus, the bloom of the first down still on his cheeks, still with the look of gladness in his eyes. But his might and fury waxed like a wild beast's; and he poised his hands to see if they were pliant as before and were not altogether numbed by toil and rowing. But Amycus on his side made no trial; but standing apart in silence he kept his eyes upon his foe, and his spirit surged within him all eager to dash the life-blood from his breast. And between them Lycoreus, the henchman of Amycus, placed at their feet on each side two pairs of gauntlets made of raw hide, dry, exceeding

ὠμούς, ἀζαλέους, περὶ δ' οὔγ' ἔσαν ἐσκληῶτες.
αὐτὰρ ὁ τόνγ' ἐπέεσσιν ὑπερφιάλοισι μετηύδα·
'Τῶνδέ τοι ὅν κ' ἐθέλησθα, πάλου ἄτερ ἐγγυαλίξω
αὐτὸς ἑκών, ἵνα μή μοι ἀτέμβηαι μετόπισθεν.
ἀλλὰ βάλευ περὶ χειρί· δαεὶς δέ κεν ἄλλῳ
    ἐνίσποις,
ὅσσον ἐγὼ ῥινούς τε βοῶν περίειμι ταμέσθαι
ἀζαλέας, ἀνδρῶν τε παρηίδας αἵματι φύρσαι.'

Ὣς ἔφατ'· αὐτὰρ ὅγ' οὔτι παραβλήδην ἐρίδηνεν· 60
ἦκα δὲ μειδήσας, οἷ οἱ παρὰ ποσσὶν ἔκειντο,
τοὺς ἕλεν ἀπροφάτως· τοῦ δ' ἀντίος ἤλυθε Κάστωρ
ἠδὲ Βιαντιάδης Ταλαὸς μέγας· ὦκα δ' ἱμάντας
ἀμφέδεον, μάλα πολλὰ παρηγορέοντες ἐς ἀλκήν.
τῷ δ' αὖτ' Ἄρητός τε καὶ Ὄρνυτος, οὐδέ τι ᾔδειν
νήπιοι ὕστατα κεῖνα κακῇ δήσαντες ἐν αἴσῃ.

Οἱ δ' ἐπεὶ οὖν ἱμᾶσι διασταδὸν ἠρτύναντο,
αὐτίκ' ἀνασχόμενοι ῥεθέων προπάροιθε βαρείας
χεῖρας, ἐπ' ἀλλήλοισι μένος φέρον ἀντιόωντες.
ἔνθα δὲ Βεβρύκων μὲν ἄναξ, ἅτε κῦμα θαλάσσης 70
τρηχὺ θοὴν ἐπὶ νῆα κορύσσεται, ἡ δ' ὑπὸ τυτθὸν
ἰδρείῃ πυκινοῖο κυβερνητῆρος ἀλύσκει,
ἱεμένου φορέεσθαι ἔσω τοίχοιο κλύδωνος,
ὣς ὅγε Τυνδαρίδην φοβέων ἕπετ', οὐδέ μιν εἴα
δηθύνειν. ὁ δ' ἄρ' αἰὲν ἀνούτατος ἦν διὰ μῆτιν
ἀίσσοντ'[1] ἀλέεινεν· ἀπηνέα δ' αἶψα νοήσας
πυγμαχίην, ᾗ κάρτος ἀάατος, ᾗ τε χερείων,
στῆ ῥ' ἄμοτον καὶ χερσὶν ἐναντία χεῖρας ἔμιξεν.
ὡς δ' ὅτε νήια δοῦρα θοοῖς ἀντίξοα γόμφοις
ἀνέρες ὑληουργοὶ ἐπιβλήδην ἐλάοντες 80
θείνωσι σφύρῃσιν, ἐπ' ἄλλῳ δ' ἄλλος ἄηται

---

[1] ἀίσσοντ' Pierson : ἀίσσων MSS.

tough. And the king addressed the hero with arrogant words:

"Whichever of these thou wilt, without casting lots, I grant thee freely, that thou mayst not blame me hereafter. Bind them about thy hands; thou shalt learn and tell another how skilled I am to carve the dry oxhides and to spatter men's cheeks with blood."

Thus he spake; but the other gave back no taunt in answer, but with a light smile readily took up the gauntlets that lay at his feet; and to him came Castor and mighty Talaus, son of Bias, and they quickly bound the gauntlets about his hands, often bidding him be of good courage. And to Amycus came Aretus and Ornytus, but little they knew, poor fools, that they had bound them for the last time on their champion, a victim of evil fate.

Now when they stood apart and were ready with their gauntlets, straightway in front of their faces they raised their heavy hands and matched their might in deadly strife. Hereupon the Bebrycian king—even as a fierce wave of the sea rises in a crest against a swift ship, but she by the skill of the crafty pilot just escapes the shock when the billow is eager to break over the bulwark—so he followed up the son of Tyndareus, trying to daunt him, and gave him no respite. But the hero, ever unwounded, by his skill baffled the rush of his foe, and he quickly noted the brutal play of his fists to see where he was invincible in strength, and where inferior, and stood unceasingly and returned blow for blow. And as when shipwrights with their hammers smite ships' timbers to meet the sharp clamps, fixing

δοῦπος ἄδην· ὡς τοῖσι παρήιά τ' ἀμφοτέρωθεν
καὶ γένυες κτύπεον· βρυχὴ δ' ὑπετέλλετ' ὀδόντων
ἄσπετος, οὐδ' ἔλληξαν ἐπισταδὸν οὐτάζοντες,
ἔστε περ οὐλοὸν ἆσθμα καὶ ἀμφοτέρους ἐδάμασσεν.
στάντε δὲ βαιὸν ἄπωθεν ἀπωμόρξαντο μετώπων
ἱδρῶ ἅλις, καματηρὸν ἀυτμένα φυσιόωντε.
ἂψ δ' αὖτις συνόρουσαν ἐναντίοι, ἠύτε ταύρω
φορβάδος ἀμφὶ βοὸς κεκοτηότε δηριάασθον.
ἔνθα δ' ἔπειτ' Ἄμυκος μὲν ἐπ' ἀκροτάτοισιν
    ἀερθείς,   90
βουτύπος οἷα, πόδεσσι τανύσσατο, κὰδ δὲ βαρεῖαν
χεῖρ' ἐπὶ οἷ πελέμιξεν· ὁ δ' ἀίξαντος ὑπέστη,
κράτα παρακλίνας, ὤμω δ' ἀνεδέξατο πῆχυν
τυτθόν· ὁ δ' ἄγχ' αὐτοῖο παρὲκ γόνυ γουνὸς ἀμείβων
κόψε μεταΐγδην ὑπὲρ οὔατος, ὀστέα δ' εἴσω
ῥῆξεν· ὁ δ' ἀμφ' ὀδύνῃ γνὺξ ἤριπεν· οἱ δ' ἰάχησαν
ἥρωες Μινύαι· τοῦ δ' ἀθρόος ἔκχυτο θυμός.

  Οὐδ' ἄρα Βέβρυκες ἄνδρες ἀφείδησαν βασιλῆος·
ἀλλ' ἄμυδις κορύνας ἀζηχέας ἠδὲ σιγύννους
ἰθὺς ἀνασχόμενοι Πολυδεύκεος ἀντιάασκον.   100
τοῦ δὲ πάρος κολεῶν εὐήκεα φάσγαν' ἑταῖροι
ἔσταν ἐρυσσάμενοι. πρῶτός γε μὲν ἀνέρα Κάστωρ
ἤλασ' ἐπεσσύμενον κεφαλῆς ὕπερ· ἡ δ' ἑκάτερθεν
ἔνθα καὶ ἔνθ' ὤμοισιν ἐπ' ἀμφοτέροις ἐκεάσθη.
αὐτὸς δ' Ἰτυμονῆα πελώριον ἠδὲ Μίμαντα,
τὸν μὲν ὑπὸ στέρνοιο θοῷ ποδὶ λὰξ ἐπορούσας
πλῆξε, καὶ ἐν κονίῃσι βάλεν· τοῦ δ' ἆσσον
    ἰόντος
δεξιτερῇ σκαιῆς ὑπὲρ ὀφρύος ἤλασε χειρί,
δρύψε δέ οἱ βλέφαρον, γυμνὴ δ' ὑπελείπετ' ὀπωπή.
Ὠρείδης δ' Ἀμύκοιο βίην ὑπέροπλος ὀπάων   110
οὖτα Βιαντιάδαο κατὰ λαπάρην Ταλαοῖο,

layer upon layer; and the blows resound one after another; so cheeks and jaws crashed on both sides, and a huge clattering of teeth arose, nor did they cease ever from striking their blows until laboured gasping overcame both. And standing a little apart they wiped from their foreheads sweat in abundance, wearily panting for breath. Then back they rushed together again, as two bulls fight in furious rivalry for a grazing heifer. Next Amycus rising on tiptoe, like one who slays an ox, sprung to his full height and swung his heavy hand down upon his rival; but the hero swerved aside from the rush, turning his head, and just received the arm on his shoulder; and coming near and slipping his knee past the king's, with a rush he struck him above the ear, and broke the bones inside, and the king in agony fell upon his knees; and the Minyan heroes shouted for joy; and his life was poured forth all at once.

Nor were the Bebrycians reckless of their king; but all together took up rough clubs and spears and rushed straight on Polydeuces. But in front of him stood his comrades, their keen swords drawn from the sheath. First Castor struck upon the head a man as he rushed at him: and it was cleft in twain and fell on each side upon his shoulders. And Polydeuces slew huge Itymoneus and Mimas. The one, with a sudden leap, he smote beneath the breast with his swift foot and threw him in the dust; and as the other drew near he struck him with his right hand above the left eyebrow, and tore away his eyelid and the eyeball was left bare. But Oreides, insolent henchman of Amycus, wounded Talaus son of Bias in the side, but did not slay him,

ἀλλά μιν οὐ κατέπεφνεν, ὅσον δ᾽ ἐπὶ δέρματι μοῦνον
νηδυίων ἄψαυστος ὑπὸ ζώνην θόρε χαλκός.
αὕτως δ᾽ Ἄρητος μενεδήιον Εὐρύτου υἷα
Ἴφιτον ἀζαλέῃ κορύνῃ στυφέλιξεν ἐλάσσας,
οὔπω κηρὶ κακῇ πεπρωμένον· ἦ τάχ᾽ ἔμελλεν
αὐτὸς δῃώσεσθαι ὑπὸ ξίφεϊ Κλυτίοιο.
καὶ τότ᾽ ἄρ᾽ Ἀγκαῖος Λυκοόργοιο θρασὺς υἱὸς
αἶψα μάλ᾽ ἀντεταγὼν πέλεκυν μέγαν ἠδὲ κελαινὸν
ἄρκτου προσχόμενος σκαιῇ δέρος ἔνθορε μέσσῳ   120
ἐμμεμαὼς Βέβρυξιν· ὁμοῦ δέ οἱ ἐσσεύοντο
Αἰακίδαι, σὺν δέ σφιν ἀρήιος ὤρνυτ᾽ Ἰήσων.
ὡς δ᾽ ὅτ᾽ ἐνὶ σταθμοῖσιν ἀπείρονα μῆλ᾽ ἐφόβησαν
ἤματι χειμερίῳ πολιοὶ λύκοι ὁρμηθέντες
λάθρῃ ἐυρρίνων τε κυνῶν αὐτῶν τε νομήων,
μαίονται δ᾽ ὅ τι πρῶτον ἐπαΐξαντες ἕλωσιν,
πόλλ᾽ ἐπιπαμφαλόωντες ὁμοῦ· τὰ δὲ πάντοθεν
        αὕτως
στείνονται πίπτοντα περὶ σφίσιν· ὡς ἄρα τοίγε
λευγαλέως Βέβρυκας ὑπερφιάλους ἐφόβησαν.
ὡς δὲ μελισσάων σμῆνος μέγα μηλοβοτῆρες   130
ἠὲ μελισσοκόμοι πέτρῃ ἔνι καπνιόωσιν,
αἱ δ᾽ ἤτοι τείως μὲν ἀολλέες ᾧ ἐνὶ σίμβλῳ
βομβηδὸν κλονέονται, ἐπιπρὸ δὲ λιγνυόεντι
καπνῷ τυφόμεναι πέτρης ἑκὰς ἀίσσουσιν·
ὡς οἵγ᾽ οὐκέτι δὴν μένον ἔμπεδον, ἀλλ᾽ ἐκέδασθεν
εἴσω Βεβρυκίης, Ἀμύκου μόρον ἀγγελέοντες·
νήπιοι, οὐδ᾽ ἐνόησαν ὃ δή σφισιν ἐγγύθεν ἄλλο
πῆμ᾽ ἀίδηλον ἔην.   πέρθοντο γὰρ ἠμὲν ἀλωαὶ
ἠδ᾽ οἷαι τῆμος δῄῳ ὑπὸ δουρὶ Λύκοιο
καὶ Μαριανδυνῶν ἀνδρῶν, ἀπεόντος ἄνακτος.   140
αἰεὶ γὰρ μάρναντο σιδηροφόρου περὶ γαίης.
οἱ δ᾽ ἤδη σταθμούς τε καὶ αὔλια δῃάασκον·

but only grazing the skin the bronze sped under his belt and touched not the flesh. Likewise Aretus with well-seasoned club smote Iphitus, the steadfast son of Eurytus, not yet destined to an evil death; assuredly soon was he himself to be slain by the sword of Clytius. Then Ancaeus, the dauntless son of Lycurgus, quickly seized his huge axe, and in his left hand holding a bear's dark hide, plunged into the midst of the Bebrycians with furious onset; and with him charged the sons of Aeacus, and with them started warlike Jason. And as when amid the folds grey wolves rush down on a winter's day and scare countless sheep, unmarked by the keen-scented dogs and the shepherds too, and they seek what first to attack and carry off, often glaring around, but the sheep are just huddled together and trample on one another; so the heroes grievously scared the arrogant Bebrycians. And as shepherds or bee-keepers smoke out a huge swarm of bees in a rock, and they meanwhile, pent up in their hive, murmur with droning hum, till, stupefied by the murky smoke, they fly forth far from the rock; so they stayed steadfast no longer, but scattered themselves inland through Bebrycia, proclaiming the death of Amycus; fools, not to perceive that another woe all unforeseen was hard upon them. For at that hour their vineyards and villages were being ravaged by the hostile spear of Lycus and the Mariandyni, now that their king was gone. For they were ever at strife about the ironbearing land. And now the foe was destroying their steadings and farms,

ἤδη δ' ἄσπετα μῆλα περιτροπάδην ἐτάμοντο
ἥρωες, καὶ δή τις ἔπος μετὰ τοῖσιν ἔειπεν·
'Φράζεσθ' ὅττι κεν ᾗσιν ἀναλκείῃσιν ἔρεξαν,
εἴ πως Ἡρακλῆα θεὸς καὶ δεῦρο κόμισσεν.
ἤτοι μὲν γὰρ ἐγὼ κείνου παρεόντος ἔολπα
οὐδ' ἂν πυγμαχίῃ κρινθήμεναι· ἀλλ' ὅτε θεσμοὺς
ἤλυθεν ἐξερέων, αὐτοῖς ἄφαρ οἷς ἀγόρευεν
θεσμοῖσιν ῥοπάλῳ μιν ἀγηνορίης λελαθέσθαι.   150
ναὶ μὲν ἀκήδεστον γαίῃ ἔνι τόνγε λιπόντες
πόντον ἐπέπλωμεν· μάλα δ' ἡμέων αὐτὸς ἕκαστος
εἴσεται οὐλομένην ἄτην, ἀπάνευθεν ἐόντος.'
    Ὣς ἄρ' ἔφη· τὰ δὲ πάντα Διὸς βουλῇσι
        τέτυκτο.
καὶ τότε μὲν μένον αὖθι διὰ κνέφας, ἕλκεά τ'
        ἀνδρῶν
οὐταμένων ἀκέοντο, καὶ ἀθανάτοισι θυηλὰς
ῥέξαντες μέγα δόρπον ἐφώπλισαν· οὐδέ τιν' ὕπνος
εἷλε παρὰ κρητῆρι καὶ αἰθομένοις ἱεροῖσιν.
ξανθὰ δ' ἐρεψάμενοι δάφνῃ καθύπερθε μέτωπα
ἀγχιάλῳ, τῇ καί τε περὶ πρυμνῆσι' ἀνῆπτο,   160
Ὀρφείῃ φόρμιγγι συνοίμιον ὕμνον ἄειδον
ἐμμελέως· περὶ δέ σφιν ἰαίνετο νήνεμος ἀκτὴ
μελπομένοις· κλεῖον δὲ Θεραπναῖον Διὸς υἷα.
    Ἦμος δ' ἠέλιος δροσερὰς ἐπέλαμψε κολώνας,
ἐκ περάτων ἀνιών, ἤγειρε δὲ μηλοβοτῆρας,
δὴ τότε λυσάμενοι νεάτης ἐκ πείσματα δάφνης
ληίδα τ' εἰσβήσαντες ὅσην χρεὼ ἦεν ἄγεσθαι,
πνοιῇ δινήεντ' ἀνὰ Βόσπορον ἰθύνοντο.
ἔνθα μὲν ἠλιβάτῳ ἐναλίγκιον οὔρεϊ κῦμα
ἀμφέρεται προπάροιθεν ἐπαΐσσοντι ἐοικός,   170
αἰὲν ὑπὲρ νεφέων ἠερμένον· οὐδέ κε φαίης

and now the heroes from all sides were driving off their countless sheep, and one spake among his fellows thus :

" Bethink ye what they would have done in their cowardice if haply some god had brought Heracles hither. Assuredly, if he had been here, no trial would there have been of fists, I ween, but when the king drew near to proclaim his rules, the club would have made him forget his pride and the rules to boot. Yea, we left him uncared for on the strand and we sailed oversea ; and full well each one of us shall know our baneful folly, now that he is far away."

Thus he spake, but all these things had been wrought by the counsels of Zeus. Then they remained there through the night and tended the hurts of the wounded men, and offered sacrifice to the immortals, and made ready a mighty meal ; and sleep fell upon no man beside the bowl and the blazing sacrifice. They wreathed their fair brows with the bay that grew by the shore, whereto their hawsers were bound, and chanted a song to the lyre of Orpheus in sweet harmony ; and the windless shore was charmed by their song ; and they celebrated the Therapnaean son of Zeus.[1]

But when the sun rising from far lands lighted up the dewy hills and wakened the shepherds, then they loosed their hawsers from the stem of the bay-tree and put on board all the spoil they had need to take ; and with a favouring wind they steered through the eddying Bosporus. Hereupon a wave like a steep mountain rose aloft in front as though rushing upon them, ever upheaved above the clouds ; nor would you say that they could escape grim

---

[1] *i.e.* Polydeuces.

φεύξεσθαι κακὸν οἶτον, ἐπεὶ μάλα μεσσόθι νηὸς
λάβρον ἐπικρέμαται, καθάπερ νέφος. ἀλλὰ τόγ᾿
    ἔμπης
στόρνυται, εἴ κ᾿ ἐσθλοῖο κυβερνητῆρος ἐπαύρῃ.
τῶ καὶ Τίφυος οἵδε δαημοσύνῃσι νέοντο,
ἀσκηθεῖς μέν, ἀτὰρ πεφοβημένοι. ἤματι δ᾿ ἄλλῳ
ἀντιπέρην γαίῃ Βιθυνίδι πείσματ᾿ ἀνῆψαν.

Ἔνθα δ᾿ ἐπάκτιον οἶκον Ἀγηνορίδης ἔχε Φινεύς,
ὃς περὶ δὴ πάντων ὀλοώτατα πήματ᾿ ἀνετλη
εἵνεκα μαντοσύνης, τήν οἱ πάρος ἐγγυάλιξεν   180
Λητοΐδης· οὐδ᾿ ὅσσον ὀπίζετο καὶ Διὸς αὐτοῦ
χρείων ἀτρεκέως ἱερὸν νόον ἀνθρώποισιν.
τῶ καί οἱ γῆρας μὲν ἐπὶ δηναιὸν ἴαλλεν,
ἐκ δ᾿ ἕλετ᾿ ὀφθαλμῶν γλυκερὸν φάος· οὐδὲ γάνυ-
    σθαι
εἶα ἀπειρεσίοισιν ὀνείασιν, ὅσσα οἱ αἰεὶ
θέσφατα πευθόμενοι περιναιέται οἴκαδ᾿ ἄγειρον.
ἀλλὰ διὰ νεφέων ἄφνω πέλας ἀίσσουσαι
Ἅρπυιαι στόματος χειρῶν τ᾿ ἀπὸ γαμφηλῇσιν
συνεχέως ἥρπαζον. ἐλείπετο δ᾿ ἄλλοτε φορβῆς
οὐδ᾿ ὅσον, ἄλλοτε τυτθόν, ἵνα ζώων ἀκάχοιτο.   190
καὶ δ᾿ ἐπὶ μυδαλέην ὀδμὴν χέον· οὐδέ τις ἔτλη
μὴ καὶ λευκανίηνδε φορεύμενος, ἀλλ᾿ ἀποτηλοῦ
ἑστηώς· τοῖόν οἱ ἀπέπνεε λείψανα δαιτός.
αὐτίκα δ᾿ εἰσαΐων ἐνοπὴν καὶ δοῦπον ὁμίλου
τούσδ᾿ αὐτοὺς παριόντας ἐπήισεν, ὧν οἱ ἰόντων
θέσφατον ἐκ Διὸς ἦεν ἑῆς ἀπόνασθαι ἐδωδῆς.
ὀρθωθεὶς δ᾿ εὐνῆθεν, ἀκήριον ἠύτ᾿ ὄνειρον,
βάκτρῳ σκηπτόμενος ῥικνοῖς ποσὶν ἦε θύραζε,
τοίχους ἀμφαφόων· τρέμε δ᾿ ἅψεα νισσομένοιο
ἀδρανίῃ γήραϊ τε· πίνῳ δέ οἱ αὐσταλέος χρὼς   200

death, for in its fury it hangs over the middle of
the ship, like a cloud, yet it sinks away into calm if
it meets with a skilful helmsman. So they by the
steering-craft of Tiphys escaped, unhurt but sore
dismayed. And on the next day they fastened the
hawsers to the coast opposite the Bithynian land.

There Phineus, son of Agenor, had his home
by the sea, Phineus who above all men endured
most bitter woes because of the gift of prophecy
which Leto's son had granted him aforetime. And
he reverenced not a whit even Zeus himself, for he
foretold unerringly to men his sacred will. Where-
fore Zeus sent upon him a lingering old age, and
took from his eyes the pleasant light, and suffered
him not to have joy of the dainties untold that the
dwellers around ever brought to his house, when
they came to enquire the will of heaven. But on a
sudden, swooping through the clouds, the Harpies
with their crooked beaks incessantly snatched the
food away from his mouth and hands. And at times
not a morsel of food was left, at others but a little,
in order that he might live and be tormented. And
they poured forth over all a loathsome stench; and
no one dared not merely to carry food to his mouth
but even to stand at a distance; so foully reeked the
remnants of the meal. But straightway when he
heard the voice and the tramp of the band he knew
that they were the men passing by, at whose coming
Zeus' oracle had declared to him that he should
have joy of his food. And he rose from his couch,
like a lifeless dream, bowed over his staff, and crept
to the door on his withered feet, feeling the walls;
and as he moved, his limbs trembled for weakness
and age; and his parched skin was caked with dirt,

ἐσκλήκει, ῥινοὶ δὲ σὺν ὀστέα μοῦνον ἔεργον.
ἐκ δ' ἐλθὼν μεγάροιο καθέζετο γοῦνα βαρυνθεὶς
οὐδοῦ ἐπ' αὐλείοιο· κάρος δέ μιν ἀμφεκάλυψεν
πορφύρεος, γαῖαν δὲ πέριξ ἐδόκησε φέρεσθαι
νειόθεν, ἀβληχρῷ δ' ἐπὶ κώματι κέκλιτ' ἄναυδος.
οἱ δέ μιν ὡς εἴδοντο, περισταδὸν ἠγερέθοντο
καὶ τάφον. αὐτὰρ ὁ τοῖσι μάλα μόλις ἐξ ὑπάτοιο
στήθεος ἀμπνεύσας μετεφώνεε μαντοσύνῃσιν·

'Κλῦτε, Πανελλήνων προφερέστατοι, εἰ ἐτεὸν δὴ
οἵδ' ὑμεῖς, οὓς δὴ κρυερῇ βασιλῆος ἐφετμῇ   210
Ἀργῴης ἐπὶ νηὸς ἄγει μετὰ κῶας Ἰήσων.
ὑμεῖς ἀτρεκέως. ἔτι μοι νόος οἶδεν ἕκαστα
ᾗσι θεοπροπίῃσι. χάριν νύ τοι, ὦ ἄνα, Λητοῦς
υἱέ, καὶ ἀργαλέοισιν ἀνάπτομαι ἐν καμάτοισιν.
Ἰκεσίου πρὸς Ζηνός, ὅτις ῥίγιστος ἀλιτροῖς
ἀνδράσι, Φοίβου τ' ἀμφὶ καὶ αὐτῆς εἵνεκεν Ἥρης
λίσσομαι, ᾗ περίαλλα θεῶν μέμβλεσθε κιόντες,
χραίσμετέ μοι, ῥύσασθε δυσάμμορον ἀνέρα λύμης,
μηδέ μ' ἀκηδείῃσιν ἀφορμήθητε λιπόντες
αὔτως. οὐ γὰρ μοῦνον ἐπ' ὀφθαλμοῖσιν Ἐρινὺς   220
λὰξ ἐπέβη, καὶ γῆρας ἀμήρυτον ἐς τέλος ἕλκω·
πρὸς δ' ἔτι πικρότατον κρέμαται κακὸν ἄλλο
    κακοῖσιν.
Ἅρπυιαι στόματός μοι ἀφαρπάζουσιν ἐδωδὴν
ἔκποθεν ἀφράστοιο καταΐσσουσαι ὀλέθρου.
ἴσχω δ' οὔτινα μῆτιν ἐπίρροθον. ἀλλά κε ῥεῖα
αὐτὸς ἐὸν λελάθοιμι νόον δόρποιο μεμηλώς,
ἢ κείνας· ὧδ' αἶψα διηέριαι ποτέονται.
τυτθὸν δ' ἢν ἄρα δήποτ' ἐδητύος ἄμμι λίπωσιν,
πνεῖ τόδε μυδαλέον τε καὶ οὐ τλητὸν μένος ὀδμῆς·
οὔ κέ τις οὐδὲ μίνυνθα βροτῶν ἀνσχοιτο πελάσσας,   230
οὐδ' εἴ οἱ ἀδάμαντος ἐληλάμενον κέαρ εἴη.

and naught but the skin held his bones together.
And he came forth from the hall with wearied knees
and sat on the threshold of the courtyard ; and a
dark stupor covered him, and it seemed that the
earth reeled round beneath his feet, and he lay in a
strengthless trance, speechless. But when they saw
him they gathered round and marvelled. And he
at last drew laboured breath from the depths of
his chest and spoke among them with prophetic
utterance :

" Listen, bravest of all the Hellenes, if it be truly
ye, whom by a king's ruthless command Jason is
leading on the ship Argo in quest of the fleece. It
is ye truly. Even yet my soul by its divination
knows everything. Thanks I render to thee, O king,
son of Leto, plunged in bitter affliction though I be.
I beseech you by Zeus the god of suppliants, the
sternest foe to sinful men, and for the sake of
Phoebus and Hera herself, under whose especial care
ye have come hither, help me, save an ill-fated man
from misery, and depart not uncaring and leaving
me thus as ye see. For not only has the Fury set
her foot on my eyes and I drag on to the end a
weary old age ; but besides my other woes a woe
hangs over me—the bitterest of all. The Harpies,
swooping down from some unseen den of destruction
ever snatch the food from my mouth. And I have
no device to aid me. But it were easier, when I long
for a meal, to escape my own thoughts than them,
so swiftly do they fly through the air. But if haply
they *do* leave me a morsel of food it reeks of decay
and the stench is unendurable, nor could any mortal
bear to draw near even for a moment, no, not if his
heart were wrought of adamant. But necessity,

ἀλλά με πικρὴ δῆτα καὶ ἄατος ἴσχει[1] ἀνάγκη
μίμνειν καὶ μίμνοντα κακῇ ἐν γαστέρι θέσθαι.
τὰς μὲν θέσφατόν ἐστιν ἐρητῦσαι Βορέαο
υἷέας. οὐδ' ὀθνεῖοι ἀλαλκήσουσιν ἐόντες,
εἰ δὴ ἐγὼν ὁ πρίν ποτ' ἐπικλυτὸς ἀνδράσι Φινεὺς
ὄλβῳ μαντοσύνῃ τε, πατὴρ δέ με γείνατ' Ἀγήνωρ·
τῶν δὲ κασιγνήτην, ὅτ' ἐνὶ Θρήκεσσιν ἄνασσον,
Κλειοπάτρην ἕδνοισιν ἐμὸν δόμον ἦγον ἄκοιτιν.'

Ἴσκεν Ἀγηνορίδης· ἀδινὸν δ' ἕλε κῆδος ἕκαστον   240
ἡρώων, πέρι δ' αὖτε δύω υἷας Βορέαο.
δάκρυ δ' ὀμορξαμένω σχεδὸν ἤλυθον, ὧδέ τ' ἔειπεν
Ζήτης, ἀσχαλόωντος ἑλὼν χερὶ χεῖρα γέροντος·
'Ἆ δείλ', οὔτινά φημι σέθεν σμυγερώτερον ἄλλον
ἔμμεναι ἀνθρώπων. τί νύ τοι τόσα κήδε' ἀνῆπται;
ἦ ῥα θεοὺς ὀλοῇσι παρήλιτες ἀφραδίῃσιν
μαντοσύνας δεδαώς; τῶ τοι μέγα μηνιόωσιν;
ἄμμι γε μὴν νόος ἔνδον ἀτύζεται ἱεμένοισιν
χραισμεῖν, εἰ δὴ πρόχνυ γέρας τόδε πάρθετο δαίμων
νῶιν. ἀρίζηλοι γὰρ ἐπιχθονίοισιν ἐνιπαὶ   250
ἀθανάτων. οὐδ' ἂν πρὶν ἐρητύσαιμεν ἰούσας
Ἁρπυίας, μάλα περ λελιημένοι, ἔστ' ἂν ὁμόσσῃς,
μὴ μὲν τοῖό γ' ἕκητι θεοῖς ἀπὸ θυμοῦ ἔσεσθαι.'

Ὣς φάτο· τοῦ δ' ἰθὺς κενεὰς ὁ γεραιὸς ἀνέσχεν
γλήνας ἀμπετάσας, καὶ ἀμείψατο τοῖσδ' ἐπέεσσιν·
'Σίγα· μή μοι ταῦτα νόῳ ἔνι βάλλεο, τέκνον.
ἴστω Λητοῦς υἷός, ὅ με πρόφρων ἐδίδαξεν
μαντοσύνας· ἴστω δὲ δυσώνυμος, ἥ μ' ἔλαχεν, κὴρ

―――――
[1] καὶ ἄατος ἴσχει Kochly: καὶ δατὸς ἴσχει L: καὶ δαιτὸς
ἴσχει G.

bitter and insatiate, compels me to abide and abid-
ing to put food in my cursèd belly. These pests,
the oracle declares, the sons of Boreas shall restrain.
And no strangers are they that shall ward them off
if indeed I am Phineus who was once renowned
among men for wealth and the gift of prophecy, and
if I am the son of my father Agenor ; and, when I
ruled among the Thracians, by my bridal gifts I
brought home their sister Cleopatra to be my wife."

So spake Agenor's son ; and deep sorrow seized
each of the heroes, and especially the two sons of
Boreas. And brushing away a tear they drew nigh,
and Zetes spake as follows, taking in his own the
hand of the grief-worn sire :

"Unhappy one, none other of men is more wretched
than thou, methinks. Why upon thee is laid the
burden of so many sorrows ? Hast thou with bane-
ful folly sinned against the gods through thy skill in
prophecy ? For this are they greatly wroth with
thee ? Yet our spirit is dismayed within us for all our
desire to aid thee, if indeed the god has granted this
privilege to us two. For plain to discern to men of
earth are the reproofs of the immortals. And we will
never check the Harpies when they come, for all
our desire, until thou hast sworn that for this we
shall not lose the favour of heaven."

Thus he spake ; and towards him the aged sire
opened his sightless eyes, and lifted them up and
replied with these words :

"Be silent, store not up such thoughts in thy
heart, my child. Let the son of Leto be my witness,
he who of his gracious will taught me the lore of
prophecy, and be witness the ill-starred doom which

καὶ τόδ' ἐπ' ὀφθαλμῶν ἀλαὸν νέφος, οἵθ' ὑπένερθεν
δαίμονες, οἳ μηδ' ὧδε θανόντι περ εὐμενέοιεν,   260
ὡς οὔ τις θεόθεν χόλος ἔσσεται εἵνεκ' ἀρωγῆς.'
   Τὼ μὲν ἔπειθ' ὅρκοισιν ἀλαλκέμεναι μενέαινον.
αἶψα δὲ κουρότεροι πεπονήατο δαῖτα γέροντι,
λοίσθιον Ἁρπυίῃσιν ἑλώριον· ἐγγύθι δ' ἄμφω
στῆσαν, ἵνα ξιφέεσσιν ἐπεσσυμένας ἐλάσειαν.
καὶ δὴ τὰ πρώτισθ' ὁ γέρων ἔψαυεν ἐδωδῆς·
αἱ δ' ἄφαρ ἠΰτ' ἄελλαι ἀδευκέες, ἢ στεροπαὶ ὥς,
ἀπρόφατοι νεφέων ἐξάλμεναι ἐσσεύοντο
κλαγγῇ μαιμώωσαι ἐδητύος· οἱ δ' ἐσιδόντες
ἥρωες μεσσηγὺς ἀνίαχον· αἱ δ' ἀμ' αὐτῇ   270
πάντα καταβρόξασαι ὑπὲρ πόντοιο φέροντο
τῆλε παρέξ· ὀδμὴ δὲ δυσάσχετος αὖθι λέλειπτο.
τάων δ' αὖ κατόπισθε δύω υἷες Βορέαο
φάσγαν' ἐπισχόμενοι πρόσσω[1] θέον. ἐν γὰρ ἔηκεν
Ζεὺς μένος ἀκάματόν σφιν· ἀτὰρ Διὸς οὔ κεν
     ἐπέσθην
νόσφιν, ἐπεὶ ζεφύροιο παραΐσσεσκον ἀέλλας
αἰέν, ὅτ' ἐς Φινῆα καὶ ἐκ Φινῆος ἴοιεν.
ὡς δ' ὅτ' ἐνὶ κνημοῖσι κύνες δεδαημένοι ἄγρης
ἢ αἶγας κεραοὺς ἠὲ πρόκας ἰχνεύοντες
θείωσιν, τυτθὸν δὲ τιταινόμενοι μετόπισθεν   280
ἄκρῃς ἐν γενύεσσι μάτην ἀράβησαν ὀδόντας·
ὣς Ζήτης Κάλαΐς τε μάλα σχεδὸν ἀΐσσοντες
τάων ἀκροτάτῃσιν ἐπέχραον ἤλιθα χερσίν.
καί νύ κε δή σφ' ἀέκητι θεῶν διεδηλήσαντο
πολλὸν ἑκὰς νήσοισιν ἔπι Πλωτῇσι κιχόντες,
εἰ μὴ ἄρ' ὠκέα Ἶρις ἴδεν, κατὰ δ' αἰθέρος ἆλτο
οὐρανόθεν, καὶ τοῖα παραιφαμένη κατέρυκεν·

---

[1] πρόσσω O. Schneider : ὀπίσω MSS.

possesses me and this dark cloud upon my eyes, and the gods of the underworld—and may their curse be upon me if I die perjured thus—no wrath from heaven will fall upon you two for your help to me."

Then were those two eager to help him because of the oath. And quickly the younger heroes prepared a feast for the aged man, a last prey for the Harpies; and both stood near him, to smite with the sword those pests when they swooped down. Scarcely had the aged man touched the food when they forthwith, like bitter blasts or flashes of lightning, suddenly darted from the clouds, and swooped down with a yell, fiercely craving for food; and the heroes beheld them and shouted in the midst of their onrush; but they at the cry devoured everything and sped away over the sea afar; and an intolerable stench remained. And behind them the two sons of Boreas raising their swords rushed in pursuit. For Zeus imparted to them tireless strength; but without Zeus they could not have followed, for the Harpies used ever to outstrip the blasts of the west wind when they came to Phineus and when they left him. And as when, upon the mountain-side, hounds, cunning in the chase, run in the track of hornèd goats or deer, and as they strain a little behind gnash their teeth upon the edge of their jaws in vain; so Zetes and Calais rushing very near just grazed the Harpies in vain with their finger-tips. And assuredly they would have torn them to pieces, despite heaven's will, when they had overtaken them far off at the Floating Islands, had not swift Iris seen them and leapt down from the sky from heaven above, and checked them with these words:

'Οὐ θέμις, ὦ υἱεῖς Βορέω, ξιφέεσσιν ἐλάσσαι
Ἁρπυίας, μεγάλοιο Διὸς κύνας· ὅρκια δ' αὐτὴ
δώσω ἐγών, ὡς οὔ οἱ ἔτι χρίμψουσιν ἰοῦσαι.'   29

Ὣς φαμένη λοιβὴν Στυγὸς ὤμοσεν, ἥτε θεοῖσιν
ῥιγίστη πάντεσσιν ὀπιδνοτάτη τε τέτυκται,
μὴ μὲν Ἀγηνορίδαο δόμοις ἔτι τάσδε πελάσσαι
εἰσαῦτις Φινῆος, ἐπεὶ καὶ μόρσιμον ἦεν.
οἱ δ' ὅρκῳ εἴξαντες ὑπέστρεφον ἂψ ἐπὶ νῆα
σώεσθαι. Στροφάδας δὲ μετακλείους' ἄνθρωποι
νήσους τοῖό γ' ἕκητι, πάρος Πλωτὰς καλέοντες.
Ἅρπυιαί τ' Ἶρίς τε διέτμαγεν. αἱ μὲν ἔδυσαν
κευθμῶνα Κρήτης Μινωΐδος· ἡ δ' ἀνόρουσεν
Οὐλυμπόνδε, θοῇσι μεταχρονίη πτερύγεσσιν.   30

Τόφρα δ' ἀριστῆες πινόεν περὶ δέρμα γέροντος
πάντῃ φοιβήσαντες ἐπικριδὸν ἱρεύσαντο
μῆλα, τάτ' ἐξ Ἀμύκοιο λεηλασίης ἐκόμισσαν.
αὐτὰρ ἐπεὶ μέγα δόρπον ἐνὶ μεγάροισιν ἔθεντο
δαίνυνθ' ἑζόμενοι· σὺν δέ σφισι δαίνυτο Φινεὺς
ἁρπαλέως, οἷόν τ' ἐν ὀνείρασι θυμὸν ἰαίνων.
ἔνθα δ', ἐπεὶ δόρποιο κορέσσαντ' ἠδὲ ποτῆτος,
παννύχιοι Βορέω μένον υἱέας ἐγρήσσοντες.
αὐτὸς δ' ἐν μέσσοισι παρ' ἐσχάρῃ ἧστο γεραιὸς
πείρατα ναυτιλίης ἐνέπων ἄνυσίν τε κελεύθου· 31

'Κλῦτέ νυν. οὐ μὲν πάντα πέλει θέμις ὔμμι
            δαῆναι
ἀτρεκές· ὅσσα δ' ὄρωρε θεοῖς φίλον, οὐκ ἐπι-
            κεύσω.
ἀασάμην καὶ πρόσθε Διὸς νόον ἀφραδίῃσιν
χρείων ἐξείης τε καὶ ἐς τέλος. ὧδε γὰρ αὐτὸς
βούλεται ἀνθρώποις ἐπιδευέα θέσφατα φαίνειν
μαντοσύνης, ἵνα καί τι θεῶν χατέωσι νόοιο.

" It is not lawful, O sons of Boreas, to strike with your swords the Harpies, the hounds of mighty Zeus ; but I myself will give you a pledge, that hereafter they shall not draw near to Phineus."

With these words she took an oath by the waters of Styx, which to all the gods is most dread and most awful, that the Harpies would never thereafter again approach the home of Phineus, son of Agenor, for so it was fated. And the heroes yielding to the oath, turned back their flight to the ship. And on account of this men call them the Islands of Turning though aforetime they called them the Floating Islands. And the Harpies and Iris parted. They entered their den in Minoan Crete ; but she sped up to Olympus, soaring aloft on her swift wings.

Meanwhile the chiefs carefully cleansed the old man's squalid skin and with due selection sacrificed sheep which they had borne away from the spoil of Amycus. And when they had laid a huge supper in the hall, they sat down and feasted, and with them feasted Phineus ravenously, delighting his soul, as in a dream. And there, when they had taken their fill of food and drink, they kept awake all night waiting for the sons of Boreas. And the aged sire himself sat in the midst, near the hearth, telling of the end of their voyage and the completion of their journey :

" Listen then. Not everything is it lawful for you to know clearly ; but whatever is heaven's will, I will not hide. I was infatuated aforetime, when in my folly I declared the will of Zeus in order and to the end. For he himself wishes to deliver to men the utterances of the prophetic art incomplete, in order that they may still have some need to know the will of heaven.

‘ Πέτρας μὲν πάμπρωτον, ἀφορμηθέντες ἐμεῖο,
Κυανέας ὄψεσθε δύω ἁλὸς ἐν ξυνοχῇσιν,
τάων οὔτινά φημι διαμπερὲς ἐξαλέασθαι.
οὐ γάρ τε ῥίζῃσιν ἐρήρεινται νεάτῃσιν,   320
ἀλλὰ θαμὰ ξυνίασιν ἐναντίαι ἀλλήλῃσιν
εἰς ἕν, ὕπερθε δὲ πολλὸν ἁλὸς κορθύεται ὕδωρ
βρασσόμενον· στρηνὲς δὲ περὶ στυφελῇ βρέμει
    ἀκτῇ.
τῷ νῦν ἡμετέρῃσι παραιφασίῃσι πίθεσθε,
εἰ ἐτεὸν πυκινῷ τε νόῳ μακάρων τ' ἀλέγοντες
πείρετε· μηδ' αὔτως αὐτάγρετον οἶτον ὄλησθε
ἀφραδέως, ἢ θύνετ' ἐπισπόμενοι νεότητι.
οἰωνῷ δὴ πρόσθε πελειάδι πειρήσασθαι
νηὸς ἄπο προμεθέντες ἐφίεμεν. ἢν δὲ δι' αὐτῶν
πετράων πόντονδε σόη πτερύγεσσι δίηται,   330
μηκέτι δὴν μηδ' αὐτοὶ ἐρητύεσθε κελεύθου,
ἀλλ' εὖ καρτύναντες ἑαῖς ἐνὶ χερσὶν ἐρετμὰ
τέμνεθ' ἁλὸς στεινωπόν· ἐπεὶ φάος οὔ νύ τι τόσσον
ἔσσετ' ἐν εὐχωλῇσιν, ὅσον τ' ἐνὶ κάρτεϊ χειρῶν.
τῷ καὶ τἆλλα μεθέντες ὀνήιστον πονέεσθαι
θαρσαλέως. πρὶν δ' οὔτι θεοὺς λίσσεσθαι ἐρύκω.
εἰ δέ κεν ἀντικρὺ πταμένη μεσσηγὺς ὄληται,
ἄψορροι στέλλεσθαι· ἐπεὶ πολὺ βέλτερον εἶξαι
ἀθανάτοις. οὐ γάρ κε κακὸν μόρον ἐξαλέαισθε
πετράων, οὐδ' εἴ κε σιδηρείη πέλοι Ἀργώ.   340
‘ Ὦ μέλεοι, μὴ τλῆτε παρὲξ ἐμὰ θέσφατα βῆναι,
εἰ καί με τρὶς τόσσον ὀίεσθ' Οὐρανίδῃσιν,
ὅσσον ἀνάρσιός εἰμι, καὶ εἰ πλεῖον στυγέεσθαι·
μὴ τλῆτ' οἰωνοῖο πάρεξ ἔτι νηὶ περῆσαι.
καὶ τὰ μὲν ὥς κε πέλῃ, τὼς ἔσσεται. ἢν δὲ φύγητε
σύνδρομα πετράων ἀσκηθέες ἔνδοθι Πόντου,
αὐτίκα Βιθυνῶν ἐπὶ δεξιὰ γαῖαν ἔχοντες

" First of all, after leaving me, ye will see the twin Cyanean rocks where the two seas meet. No one, I ween, has won his escape between them. For they are not firmly fixed with roots beneath, but constantly clash against one another to one point, and above a huge mass of salt water rises in a crest, boiling up, and loudly dashes upon the hard beach. Wherefore now obey my counsel, if indeed with prudent mind and reverencing the blessed gods ye pursue your way; and perish not foolishly by a self-sought death, or rush on following the guidance of youth. First entrust the attempt to a dove when ye have sent her forth from the ship. And if she escapes safe with her wings between the rocks to the open sea, then no more do ye refrain from the path, but grip your oars well in your hands and cleave the sea's narrow strait, for the light of safety will be not so much in prayer as in strength of hands. Wherefore let all else go and labour boldly with might and main, but ere then implore the gods as ye will, I forbid you not. But if she flies onward and perishes midway, then do ye turn back; for it is better to yield to the immortals. For ye could not escape an evil doom from the rocks, not even if Argo were of iron.

" O hapless ones, dare not to transgress my divine warning, even though ye think that I am thrice as much hated by the sons of heaven as I am, and even more than thrice; dare not to sail further with your ship in despite of the omen. And as these things will fall, so shall they fall. But if ye shun the clashing rocks and come scatheless inside Pontus, straightway keep the land of the Bithynians on your

πλώετε ῥηγμῖνας πεφυλαγμένοι, εἰσόκεν αὖτε
Ῥήβαν ὠκυρόην ποταμὸν ἄκρην τε μέλαιναν
γνάμψαντες νήσου Θυνηίδος ὅρμον ἵκησθε.   350
κεῖθεν δ᾽ οὐ μάλα πουλὺ διὲξ ἁλὸς ἀντιπέραιαν
γῆν Μαριανδυνῶν ἐπικέλσετε νοστήσαντες.
ἔνθα μὲν εἰς Ἀίδαο καταιβάτις ἐστὶ κέλευθος,
ἄκρη τε προβλὴς Ἀχερουσιὰς ὑψόθι τείνει,
δινήεις τ᾽ Ἀχέρων αὐτὴν διὰ νειόθι τέμνων
ἄκρην ἐκ μεγάλης προχοὰς ἵησι φάραγγος.
ἀγχίμολον δ᾽ ἐπὶ τῇ πολέας παρανεῖσθε κολωνοὺς
Παφλαγόνων, τοῖσίν τ᾽ Ἐνετήιος ἐμβασίλευσεν
πρῶτα Πέλοψ, τοῦ καί περ ἀφ᾽ αἵματος εὐχετό-
    ωνται.
᾽Ἔστι δέ τις ἄκρη Ἑλίκης κατεναντίον Ἄρκτου,   360
πάντοθεν ἠλίβατος, καί μιν καλέουσι Κάραμβιν,
τῆς καὶ ὑπὲρ βορέαο περισχίζονται ἄελλαι·
ὧδε μάλ᾽ ἀμ πέλαγος τετραμμένη αἰθέρι κύρει.
τήνδε περιγνάμψαντι πολὺς παρακέκλιται ἤδη
Αἰγιαλός· πολέος δ᾽ ἐπὶ πείρασιν Αἰγιαλοῖο
ἀκτῇ ἐπὶ προβλῆτι ῥοαὶ Ἅλυος ποταμοῖο
δεινὸν ἐρεύγονται· μετὰ τὸν δ᾽ ἀρχίρροος Ἶρις
μειότερος λευκῇσιν ἑλίσσεται εἰς ἅλα δίναις.
κεῖθεν δὲ προτέρωσε μέγας καὶ ὑπείροχος ἀγκὼν
ἐξανέχει γαίης· ἐπὶ δὲ στόμα Θερμώδοντος   370
κόλπῳ ἐν εὐδιόωντι Θεμισκύρειον ὑπ᾽ ἄκρην
μύρεται, εὐρείης διαειμένος ἠπείροιο.
ἔνθα δὲ Δοίαντος πεδίον, σχεδόθεν δὲ πόληες
τρισσαὶ Ἀμαζονίδων, μετά τε σμυγερώτατοι
    ἀνδρῶν
τρηχεῖαν Χάλυβες καὶ ἀτειρέα γαῖαν ἔχουσιν,
ἐργατίναι· τοὶ δ᾽ ἀμφὶ σιδήρεα ἔργα μέλονται.
ἄγχι δὲ ναιετάουσι πολύρρηνες Τιβαρηνοὶ

right and sail on, and beware of the breakers, until
ye round the swift river Rhebas and the black beach,
and reach the harbour of the Isle of Thynias.
Thence ye must turn back a little space through the
sea and beach your ship on the land of the Mariandyni lying opposite. Here is a downward path
to the abode of Hades, and the headland of
Acherusia stretches aloft, and eddying Acheron
cleaves its way at the bottom, even through the
headland, and sends its waters forth from a huge
ravine. And near it ye will sail past many hills of
the Paphlagonians, over whom at the first Eneteian
Pelops reigned, and of his blood they boast themselves
to be.

"Now there is a headland opposite Helice the
Bear, steep on all sides, and they call it Carambis,
about whose crests the blasts of the north wind are
sundered. So high in the air does it rise turned
towards the sea. And when ye have rounded it
broad Aegialus stretches before you; and at the end
of broad Aegialus, at a jutting point of coast, the
waters of the river Halys pour forth with a terrible
roar; and after it Iris flowing near, but smaller in
stream, rolls into the sea with white eddies. Onward
from thence the bend of a huge and towering cape
reaches out from the land, next Thermodon at its
mouth flows into a quiet bay at the Themiscyreian
headland, after wandering through a broad continent.
And here is the plain of Doeas, and near are the
three cities of the Amazons, and after them the
Chalybes, most wretched of men, possess a soil
rugged and unyielding—sons of toil, they busy
themselves with working iron. And near them
dwell the Tibareni, rich in sheep, beyond the

Ζηνὸς Εὐξείνοιο Γενηταίην ὑπὲρ ἄκρην.
τῇ δ' ἐπὶ Μοσσύνοικοι ὁμούριοι ὑλήεσσαν
ἐξείης ἤπειρον, ὑπωρείας τε νέμονται,   380
δουρατέοις πύργοισιν ἐν οἰκία τεκτήναντες[1]
κάλινα καὶ θαλάμους[2] εὐπηγέας, οὓς καλέουσιν
μόσσυνας· καὶ δ' αὐτοὶ ἐπώνυμοι ἔνθεν ἔασιν.
τοὺς παραμειβόμενοι λισσῇ ἐπικέλσετε νήσῳ,
μήτι παντοίῃ μέγ' ἀναιδέας ἐξελάσαντες
οἰωνούς, οἳ δῆθεν ἀπειρέσιοι ἐφέπουσιν
νῆσον ἐρημαίην. τῇ μέν τ' ἐνὶ νηὸν Ἄρηος
λαΐνεον ποίησαν Ἀμαζονίδων βασίλειαι
Ὀτρηρή τε καὶ Ἀντιόπη, ὁπότε στρατόωντο.
ἔνθα γὰρ ὔμμιν ὄνειαρ ἀδευκέος ἐξ ἁλὸς εἰσὶν
ἄρρητον· τῶ καί τε φίλα φρονέων ἀγορεύω
ἰσχέμεν. ἀλλὰ τίη με πάλιν χρειὼ ἀλιτέσθαι   390
μαντοσύνῃ τὰ ἕκαστα διηνεκὲς ἐξενέποντα;
νήσου δὲ προτέρωσε καὶ ἠπείροιο περαίης
φέρβονται Φίλυρες· Φιλύρων δ' ἐφύπερθεν ἔασιν
Μάκρωνες· μετὰ δ' αὖ περιώσια φῦλα Βεχείρων.
ἐξείης δὲ Σάπειρες ἐπὶ σφίσι ναιετάουσιν·
Βύζηρες δ' ἐπὶ τοῖσιν ὁμώλακες, ὧν ὕπερ ἤδη
αὐτοὶ Κόλχοι ἔχονται ἀρήιοι. ἀλλ' ἐνὶ νηὶ
πείρεθ', ἕως μυχάτῃ κεν ἐνιχρίμψητε θαλάσσῃ.
ἔνθα δ' ἐπ' ἠπείροιο Κυταιίδος, ἠδ' Ἀμαραντῶν
τηλόθεν ἐξ ὀρέων πεδίοιό τε Κιρκαίοιο   400
Φᾶσις δινήεις εὐρὺν ῥόον εἰς ἅλα βάλλει.
κείνου νῆ' ἐλάοντες ἐπὶ προχοὰς ποταμοῖο
πύργους εἰσόψεσθε Κυταιέος Αἰήταο,
ἄλσος τε σκιόειν Ἄρεος, τόθι κῶας ἐπ' ἄκρης

---

[1] After this line Brunck omitted the next two lines and since his time they have not been counted.

[2] θαλάμους Merkel : πύργους MSS.

Genetaean headland of Zeus, lord of hospitality.
And bordering on it the Mossynoeci next in
order inhabit the well-wooded mainland and the
parts beneath the mountains, who have built in
towers made from trees their wooden homes and
well-fitted chambers, which they call Mossynes, and
the people themselves take their name from them.
After passing them ye must beach your ship upon a
smooth island, when ye have driven away with all
manner of skill the ravening birds, which in countless
numbers haunt the desert island. In it the Queens
of the Amazons, Otrere and Antiope, built a stone
temple of Ares what time they went forth to war.
Now here an unspeakable help will come to you
from the bitter sea; wherefore with kindly intent I
bid you stay. But what need is there that I should
sin yet again declaring everything to the end by my
prophetic art? And beyond the island and opposite
mainland dwell the Philyres: and above the Philyres
are the Macrones, and after them the vast tribes of
the Becheiri. And next in order to them dwell the
Sapeires, and the Byzeres have the lands adjoining to
them, and beyond them at last live the warlike
Colchians themselves. But speed on in your ship,
till ye touch the inmost bourne of the sea. And
here at the Cytaean mainland and from the
Amarantine mountains far away and the Circaean
plain, eddying Phasis rolls his broad stream to the
sea. Guide your ship to the mouth of that river and
ye shall behold the towers of Cytaean Aeetes and
the shady grove of Ares, where a dragon, a monster

πεπτάμενον φηγοῖο δράκων, τέρας αἰνὸν ἰδέσθαι,
ἀμφὶς ὀπιπεύει δεδοκημένος· οὐδέ οἱ ἦμαρ,
οὐ κνέφας ἥδυμος ὕπνος ἀναιδέα δάμναται ὄσσε.'

  Ὡς ἄρ' ἔφη· τοὺς δ' εἶθαρ ἕλεν δέος εἰσαΐοντας.
δὴν δ' ἔσαν ἀμφασίῃ βεβολημένοι· ὀψὲ δ' ἔειπεν
ἥρως Αἴσονος υἱὸς ἀμηχανέων κακότητι·   410

  ' Ὦ γέρον, ἤδη μέν τε διίκεο πείρατ' ἀέθλων
ναυτιλίης καὶ τέκμαρ, ὅτῳ στυγερὰς διὰ πέτρας
πειθόμενοι Πόντονδε περήσομεν· εἰ δέ κεν αὖτις
τάσδ' ἡμῖν προφυγοῦσιν ἐς Ἑλλάδα νόστος ὀπίσσω
ἔσσεται, ἀσπαστῶς κε παρὰ σέο καὶ τὸ δαείην.
πῶς ἔρδω, πῶς αὖτε τόσην ἁλὸς εἶμι κέλευθον,
νῆις ἐὼν ἑτάροις ἅμα νήϊσιν; Αἶα δὲ Κολχὶς
Πόντου καὶ γαίης ἐπικέκλιται ἐσχατιῇσιν.'

  Ὡς φάτο· τὸν δ' ὁ γεραιὸς ἀμειβόμενος προσέ-
      ειπεν·

  ' Ὦ τέκος, εὖτ' ἂν πρῶτα φύγῃς ὀλοὰς διὰ πέτρας, 420
θάρσει· ἐπεὶ δαίμων ἕτερον πλόον ἡγεμονεύσει
ἐξ Αἴης· μετὰ δ' Αἶαν ἅλις πομπῆες ἔσονται.
ἀλλά, φίλοι, φράζεσθε θεᾶς δολόεσσαν ἀρωγὴν
Κύπριδος. ἐκ γὰρ τῆς κλυτὰ πείρατα κεῖται
      ἀέθλων.
καὶ δέ με μηκέτι τῶνδε περαιτέρω ἐξερέεσθε.'

  Ὡς φάτ' Ἀγηνορίδης· ἐπὶ δὲ σχεδὸν υἱέε δοιὼ
Θρηικίου Βορέαο κατ' αἰθέρος ἀΐξαντε
οὐδῷ ἔπι κραιπνοὺς ἔβαλον πόδας· οἱ δ' ἀνόρουσαν
ἐξ ἑδέων ἥρωες, ὅπως παρεόντας ἴδοντο.
Ζήτης δ' ἱεμένοισιν, ἔτ' ἄσπετον ἐκ καμάτοιο   430
ἆσθμ' ἀναφυσιόων, μετεφώνεεν, ὅσσον ἄπωθεν
ἤλασαν, ἠδ' ὡς Ἶρις ἐρύκακε τάσδε δαΐξαι,

terrible to behold, ever glares around, keeping watch over the fleece that is spread upon the top of an oak; neither by day nor by night does sweet sleep subdue his restless eyes."

Thus he spake, and straightway fear seized them as they heard. And for a long while they were struck with silence; till at last the hero, son of Aeson, spake, sore dismayed at their evil plight:

"O aged sire, now hast thou come to the end of the toils of our sea-journeying and hast told us the token, trusting to which we shall make our way to Pontus through the hateful rocks; but whether, when we have escaped them, we shall have a return back again to Hellas, this too would we gladly learn from thee. What shall I do, how shall I go over again such a long path through the sea, unskilled as I am, with unskilled comrades? And Colchian Aea lies at the edge of Pontus and of the world."

Thus he spake, and him the aged sire addressed in reply: "O son, when once thou hast escaped through the deadly rocks, fear not; for a deity will be the guide from Aea by another track; and to Aea there will be guides enough. But, my friends, take thought of the artful aid of the Cyprian goddess. For on her depends the glorious issue of your venture. And further than this ask me not."

Thus spake Agenor's son, and close at hand the twin sons of Thracian Boreas came darting from the sky and set their swift feet upon the threshold; and the heroes rose up from their seats when they saw them present. And Zetes, still drawing hard breath after his toil, spake among the eager listeners, telling them how far they had driven the Harpies and how Iris prevented their slaying them, and how the

ὅρκιά τ' εὐμενέουσα θεὰ πόρεν, αἱ δ' ὑπέδυσαν
δείματι Δικταίης περιώσιον ἄντρον ἐρίπνης.
γηθόσυνοι δ'ἤπειτα δόμοις ἔνι πάντες ἑταῖροι
αὐτός τ' ἀγγελίῃ Φινεὺς πέλεν. ὦκα δὲ τόνγε
Αἰσονίδης περιπολλὸν ἐυφρονέων προσέειπεν·

'Ἦ ἄρα δή τις ἔην, Φινεῦ, θεός, ὃς σέθεν ἄτης
κήδετο λευγαλέης, καὶ δ' ἡμέας αἶθι πέλασσεν
τηλόθεν, ὄφρα τοι υἷες ἀμύνειαν Βορέαο·   440
εἰ δὲ καὶ ὀφθαλμοῖσι φόως πόροι, ἦ τ' ἂν ὀίω
γηθήσειν, ὅσον εἴπερ ὑπότροπος οἴκαδ' ἱκοίμην.'

Ὣς ἔφατ'· αὐτὰρ ὁ τόνγε κατηφήσας προσέειπεν·
'Αἰσονίδη, τὸ μὲν οὐ παλινάγρετον, οὐδέ τι μῆχος
ἔστ' ὀπίσω· κενεαὶ γὰρ ὑποσμύχονται ὀπωπαί.
ἀντὶ δὲ τοῦ θάνατόν μοι ἄφαρ θεὸς ἐγγυαλίξαι,
καί τε θανὼν πάσῃσι μετέσσομαι ἀγλαΐῃσιν.'

Ὣς τώγ' ἀλλήλοισι παραβλήδην ἀγόρευον.
αὐτίκα δ' οὐ μετὰ δηρὸν ἀμειβομένων ἐφαάνθη
Ἠριγενής. τὸν δ' ἀμφὶ περικτίται ἠγερέθοντο   450
ἀνέρες, οἳ καὶ πρόσθεν ἐπ' ἤματι κεῖσε θάμιζον,
αἰὲν ὁμῶς φορέοντες ἑῆς ἀπὸ μοῖραν ἐδωδῆς.
τοῖς ὁ γέρων πάντεσσιν, ὅτις καὶ ἀφαυρὸς ἵκοιτο,
ἔχραεν ἐνδυκέως, πολέων δ' ἀπὸ πήματ' ἔλυσεν
μαντοσύνῃ· τῶ καί μιν ἐποιχόμενοι κομέεσκον.
σὺν τοῖσιν δ' ἵκανε Παραίβιος, ὅς ῥά οἱ ἦεν
φίλτατος· ἀσπάσιος δὲ δόμοις ἔνι τούσγ' ἐνόησεν.
πρὶν γὰρ δή νύ ποτ' αὐτὸς ἀριστήων στόλον ἀνδρῶν
Ἑλλάδος ἐξανιόντα μετὰ πτόλιν Αἰήταο
πείσματ' ἀνάψασθαι μιθήσατο Θυνίδι γαίῃ,   460
οἵτε οἱ Ἁρπυίας Διόθεν σχήσουσιν ἰούσας.

goddess of her grace gave them pledges, and how those others in fear plunged into the vast cave of the Dictaean cliff. Then in the mansion all their comrades were joyful at the tidings and so was Phineus himself. And quickly Aeson's son, with good will exceeding, addressed him:

"Assuredly there was then, Phineus, some god who cared for thy bitter woe, and brought us hither from afar, that the sons of Boreas might aid thee; and if too he should bring sight to thine eyes, verily I should rejoice, methinks, as much as if I were on my homeward way."

Thus he spake, but Phineus replied to him with downcast look: "Son of Aeson, that is past recall, nor is there any remedy hereafter, for blasted are my sightless eyes. But instead of that, may the god grant me death at once, and after death I shall take my share in perfect bliss."

Then they two returned answering speech, each to other, and soon in the midst of their converse early dawn appeared; and round Phineus were gathered the neighbours who used to come thither aforetime day by day and constantly bring a portion of their food. To all alike, however poor he was that came, the aged man gave his oracles with good will, and freed many from their woes by his prophetic art; wherefore they visited and tended him. And with them came Paraebius, who was dearest to him, and gladly did he perceive these strangers in the house. For long ere now the seer himself had said that a band of chieftains, faring from Hellas to the city of Aeetes, would make fast their hawsers to the Thynian land, and by Zeus' will would check the approach of the Harpies. The rest the old man

τοὺς μὲν ἔπειτ' ἐπέεσσιν ἀρεσσάμενος πυκινοῖσιν
πέμφ' ὁ γέρων· οἷον δὲ Παραίβιον αὐτόθι μίμνειν
κέκλετ' ἀριστήεσσι σὺν ἀνδράσιν· αἶψα δὲ τόνγε
σφωιτέρων ὀίων ὅτις ἔξοχος, εἰς ἓ κομίσσαι
ἧκεν ἐποτρύνας. τοῦ δ' ἐκ μεγάροιο κιόντος
μειλιχίως ἐρέτῃσιν ὁμηγερέεσσι μετηύδα·

'Ὦ φίλοι, οὐκ ἄρα πάντες ὑπέρβιοι ἄνδρες
    ἔασιν,
οὐδ' εὐεργεσίης ἀμνήμονες. ὡς καὶ ὅδ' ἀνὴρ
τοῖος ἐὼν δεῦρ' ἦλθεν, ἑὸν μόρον ὄφρα δαείη.   470
εὖτε γὰρ οὖν ὡς πλεῖστα κάμοι καὶ πλεῖστα
    μογήσαι,
δὴ τότε μιν περιπολλὸν ἐπασσυτέρη βιότοιο
χρησμοσύνη τρύχεσκεν· ἐπ' ἤματι δ' ἦμαρ ὀρώρει
κύντερον, οὐδέ τις ἦν ἀνάπνευσις μογέοντι.
ἀλλ' ὅγε πατρὸς ἑοῖο κακὴν τίνεσκεν ἀμοιβὴν
ἀμπλακίης. ὁ γὰρ οἶος ἐν οὔρεσι δένδρεα τέμνων
δή ποθ' ἁμαδρυάδος νύμφης ἀθέριξε λιτάων,
ἥ μιν ὀδυρομένη ἀδινῷ μειλίσσετο μύθῳ,
μὴ ταμέειν πρέμνον δρυὸς ἥλικος, ᾗ ἔπι πουλὺν
αἰῶνα τρίβεσκε διηνεκές· αὐτὰρ ὁ τήνγε   480
ἀφραδέως ἔτμηξεν ἀγηνορίῃ νεότητος.
τῷ δ' ἄρα νηκερδῆ νύμφη πόρεν οἶτον ὀπίσσω
αὐτῷ καὶ τεκέεσσιν. ἔγωγε μέν, εὖτ' ἀφίκανεν,
ἀμπλακίην ἔγνων· βωμὸν δ' ἐκέλευσα καμόντα
Θυνιάδος νύμφης, λωφήια ῥέξαι ἐπ' αὐτῷ
ἱερά, πατρῴην αἰτεύμενον αἶσαν ἀλύξαι.
ἔνθ' ἐπεὶ ἔκφυγε κῆρα θεήλατον, οὔποτ' ἐμεῖο
ἐκλάθετ', οὐδ' ἀθέριξε· μόλις δ' ἀέκοντα θύραζε
πέμπω, ἐπεὶ μέμονέν γε παρέμμεναι ἀσχαλόωντι.'

Ὣς φάτ' Ἀγηνορίδης· ὁ δ' ἐπισχεδὸν αὐτίκα δοιὼ   490
ἤλυθ' ἄγων ποίμνηθεν ὄις. ἀνὰ δ' ἵστατ' Ἰήσων,

pleased with words of wisdom and let them go;
Paraebius only he bade remain there with the chiefs;
and straightway he sent him and bade him bring
back the choicest of his sheep. And when he had
left the hall Phineus spake gently amid the throng
of oarsmen :

" O my friends, not all men are arrogant, it seems,
nor unmindful of benefits. Even as this man, loyal
as he is, came hither to learn his fate. For when he
laboured the most and toiled the most, then the needs
of life, ever growing more and more, would waste him,
and day after day ever dawned more wretched, nor
was there any respite to his toil. But he was paying
the sad penalty of his father's sin. For he when alone
on the mountains, felling trees, once slighted the
prayers of a Hamadryad, who wept and sought to
soften him with plaintive words, not to cut down the
stump of an oak tree coeval with herself, wherein for
a long time she had lived continually ; but he in the
arrogance of youth recklessly cut it down. So to
him the nymph thereafter made her death a curse, to
him and to his children. I indeed knew of the sin
when he came ; and I bid him build an altar to the
Thynian nymph, and offer on it an atoning sacrifice,
with prayer to escape his father's fate. Here, ever
since he escaped the god-sent doom, never has he
forgotten or neglected me ; but sorely and against
his will do I send him from my doors, so eager is he
to remain with me in my affliction."

Thus spake Agenor's son ; and his friend straight-
way came near leading two sheep from the flock.

ἂν δὲ Βορήιοι υἷες ἐφημοσύνῃσι γέροντος.
ὦκα δὲ κεκλόμενοι μαντήιον Ἀπόλλωνα
ῥέζον ἐπ᾽ ἐσχαρόφιν νέον ἥματος ἀνομένοιο.
κουρότεροι δ᾽ ἑτάρων μενοεικέα δαῖτ᾽ ἀλέγυνον.
ἔνθ᾽ εὖ δαισάμενοι, τοὶ μὲν παρὰ πείσμασι νηός,
τοὶ δ᾽ αὐτοῦ κατὰ δώματ᾽ ἀολλέες εὐνάζοντο.
ἦρι δ᾽ Ἐτήσιαι αὖραι ἐπέχραον, αἵτ᾽ ἀνὰ πᾶσαν
γαῖαν ὁμῶς τοιῇδε Διὸς πνείουσιν ἀνωγῇ.

Κυρήνη πέφαταί τις ἕλος πάρα Πηνειοῖο   500
μῆλα νέμειν προτέροισι παρ᾽ ἀνδράσιν· εὔαδε γάρ
          οἱ
παρθενίη καὶ λέκτρον ἀκήρατον. αὐτὰρ Ἀπόλλων
τήνγ᾽ ἀνερειψάμενος ποταμῷ ἔπι ποιμαίνουσαν
τηλόθεν Αἱμονίης, χθονίαις παρακάτθετο νύμφαις,
αἳ Λιβύην ἐνέμοντο παραὶ Μύρτωσιον αἶπος.
ἔνθα δ᾽ Ἀρισταῖον Φοίβῳ τέκεν, ὃν καλέουσιν
Ἀγρέα καὶ Νόμιον πολυλήιοι Αἱμονιῆες.
τὴν μὲν γὰρ φιλότητι θεὸς ποιήσατο νύμφην
αὐτοῦ μακραίωνα καὶ ἀγρότιν· υἷα δ᾽ ἔνεικεν
νηπίαχον Χείρωνος ὑπ᾽ ἄντροισιν κομέεσθαι.   510
τῷ καὶ ἀεξηθέντι θεαὶ γάμον ἐμνήστευσαν
Μοῦσαι, ἀκεστορίην τε θεοπροπίας τ᾽ ἐδίδαξαν·
καί μιν ἑῶν μήλων θέσαν ἤρανον, ὅσσ᾽ ἐνέμοντο
ἂμ πεδίον Φθίης Ἀθαμάντιον ἀμφί τ᾽ ἐρυμνὴν
Ὄθρυν καὶ ποταμοῦ ἱερὸν ῥόον Ἀπιδανοῖο.
ἦμος δ᾽ οὐρανόθεν Μινωίδας ἔφλεγε νήσους
Σείριος, οὐδ᾽ ἐπὶ δηρὸν ἔην ἄκος ἐνναέτῃσιν,
τῆμος τόνγ᾽ ἐκάλεσσαν ἐφημοσύναις Ἑκάτοιο
λοιμοῦ ἀλεξητῆρα.   λίπεν δ᾽ ὅγε πατρὸς ἐφετμῇ
Φθίην, ἐν δὲ Κέῳ κατενάσσατο, λαὸν ἀγείρας   520

And up rose Jason and up rose the sons of Boreas at the bidding of the aged sire. And quickly they called upon Apollo, lord of prophecy, and offered sacrifice upon the hearth as the day was just sinking. And the younger comrades made ready a feast to their hearts' desire. Thereupon having well feasted they turned themselves to rest, some near the ship's hawsers, others in groups throughout the mansion. And at dawn the Etesian winds blew strongly, which by the command of Zeus blow over every land equally.

Cyrene, the tale goes, once tended sheep along the marsh-meadow of Peneus among men of old time; for dear to her were maidenhood and a couch unstained. But, as she guarded her flock by the river, Apollo carried her off far from Haemonia and placed her among the nymphs of the land, who dwelt in Libya near the Myrtosian height. And here to Phoebus she bore Aristaeus whom the Haemonians, rich in corn-land, call "Hunter" and "Shepherd." Her, of his love, the god made a nymph there, of long life and a huntress, and his son he brought while still an infant to be nurtured in the cave of Cheiron. And to him when he grew to manhood the Muses gave a bride, and taught him the arts of healing and of prophecy; and they made him the keeper of their sheep, of all that grazed on the Athamantian plain of Phthia and round steep Othrys and the sacred stream of the river Apidanus. But when from heaven Sirius scorched the Minoan Isles, and for long there was no respite for the inhabitants, then by the injunction of the Far-Darter they summoned Aristaeus to ward off the pestilence. And by his father's command he left Phthia and made his home

Παρράσιον, τοίπερ τε Λυκάονός εἰσι γενέθλης,
καὶ βωμὸν ποίησε μέγαν Διὸς Ἰκμαίοιο,
ἱερά τ᾽ εὖ ἔρρεξεν ἐν οὔρεσιν ἀστέρι κείνῳ
Σειρίῳ αὐτῷ τε Κρονίδῃ Διί.   τοῖο δ᾽ ἕκητι
γαῖαν ἐπιψύχουσιν ἐτήσιαι ἐκ Διὸς αὖραι
ἤματα τεσσαράκοντα· Κέῳ δ᾽ ἔτι νῦν ἱερῆες
ἀντολέων προπάροιθε Κυνὸς ῥέζουσι θυηλάς.

Καὶ τὰ μὲν ὣς ὑδέονται· ἀριστῆες δὲ καταῦθι
μίμνον ἐρυκόμενοι· ξεινήια δ᾽ ἄσπετα Θυνοὶ
πᾶν ἦμαρ Φινῆι χαριζόμενοι προΐαλλον.   530
ἐκ δὲ τόθεν μακάρεσσι δυώδεκα δωμήσαντες
βωμὸν ἁλὸς ῥηγμῖνι πέρην καὶ ἐφ᾽ ἱερὰ θέντες
νῆα θοὴν εἴσβαινον ἐρεσσέμεν, οὐδὲ πελείης
τρήρωνος λήθοντο μετὰ σφίσιν· ἀλλ᾽ ἄρα τήνγε
δείματι πεπτηυῖαν ἑῇ φέρε χειρὶ μεμαρπὼς
Εὔφημος, γαίης δ᾽ ἀπὸ διπλόα πείσματ᾽ ἔλυσαν.

Οὐδ᾽ ἄρ᾽ Ἀθηναίην προτέρω λάθον ὁρμηθέντες·
αὐτίκα δ᾽ ἐσσυμένως νεφέλης ἐπιβᾶσα πόδεσσιν
κούφης, ἥ κε φέροι μιν ἄφαρ βριαρήν περ ἐοῦσαν,
σεύατ᾽ ἴμεν πόντονδε, φίλα φρονέουσ᾽ ἐρέτῃσιν.   540
ὡς δ᾽ ὅτε τις πάτρηθεν ἀλώμενος, οἷά τε πολλὰ
πλαζόμεθ᾽ ἄνθρωποι τετληότες, οὐδέ τις αἶα
τηλουρός, πᾶσαι δὲ κατόψιοί εἰσι κέλευθοι,
σφωιτέρους δ᾽ ἐνόησε δόμους, ἄμυδις δὲ κέλευθος
ὑγρή τε τραφερή τ᾽ ἰνδάλλεται, ἄλλοτε δ᾽ ἄλλῃ
ὀξέα πορφύρων ἐπιμαίεται ὀφθαλμοῖσιν·
ὣς ἄρα καρπαλίμως κούρη Διὸς ἀίξασα
θῆκεν ἐπ᾽ ἀξείνοιο πόδας Θυνηίδος ἀκτῆς.

Οἱ δ᾽ ὅτε δὴ σκολιοῖο πόρου στεινωπὸν ἵκοντο
τρηχείης σπιλάδεσσιν ἐεργμένον ἀμφοτέρωθεν,   550
δινήεις δ᾽ ὑπένερθεν ἀνακλύζεσκεν ἰοῦσαν

in Ceos, and gathered together the Parrhasian people who are of the lineage of Lycaon, and he built a great altar to Zeus Icmaeus, and duly offered sacrifices upon the mountains to that star Sirius, and to Zeus son of Cronos himself. And on this account it is that Etesian winds from Zeus cool the land for forty days, and in Ceos even now the priests offer sacrifices before the rising of the Dog-star.

So the tale is told, but the chieftains stayed there by constraint, and every day the Thynians, doing pleasure to Phineus, sent them gifts beyond measure. And afterwards they raised an altar to the blessed twelve on the sea-beach opposite and laid offerings thereon and then entered their swift ship to row, nor did they forget to bear with them a trembling dove; but Euphemus seized her and brought her all quivering with fear, and they loosed the twin hawsers from the land.

Nor did they start unmarked by Athena, but straightway swiftly she set her feet on a light cloud, which would waft her on, mighty though she was, and she swept on to the sea with friendly thoughts to the oarsmen. And as when one roveth far from his native land, as we men often wander with enduring heart, nor is any land too distant but all ways are clear to his view, and he sees in mind his own home, and at once the way over sea and land seems plain, and swiftly thinking, now this way, now that, he strains with eager eyes; so swiftly the daughter of Zeus darted down and set her foot on the cheerless shore of Thynia.

Now when they reached the narrow strait of the winding passage, hemmed in on both sides by rugged cliffs, while an eddying current from below was

νῆα ῥόος, πολλὸν δὲ φόβῳ προτέρωσε νέοντο,
ἤδη δέ σφισι δοῦπος ἀρασσομένων πετράων
νωλεμὲς οὔατ᾽ ἔβαλλε, βόων δ᾽ ἁλιμυρέες ἀκταί,
δὴ τότ᾽ ἔπειθ᾽ ὁ μὲν ὧρτο πελειάδα χειρὶ μεμαρ-
πὼς
Εὔφημος πρῴρης ἐπιβήμεναι· οἱ δ᾽ ὑπ᾽ ἀνωγῇ
Τίφυος Ἀγνιάδαο θελήμονα ποιήσαντο
εἰρεσίην, ἵν᾽ ἔπειτα διὲκ πέτρας ἐλάσειαν,
κάρτεϊ ᾧ πίσυνοι. τὰς δ᾽ αὐτίκα λοίσθιον ἄλλων
οἰγομένας ἀγκῶνα περιγνάμψαντες ἴδοντο.   560
σὺν δέ σφιν χύτο θυμός· ὁ δ᾽ ἀΐξαι πτερύγεσσιν
Εὔφημος προέηκε πελειάδα· τοὶ δ᾽ ἅμα πάντες
ἤειραν κεφαλὰς ἐσορώμενοι· ἡ δὲ δι᾽ αὐτῶν
ἔπτατο· ταὶ δ᾽ ἄμυδις πάλιν ἀντίαι ἀλλήλῃσιν
ἄμφω ὁμοῦ ξυνιοῦσαι ἐπέκτυπον. ὧρτο δὲ πολλὴ
ἅλμη ἀναβρασθεῖσα, νέφος ὥς· αὖε δὲ πόντος
σμερδαλέον· πάντῃ δὲ περὶ μέγας ἔβρεμεν αἰθήρ.
   Κοῖλαι δὲ σπήλυγγες ὑπὸ σπιλάδας τρηχείας
κλυζούσης ἁλὸς ἔνδον ἐβόμβεον· ὑψόθι δ᾽ ὄχθης
λευκὴ καχλάζοντος ἀνέπτυε κύματος ἄχνη.   570
νῆα δ᾽ ἔπειτα πέριξ εἴλει ῥόος. ἄκρα δ᾽ ἔκοψαν
οὐραῖα πτερὰ ταίγε πελειάδος· ἡ δ᾽ ἀπόρουσεν
ἀσκηθής. ἐρέται δὲ μέγ᾽ ἴαχον· ἔβραχε δ᾽ αὐτὸς
Τίφυς ἐρεσσέμεναι κρατερῶς. οἴγοντο γὰρ αὖτις
ἄνδιχα. τοὺς δ᾽ ἐλάοντας ἔχεν τρόμος, ὄφρα μιν
αὐτὴ
πλημμυρὶς παλίνορσος ἀνερχομένη κατένεικεν
εἴσω πετράων. τότε δ᾽ αἰνότατον δέος εἷλεν
πάντας· ὑπὲρ κεφαλῆς γὰρ ἀμήχανος ἦεν ὄλεθρος.
ἤδη δ᾽ ἔνθα καὶ ἔνθα διὰ πλατὺς εἴδετο Πόντος,
καί σφισιν ἀπροφάτως ἀνέδυ μέγα κῦμα πάροιθεν   580
κυρτόν, ἀποτμῆγι σκοπιῇ ἴσον· οἱ δ᾽ ἐσιδόντες

washing against the ship as she moved on, they
went forward sorely in dread; and now the thud of
the crashing rocks ceaselessly struck their ears, and
the sea-washed shores resounded, and then Euphemus
grasped the dove in his hand and started to mount
the prow; and they, at the bidding of Tiphys, son of
Hagnias, rowed with good will to drive Argo between
the rocks, trusting to their strength. And as they
rounded a bend they saw the rocks opening for
the last time of all. Their spirit melted within
them; and Euphemus sent forth the dove to dart
forward in flight; and they all together raised their
heads to look; but she flew between them, and
the rocks again rushed together and crashed as
they met face to face. And the foam leapt up
in a mass like a cloud; awful was the thunder of
the sea; and all round them the mighty welkin
roared.

The hollow caves beneath the rugged cliffs
rumbled as the sea came surging in; and the white
foam of the dashing wave spurted high above the cliff.
Next the current whirled the ship round. And
the rocks shore away the end of the dove's tail-
feathers; but away she flew unscathed. And the
rowers gave a loud cry; and Tiphys himself called to
them to row with might and main. For the rocks
were again parting asunder. But as they rowed
they trembled, until the tide returning drove them
back within the rocks. Then most awful fear
seized upon all; for over their head was destruction
without escape. And now to right and left broad
Pontus was seen, when suddenly a huge wave rose up
before them, arched, like a steep rock; and at the
sight they bowed with bended heads. For it seemed

ἤμυσαν λοξοῖσι καρήασιν. εἴσατο γάρ ῥα
νηὸς ὑπὲρ πάσης κατεπάλμενον ἀμφικαλύψειν.
ἀλλά μιν ἔφθη Τῖφυς ὑπ' εἰρεσίῃ βαρύθουσαν
ἀγχαλάσας· τὸ δὲ πολλὸν ὑπὸ τρόπιν ἐξεκυλίσθη,
ἐκ δ' αὐτὴν πρύμνηθεν ἀνείρυσε τηλόθι νῆα
πετράων· ὑψοῦ δὲ μεταχρονίη πεφόρητο.
Εὔφημος δ' ἀνὰ πάντας ἰὼν βοάασκεν ἑταίρους,
ἐμβαλέειν κώπῃσιν ὅσον σθένος· οἱ δ' ἀλαλητῷ
κόπτον ὕδωρ. ὅσσον δ' ἄρ[1] ὑπείκαθε νηῦς ἐρέτῃ-
σιν,
δὶς τόσον ἂψ ἀπόρουσεν· ἐπεγνάμπτοντο δὲ κῶπαι   590
ἠύτε καμπύλα τόξα, βιαζομένων ἡρώων.

Ἔνθεν δ' αὐτίκ' ἔπειτα κατηρεφὲς ἔσσυτο κῦμα,
ἡ δ' ἄφαρ ὥστε κύλινδρος ἐπέτρεχε κύματι λάβρῳ
προπροκαταΐγδην κοίλης ἁλός. ἐν δ' ἄρα μέσσαις
Πληγάσι δινήεις εἶχεν ῥόος· αἱ δ' ἑκάτερθεν
σειόμεναι βρόμεον· πεπέδητο δὲ νήια δοῦρα.
καὶ τότ' Ἀθηναίη στιβαρῆς ἀντέσπασε πέτρης
σκαιῇ, δεξιτερῇ δὲ διαμπερὲς ὦσε φέρεσθαι.
ἡ δ' ἰκέλη πτερόεντι μετήορος ἔσσυτ' ὀιστῷ.   600
ἔμπης δ' ἀφλάστοιο παρέθρισαν ἄκρα κόρυμβα
νωλεμὲς ἐμπλήξασαι ἐναντίαι. αὐτὰρ Ἀθήνη
Οὔλυμπόνδ' ἀνόρουσεν, ὅτ' ἀσκηθεῖς ὑπάλυξαν.
πέτραι δ' εἰς ἕνα χῶρον ἐπισχεδὸν ἀλλήλῃσιν
νωλεμὲς ἐρρίζωθεν, ὃ δὴ καὶ μόρσιμον ἦεν
ἐκ μακάρων, εὖτ' ἄν τις ἰδὼν διὰ νηὶ περήσῃ.
οἱ δέ που ὀκρυόεντος ἀνέπνεον ἄρτι φόβοιο
ἠέρα παπταίνοντες ὁμοῦ πέλαγός τε θαλάσσης
τῆλ' ἀναπεπτάμενον. δὴ γὰρ φάσαν ἐξ Ἀίδαο
σώεσθαι· Τῖφυς δὲ παροίτατος ἤρχετο μύθων·   610

[1] ἄρ' Herwerden : ἂν MSS.

about to leap down upon the ship's whole length and to overwhelm them. But Tiphys was quick to ease the ship as she laboured with the oars; and in all its mass the wave rolled away beneath the keel, and at the stern it raised Argo herself and drew her far away from the rocks; and high in air was she borne. But Euphemus strode among all his comrades and cried to them to bend to their oars with all their might; and they with a shout smote the water. And as far as the ship yielded to the rowers, twice as far did she leap back, and the oars were bent like curved bows as the heroes used their strength.

Then a vaulted billow rushed upon them, and the ship like a cylinder ran on the furious wave plunging through the hollow sea. And the eddying current held her between the clashing rocks; and on each side they shook and thundered; and the ship's timbers were held fast. Then Athena with her left hand thrust back one mighty rock and with her right pushed the ship through; and she, like a winged arrow, sped through the air. Nevertheless the rocks, ceaselessly clashing, shore off as she passed the extreme end of the stern-ornament. But Athena soared up to Olympus, when they had escaped unscathed. And the rocks in one spot at that moment were rooted fast for ever to each other, which thing had been destined by the blessed gods, when a man in his ship should have passed between them alive. And the heroes breathed again after their chilling fear, beholding at the same time the sky and the expanse of sea spreading far and wide. For they deemed that they were saved from Hades; and Tiphys first of all began to speak:

'Έλπομαι αὐτῇ νηὶ τόγ' ἔμπεδον ἐξαλέασθαι
ἡμέας· οὐδέ τις ἄλλος ἐπαίτιος, ὅσσον Ἀθήνη,
ἥ οἱ ἐνέπνευσεν θεῖον μένος, εὐτέ μιν Ἄργος
γόμφοισιν συνάρασσε· θέμις δ' οὐκ ἔστιν ἁλῶναι.
Αἰσονίδη, τύνη δὲ τεοῦ βασιλῆος ἐφετμήν,
εὖτε διὲκ πέτρας φυγέειν θεὸς ἧμιν ὄπασσεν,
μηκέτι δείδιθι τοῖον· ἐπεὶ μετόπισθεν ἀέθλους
εὐπαλέας τελέεσθαι Ἀγηνορίδης φάτο Φινεύς·'
    Ἧ ῥ' ἅμα, καὶ προτέρωσε παραὶ Βιθυνίδα
        γαῖαν
νῆα διὲκ πέλαγος σεῦεν μέσον. αὐτὰρ ὁ τόνγε   620
μειλιχίοις ἐπέεσσι παραβλήδην προσέειπεν·
'Τῖφυ, τίη μοι ταῦτα παρηγορέεις ἀχέοντι;
ἤμβροτον ἀασάμην τε κακὴν καὶ ἀμήχανον ἄτην.
χρῆν γὰρ ἐφιεμένοιο καταντικρὺ Πελίαο
αὐτίκ' ἀνήνασθαι τόνδε στόλον, εἰ καὶ ἔμελλον
νηλειῶς μελεϊστὶ κεδαιόμενος θανέεσθαι·
νῦν δὲ περισσὸν δεῖμα καὶ ἀτλήτους μελεδῶνας
ἄγκειμαι, στυγέων μὲν ἁλὸς κρυόεντα κέλευθα
νηὶ διαπλώειν, στυγέων δ', ὅτ' ἐπ' ἠπείροιο
βαίνωμεν. πάντῃ γὰρ ἀνάρσιοι ἄνδρες ἔασιν.   630
αἰεὶ δὲ στονόεσσαν ἐπ' ἤματι νύκτα φυλάσσω,
ἐξότε τὸ πρώτιστον ἐμὴν χάριν ἠγερέθεσθε,
φραζόμενος τὰ ἕκαστα· σὺ δ' εὐμαρέως ἀγορεύεις
οἷον ἑῆς ψυχῆς ἀλέγων ὕπερ· αὐτὰρ ἔγωγε
εἷο μὲν οὐδ' ἡβαιὸν ἀτύζομαι· ἀμφὶ δὲ τοῖο
καὶ τοῦ ὁμῶς, καὶ σεῖο, καὶ ἄλλων δείδι' ἑταίρων
εἰ μὴ ἐς Ἑλλάδα γαῖαν ἀπήμονας ὕμμε κομίσσω.'
    Ὣς φάτ' ἀριστήων πειρώμενος· οἱ δ' ὁμάδησαν
θαρσαλέοις ἐπέεσσιν. ὁ δὲ φρένας ἔνδον ἰάνθη
κεκλομένων, καί ῥ' αὖτις ἐπιρρήδην μετέειπεν·   640

" It is my hope that we have safely escaped this
peril—we, and the ship; and none other is the cause
so much as Athena, who breathed into Argo divine
strength when Argus knitted her together with
bolts; and she may not be caught. Son of Aeson,
no longer fear thou so much the hest of thy king,
since a god hath granted us escape between the
rocks; for Phineus, Agenor's son, said that our toils
hereafter would be lightly accomplished."

He spake, and at once he sped the ship onward
through the midst of the sea past the Bithynian
coast. But Jason with gentle words addressed him
in reply: " Tiphys, why dost thou comfort thus my
grieving heart? I have erred and am distraught in
wretched and helpless ruin. For I ought, when
Pelias gave the command, to have straightway refused
this quest to his face, yea, though I were doomed to
die pitilessly, torn limb from limb, but now I am
wrapped in excessive fear and cares unbearable,
dreading to sail through the chilling paths of the
sea, and dreading when we shall set foot on the
mainland. For on every side are unkindly men.
And ever when day is done I pass a night of groans
from the time when ye first gathered together for
my sake, while I take thought for all things; but
thou talkest at thine ease, caring only for thine own
life; while for myself I am dismayed not a whit;
but I fear for this man and for that equally, and for
thee, and for my other comrades, if I shall not bring
you back safe to the land of Hellas."

Thus he spake, making trial of the chiefs;
but they shouted loud with cheerful words.
And his heart was warmed within him at their
cry and again he spake outright among them:

'Ὦ φίλοι, ὑμετέρῃ ἀρετῇ ἔνι θάρσος ἀέξω.
τούνεκα νῦν οὐδ' εἴ κε διὲξ Ἀίδαο βερέθρων
στελλοίμην, ἔτι τάρβος ἀνάψομαι, εὖτε πέλεσθε
ἔμπεδοι ἀργαλέοις ἐνὶ δείμασιν.   ἀλλ' ὅτε πέτρας
Πληγάδας ἐξέπλωμεν, ὀίομαι οὐκ ἔτ' ὀπίσσω
ἔσσεσθαι τοιόνδ' ἕτερον φόβον, εἰ ἐτεόν γε
φραδμοσύνῃ Φινῆος ἐπισπόμενοι νεόμεσθα.'
   Ὣς φάτο, καὶ τοίων μὲν ἐλώφεον αὐτίκα μύθων,
εἰρεσίῃ δ' ἀλίαστον ἔχον πόνον· αἶψα δὲ τοίγε
Ῥήβαν ὠκυρόην ποταμὸν σκόπελόν τε Κολώνης,   650
ἄκρην δ' οὐ μετὰ δηθὰ παρεξενέοντο μέλαιναν,
τῇ δ' ἄρ' ἐπὶ προχοὰς Φυλληίδας, ἔνθα πάροιθεν
Διψακὸς υἷ' Ἀθάμαντος ἑοῖς ὑπέδεκτο δόμοισιν,
ὁππόθ' ἅμα κριῷ φεῦγεν πόλιν Ὀρχομενοῖο·
τίκτε δέ μιν νύμφη λειμωνιάς· οὐδέ οἱ ὕβρις
ἥνδανεν, ἀλλ' ἐθελημὸς ἐφ' ὕδασι πατρὸς ἑοῖο
μητέρι συνναίεσκεν ἐπάκτια πώεα φέρβων.
τοῦ μέν θ' ἱερὸν αἶψα, καὶ εὐρείας ποταμοῖο
ἠιόνας πεδίον τε, βαθυρρείοντά τε Κάλπην
δερκόμενοι παράμειβον, ὁμῶς δ' ἐπὶ ἤματι νύκτα   660
νήνεμον ἀκαμάτῃσιν ἐπερρώοντ' ἐλάτῃσιν.
οἷον δὲ πλαδόωσαν ἐπισχίζοντες ἄρουραν
ἐργατίναι μογέουσι βόες, περὶ δ' ἄσπετος ἱδρὼς
εἴβεται ἐκ λαγόνων τε καὶ αὐχένος· ὄμματα δέ
       σφιν
λοξὰ παραστρωφῶνται ὑπὸ ζυγοῦ· αὐτὰρ ἀυτμὴ
αὐαλέη στομάτων ἄμοτον βρέμει· οἱ δ' ἐνὶ γαίῃ
χηλὰς σκηρίπτοντε πανημέριοι πονέονται·
τοῖς ἴκελοι ἥρωες ὑπὲξ ἁλὸς εἷλκον ἐρετμά.
   Ἦμος δ' οὔτ' ἄρ πω φάος ἄμβροτον, οὔτ' ἔτι λίην
ὀρφναίῃ πέλεται, λεπτὸν δ' ἐπιδέδρομε νυκτὶ   670
φέγγος, ὅτ' ἀμφιλύκην μιν ἀνεγρόμενοι καλέουσιν,

" My friends, in your valour my courage is quickened.
Wherefore now, even though I should take my way
through the gulfs of Hades, no more shall I let fear
seize upon me, since ye are steadfast amid cruel
terrors. But now that we have sailed out from the
striking rocks, I trow that never hereafter will there
be another such fearful thing, if indeed we go on
our way following the counsel of Phineus."

Thus he spake, and straightway they ceased from
such words and gave unwearying labour to the oar ;
and quickly they passed by the swiftly flowing river
Rhebas and the peak of Colone, and soon thereafter
the black headland, and near it the mouth of the
river Phyllis, where aforetime Dipsacus received in
his home the son of Athamas, when with his ram
he was flying from the city of Orchomenus ; and
Dipsacus was the son of a meadow-nymph, nor was
insolence his delight, but contented by his father's
stream he dwelt with his mother, pasturing his flocks
by the shore. And quickly they sighted and sailed
past his shrine and the broad banks of the river
and the plain, and deep-flowing Calpe, and all the
windless night and the day they bent to their
tireless oars. And even as ploughing oxen toil as
they cleave the moist earth, and sweat streams in
abundance from flank and neck ; and from beneath
the yoke their eyes roll askance, while the breath
ever rushes from their mouths in hot gasps ; and all
day long they toil, planting their hoofs deep in
the ground ; like them the heroes kept dragging
their oars through the sea.

Now when divine light has not yet come nor is it
utter darkness, but a faint glimmer has spread over
the night, the time when men wake and call it

τῆμος ἐρημαίης νήσου λιμέν' εἰσελάσαντες
Θυνιάδος, καμάτῳ πολυπήμονι βαῖνον ἔραζε.
τοῖσι δὲ Λητοῦς υἱός, ἀνερχόμενος Λυκίηθεν
τῆλ' ἐπ' ἀπείρονα δῆμον Ὑπερβορέων ἀνθρώπων,
ἐξεφάνη· χρύσεοι δὲ παρειάων ἑκάτερθεν
πλοχμοὶ βοτρυόεντες ἐπερρώοντο κιόντι·
λαιῇ δ' ἀργύρεον νώμα βιόν, ἀμφὶ δὲ νώτοις
ἰοδόκη τετάννυστο κατωμαδόν· ἡ δ' ὑπὸ ποσσὶν
σείετο νῆσος ὅλη, κλύζεν δ' ἐπὶ κύματα χέρσῳ.   680
τοὺς δ' ἕλε θάμβος ἰδόντας ἀμήχανον· οὐδέ τις
    ἔτλη
ἀντίον αὐγάσσασθαι ἐς ὄμματα καλὰ θεοῖο.
στὰν δὲ κάτω νεύσαντες ἐπὶ χθονός· αὐτὰρ ὁ
    τηλοῦ
βῆ ῥ' ἴμεναι πόντονδε δι' ἠέρος· ὀψὲ δὲ τοῖον
Ὀρφεὺς ἔκφατο μῦθον ἀριστήεσσι πιφαύσκων·
'Εἰ δ' ἄγε δὴ νῆσον μὲν Ἑῴου Ἀπόλλωνος
τήνδ' ἱερὴν κλείωμεν, ἐπεὶ πάντεσσι φαάνθη
ἠῷος μετιών· τὰ δὲ ῥέξομεν οἷα πάρεστιν,
βωμὸν ἀναστήσαντες ἐπάκτιον· εἰ δ' ἂν ὀπίσσω
γαῖαν ἐς Αἱμονίην ἀσκηθέα νόστον ὀπάσσῃ,   690
δὴ τότε οἱ κεραῶν ἐπὶ μηρία θήσομεν αἰγῶν.
νῦν δ' αὔτως κνίσῃ λοιβῇσί τε μειλίξασθαι
κέκλομαι. ἀλλ' ἵληθι, ἄναξ, ἵληθι φαανθείς.'
Ὣς ἄρ' ἔφη· καὶ τοὶ μὲν ἄφαρ βωμὸν τετύκοντο
χερμάσιν· οἱ δ' ἀνὰ νῆσον ἐδίνεον, ἐξερέοντες
εἴ κέ τιν' ἢ κεμάδων, ἢ ἀγροτέρων ἐσίδοιεν
αἰγῶν, οἷά τε πολλὰ βαθείῃ βόσκεται ὕλῃ.
τοῖσι δὲ Λητοΐδης ἄγρην πόρεν· ἐκ δέ νυ πάντων
εὐαγέως ἱερῷ ἀνὰ διπλόα μηρία βωμῷ
καῖον, ἐπικλείοντες Ἑῷον Ἀπόλλωνα.   700
ἀμφὶ δὲ δαιομένοις εὐρὺν χορὸν ἐστήσαντο,

148

twilight, at that hour they ran into the harbour of the desert island Thynias and, spent by weary toil, mounted the shore. And to them the son of Leto, as he passed from Lycia far away to the countless folk of the Hyperboreans, appeared; and about his cheeks on both sides his golden locks flowed in clusters as he moved; in his left hand he held a silver bow, and on his back was slung a quiver hanging from his shoulders; and beneath his feet all the island quaked, and the waves surged high on the beach. Helpless amazement seized them as they looked; and no one dared to gaze face to face into the fair eyes of the god. And they stood with heads bowed to the ground; but he, far off, passed on to the sea through the air; and at length Orpheus spake as follows, addressing the chiefs :

"Come, let us call this island the sacred isle of Apollo of the Dawn since he has appeared to all, passing by at dawn; and we will offer such sacrifices as we can, building an altar on the shore; and if hereafter he shall grant us a safe return to the Haemonian land, then will we lay on his altar the thighs of hornèd goats. And now I bid you propitiate him with the steam of sacrifice and libations. Be gracious, O king, be gracious in thy appearing."

Thus he spake, and they straightway built up an altar with shingle; and over the island they wandered, seeking if haply they could get a glimpse of a fawn or a wild goat, that often seek their pasture in the deep wood. And for them Leto's son provided a quarry; and with pious rites they wrapped in fat the thigh bones of them all and burnt them on the sacred altar, celebrating Apollo, Lord of Dawn. And round the burning sacrifice they set up a broad

καλὸν Ἰηπαιήον· Ἰηπαιήονα Φοῖβον
μελπόμενοι· σὺν δέ σφιν ἐὺς πάις Οἰάγροιο
Βιστονίῃ φόρμιγγι λιγείης ἦρχεν ἀοιδῆς·
ὡς ποτε πετραίῃ ὑπὸ δειράδι Παρνησσοῖο
Δελφύνην τόξοισι πελώριον ἐξενάριξεν,
κοῦρος ἐὼν ἔτι γυμνός, ἔτι πλοκάμοισι γεγηθώς.
ἱλήκοις· αἰεί τοι, ἄναξ, ἄτμητοι ἔθειραι,
αἰὲν ἀδήλητοι· τὼς γὰρ θέμις. οἰόθι δ' αὐτὴ
Λητὼ Κοιογένεια φίλαις ἐν χερσὶν ἀφάσσει.   710
πολλὰ δὲ Κωρύκιαι νύμφαι, Πλείστοιο θύγατρες,
θαρσύνεσκον ἔπεσσιν, Ἰήιε κεκληγυῖαι·
ἔνθεν δὴ τόδε καλὸν ἐφύμνιον ἔπλετο Φοίβῳ.

    Αὐτὰρ ἐπειδὴ τόνγε χορείῃ μέλψαν ἀοιδῇ,
λοιβαῖς εὐαγέεσσιν ἐπώμοσαν, ἦ μὲν ἀρήξειν
ἀλλήλοις εἰσαιὲν ὁμοφροσύνῃσι νόοιο,
ἁπτόμενοι θυέων· καί τ' εἰσέτι νῦν γε τέτυκται
κεῖσ' Ὁμονοίης ἱρὸν ἐύφρονος, ὅ ῥ' ἐκάμοντο
αὐτοὶ κυδίστην τότε δαίμονα πορσαίνοντες.

    Ἦμος δὲ τρίτατον φάος ἤλυθε, δὴ τότ' ἔπειτα   720
ἀκραεῖ ζεφύρῳ νῆσον λίπον αἰπήεσσαν.
ἔνθεν δ' ἀντιπέρην ποταμοῦ στόμα Σαγγαρίοιο
καὶ Μαριανδυνῶν ἀνδρῶν ἐριθηλέα γαῖαν
ἠδὲ Λύκοιο ῥέεθρα καὶ Ἀνθεμοεισίδα λίμνην
δερκόμενοι παράμειβον· ὑπὸ πνοιῇ δὲ κάλωες
ὅπλα τε νήια πάντα τινάσσετο νισσομένοισιν.
ἠῶθεν δ' ἀνέμοιο διὰ κνέφας εὐνηθέντος
ἀσπασίως ἄκρης Ἀχερουσίδος ὅρμον ἵκοντο.
ἡ μέν τε κρημνοῖσιν ἀνίσχεται ἠλιβάτοισιν,
εἰς ἅλα δερκομένη Βιθυνίδα· τῇ δ' ὑπὸ πέτραι   730
λισσάδες ἐρρίζωνται ἁλίβροχοι· ἀμφὶ δὲ τῇσιν
κῦμα κυλινδόμενον μεγάλα βρέμει· αὐτὰρ ὕπερθεν
ἀμφιλαφεῖς πλατάνιστοι ἐπ' ἀκροτάτῃ πεφύασιν.

dancing-ring, singing, " All hail, fair god of healing,
Phoebus, all hail," and with them Oeagrus' goodly
son began a clear lay on his Bistonian lyre; how
once beneath the rocky ridge of Parnassus he slew
with his bow the monster Delphyne, he, still young
and beardless, still rejoicing in his long tresses.
Mayst thou be gracious! Ever, O king, be thy locks
unshorn, ever unravaged; for so is it right.   And
none but Leto, daughter of Coeus, strokes them with
her dear hands.   And often the Corycian nymphs,
daughters of Pleistus, took up the cheering strain
crying " Healer"; hence arose this lovely refrain of
the hymn to Phoebus.

Now when they had celebrated him with dance
and song they took an oath with holy libations, that
they would ever help each other with concord of
heart, touching the sacrifice as they swore; and
even now there stands there a temple to gracious
Concord, which the heroes themselves reared, paying
honour at that time to the glorious goddess.

Now when the third morning came, with a fresh
west wind they left the lofty island.   Next, on the
opposite side they saw and passed the mouth of
the river Sangarius and the fertile land of the
Mariandyni, and the stream of Lycus and the
Anthemoeisian lake; and beneath the breeze the
ropes and all the tackling quivered as they sped
onward.   During the night the wind ceased and
at dawn they gladly reached the haven of the
Acherusian headland.   It rises aloft with steep
cliffs, looking towards the Bithynian sea; and beneath
it smooth rocks, ever washed by the sea, stand
rooted firm; and round them the wave rolls and
thunders loud, but above, wide-spreading plane trees

ἐκ δ' αὐτῆς εἴσω κατακέκλιται ἠπειρόνδε
κοίλη ὕπαιθα νάπη, ἵνα τε σπέος ἔστ' Ἀίδαο
ὕλη καὶ πέτρῃσιν ἐπηρεφές, ἔνθεν ἀυτμὴ
πηγυλίς, ὀκρυόεντος ἀναπνείουσα μυχοῖο
συνεχές, ἀργινόεσσαν ἀεὶ περιτέτροφε πάχνην,
ἥτε μεσημβριόωντος ἰαίνεται ἠελίοιο.
σιγὴ δ' οὔποτε τήνγε κατὰ βλοσυρὴν ἔχει ἄκρην,   740
ἀλλ' ἄμυδις πόντοιό θ' ὑπὸ στένει ἠχήεντος,
φύλλων τε πνοιῇσι τινασσομένων μυχίῃσιν.
ἔνθα δὲ καὶ προχοαὶ ποταμοῦ Ἀχέροντος ἔασιν,
ὅστε διὲξ ἄκρης ἀνερεύγεται εἰς ἅλα βάλλων
ἠῷην· κοίλη δὲ φάραγξ κατάγει μιν ἄνωθεν.
τὸν μὲν ἐν ὀψιγόνοισι Σοωναύτην ὀνόμηναν
Νισαῖοι Μεγαρῆες, ὅτε νάσσεσθαι ἔμελλον
γῆν Μαριανδυνῶν.   δὴ γάρ σφεας ἐξεσάωσεν
αὐτῇσιν νήεσσι, κακῇ χρίμψαντας ἀέλλῃ.
τῇ ῥ' οἵγ' αὐτίκα νηὶ διὲξ Ἀχερουσίδος ἄκρης   750
εἰσωποὶ ἀνέμοιο νέον λήγοντος ἔκελσαν.

Οὐδ' ἄρα δηθὰ Λύκον, κείνης πρόμον ἠπείροιο,
καὶ Μαριανδυνοὺς λάθον ἀνέρας ὁρμηθέντες
αὐθένται Ἀμύκοιο κατὰ κλέος, ὃ πρὶν ἄκουον·
ἀλλὰ καὶ ἀρθμὸν ἔθεντο μετὰ σφίσι τοῖο ἕκητι.
αὐτὸν δ' ὥστε θεὸν Πολυδεύκεα δεξιόωντο
πάντοθεν ἀγρόμενοι· ἐπεὶ ἦ μάλα τοίγ' ἐπὶ δηρὸν
ἀντιβίην Βέβρυξιν ὑπερφιάλοις πολέμιζον.
καὶ δὴ πασσυδίῃ μεγάρων ἔντοσθε Λύκοιο
κεῖν' ἦμαρ φιλότητι, μετὰ πτολίεθρον ἰόντες,   760
δαίτην ἀμφίεπον, τέρποντό τε θυμὸν ἔπεσσιν.
Αἰσονίδης μέν οἱ γενεὴν καὶ οὔνομ' ἑκάστου

grow on the topmost point. And from it towards
the land a hollow glen slopes gradually away, where
there is a cave of Hades overarched by wood and
rocks. From here an icy breath, unceasingly
issuing from the chill recess, ever forms a glistening
rime which melts again beneath the midday sun.
And never does silence hold that grim headland,
but there is a continual murmur from the sounding
sea and the leaves that quiver in the winds from the
cave. And here is the outfall of the river Acheron
which bursts its way through the headland and falls
into the Eastern sea, and a hollow ravine brings
it down from above. In after times the Nisaean
Megarians named it Soönautes [1] when they were
about to settle in the land of the Mariandyni.
For indeed the river saved them with their ships
when they were caught in a violent tempest. By
this way the heroes took the ship through [2] the
Acherusian headland and came to land over against
it as the wind had just ceased.

Not long had they come unmarked by Lycus, the
lord of that land, and the Mariandyni—they, the
slayers of Amycus, according to the report which
the people heard before ; but for that very deed
they even made a league with the heroes. And
Polydeuces himself they welcomed as a god, flocking
from every side, since for a long time had they been
warring against the arrogant Bebrycians. And so
they went up all together into the city, and all that
day with friendly feelings made ready a feast within
the palace of Lycus and gladdened their souls with
converse. Aeson's son told him the lineage and

[1] *i.e.* Saviour of sailors.
[2] *i.e.* through the ravine that divides the headland.

σφωιτέρων μυθεῖθ' ἑτάρων, Πελίαό τ' ἐφετμάς,
ἠδ' ὡς Λημνιάδεσσιν ἐπεξεινοῦντο γυναιξίν,
ὅσσα τε Κύζικον ἀμφὶ Δολιονίην ἐτέλεσσαν·
Μυσίδα δ' ὡς ἀφίκοντο Κίον θ', ὅθι κάλλιπον ἥρω
Ἡρακλέην ἀέκοντι νόῳ, Γλαύκοιό τε βάξιν
πέφραδε, καὶ Βέβρυκας ὅπως Ἄμυκόν τ' ἐδάιξαν,
καὶ Φινῆος ἔειπε θεοπροπίας τε δύην τε,
ἠδ' ὡς Κυανέας πέτρας φύγον, ὥς τ' ἀβόλησαν   770
Λητοΐδη κατὰ νῆσον. ὁ δ' ἐξείης ἐνέποντος
θέλγετ' ἀκουῇ θυμόν· ἄχος δ' ἕλεν Ἡρακλῆι
λειπομένῳ, καὶ τοῖον ἔπος πάντεσσι μετηύδα·

    '῏Ω φίλοι, οἵου φωτὸς ἀποπλαγχθέντες ἀρωγῆς
πείρετ' ἐς Αἰήτην τόσσον πλόον. εὖ γὰρ ἐγώ μιν
Δασκύλου ἐν μεγάροισι καταυτόθι πατρὸς ἐμοῖο
οἶδ' ἐσιδών, ὅτε δεῦρο δι' Ἀσίδος ἠπείροιο
πεζὸς ἔβη ζωστῆρα φιλοπτολέμοιο κομίζων
Ἱππολύτης· ἐμὲ δ' εὖρε νέον χνοάοντα ἰούλους.
ἔνθα δ' ἐπὶ Πριόλαο κασιγνήτοιο θανόντος   780
ἡμετέρου Μυσοῖσιν ὑπ' ἀνδράσιν, ὅντινα λαὸς
οἰκτίστοις ἐλέγοισιν ὀδύρεται ἐξέτι κείνου,
ἀθλεύων Τιτίην ἀπεκαίνυτο πυγμαχέοντα
καρτερόν, ὃς πάντεσσι μετέπρεπεν ἠιθέοισιν
εἶδός τ' ἠδὲ βίην· χαμάδις δέ οἱ ἦλασ' ὀδόντας.
αὐτὰρ ὁμοῦ Μυσοῖσιν ἐμῷ ὑπὸ πατρὶ δάμασσεν
καὶ Φρύγας,¹ οἳ ναίουσιν ὁμώλακας ἧμιν ἀρούρας,
φῦλά τε Βιθυνῶν αὐτῇ κτεατίσσατο γαίῃ,
ἔστ' ἐπὶ Ῥηβαίου προχοὰς σκόπελόν τε Κολώνης·
Παφλαγόνες τ' ἐπὶ τοῖς Πελοπήιοι εἴκαθον αὔτως,   790

    ¹ καὶ Φρύγας] Μύγδονας is given in the scholia as a variant.

154

name of each of his comrades and the behests of
Pelias, and how they were welcomed by the Lemnian
women, and all that they did at Dolionian Cyzicus;
and how they reached the Mysian land and Cius,
where, sore against their will, they left behind the
hero Heracles, and he told the saying of Glaucus,
and how they slew the Bebrycians and Amycus, and
he told of the prophecies and affliction of Phineus,
and how they escaped the Cyanean rocks, and how
they met with Leto's son at the island. And as he
told all, Lycus was charmed in soul with listening;
and he grieved for Heracles left behind, and spake
as follows among them all :

"O friends, what a man he was from whose help
ye have fallen away, as ye cleave your long path to
Aeetes ; for well do I know that I saw him here in
the halls of Dascylus my father, when he came hither
on foot through the land of Asia bringing the girdle
of warlike Hippolyte ; and me he found with the
down just growing on my cheeks. And here, when
my brother Priolas was slain by the Mysians—my
brother, whom ever since the people lament with
most piteous dirges—he entered the lists with Titias
in boxing and slew him, mighty Titias, who sur-
passed all the youths in beauty and strength ; and
he dashed his teeth to the ground. Together with
the Mysians he subdued beneath my father's sway
the Phrygians also, who inhabit the lands next to us,
and he made his own the tribes of the Bithynians
and their land, as far as the mouth of Rhebas
and the peak of Colone ; and besides them the
Paphlagonians of Pelops yielded just as they were,

ὅσσους Βιλλαίοιο μέλαν περιάγνυται ὕδωρ.
ἀλλά με νῦν Βέβρυκες ὑπερβασίῃ τ' Ἀμύκοιο
τηλόθι ναιετάοντος, ἐνόσφισαν, Ἡρακλῆος,
δὴν ἀποτεμνόμενοι γαίης ἅλις, ὄφρ' ἐβάλοντο
οὖρα βαθυρρείοντος ὑφ' εἰαμεναῖς Ὑπίοιο.
ἔμπης δ' ἐξ ὑμέων ἔδοσαν τίσιν· οὐδέ ἕ φημι
ἤματι τῷδ' ἀέκητι θεῶν ἐπελάσσαι ἄρηα,
Τυνδαρίδην Βέβρυξιν, ὅτ' ἀνέρα κεῖνον ἔπεφνεν.
τῶ νῦν ἥντιν' ἐγὼ τῖσαι χάριν ἄρκιός εἰμι,
τίσω προφρονέως.   ἡ γὰρ θέμις ἠπεδανοῖσιν   800
ἀνδράσιν, εὖτ' ἄρξωσιν ἀρείονες ἄλλοι ὀφέλλειν.
ξυνῇ μὲν πάντεσσιν ὁμόστολον ὕμμιν ἕπεσθαι
Δάσκυλον ὀτρυνέω, ἐμὸν υἱέα· τοῖο δ' ἰόντος,
ἦ τ' ἂν ἐυξείνοισι διὲξ ἁλὸς ἀντιάοιτε
ἀνδράσιν, ὄφρ' αὐτοῖο ποτὶ στόμα Θερμώδοντος.
νόσφι δὲ Τυνδαρίδαις Ἀχερουσίδος ὑψόθεν ἄκρης
εἴσομαι ἱερὸν αἰπύ· τὸ μὲν μάλα τηλόθι πάντες
ναυτίλοι ἂμ πέλαγος θηεύμενοι ἱλάξονται·
καί κέ σφιν μετέπειτα πρὸ ἄστεος, οἷα θεοῖσιν,
πίονας εὐαρότοιο γύας πεδίοιο ταμοίμην.'   810
   Ὣς τότε μὲν δαῖτ' ἀμφὶ πανήμεροι ἐψιόωντο.
ἠρί γε μὴν ἐπὶ νῆα κατήισαν ἐγκονέοντες·
καὶ δ' αὐτὸς σὺν τοῖσι Λύκος κίε, μυρί' ὀπάσσας
δῶρα φέρειν· ἅμα δ' υἷα δόμων ἔκπεμπε νέεσθαι.
   Ἔνθα δ' Ἀβαντιάδην πεπρωμένη ἤλασε μοῖρα
Ἴδμονα, μαντοσύνῃσι κεκασμένον· ἀλλά μιν οὔτι
μαντοσύναι ἐσάωσαν, ἐπεὶ χρεὼ ἦγε δαμῆναι.
κεῖτο γὰρ εἰαμενῇ δονακώδεος ἐν ποταμοῖο
ψυχόμενος λαγόνας τε καὶ ἄσπετον ἰλύι νηδὺν
κάπριος ἀργιόδων, ὀλοὸν τέρας, ὅν ῥα καὶ αὐταὶ   820

156

even all those round whom the dark water of Billaeus breaks. But now the Bebrycians and the insolence of Amycus have robbed me, since Heracles dwells far away, for they have long been cutting off huge pieces of my land until they have set their bounds at the meadows of deep-flowing Hypius. Nevertheless, by your hands have they paid the penalty; and it was not without the will of heaven, I trow, that he brought war on the Bebrycians this day—he, the son of Tyndareus, when he slew that champion. Wherefore whatever requital I am now able to pay, gladly will I pay it, for that is the rule for weaker men when the stronger begin to help them. So with you all, and in your company, I bid Dascylus my son follow; and if he goes, you will find all men friendly that ye meet on your way through the sea even to the mouth of the river Thermodon. And besides that, to the sons of Tyndareus will I raise a lofty temple on the Acherusian height, which all sailors shall mark far across the sea and shall reverence; and hereafter for them will I set apart outside the city, as for gods, some fertile fields of the well-tilled plain."

Thus all day long they revelled at the banquet. But at dawn they hied down to the ship in haste; and with them went Lycus himself, when he had given them countless gifts to bear away; and with them he sent forth his son from his home.

And here his destined fate smote Idmon, son of Abas, skilled in soothsaying; but not at all did his soothsaying save him, for necessity drew him on to death. For in the mead of the reedy river there lay, cooling his flanks and huge belly in the mud, a white-tusked boar, a deadly monster, whom even the

νύμφαι ἑλειονόμοι ὑπεδείδισαν· οὐδέ τις ἀνδρῶν
ἠείδει· οἷος δὲ κατὰ πλατὺ βόσκετο τῖφος.
αὐτὰρ ὅγ᾽ ἰλυόεντος ἀνὰ θρωσμοὺς ποταμοῖο
νίσσετ᾽ Ἀβαντιάδης· ὁ δ᾽ ἄρ᾽ ἔκποθεν ἀφράστοιο
ὕψι μάλ᾽ ἐκ δονάκων ἀνεπάλμενος ἤλασε μηρὸν
αἰγδην, μέσσας δὲ σὺν ὀστέῳ ἶνας ἔκερσεν.
ὀξὺ δ᾽ ὅγε κλάγξας οὔδει πέσεν· οἱ δὲ τυπέντος
ἀθρόοι ἀντιάχησαν. ὀρέξατο δ᾽ αἶψ᾽ ὀλοοῖο
Πηλεὺς αἰγανέῃ φύγαδ᾽ εἰς ἕλος ὁρμηθέντος
καπρίου· ἔσσυτο δ᾽ αὖτις ἐναντίος· ἀλλά μιν Ἴδας 830
οὔτασε, βεβρυχὼς δὲ θοῷ περικάππεσε δουρί.
καὶ τὸν μὲν χαμάδις λίπον αὐτόθι πεπτηῶτα·
τὸν δ᾽ ἕταροι ἐπὶ νῆα φέρον ψυχορραγέοντα,
ἀχνύμενοι, χείρεσσι δ᾽ ἑῶν ἐνικάτθαν ἑταίρων.

Ἔνθα δὲ ναυτιλίης μὲν ἐρητύοντο μέλεσθαι,
ἀμφὶ δὲ κηδείῃ νέκυος μένον ἀσχαλόωντες.
ἤματα δὲ τρία πάντα γόων· ἑτέρῳ δέ μιν ἤδη
τάρχυον μεγαλωστί· συνεκτερέιζε δὲ λαὸς
αὐτῷ ὁμοῦ βασιλῆι Λύκῳ· παρὰ δ᾽ ἄσπετα μῆλα
ἣ θέμις οἰχομένοισι, ταφήια λαιμοτόμησαν. 840
καὶ δή τοι κέχυται τοῦδ᾽ ἀνέρος ἐν χθονὶ κείνῃ
τύμβος· σῆμα δ᾽ ἔπεστι καὶ ὀψιγόνοισιν ἰδέσθαι,
νηίου ἐκ κοτίνοιο φάλαγξ· θαλέθει δέ τε φύλλοις
ἄκρης τυτθὸν ἔνερθ᾽ Ἀχερουσίδος. εἰ δέ με καὶ τὸ
χρειὼ ἀπηλεγέως Μουσέων ὕπο γηρύσασθαι,
τόνδε πολισσοῦχον διεπέφραδε Βοιωτοῖσιν
Νισαίοισί τε Φοῖβος ἐπιρρήδην ἱλάεσθαι,
ἀμφὶ δὲ τήνγε φάλαγγα παλαιγενέος κοτίνοιο
158

nymphs of the marsh dreaded, and no man knew it;
but all alone he was feeding in the wide fen. But
the son of Abas was passing along the raised banks of
the muddy river, and the boar from some unseen lair
leapt out of the reed-bed, and charging gashed his
thigh and severed in twain the sinews and the bone.
And with a sharp cry the hero fell to the ground;
and as he was struck his comrades flocked together
with answering cry. And quickly Peleus with his
hunting spear aimed at the murderous boar as he
fled back into the fen; and again he turned and
charged; but Idas wounded him, and with a roar he
fell impaled upon the sharp spear. And the boar
they left on the ground just as he had fallen there;
but Idmon, now at the last gasp, his comrades bore
to the ship in sorrow of heart, and he died in his
comrades' arms.

And here they stayed from taking thought for
their voyaging and abode in grief for the burial
of their dead friend. And for three whole days
they lamented; and on the next they buried him
with full honours, and the people and King Lycus
himself took part in the funeral rites; and, as is the
due of the departed, they slaughtered countless
sheep at his tomb. And so a barrow to this hero
was raised in that land, and there stands a token for
men of later days to see, the trunk of a wild olive
tree, such as ships are built of, and it flourishes with
its green leaves a little below the Acherusian
headland. And if at the bidding of the Muses
I must tell this tale outright, Phoebus strictly
commanded the Boeotians and Nisaeans to worship
him as guardian of their city, and to build their city
round the trunk of the ancient wild olive; but they,

ἄστυ βαλεῖν· οἱ δ' ἀντὶ θεουδέος Αἰολίδαο
Ἴδμονος εἰσέτι νῦν Ἀγαμήστορα κυδαίνουσιν.　　850
　Τίς γὰρ δὴ θάνεν ἄλλος; ἐπεὶ καὶ ἔτ' αὖτις ἔχευαν
ἥρωες τότε τύμβον ἀποφθιμένου ἑτάροιο.
δοιὰ γὰρ οὖν κείνων ἔτι σήματα φαίνεται ἀνδρῶν.
Ἀγνιάδην Τῖφυν θανέειν φάτις· οὐδέ οἱ ἦεν
μοῖρ' ἔτι ναυτίλλεσθαι ἑκαστέρω. ἀλλά νυ καὶ τὸν
αὖθι μινυνθαδίη πάτρης ἑκὰς εὔνασε νοῦσος,
εἰσότ' Ἀβαντιάδαο νέκυν κτερέιξεν ὅμιλος.
ἄτλητον δ' ὀλοῷ ἐπὶ πήματι κῆδος ἕλοντο.
δὴ γὰρ ἐπεὶ καὶ τόνδε παρασχεδὸν ἐκτερέιξαν
αὐτοῦ, ἀμηχανίῃσιν ἁλὸς προπάροιθε πεσόντες,　　860
ἐντυπὰς εὐκήλως εἰλυμένοι οὔτε τι σίτου
μνώοντ' οὔτε ποτοῖο· κατήμυσαν δ' ἀχέεσσιν
θυμόν, ἐπεὶ μάλα πολλὸν ἀπ' ἐλπίδος ἔπλετο
　　νόστος.
καί νύ κ' ἔτι προτέρω τετιημένοι ἰσχανόωντο,
εἰ μὴ ἄρ' Ἀγκαίῳ περιώσιον ἔμβαλεν Ἥρη
θάρσος, ὃν Ἰμβρασίοισι παρ' ὕδασιν Ἀστυπάλαια
τίκτε Ποσειδάωνι· περιπρὸ γὰρ εὖ ἐκέκαστο
ἰθύνειν, Πηλῆα δ' ἐπεσσύμενος προσέειπεν·
　Αἰακίδη, πῶς καλὸν ἀφειδήσαντας ἀέθλων
γαίῃ ἐν ἀλλοδαπῇ δὴν ἔμμεναι; οὐ μὲν ἄρηος　　870
ἴδριν ἐόντά με τόσσον ἄγει μετὰ κῶας Ἰήσων
Παρθενίης ἀπάνευθεν, ὅσον τ' ἐπιίστορα νηῶν.
τῶ μή μοι τυτθόν γε δέος περὶ νηὶ πελέσθω.
ὣς δὲ καὶ ὧλλοι δεῦρο δαήμονες ἄνδρες ἔασιν,
τῶν ὅτινα πρύμνης ἐπιβήσομεν, οὔτις ἰάψει
ναυτιλίην. ἀλλ' ὦκα, παραιφάμενος τάδε πάντα,
θαρσαλέως ὀρόθυνον ἐπιμνήσασθαι ἀέθλου.'
　Ὣς φάτο· τοῖο δὲ θυμὸς ὀρέξατο γηθοσύνῃσιν.
αὐτίκα δ' οὐ μετὰ δηρὸν ἐνὶ μέσσοις ἀγόρευσεν·

instead of the god-fearing Aeolid Idmon, at this day honour Agamestor.

Who was the next that died? For then a second time the heroes heaped up a barrow for a comrade dead. For still are to be seen two monuments of those heroes. The tale goes that Tiphys son of Hagnias died; nor was it his destiny thereafter to sail any further. But him there on the spot a short sickness laid to rest far from his native land, when the company had paid due honours to the dead son of Abas. And at the cruel woe they were seized with unbearable grief. For when with due honours they had buried him also hard by the seer, they cast themselves down in helplessness on the sea-shore silently, closely wrapped up, and took no thought for meat or drink; and their spirit drooped in grief, for all hope of return was gone. And in their sorrow they would have stayed from going further had not Hera kindled exceeding courage in Ancaeus, whom near the waters of Imbrasus Astypalaea bore to Poseidon; for especially was he skilled in steering and eagerly did he address Peleus:

"Son of Aeacus, is it well for us to give up our toils and linger on in a strange land? Not so much for my prowess in war did Jason take me with him in quest of the fleece, far from Parthenia, as for my knowledge of ships. Wherefore, I pray, let there be no fear for the ship. And so there are here other men of skill, of whom none will harm our voyaging, whomsoever we set at the helm. But quickly tell forth all this and boldly urge them to call to mind their task."

Thus he spake; and Peleus' soul was stirred with gladness, and straightway he spake in the midst of

'Δαιμόνιοι, τί νυ πένθος ἐτώσιον ἴσχομεν αὔτως;   880
οἱ μὲν γὰρ ποθι τοῦτον, ὃν ἔλλαχον, οἶτον ὄλοντο·
ἡμῖν δ' ἐν γὰρ ἔασι κυβερνητῆρες ὁμίλῳ,
καὶ πολέες. τῷ μή τι διατριβώμεθα πείρης·
ἀλλ' ἔγρεσθ' εἰς ἔργον, ἀπορρίψαντες ἀνίας.'

Τὸν δ' αὖτ' Αἴσονος υἱὸς ἀμηχανέων προσέειπεν·
'Αἰακίδη, πῆ δ' οἴδε κυβερνητῆρες ἔασιν;
οὓς μὲν γὰρ τὸ πάροιθε δαήμονας εὐχόμεθ' εἶναι,
οἴδε κατηφήσαντες ἐμεῦ πλέον ἀσχαλόωσιν.
τῷ καὶ ὁμοῦ φθιμένοισι κακὴν προτιόσσομαι ἄτην,
εἰ δὴ μήτ' ὀλοοῖο μετὰ πτόλιν Αἰήταο   890
ἔσσεται, ἠὲ καὶ αὖτις ἐς Ἑλλάδα γαῖαν ἱκέσθαι
πετράων ἔκτοσθε, καταυτόθι δ' ἄμμε καλύψει
ἀκλειῶς κακὸς οἶτος, ἐτώσια γηράσκοντας.'

Ὣς ἔφατ'· Ἀγκαῖος δὲ μάλ' ἐσσυμένως ὑπέδεκτο
νῆα θοὴν ἄξειν· δὴ γὰρ θεοῦ ἐτράπεθ' ὁρμῇ.
τὸν δὲ μετ' Ἐργῖνος καὶ Ναύπλιος Εὔφημός τε
ὤρνυντ', ἰθύνειν λελιημένοι. ἀλλ' ἄρα τούσγε
ἔσχεθον· Ἀγκαίῳ δὲ πολεῖς ἤνησαν ἑταίρων.

Ἠῶι δ' ἤπειτα δυωδεκάτῳ ἐπέβαινον
ἤματι· δὴ γάρ σφιν ζεφύρου μέγας οὖρος ἄητο.   900
καρπαλίμως δ' Ἀχέροντα διεξεπέρησαν ἐρετμοῖς,
ἐκ δ' ἔχεαν πίσυνοι ἀνέμῳ λίνα, πουλὺ δ' ἐπιπρὸ
λαιφέων πεπταμένων τέμνον πλόον εὐδιόωντες.
ὦκα δὲ Καλλιχόροιο παρὰ προχοὰς ποταμοῖο
ἤλυθον, ἔνθ' ἐνέπουσι Διὸς Νυσήιον υἷα,
Ἰνδῶν ἡνίκα φῦλα λιπὼν κατενάσσατο Θήβας,
ὀργιάσαι, στῆσαί τε χοροὺς ἄντροιο πάροιθεν,
ᾧ ἐν ἀμειδήτους ἁγίας ηὐλίζετο νύκτας,

162

all : " My friends, why do we thus cherish a bootless grief like this ? For those two have perished by the fate they have met with ; but among our host are steersmen yet, and many a one. Wherefore let us not delay our attempt, but rouse yourselves to the work and cast away your griefs."

And him in reply Aeson's son addressed with helpless words : " Son of Aeacus, where are these steersmen of thine ? For those whom we once deemed to be men of skill, they even more than I are bowed with vexation of heart. Wherefore I forebode an evil doom for us even as for the dead, if it shall be our lot neither to reach the city of fell Aeetes, nor ever again to pass beyond the rocks to the land of Hellas, but a wretched fate will enshroud us here ingloriously till we grow old for naught."

Thus he spake, but Ancaeus quickly undertook to guide the swift ship ; for he was stirred by the impulse of the goddess. And after him Erginus and Nauplius and Euphemus started up, eager to steer. But the others held them back, and many of his comrades granted it to Ancaeus.

So on the twelfth day they went aboard at dawn, for a strong breeze of westerly wind was blowing. And quickly with the oars they passed out through the river Acheron and, trusting to the wind, shook out their sails, and with canvas spread far and wide they were cleaving their passage through the waves in fair weather. And soon they passed the outfall of the river Callichorus, where, as the tale goes, the Nysean son of Zeus, when he had left the tribes of the Indians and came to dwell at Thebes, held revels and arrayed dances in front of a cave, wherein he passed unsmiling sacred nights, from which time

ἐξ οὗ Καλλίχορον ποταμὸν περιναιετάοντες
ἠδὲ καὶ Αὐλίον ἄντρον ἐπωνυμίην καλέουσιν.   910

Ἔνθεν δὲ Σθενέλου τάφον ἔδρακον Ἀκτορίδαο,
ὅς ῥά τ᾽ Ἀμαζονίδων πολυθαρσέος ἐκ πολέμοιο
ἂψ ἀνιὼν—δὴ γὰρ συνανήλυθεν Ἡρακλῆι—
βλήμενος ἰῷ κεῖθεν ἐπ᾽ ἀγχιάλου θάνεν ἀκτῆς.
οὐ μέν θην προτέρω ἔτ᾽ ἐμέτρεον· ἧκε γὰρ αὐτὴ
Φερσεφόνη ψυχὴν πολυδάκρυον Ἀκτορίδαο
λισσομένην τυτθόν περ ὁμήθεας ἄνδρας ἰδέσθαι.
τύμβου δὲ στεφάνης ἐπιβὰς σκοπιάζετο νῆα
τοῖος ἐών, οἷος πόλεμόνδ᾽ ἴεν· ἀμφὶ δὲ καλὴ
τετράφαλος φοίνικι λόφῳ ἐπελάμπετο πήληξ.   920
καί ῥ᾽ ὁ μὲν αὖτις ἔδυνε μέγαν ζόφον· οἱ δ᾽
        ἐσιδόντες
θάμβησαν· τοὺς δ᾽ ὦρσε θεοπροπέων ἐπικέλσαι
Ἀμπυκίδης Μόψος λοιβῇσί τε μειλίξασθαι.
οἱ δ᾽ ἀνὰ μὲν κραιπνῶς λαῖφος σπάσαν, ἐκ δὲ
        βαλόντες
πείσματ᾽ ἐν αἰγιαλῷ Σθενέλου τάφον ἀμφεπένοντο,
χύτλα τέ οἱ χεύοντο, καὶ ἥγνισαν ἔντομα μήλων.
ἄνδιχα δ᾽ αὖ χύτλων νηοσσόῳ Ἀπόλλωνι
βωμὸν δειμάμενοι μῆρ᾽[1] ἔφλεγον· ἂν δὲ καὶ Ὀρφεὺς
θῆκε λύρην· ἐκ τοῦ δὲ Λύρη πέλει οὔνομα χώρῳ.

Αὐτίκα δ᾽ οἵγ᾽ ἀνέμοιο κατασπέρχοντος ἔβησαν   930
νῆ᾽ ἔπι· κὰδ δ᾽ ἄρα λαῖφος ἐρυσσάμενοι τανύοντο
ἐς πόδας ἀμφοτέρους· ἡ δ᾽ ἐς πέλαγος πεφόρητο
ἐντενές, ἠύτε τίς τε δι᾽ ἠέρος ὑψόθι κίρκος
ταρσὸν ἐφεὶς πνοιῇ φέρεται ταχύς, οὐδὲ τινάσσει
ῥιπήν, εὐκήλοισιν ἐνευδιόων πτερύγεσσιν.
καὶ δὴ Παρθενίοιο ῥοὰς ἁλιμυρήεντος,

---

[1] μῆρ᾽ Brunck : μῆλ᾽ MSS.

the neighbours call the river by the name of Callichorus [1] and the cave Aulion. [2]

Next they beheld the barrow of Sthenelus, Actor's son, who on his way back from the valorous war against the Amazons—for he had been the comrade of Heracles—was struck by an arrow and died there upon the sea-beach. And for a time they went no further, for Persephone herself sent forth the spirit of Actor's son which craved with many tears to behold men like himself, even for a moment. And mounting on the edge of the barrow he gazed upon the ship, such as he was when he went to war; and round his head a fair helm with four peaks gleamed with its blood-red crest. And again he entered the vast gloom; and they looked and marvelled; and Mopsus, son of Ampycus, with word of prophecy urged them to land and propitiate him with libations. Quickly they drew in sail and threw out hawsers, and on the strand paid honour to the tomb of Sthenelus, and poured out drink offerings to him and sacrificed sheep as victims. And besides the drink offerings they built an altar to Apollo, saviour of ships, and burnt thigh bones; and Orpheus dedicated his lyre; whence the place has the name of Lyra.

And straightway they went aboard as the wind blew strong; and they drew the sail down, and made it taut to both sheets; then Argo was borne over the sea swiftly, even as a hawk soaring high through the air commits to the breeze its outspread wings and is borne on swiftly, nor swerves in its flight, poising in the clear sky with quiet pinions. And lo, they passed by the stream of Parthenius as it flows into the sea, a

[1] *i.e.* river of fair dances.   [2] *i.e.* the bedchamber.

πρηυτάτου ποταμοῦ, παρεμέτρεον, ᾧ ἔνι κούρη
Λητωίς, ἄγρηθεν ὅτ' οὐρανὸν εἰσαναβαίνῃ,
ὃν δέμας ἱμερτοῖσιν ἀναψύχει ὑδάτεσσιν.
νυκτὶ δ' ἔπειτ' ἄλληκτον ἐπιπροτέρωσε θέοντες   940
Σήσαμον αἰπεινούς τε παρεξενέοντ' Ἐρυθίνους,
Κρωβίαλον, Κρῶμνάν τε καὶ ὑλήεντα Κύτωρον.
ἔνθεν δ' αὖτε Κάραμβιν ἅμ' ἠελίοιο βολῇσιν
γνάμψαντες παρὰ πουλὺν ἔπειτ' ἤλαυνον ἐρετμοῖς
Αἰγιαλὸν πρόπαν ἦμαρ ὁμῶς καὶ ἐπ' ἤματι νύκτα.
    Αὐτίκα δ' Ἀσσυρίης ἐπέβαν χθονός, ἔνθα
    Σινώπην,
θυγατέρ' Ἀσωποῖο, καθίσσατο, καί οἱ ὄπασσεν
παρθενίην Ζεὺς αὐτός, ὑποσχεσίῃσι δολωθείς.
δὴ γὰρ ὁ μὲν φιλότητος ἐέλδετο· νεῦσε δ' ὅγ' αὐτῇ
δωσέμεναι, ὅ κεν ᾖσι μετὰ φρεσὶν ἰθύσειεν.   950
ἡ δέ ἑ παρθενίην ᾐτήσατο κερδοσύνῃσιν.
ὡς δὲ καὶ Ἀπόλλωνα παρήπαφεν εὐνηθῆναι
ἱέμενον, ποταμόν τ' ἐπὶ τοῖς Ἅλυν· οὐδὲ μὲν
    ἀνδρῶν
τήνγε τις ἱμερτῇσιν ἐν ἀγκοίνῃσι δάμασσεν.
ἔνθα δὲ Τρικκαίοιο ἀγαυοῦ Δηιμάχοιο
υἷες, Δηιλέων τε καὶ Αὐτόλυκος Φλογίος τε
τῆμος ἔθ', Ἡρακλῆος ἀποπλαγχθέντες, ἔναιον·
οἵ ῥα τόθ', ὡς ἐνόησαν ἀριστήων στόλον ἀνδρῶν,
σφᾶς αὐτοὺς νημερτὲς ἐπέφραδον ἀντιάσαντες·
οὐδ' ἔτι μιμνάζειν θέλον ἔμπεδον, ἀλλ' ἐνὶ νηί,   960
ἀργέσταο παρᾶσσον ἐπιπνείοντος, ἔβησαν.
τοῖσι δ' ὁμοῦ μετέπειτα θοῇ πεφορημένοι αὔρῃ
λεῖπον Ἅλυν ποταμόν, λεῖπον δ' ἀγχίρροον Ἶριν,
ἠδὲ καὶ Ἀσσυρίης πρόχυσιν χθονός· ἤματι δ' αὐτῷ
γνάμψαν Ἀμαζονίδων ἔκαθεν λιμενήοχον ἄκρην.

most gentle river, where the maid, daughter of Leto, when she mounts to heaven after the chase, cools her limbs in its much-desired waters. Then they sped onward in the night without ceasing, and passed Sesamus and lofty Erythini, Crobialus, Cromna and woody Cytorus. Next they swept round Carambis at the rising of the sun, and plied the oars past long Aegialus, all day and on through the night.

And straightway they landed on the Assyrian shore where Zeus himself gave a home to Sinope, daughter of Asopus, and granted her virginity, beguiled by his own promises. For he longed for her love, and he promised to grant her whatever her heart's desire might be. And she in her craftiness asked of him virginity. And in like manner she deceived Apollo too who longed to wed her, and besides them the river Halys, and no man ever subdued her in love's embrace. And there the sons of noble Deimachus of Tricca were still dwelling, Deileon, Autolycus and Phlogius, since the day when they wandered far away from Heracles; and they, when they marked the array of chieftains, went to meet them and declared in truth who they were; and they wished to remain there no longer, but as soon as Argestes [1] blew went on ship-board. And so with them, borne along by the swift breeze, the heroes left behind the river Halys, and left behind Iris that flows hard by, and the delta-land of Assyria; and on the same day they rounded the distant headland of the Amazons that guards their harbour.

[1] The north-west wind.

APOLLONIUS RHODIUS

Ἔνθα ποτὲ προμολοῦσαν Ἀρητιάδα Μελανίππην
ἥρως Ἡρακλέης ἐλοχήσατο, καί οἱ ἄποινα
Ἱππολύτη ζωστῆρα παναίολον ἐγγυάλιξεν
ἀμφὶ κασιγνήτης· ὁ δ᾽ ἀπήμονα πέμψεν ὀπίσσω.
τῆς οἵγ᾽ ἐν κόλπῳ, προχοαῖς ἔπι Θερμώδοντος,   970
κέλσαν, ἐπεὶ καὶ πόντος ὀρίνετο νισσομένοισιν.
τῷ δ᾽ οὔτις ποταμῶν ἐναλίγκιος, οὐδὲ ῥέεθρα
τόσσ᾽ ἐπὶ γαῖαν ἵησι παρὲξ ἔθεν ἄνδιχα βάλλων.
τετράκις εἰς ἑκατὸν δεύοιτό κεν, εἴ τις ἕκαστα
πεμπάζοι· μία δ᾽ οἴη ἐτήτυμος ἔπλετο πηγή.
ἡ μέν τ᾽ ἐξ ὀρέων κατανίσσεται ἤπειρόνδε
ὑψηλῶν, ἅ τε φασὶν Ἀμαζόνια κλείεσθαι.
ἔνθεν δ᾽ αἰπυτέρην ἐπικίδναται ἔνδοθι γαῖαν
ἀντικρύ· τῶ καί οἱ ἐπίστροφοί εἰσι κέλευθοι·
αἰεὶ δ᾽ ἄλλυδις ἄλλη, ὅπη κύρσειε μάλιστα   980
ἠπείρου χθαμαλῆς, εἰλίσσεται· ἡ μὲν ἄπωθεν,
ἡ δὲ πέλας· πολέες δὲ πόροι νώνυμνοι ἔασιν,
ὅππη ὑπεξαφύονται· ὁ δ᾽ ἀμφαδὸν ἄμμιγα παύροις
Πόντον ἐς Ἄξεινον κυρτὴν ὑπερεύγεται ἄχνην.[1]
καί νύ κε δηθύνοντες Ἀμαζονίδεσσιν ἔμιξαν
ὑσμίνην, καὶ δ᾽ οὔ κεν ἀναιμωτί γ᾽ ἐρίδηναν—
οὐ γὰρ Ἀμαζονίδες μάλ᾽ ἐπήτιδες, οὐδὲ θέμιστας
τίουσαι πεδίον Δοιάντιον ἀμφενέμοντο·
ἀλλ᾽ ὕβρις στονόεσσα καὶ Ἄρεος ἔργα μεμήλει·
δὴ γὰρ καὶ γενεὴν ἔσαν Ἄρεος Ἁρμονίης τε   990
νύμφης, ἥτ᾽ Ἄρηϊ φιλοπτολέμους τέκε κούρας,
ἄλσεος Ἀκμονίοιο κατὰ πτύχας εὐνηθεῖσα—
εἰ μὴ ἄρ᾽ ἐκ Διόθεν πνοιαὶ πάλιν ἀργεστᾶο
ἤλυθον· οἱ δ᾽ ἀνέμῳ περιηγέα κάλλιπον ἀκτήν,
ἔνθα Θεμισκύρειαι Ἀμαζόνες ὡπλίζοντο.

[1] ἄχνην Ruhnken : ἄκρην MSS.

168

Here once when Melanippe, daughter of Ares, had gone forth, the hero Heracles caught her by ambuscade and Hippolyte gave him her glistening girdle as her sister's ransom, and he sent away his captive unharmed. In the bay of this headland, at the outfall of Thermodon, they ran ashore, for the sea was rough for their voyage. No river is like this, and none sends forth from itself such mighty streams over the land. If a man should count every one he would lack but four of a hundred, but the real spring is only one. This flows down to the plain from lofty mountains, which, men say, are called the Amazonian mountains. Thence it spreads inland over a hilly country straight forward; wherefrom its streams go winding on, and they roll on, this way and that ever more, wherever best they can reach the lower ground, one at a distance and another near at hand; and many streams are swallowed up in the sand and are without a name; but, mingled with a few, the main stream openly bursts with its arching crest of foam into the Inhospitable Pontus. And they would have tarried there and have closed in battle with the Amazons, and would have fought not without bloodshed—for the Amazons were not gentle foes and regarded not justice, those dwellers on the Doeantian plain; but grievous insolence and the works of Ares were all their care; for by race they were the daughters of Ares and the nymph Harmonia, who bare to Ares war-loving maids, wedded to him in the glens of the Acmonian wood—had not the breezes of Argestes come again from Zeus; and with the wind they left the rounded beach, where the Themiscyreian Amazons

οὐ γὰρ ὁμηγερέες μίαν ἂμ πόλιν, ἀλλ' ἀνὰ γαῖαν
κεκριμέναι κατὰ φῦλα διάτριχα ναιετάασκον·
νόσφι μὲν αἵδ' αὐταί, τῆσιν τότε κοιρανέεσκεν
Ἱππολύτη, νόσφιν δὲ Λυκάστιαι ἀμφενέμοντο,
νόσφι δ' ἀκοντοβόλοι Χαδήσιαι. ἤματι δ' ἄλλῳ   1000
νυκτί τ' ἐπιπλομένῃ Χαλύβων παρὰ γαῖαν ἵκοντο.

Τοῖσι μὲν οὔτε βοῶν ἄροτος μέλει, οὔτε τις ἄλλη
φυταλιὴ καρποῖο μελίφρονος· οὐδὲ μὲν οἵγε
ποίμνας ἑρσήεντι νομῷ ἔνι ποιμαίνουσιν.
ἀλλὰ σιδηροφόρον στυφελὴν χθόνα γατομέοντες
ὦνον ἀμείβονται βιοτήσιον, οὐδέ ποτέ σφιν
ἠὼς ἀντέλλει καμάτων ἄτερ, ἀλλὰ κελαινῇ
λιγνύι καὶ καπνῷ κάματον βαρὺν ὀτλεύουσιν.

Τοὺς δὲ μετ' αὐτίκ' ἔπειτα Γενηταίου Διὸς ἄκρην
γνάμψαντες σώοντο παρὲξ Τιβαρηνίδα γαῖαν.   1010
ἔνθ' ἐπεὶ ἄρ κε τέκωνται ὑπ' ἀνδράσι τέκνα
        γυναῖκες,
αὐτοὶ μὲν στενάχουσιν ἐνὶ λεχέεσσι πεσόντες,
κράατα δησάμενοι· ταὶ δ' εὖ κομέουσιν ἐδωδῇ
ἀνέρας, ἠδὲ λοετρὰ λεχώια τοῖσι πένονται.

Ἱρὸν δ' αὖτ' ἐπὶ τοῖσιν ὄρος καὶ γαῖαν ἄμειβον,
ᾗ ἔνι Μοσσύνοικοι ἀν' οὔρεα νιετάουσιν
μόσσυνας, καὶ δ' αὐτοὶ ἐπώνυμοι ἔνθεν ἔασιν.
ἀλλοίη δὲ δίκη καὶ θέσμια τοῖσι τέτυκται.
ὅσσα μὲν ἀμφαδίην ῥέζειν θέμις, ἢ ἐνὶ δήμῳ,
ἢ ἀγορῇ, τάδε πάντα δόμοις ἔνι μηχανόωνται·   1020
ὅσσα δ' ἐνὶ μεγάροις πεπονήμεθα, κεῖνα θύραζε
ἀψεγέως μέσσῃσιν ἐνὶ ῥέζουσιν ἀγυιαῖς.
οὐδ' εὐνῆς αἰδὼς ἐπιδήμιος, ἀλλά, σύες ὣς
φορβάδες, οὐδ' ἠβαιὸν ἀτυζόμενοι παρεόντας,
μίσγονται χαμάδις ξυνῇ φιλότητι γυναικῶν.

were arming for war. For they dwelt not gathered together in one city, but scattered over the land, parted into three tribes. In one part dwelt the Themiscyreians, over whom at that time Hippolyte reigned, in another the Lycastians, and in another the dart-throwing Chadesians. And the next day they sped on and at nightfall they reached the land of the Chalybes.

That folk have no care for ploughing with oxen or for any planting of honey-sweet fruit; nor yet do they pasture flocks in the dewy meadow. But they cleave the hard iron-bearing land and exchange their wages for daily sustenance; never does the morn rise for them without toil, but amid bleak sooty flames and smoke they endure heavy labour.

And straightway thereafter they rounded the headland of Genetaean Zeus and sped safely past the land of the Tibareni. Here when wives bring forth children to their husbands, the men lie in bed and groan with their heads close bound; but the women tend them with food, and prepare child-birth baths for them.

Next they reached the sacred mount and the land where the Mossynoeci dwell amid high mountains in wooden huts,[1] from which that people take their name. And strange are their customs and laws. Whatever it is right to do openly before the people or in the market place, all this they do in their homes, but whatever acts we perform at home, these they perform out of doors in the midst of the streets, without blame. And among them is no reverence for the marriage-bed, but, like swine that feed in herds, no whit abashed in others' presence, on the

---

[1] called "Mossynes."

αὐτὰρ ἐν ὑψίστῳ βασιλεὺς μόσσυνι θαάσσων
ἰθείας πολέεσσι δίκας λαοῖσι δικάζει,
σχέτλιος. ἦν γάρ πού τι θεμιστεύων ἀλίτηται,
λιμῷ μιν κεῖν' ἦμαρ ἐνικλείσαντες ἔχουσιν.

Τοὺς παρανισσόμενοι καὶ δὴ σχεδὸν ἀντιπέρηθεν   1030
νήσου Ἀρητιάδος τέμνον πλόον εἰρεσίῃσιν
ἡμάτιοι· λιαρὴ γὰρ ὑπὸ κνέφας ἔλλιπεν αὔρη.
ἤδη καί τιν' ὕπερθεν Ἀρήιον ἀίσσοντα
ἐνναέτην νήσοιο δι' ἠέρος ὄρνιν ἴδοντο,
ὅς ῥα τιναξάμενος πτέρυγας κατὰ νῆα θέουσαν
ἧκ' ἐπὶ οἷ πτερὸν ὀξύ· τὸ δ' ἐν λαιῷ πέσεν ὤμῳ
δίου Ὀιλῆος· μεθέηκε δὲ χερσὶν ἐρετμὸν
βλήμενος· οἱ δὲ τάφον πτερόεν βέλος εἰσορόωντες.
καὶ τὸ μὲν ἐξείρυσσε παρεδριόων Ἐριβώτης,
ἕλκος δὲ ξυνέδησεν, ἀπὸ σφετέρου κολεοῖο   1040
λυσάμενος τελαμῶνα κατήορον· ἐκ δ' ἐφαάνθη
ἄλλος ἐπὶ προτέρῳ πεποτημένος· ἀλλά μιν ἥρως
Εὐρυτίδης Κλυτίος—πρὸ γὰρ ἀγκύλα τείνατο
    τόξα,
ἧκε δ' ἐπ' οἰωνὸν ταχινὸν βέλος—αὐτὰρ ἔπειτα
πλῆξεν· δινηθεὶς δὲ θοῆς πέσεν ἀγχόθι νηός.
τοῖσιν δ' Ἀμφιδάμας μυθήσατο, παῖς Ἀλεοῖο·

'Νῆσος μὲν πέλας ἧμιν Ἀρητιάς· ἴστε καὶ αὐτοὶ
τούσδ' ὄρνιθας ἰδόντες. ἐγὼ δ' οὐκ ἔλπομαι ἰοὺς
τόσσον ἐπαρκέσσειν εἰς ἔκβασιν. ἀλλά τιν' ἄλλην
μῆτιν πορσύνωμεν ἐπίρροθον, εἴ γ' ἐπικέλσαι   1050
μέλλετε, Φινῆος μεμνημένοι, ὡς ἐπέτελλεν.
οὐδὲ γὰρ Ἡρακλέης, ὁπότ' ἤλυθεν Ἀρκαδίηιδε,
πλωίδας ὄρνιθας Στυμφαλίδας ἔσθενε λίμνης
ὤσασθαι τόξοισι, τὸ μέν τ' ἐγὼ αὐτὸς ὄπωπα.
ἀλλ' ὅγε χαλκείην πλατάγην ἐνὶ χερσὶ τινάσσων
δούπει ἐπὶ σκοπιῆς περιμήκεος· αἱ δ' ἐφέβοντο

earth they lie with the women. Their king sits in the loftiest hut and dispenses upright judgments to the multitude, poor wretch! For if haply he err at all in his decrees, for that day they keep him shut up in starvation.

They passed them by and cleft their way with oars over against the island of Ares all day long; for at dusk the light breeze left them. At last they spied above them, hurtling through the air, one of the birds of Ares which haunt that isle. It shook its wings down over the ship as she sped on and sent against her a keen feather, and it fell on the left shoulder of goodly Oileus, and he dropped his oar from his hands at the sudden blow, and his comrades marvelled at the sight of the winged bolt. And Eribotes from his seat hard by drew out the feather, and bound up the wound when he had loosed the strap hanging from his own sword-sheath; and besides the first, another bird appeared swooping down; but the hero Clytius, son of Eurytus—for he bent his curved bow, and sped a swift arrow against the bird—struck it, and it whirled round and fell close to the ship. And to them spake Amphidamas, son of Aleus:

"The island of Ares is near us; you know it yourselves now that ye have seen these birds. But little will arrows avail us, I trow, for landing. But let us contrive some other device to help us, if ye intend to land, bearing in mind the injunction of Phineus. For not even could Heracles, when he came to Arcadia, drive away with bow and arrow the birds that swam on the Stymphalian lake. I saw it myself. But he shook in his hand a rattle of bronze and made a loud clatter as he stood upon a lofty

τηλοῦ, ἀτυζηλῷ ὑπὸ δείματι κεκληγυῖαι.
τῶ καὶ νῦν τοίην τιν' ἐπιφραζώμεθα μῆτιν·
αὐτὸς δ' ἂν τὸ πάροιθεν ἐπιφρασθεὶς ἐνέποιμι.
ἀνθέμενοι κεφαλῇσιν ἀερσιλόφους τρυφαλείας,   1060
ἡμίσεες μὲν ἐρέσσετ' ἀμοιβαδίς, ἡμίσεες δὲ
δούρασί τε ξυστοῖσι καὶ ἀσπίσιν ἄρσετε νῆα.
αὐτὰρ πασσυδίῃ περιώσιον ὄρνυτ' αὐτὴν
ἀθρόοι, ὄφρα κολῳὸν ἀηθείῃ φοβέωνται
νεύοντάς τε λόφους καὶ ἐπήορα δούραθ' ὕπερθεν.
εἰ δέ κεν αὐτὴν νῆσον ἱκώμεθα, δὴ τότ' ἔπειτα
σὺν κελάδῳ σακέεσσι πελώριον ὄρσετε δοῦπον.'
    Ὣς ἄρ' ἔφη· πάντεσσι δ' ἐπίρροθος ἥνδανε
        μῆτις.
ἀμφὶ δὲ χαλκείας κόρυθας κεφαλῇσιν ἔθεντο
δεινὸν λαμπομένας, ἐπὶ δὲ λόφοι ἐσσείοντο   1070
φοινίκεοι. καὶ τοὶ μὲν ἀμοιβήδην ἐλάασκον·
τοὶ δ' αὖτ' ἐγχείῃσι καὶ ἀσπίσι νῆ' ἐκάλυψαν.
ὡς δ' ὅτε τις κεράμῳ κατερέψεται ἕρκιον ἀνήρ,
δώματος ἀγλαΐην τε καὶ ὑετοῦ ἔμμεναι ἄλκαρ,
ἄλλῳ δ' ἔμπεδον ἄλλος ὁμῶς ἐπαμοιβὸς ἄρηρεν·
ὣς οἵγ' ἀσπίσι νῆα συναρτύναντες ἔρεψαν.
οἵη δὲ κλαγγὴ δῄου πέλει ἐξ ὁμάδοιο
ἀνδρῶν κινυμένων, ὁπότε ξυνίωσι φάλαγγες,
τοίη ἄρ' ὑψόθι νηὸς ἐς ἠέρα κίδνατ' ἀυτή.
οὐδέ τιν' οἰωνῶν ἔτ' ἐσέδρακον, ἀλλ' ὅτε νήσῳ   1080
χρίμψαντες σακέεσσιν ἐπέκτυπον, αὐτίκ' ἄρ' οἵγε
μυρίοι ἔνθα καὶ ἔνθα πεφυζότες ἠερέθοντο.
ὡς δ' ὁπότε Κρονίδης πυκινὴν ἐφέηκε χάλαζαν
ἐκ νεφέων ἀνά τ' ἄστυ καὶ οἰκία, τοὶ δ' ὑπὸ τοῖσιν
ἐνναέται κόναβον τεγέων ὕπερ εἰσαΐοντες
ἧνται ἀκήν, ἐπεὶ οὔ σφε κατέλλαβε χείματος ὥρη
ἀπροφάτως, ἀλλὰ πρὶν ἐκαρτύναντο μέλαθρον·

peak, and the birds fled far off, screeching in bewildered fear. Wherefore now too let us contrive some such device, and I myself will speak, having pondered the matter beforehand. Set on your heads your helmets of lofty crest, then half row by turns, and half fence the ship about with polished spears and shields. Then all together raise a mighty shout so that the birds may be scared by the unwonted din, the nodding crests, and the uplifted spears on high. And if we reach the island itself, then make mighty noise with the clashing of shields."

Thus he spake, and the helpful device pleased all. And on their heads they placed helmets of bronze, gleaming terribly, and the blood-red crests were tossing. And half of them rowed in turn, and the rest covered the ship with spears and shields. And as when a man roofs over a house with tiles, to be an ornament of his home and a defence against rain, and one tile fits firmly into another, each after each; so they roofed over the ship with their shields, locking them together. And as a din arises from a warrior-host of men sweeping on, when lines of battle meet, such a shout rose upward from the ship into the air. Now they saw none of the birds yet, but when they touched the island and clashed upon their shields, then the birds in countless numbers rose in flight hither and thither. And as when the son of Cronos sends from the clouds a dense hail-storm on city and houses, and the people who dwell beneath hear the din above the roof and sit quietly, since the stormy season has not come upon them unawares, but they have first made strong their roofs; so the birds sent against the heroes a thick

ὡς πυκινὰ πτερὰ τοῖσιν ἐφίεσαν ἀίσσοντες
ὕψι μάλ' ἂμ πέλαγος περάτης εἰς οὔρεα γαίης.

Τίς γὰρ δὴ Φινῆος ἔην νόος, ἐνθάδε κέλσαι   1090
ἀνδρῶν ἡρώων θεῖον στόλον; ἢ καὶ ἔπειτα
ποῖον ὄνειαρ ἔμελλεν ἐελδομένοισιν ἱκέσθαι;

Υἱῆες Φρίξοιο μετὰ πτόλιν Ὀρχομενοῖο
ἐξ Αἴης ἐνέοντο παρ' Αἰήταο Κυταίου,
Κολχίδα νῆ' ἐπιβάντες, ἵν' ἄσπετον ὄλβον ἄρωνται
πατρός· ὁ γὰρ θνῄσκων ἐπετείλατο τήνδε κέλευθον.
καὶ δὴ ἔσαν νήσοιο μάλα σχεδὸν ἤματι κείνῳ.
Ζεὺς δ' ἀνέμου βορέαο μένος κίνησεν ἀῆναι,
ὕδατι σημαίνων διερὴν ὁδὸν Ἀρκτούροιο·
αὐτὰρ ὅγ' ἡμάτιος μὲν ἐν οὔρεσι φύλλ' ἐτίνασσεν   1100
τυτθὸν ἐπ' ἀκροτάτοισιν ἀήσυρος ἀκρεμόνεσσιν·
νυκτὶ δ' ἔβη πόντονδε πελώριος, ὦρσε δὲ κῦμα
κεκληγὼς πνοιῇσι· κελαινὴ δ' οὐρανὸν ἀχλὺς
ἄμπεχεν, οὐδέ πῃ ἄστρα διαυγέα φαίνετ' ἰδέσθαι
ἐκ νεφέων, σκοτόεις δὲ περὶ ζόφος ἠρήρειστο.
οἱ δ' ἄρα μυδαλέοι, στυγερὸν τρομέοντες ὄλεθρον,
υἱῆες Φρίξοιο φέρονθ' ὑπὸ κύμασιν αὕτως.
ἱστία δ' ἐξήρπαξ' ἀνέμου μένος, ἠδὲ καὶ αὐτὴν
νῆα διάνδιχ' ἔαξε τινασσομένην ῥοθίοισιν.
ἔνθα δ' ὑπ' ἐννεσίῃσι θεῶν πίσυρές περ ἐόντες   1110
δούρατος ὠρέξαντο πελωρίου, οἷά τε πολλὰ
ῥαισθείσης κεκέδαστο θοοῖς συναρηρότα γόμφοις.
καὶ τοὺς μὲν νῆσόνδε, παρὲξ ὀλίγον θανάτοιο,
κύματα καὶ ῥιπαὶ ἀνέμου φέρον ἀσχαλόωντας.
αὐτίκα δ' ἐρράγη ὄμβρος ἀθέσφατος, ὗε δὲ πόντον
καὶ νῆσον καὶ πᾶσαν ὅσην κατεναντία νήσου
χώρην Μοσσύνοικοι ὑπέρβιοι ἀμφενέμοντο.
τοὺς δ' ἄμυδις κρατερῷ σὺν δούρατι κύματος ὁρμὴ

shower of feather-shafts as they darted over the sea
to the mountains of the land opposite.

What then was the purpose of Phineus in bidding
the divine band of heroes land there ? Or what
kind of help was about to meet their desire ?

The sons of Phrixus were faring towards the city
of Orchomenus from Aea, coming from Cytaean
Aeetes, on board a Colchian ship, to win the bound-
less wealth of their father; for he, when dying, had
enjoined this journey upon them. And lo, on that
day they were very near that island. But Zeus had
impelled the north wind's might to blow, marking by
rain the moist path of Arcturus ; and all day long he
was stirring the leaves upon the mountains, breathing
gently upon the topmost sprays; but at night he
rushed upon the sea with monstrous force, and with
his shrieking blasts uplifted the surge ; and a dark
mist covered the heavens, nor did the bright stars
anywhere appear from among the clouds, but a
murky gloom brooded all around. And so the sons
of Phrixus, drenched and trembling in fear of a
horrible doom, were borne along by the waves
helplessly. And the force of the wind had snatched
away their sails and shattered in twain the hull,
tossed as it was by the breakers. And hereupon
by heaven's prompting those four clutched a huge
beam, one of many that were scattered about, held
together by sharp bolts, when the ship broke to
pieces. And on to the island the waves and the
blasts of wind bore the men in their distress, within
a little of death. And straightway a mighty rain
burst forth, and rained upon the sea and the island,
and all the country opposite the island, where the
arrogant Mossynoeci dwelt. And the sweep of

νῆας Φρίξοιο μετ' ἠιόνας βάλε νήσου
νύχθ' ὕπο λυγαίην· τὸ δὲ μυρίον ἐκ Διὸς ὕδωρ   1120
λῆξεν ἅμ' ἠελίῳ· τάχα δ' ἐγγύθεν ἀντεβόλησαν
ἀλλήλοις, Ἄργος δὲ παροίτατος ἔκφατο μῦθον·
  'Ἀντόμεθα πρὸς Ζηνὸς Ἐποψίου, οἵτινές ἐστε
ἀνδρῶν, εὐμενέειν τε καὶ ἀρκέσσαι χατέουσιν.
πόντῳ γὰρ τρηχεῖαι ἐπιβρίσασαι ἄελλαι
νηὸς ἀεικελίης διὰ δούρατα πάντ' ἐκέδασσαν
ᾗ ἔνι πείρομεν οἶμον[1] ἐπὶ χρέος ἐμβεβαῶτες.
τούνεκα νῦν ὑμέας γουναζόμεθ', αἴ κε πίθησθε,
δοῦναι ὅσον τ' εἴλυμα περὶ χροός, ἠδὲ κομίσσαι
ἀνέρας οἰκτείραντας ὁμήλικας ἐν κακότητι.   1130
ἀλλ' ἱκέτας ξείνους Διὸς εἵνεκεν αἰδέσσασθε
Ξεινίου Ἱκεσίου τε· Διὸς δ' ἄμφω ἱκέται τε
καὶ ξεῖνοι· ὁ δέ πού καὶ ἐπόψιος ἄμμι τέτυκται.'
  Τὸν δ' αὖτ' Αἴσονος υἱὸς ἐπιφραδέως ἐρέεινεν,
μαντοσύνας Φινῆος ὀισσάμενος τελέεσθαι·
'Ταῦτα μὲν αὐτίκα πάντα παρέξομεν εὐμενέοντες.
ἀλλ' ἄγε μοι κατάλεξον ἐτήτυμον, ὁππόθι γαίης
ναίετε, καὶ χρέος οἷον ὑπεὶρ ἅλα νεῖσθαι ἀνώγει,
αὐτῶν θ' ὑμείων ὄνομα κλυτόν, ἠδὲ γενέθλην.'
  Τὸν δ' Ἄργος προσέειπεν ἀμηχανέων κακότητι   1140
'Αἰολίδην Φρίξον τιν' ἀφ' Ἑλλάδος Αἶαν ἱκέσθαι
ἀτρεκέως δοκέω που ἀκούετε καὶ πάρος αὐτοί,
Φρίξον, ὅτις πτολίεθρον ἀνήλυθεν Αἰήταο,
κριοῦ ἐπεμβεβαώς, τόν ῥα χρύσειον ἔθηκεν
Ἑρμείας· κῶας δὲ καὶ εἰσέτι νῦν κεν ἴδοισθε.[2]
τὸν μὲν ἔπειτ' ἔρρεξεν ἑῆς ὑποθημοσύνῃσιν

---

[1] πείρομεν οἶμον Merkel : τειρόμενοι ἅμ' MSS.
[2] After this line the MSS. have the line 1270 below. Brunck first expelled it from here, putting a stop at the end of the preceding line.

the waves hurled the sons of Phrixus, together with their massy beam, upon the beach of the island, in the murky night; and the floods of rain from Zeus ceased at sunrise, and soon the two bands drew near and met each other, and Argus spoke first:

" We beseech you, by Zeus the Beholder, whoever ye are, to be kindly and to help us in our need. For fierce tempests, falling on the sea, have shattered all the timbers of the crazy ship in which we were cleaving our path on business bent. Wherefore we entreat you, if haply ye will listen, to grant us just a covering for our bodies, and to pity and succour men in misfortune, your equals in age. Oh, reverence suppliants and strangers for Zeus' sake, the god of strangers and suppliants. To Zeus belong both suppliants and strangers; and his eye, methinks, beholdeth even us."

And in reply the son of Aeson prudently questioned him, deeming that the prophecies of Phineus were being fulfilled: " All these things will we straightway grant you with right good will. But come tell me truly in what country ye dwell and what business bids you sail across the sea, and tell me your own glorious names and lineage."

And him Argus, helpless in his evil plight, addressed: " That one Phrixus an Aeolid reached Aea from Hellas you yourselves have clearly heard ere this, I trow; Phrixus, who came to the city of Aeetes, bestriding a ram, which Hermes had made all gold; and the fleece ye may see even now. The ram, at its own prompting, he then sacrificed to

Φυξίῳ ἐκ πάντων Κρονίδῃ Διί. καί μιν ἔδεκτο
Αἰήτης μεγάρῳ, κούρην τέ οἱ ἐγγυάλιξεν
Χαλκιόπην ἀνάεδνον ἐυφροσύνῃσι νόοιο.
τῶν ἐξ ἀμφοτέρων εἰμὲν γένος. ἀλλ' ὁ μὲν ἤδη   1150
γηραιὸς θάνε Φρίξος ἐν Αἰήταο δόμοισιν·
ἡμεῖς δ' αὐτίκα πατρὸς ἐφετμάων ἀλέγοντες
νεύμεθ' ἐς Ὀρχομενὸν κτεάνων Ἀθάμαντος ἕκητι.
εἰ δὲ καὶ οὔνομα δῆθεν ἐπιθύεις δεδαῆσθαι,
τῷδε Κυτίσσωρος πέλει οὔνομα, τῷδέ τε Φρόντις,
τῷδὲ Μέλας· ἐμὲ δ' αὐτὸν ἐπικλείοιτέ κεν Ἄργον.'
Ὣς φάτ'· ἀριστῆες δὲ συνηβολίῃ κεχάροντο,
καί σφεας ἀμφίεπον περιθαμβέες. αὐτὰρ Ἰήσων
ἐξαῦτις κατὰ μοῖραν ἀμείψατο τοῖσδ' ἐπέεσσιν·
'Ἦ ἄρα δὴ γνωτοὶ πατρώιοι ἄμμιν ἐόντες   1160
λίσσεσθ' εὐμενέοντας ἐπαρκέσσαι κακότητα.
Κρηθεὺς γάρ ῥ' Ἀθάμας τε κασίγνητοι γεγάασιν.
Κρηθῆος δ' υἱωνὸς ἐγὼ σὺν τοισίδ' ἑταίροις
Ἑλλάδος ἐξ αὐτῆς νέομ' ἐς πόλιν Αἰήταο.
ἀλλὰ τὰ μὲν καὶ ἐσαῦτις ἐνίψομεν ἀλλήλοισιν.
νῦν δ' ἔσσασθε πάροιθεν. ὑπ' ἐννεσίῃσι δ' ὀίω
ἀθανάτων ἐς χεῖρας ἐμὰς χατέοντας ἱκέσθαι.'
Ἦ ῥα, καὶ ἐκ νηὸς δῶκέ σφισιν εἵματα δῦναι.
πασσυδίῃ δ' ἤπειτα κίον μετὰ νηὸν Ἄρηος,
μῆλ' ἱερευσόμενοι· περὶ δ' ἐσχάρῃ ἐστήσαντο   1170
ἐσσυμένως, ἥτ' ἐκτὸς ἀνηρεφέος πέλε νηοῦ
στιάων· εἴσω δὲ μέγας λίθος ἠρήρειστο
ἱερός, ᾧ ποτε πᾶσαι Ἀμαζόνες εὐχετόωντο.

Zeus, son of Cronos, above all, the god of fugitives. And him did Aeetes receive in his palace, and with gladness of heart gave him his daughter Chalciope in marriage without gifts of wooing.[1] From those two are we sprung. But Phrixus died at last, an aged man, in the home of Aeetes; and we, giving heed to our father's behests, are journeying to Orchomenus to take the possessions of Athamas. And if thou dost desire to learn our names, this is Cytissorus, this Phrontis, and this Melas, and me ye may call Argus."

Thus he spake, and the chieftains rejoiced at the meeting, and tended them, much marvelling. And Jason again in turn replied, as was fitting, with these words:

"Surely ye are our kinsmen on my father's side, and ye pray that with kindly hearts we succour your evil plight. For Cretheus and Athamas were brothers. I am the grandson of Cretheus, and with these comrades here I am journeying from that same Hellas to the city of Aeetes. But of these things we will converse hereafter. And do ye first put clothing upon you. By heaven's devising, I ween, have ye come to my hands in your sore need."

He spake, and out of the ship gave them raiment to put on. Then all together they went to the temple of Ares to offer sacrifice of sheep; and in haste they stood round the altar, which was outside the roofless temple, an altar built of pebbles; within a black stone stood fixed, a sacred thing, to which of yore the Amazons all used to pray. Nor was it

---

[1] *i.e.* without exacting gifts from the bridegroom. So in the Iliad (ix. 146) Agamemnon offers Achilles any of his three daughters ἀνάεδνος

οὐδέ σφιν θέμις ἦεν, ὅτ᾽ ἀντιπέρηθεν ἵκοιντο,
μήλων τ᾽ ἠδὲ βοῶν τῇδ᾽ ἐσχάρῃ ἱερὰ καίειν·
ἀλλ᾽ ἵππους δαίτρευον, ἐπηετανὸν κομέουσαι.
αὐτὰρ ἐπεὶ ῥέξαντες ἐπαρτέα δαῖτ᾽ ἐπάσαντο,
δὴ τότ᾽ ἄρ᾽ Αἰσονίδης μετεφώνεεν, ἦρχέ τε μύθων·
'Ζεὺς αὐτὸς¹ τὰ ἕκαστ᾽ ἐπιδέρκεται· οὐδέ μιν
    ἄνδρες
λήθομεν ἔμπεδον, οἵ τε θεουδέες ἠδὲ² δίκαιοι.   1180
ὡς μὲν γὰρ πατέρ᾽ ὑμὸν ὑπεξείρυτο φόνοιο
μητρυιῆς, καὶ νόσφιν ἀπειρέσιον πόρεν ὄλβον·
ὡς δὲ καὶ ὑμέας αὖτις ἀπήμονας ἐξεσάωσεν
χείματος οὐλομένοιο. πάρεστι δὲ τῆσδ᾽ ἐπὶ νηὸς
ἔνθα καὶ ἔνθα νέεσθαι, ὅπῃ φίλον, εἴτε μετ᾽ Αἶαν,
εἴτε μετ᾽ ἀφνειὴν θείου πόλιν Ὀρχομενοῖο.
τὴν γὰρ Ἀθηναίη τεχνήσατο, καὶ τάμε χαλκῷ
δούρατα Πηλιάδος κορυφῆς πέρι· σὺν δέ οἱ Ἄργος
τεῦξεν. ἀτὰρ κείνην γε κακὸν διὰ κῦμ᾽ ἐκέδασσεν,
πρὶν καὶ πετράων σχεδὸν ἐλθεῖν αἵτ᾽ ἐνὶ πόντῳ   1190
στεινωπῷ συνίασι πανήμεροι ἀλλήλῃσιν.
ἀλλ᾽ ἄγεθ᾽ ὧδε καὶ αὐτοὶ ἐς Ἑλλάδα μαιομένοισιν
κῶας ἄγειν χρύσειον ἐπίρροθοι ἄμμι πέλεσθε
καὶ πλόου ἡγεμονῆες, ἐπεὶ Φρίξοιο θυηλὰς
στέλλομαι ἀμπλήσων, Ζηνὸς χόλον Αἰολίδῃσιν.'

Ἴσκε παρηγορέων· οἱ δ᾽ ἔστυγον εἰσαΐοντες.
οὐ γὰρ ἔφαν τεύξεσθαι ἐνηέος Αἰήταο
κῶας ἄγειν κριοῖο μεμαότας, ὧδε δ᾽ ἔειπεν
Ἄργος, ἀτεμβόμενος τοῖον στόλον ἀμφιπένεσθαι·
'Ὦ φίλοι, ἡμέτερον μὲν ὅσον σθένος, οὔποτ᾽
    ἀρωγῆς   1200
σχήσεται, οὐδ᾽ ἠβαιόν, ὅτε χρειώ τις ἵκηται.

¹ αὐτὸς one Vatican, all the Parisian : αἰτεῖ LG.
² ἠδὲ Stephanus : οὐδὲ MSS.

lawful for them, when they came from the opposite
coast, to burn on this altar offerings of sheep and
oxen, but they used to slay horses which they kept
in great herds. Now when they had sacrificed and
eaten the feast prepared, then Aeson's son spake
among them and thus began :

" Zeus' self, I ween, beholds everything ; nor do
we men escape his eye, we that be god-fearing and
just, for as he rescued your father from the hands of
a murderous step-dame and gave him measureless
wealth besides ; even so hath he saved you harmless
from the baleful storm. And on board this ship ye
may sail hither and thither, where ye will, whether
to Aea or to the wealthy city of divine Orchomenus.
For our ship Athena built and with axe of bronze
cut her timbers near the crest of Pelion, and with
the goddess wrought Argus. But yours the fierce
surge hath shattered, before ye came nigh to the
rocks which all day long clash together in the straits
of the sea. But come, be yourselves our helpers, for
we are eager to bring to Hellas the golden fleece,
and guide us on our voyage, for I go to atone for the
intended sacrifice of Phrixus, the cause of Zeus'
wrath against the sons of Aeolus."

He spake with soothing words ; but horror seized
them when they heard. For they deemed that they
would not find Aeetes friendly if they desired to
take away the ram's fleece. And Argus spake
as follows, vexed that they should busy themselves
with such a quest :

" My friends, our strength, so far as it avails, shall
never cease to help you, not one whit, when need

ἀλλ' αἰνῶς ὀλοῇσιν ἀπηνείῃσιν ἄρηρεν
Αἰήτης· τῷ καὶ περιδείδια ναυτίλλεσθαι.
στεῦται δ' Ἠελίου γόνος ἔμμεναι· ἀμφὶ δὲ Κόλχων
ἔθνεα ναιετάουσιν ἀπείρονα· καὶ δέ κεν Ἄρει
σμερδαλέην ἐνοπὴν μέγα τε σθένος ἰσοφαρίζοι.
οὐ μὰν οὐδ' ἀπάνευθεν ἑλεῖν δέρος Αἰήταο
ῥηίδιον, τοῖός μιν ὄφις περί τ' ἀμφί τ' ἔρυται
ἀθάνατος καὶ ἄυπνος, ὃν αὐτὴ Γαῖ' ἀνέφυσεν
Καυκάσου ἐν κνημοῖσι, Τυφαονίῃ ὅθι πέτρη,   121
ἔνθα Τυφάονά φασι Διὸς Κρονίδαο κεραυνῷ
βλήμενον, ὁππότε οἱ στιβαρὰς ἐπορέξατο χεῖρας,
θερμὸν ἀπὸ κρατὸς στάξαι φόνον· ἵκετο δ' αὕτως
οὔρεα καὶ πεδίον Νυσήιον, ἔνθ' ἔτι νῦν περ
κεῖται ὑποβρύχιος Σερβωνίδος ὕδασι λίμνης.'

  Ὣς ἄρ' ἔφη· πολέεσσι δ' ἐπὶ χλόος εἷλε παρειὰς
αὐτίκα, τοῖον ἄεθλον ὅτ' ἔκλυον. αἶψα δὲ Πηλεὺς
θαρσαλέοις ἐπέεσσιν ἀμείψατο, φώνησέν τε·

  'Μηδ' οὕτως, ἠθεῖε, λίην δειδίσσεο θυμῷ.   12:
οὔτε γὰρ ὧδ' ἀλκὴν ἐπιδευόμεθ', ὥστε χερείους
ἔμμεναι Αἰήταο σὺν ἔντεσι πειρηθῆναι·
ἀλλὰ καὶ ἡμέας οἴω ἐπισταμένους πολέμοιο
κεῖσε μολεῖν, μακάρων σχεδὸν αἵματος ἐκγεγαῶτας.
τῷ εἰ μὴ φιλότητι δέρος χρύσειον ὀπάσσει,
οὔ οἱ χραισμήσειν ἐπιέλπομαι ἔθνεα Κόλχων.'

  Ὣς οἵγ' ἀλλήλοισιν ἀμοιβαδὸν ἠγορόωντο,
μέσφ' αὖτις δόρποιο κορεσσάμενοι κατέδαρθεν.
ἦρι δ' ἀνεγρομένοισιν ἐυκραὴς ἄεν οὖρος·
ἱστία δ' ἤειραν, τὰ δ' ὑπαὶ ῥιπῆς ἀνέμοιο
τείνετο· ῥίμφα δὲ νῆσον ἀποπροέλειπον Ἄρηος.   12:

shall come. But Aeetes is terribly armed with deadly ruthlessness; wherefore exceedingly do I dread this voyage. And he boasts himself to be the son of Helios; and all round dwell countless tribes of Colchians; and he might match himself with Ares in his dread war-cry and giant strength. Nay, to seize the fleece in spite of Aeetes is no easy task; so huge a serpent keeps guard round and about it, deathless and sleepless, which Earth herself brought forth on the sides of Caucasus, by the rock of Typhaon, where Typhaon, they say, smitten by the bolt of Zeus, son of Cronos, when he lifted against the god his sturdy hands, dropped from his head hot gore; and in such plight he reached the mountains and plain of Nysa, where to this day he lies whelmed beneath the waters of the Serbonian lake."

Thus he spake, and straightway many a cheek grew pale when they heard of so mighty an adventure. But quickly Peleus answered with cheering words, and thus spake:

"Be not so fearful in spirit, my good friend. For we are not so lacking in prowess as to be no match for Aeetes to try his strength with arms; but I deem that we too are cunning in war, we that go thither, near akin to the blood of the blessed gods. Wherefore if he will not grant us the fleece of gold for friendship's sake, the tribes of the Colchians will not avail him, I ween."

Thus they addressed each other in turn, until again, satisfied with their feast, they turned to rest. And when they rose at dawn a gentle breeze was blowing; and they raised the sails, which strained to the rush of the wind, and quickly they left behind the island of Ares.

Νυκτὶ δ ἐπιπλομένῃ Φιλυρηίδα νῆσον ἄμειβον·
ἔνθα μὲν Οὐρανίδης Φιλύρῃ Κρόνος, εὖτ᾽ ἐν
Ὀλύμπῳ
Τιτήνων ἤνασσεν, ὁ δὲ Κρηταῖον ὑπ᾽ ἄντρον
Ζεὺς ἔτι Κουρήτεσσι μετετρέφετ᾽ Ἰδαίοισιν,
Ῥείην ἐξαπαφών, παρελέξατο· τοὺς δ᾽ ἐνὶ λέκτροις
τέτμε θεὰ μεσσηγύς· ὁ δ᾽ ἐξ εὐνῆς ἀνορούσας
ἔσσυτο χαιτήεντι φυὴν ἐναλίγκιος ἵππῳ·
ἡ δ᾽ αἰδοῖ χῶρόν τε καὶ ἤθεα κεῖνα λιποῦσα
Ὠκεανὶς Φιλύρη εἰς οὔρεα μακρὰ Πελασγῶν
ἦλθ᾽, ἵνα δὴ Χείρωνα πελώριον, ἄλλα μὲν ἵππῳ,   1240
ἄλλα θεῷ ἀτάλαντον, ἀμοιβαίῃ τέκεν εὐνῇ.
  Κεῖθεν δ᾽ αὖ Μάκρωνας ἀπειρεσίην τε Βεχείρων
γαῖαν ὑπερφιάλους τε παρεξενέοντο Σάπειρας,
Βύζηράς τ᾽ ἐπὶ τοῖσιν· ἐπιπρὸ γὰρ αἰὲν ἔτεμνον
ἐσσυμένως, λιαροῖο φορεύμενοι ἐξ ἀνέμοιο.
καὶ δὴ νισσομένοισι μυχὸς διεφαίνετο πόντου.
καὶ δὴ Καυκασίων ὀρέων ἀνέτελλον ἐρίπναι
ἠλίβατοι, τόθι γυῖα περὶ στυφελοῖσι πάγοισιν
ἰλλόμενος χαλκέῃσιν ἀλυκτοπέδῃσι Προμηθεὺς
αἰετὸν ἥπατι φέρβε παλιμπετὲς ἀίσσοντα.   1250
τὸν μὲν ἐπ᾽ ἀκροτάτης ἴδον ἕσπερον ὀξέι ῥοίζῳ
νηὸς ὑπερπτάμενον νεφέων σχεδόν· ἀλλὰ καὶ ἔμπης
λαίφεα πάντ᾽ ἐτίναξε, παραιθύξας πτερύγεσσιν.
οὐ γὰρ ὅγ᾽ αἰθερίοιο φυὴν ἔχεν οἰωνοῖο,
ἶσα δ᾽ ἐυξέστοις ὠκύπτερα πάλλεν ἐρετμοῖς.
δηρὸν δ᾽ οὐ μετέπειτα πολύστονον ἄιον αὐδὴν
ἧπαρ ἀνελκομένοιο Προμηθέος· ἔκτυπε δ᾽ αἰθὴρ
οἰμωγῇ, μέσφ᾽ αὖτις ἀπ᾽ οὔρεος ἀίσσοντα
αἰετὸν ὠμηστὴν αὐτὴν ὁδὸν εἰσενόησαν.
ἐννύχιοι δ᾽ Ἄργοιο δαημοσύνῃσιν ἵκοντο   1260
Φᾶσίν τ᾽ εὐρὺ ῥέοντα, καὶ ἔσχατα πείρατα πόντου.

And at nightfall they came to the island of Philyra, where Cronos, son of Uranus, what time in Olympus he reigned over the Titans, and Zeus was yet being nurtured in a Cretan cave by the Curetes of Ida, lay beside Philyra, when he had deceived Rhea; and the goddess found them in the midst of their dalliance; and Cronos leapt up from the couch with a rush in the form of a steed with flowing mane, but Ocean's daughter, Philyra, in shame left the spot and those haunts, and came to the long Pelasgian ridges, where by her union with the transfigured deity she brought forth huge Cheiron, half like a horse, half like a god.

Thence they sailed on, past the Macrones and the far-stretching land of the Becheiri and the over-weening Sapeires, and after them the Byzeres; for ever forward they clave their way, quickly borne by the gentle breeze. And lo, as they sped on, a deep gulf of the sea was opened, and lo, the steep crags of the Caucasian mountains rose up, where, with his limbs bound upon the hard rocks by galling fetters of bronze, Prometheus fed with his liver an eagle that ever rushed back to its prey. High above the ship at even they saw it flying with a loud whirr, near the clouds; and yet it shook all the sails with the fanning of those huge wings. For it had not the form of a bird of the air but kept poising its long wing-feathers like polished oars. And not long after they heard the bitter cry of Prometheus as his liver was being torn away; and the air rang with his screams until they marked the ravening eagle rushing back from the mountain on the self-same track. And at night, by the skill of Argus, they reached broad-flowing Phasis, and the utmost bourne of the sea.

Αὐτίκα δ' ἱστία μὲν καὶ ἐπίκριον ἔνδοθι κοίλης
ἱστοδόκης στείλαντες ἐκόσμεον· ἐν δὲ καὶ αὐτὸν
ἱστὸν ἄφαρ χαλάσαντο παρακλιδόν· ὦκα δ' ἐρετ-
                                                μοῖς
εἰσέλασαν ποταμοῖο μέγαν ῥόον· αὐτὰρ ὁ πάντῃ
καχλάζων ὑπόεικεν. ἔχον δ' ἐπ' ἀριστερὰ χειρῶν
Καύκασον αἰπήεντα Κυταιίδα τε πτόλιν Αἴης,
ἔνθεν δ' αὖ πεδίον τὸ Ἀρήιον ἱερά τ' ἄλση
τοῖο θεοῦ, τόθι κῶας ὄφις εἴρυτο δοκεύων
πεπτάμενον λασίοισιν ἐπὶ δρυὸς ἀκρεμόνεσσιν.   1270
αὐτὸς δ' Αἰσονίδης χρυσέῳ ποταμόνδε κυπέλλῳ
οἴνου ἀκηρασίοιο μελισταγέας χέε λοιβὰς
Γαίῃ τ' ἐνναέταις τε θεοῖς ψυχαῖς τε καμόντων
ἡρώων· γουνοῦτο δ' ἀπήμονας εἶναι ἀρωγοὺς
εὐμενέως, καὶ νηὸς ἐναίσιμα πείσματα δέχθαι.
αὐτίκα δ' Ἀγκαῖος τοῖον μετὰ μῦθον ἔειπεν·
‘ Κολχίδα μὲν δὴ γαῖαν ἱκάνομεν ἠδὲ ῥέεθρα
Φάσιδος· ὥρη δ' ἡμιν ἐνὶ σφίσι μητιάασθαι,
εἴτ' οὖν μειλιχίῃ πειρησόμεθ' Αἰήταο,
εἴτε καὶ ἀλλοίη τις ἐπήβολος ἔσσεται ὁρμή.’   1280
Ὣς ἔφατ'· Ἄργου δ' αὖτε παρηγορίῃσιν Ἰήσων
ὑψόθι νῆ' ἐκέλευσεν ἐπ' εὐναίῃσιν ἐρύσσαι
δάσκιον εἰσελάσαντας ἕλος· τὸ δ' ἐπισχεδὸν ἦεν
νισσομένων, ἔνθ' οἵγε διὰ κνέφας ηὐλίζοντο.
ἠὼς δ' οὐ μετὰ δηρὸν ἐελδομένοις ἐφαάνθη.

And straightway they let down the sails and the yard-arm and stowed them inside the hollow mast-crutch, and at once they lowered the mast itself till it lay along; and quickly with oars they entered the mighty stream of the river; and round the prow the water surged as it gave them way. And on their left hand they had lofty Caucasus and the Cytaean city of Aea, and on the other side the plain of Ares and the sacred grove of that god, where the serpent was keeping watch and ward over the fleece as it hung on the leafy branches of an oak. And Aeson's son himself from a golden goblet poured into the river libations of honey and pure wine to Earth and to the gods of the country, and to the souls of dead heroes; and he besought them of their grace to give kindly aid, and to welcome their ship's hawsers with favourable omen. And straightway Ancaeus spake these words:

"We have reached the Colchian land and the stream of Phasis; and it is time for us to take counsel whether we shall make trial of Aeetes with soft words, or an attempt of another kind shall be fitting."

Thus he spake, and by the advice of Argus Jason bade them enter a shaded backwater and let the ship ride at anchor off shore; and it was near at hand in their course and there they passed the night. And soon the dawn appeared to their expectant eyes.

BOOK III

SUMMARY OF BOOK III

INVOCATION *of the Muse, Erato (1–5).—Hera and Athena, after consultation, visit Cypris to ask the aid of her son Eros on behalf of the Argonauts (6–110).—Eros promises to pierce with an arrow Medea, daughter of Aeetes : Jason lays his plans before his comrades (111–209).—Arrival of Jason and a few chosen companions at the palace of Aeetes, which is described : Eros performs his promise (210–298).—Interview between Aeetes and the heroes : Jason undertakes the task imposed by the king as the price of obtaining the golden fleece (299–438).—Anguish of Medea because of her love for Jason (439–470.—On the advice of Argus, it is decided to apply for Medea's aid through Chalciope, mother of Argus and sister of Medea (471–575).—Plans of Aeetes against the Argonauts (576–608).—Medea promises Chalciope to aid her sons and their companions (609–743).—After long hesitation Medea prepares to carry magic drugs to Jason and goes with her attendants to meet him at Hecate's temple (744–911).—Interview*

SUMMARY OF BOOK III

of Jason and Medea : return of Medea to the palace (912–1162).—Aeetes hands over the dragon's teeth to Jason's messengers : Jason offers a nocturnal sacrifice to Hecate (1163–1224). — Preparations of Jason: he yokes the fiery bulls, sows the dragon's teeth, and compels the giants who spring up to slay one another, himself joining in the slaughter : the task is accomplished (1225–1407).

Γ

Εἰ δ' ἄγε νῦν, Ἐρατώ, παρά θ' ἵστασο, καί μοι
   ἔνισπε,
ἔνθεν ὅπως ἐς Ἰωλκὸν ἀνήγαγε κῶας Ἰήσων
Μηδείης ὑπ' ἔρωτι. σὺ γὰρ καὶ Κύπριδος αἶσαν
ἔμμορες, ἀδμῆτας δὲ τεοῖς μελεδήμασι θέλγεις
παρθενικάς· τῷ καί τοι ἐπήρατον οὔνομ' ἀνῆπται.
  ῝Ως οἱ μὲν πυκινοῖσιν ἀνωίστως δονάκεσσιν
μίμνον ἀριστῆες λελοχημένοι· αἱ δ' ἐνόησαν
῝Ηρη Ἀθηναίη τε, Διὸς δ' αὐτοῖο καὶ ἄλλων
ἀθανάτων ἀπόνοσφι θεῶν θάλαμόνδε κιοῦσαι
βούλευον· πείραζε δ' Ἀθηναίην πάρος ῝Ηρη·   10
  ‘ Αὐτὴ νῦν προτέρη, θύγατερ Διός, ἄρχεο βουλῆς.
τί χρέος; ἠὲ δόλον τινὰ μήσεαι, ᾧ κεν ἑλόντες
χρύσεον Αἰήταο μεθ' Ἑλλάδα κῶας ἄγοιντο,
ἦ καὶ τόνγ' ἐπέεσσι παραιφάμενοι πεπίθοιεν
μειλιχίοις; ἦ γὰρ ὅγ' ὑπερφίαλος πέλει αἰνῶς.
ἔμπης δ' οὔτινα πεῖραν ἀποτρωπᾶσθαι ἔοικεν.’
  ῝Ως φάτο· τὴν δὲ παρᾶσσον Ἀθηναίη προσέ-
   ειπεν·
‘ Καὶ δ' αὐτὴν ἐμὲ τοῖα μετὰ φρεσὶν ὁρμαίνουσαν,
῝Ηρη, ἀπηλεγέως ἐξείρεαι. ἀλλά τοι οὔπω
φράσσασθαι νοέω τοῦτον δόλον, ὅστις ὀνήσει   20
θυμὸν ἀριστήων· πολέας δ' ἐπεδοίασα βουλάς.’
  ῝Η, καὶ ἐπ' οὔδεος αἴγε ποδῶν πάρος ὄμματ'
   ἔπηξαν

194

BOOK III

COME now, Erato, stand by my side, and say next how Jason brought back the fleece to Iolcus aided by the love of Medea. For thou sharest the power of Cypris, and by thy love-cares dost charm unwedded maidens; wherefore to thee too is attached a name that tells of love.

Thus the heroes, unobserved, were waiting in ambush amid the thick reed-beds; but Hera and Athena took note of them, and, apart from Zeus and the other immortals, entered a chamber and took counsel together; and Hera first made trial of Athena:

"Do thou now first, daughter of Zeus, give advice. What must be done? Wilt thou devise some scheme whereby they may seize the golden fleece of Aeetes and bear it to Hellas, or can they deceive the king with soft words and so work persuasion? Of a truth he is terribly overweening. Still it is right to shrink from no endeavour."

Thus she spake, and at once Athena addressed her: "I too was pondering such thoughts in my heart, Hera, when thou didst ask me outright. But not yet do I think that I have conceived a scheme to aid the courage of the heroes, though I have balanced many plans."

She ended, and the goddesses fixed their eyes on the ground at their feet, brooding apart; and

ἄνδιχα πορφύρουσαι ἐνὶ σφίσιν· αὐτίκα δ᾽ Ἥρη
τοῖον μητιόωσα παροιτέρη ἔκφατο μῦθον·
'Δεῦρ᾽ ἴομεν μετὰ Κύπριν· ἐπιπλόμεναι δε μιν
        ἄμφω
παιδὶ ἑῷ εἰπεῖν ὀτρύνομεν, αἴ κε πίθηται
κούρην Αἰήτεω πολυφάρμακον οἷσι βέλεσσιν
θέλξαι ὀιστεύσας ἐπ᾽ Ἰήσονι. τὸν δ᾽ ἂν ὀίω
κείνης ἐννεσίῃσιν ἐς Ἑλλάδα κῶας ἀνάξειν.'

        Ὣς ἄρ᾽ ἔφη· πυκινὴ δὲ συνεύαδε μῆτις Ἀθήνῃ,   30
καί μιν ἔπειτ᾽ ἐξαῦτις ἀμείβετο μειλιχίοισιν·
'Ἥρη, νήιδα μέν με πατὴρ τέκε τοῖο βολάων,
οὐδέ τινα χρειὼ θελκτήριον οἶδα πόθοιο.
εἰ δέ σοι αὐτῇ μῦθος ἐφανδάνει, ἦ τ᾽ ἂν ἔγωγε
ἑσποίμην· σὺ δέ κεν φαίης ἔπος ἀντιόωσα.'

        Ἦ, καὶ ἀναΐξασαι ἐπὶ μέγα δῶμα νέοντο
Κύπριδος, ὅ ῥά τέ οἱ δεῖμεν πόσις ἀμφιγυήεις,
ὁππότε μιν τὰ πρῶτα παραὶ Διὸς ἦγεν ἄκοιτιν.
ἕρκεα δ᾽ εἰσελθοῦσαι ὑπ᾽ αἰθούσῃ θαλάμοιο
ἔσταν, ἵν᾽ ἐντύνεσκε θεὰ λέχος Ἡφαίστοιο.   40
ἀλλ᾽ ὁ μὲν ἐς χαλκεῶνα καὶ ἄκμονας ἦρι βεβήκει,
νήσοιο πλαγκτῆς εὐρὺν μυχόν, ᾧ ἔνι πάντα
δαίδαλα χάλκευεν ῥιπῇ πυρός· ἡ δ᾽ ἄρα μούνη
ἧστο δόμῳ δινωτὸν ἀνὰ θρόνον, ἄντα θυράων.
λευκοῖσιν δ᾽ ἑκάτερθε κόμας ἐπιειμένη ὤμοις
κόσμει χρυσείῃ διὰ κερκίδι, μέλλε δὲ μακροὺς
πλέξασθαι πλοκάμους· τὰς δὲ προπάροιθεν ἰδοῦσα
ἔσχεθεν, εἴσω τέ σφ᾽ ἐκάλει, καὶ ἀπὸ θρόνου ὦρτο,
εἷσέ τ᾽ ἐνὶ κλισμοῖσιν· ἀτὰρ μετέπειτα καὶ αὐτὴ
ἵζανεν, ἀψήκτους δὲ χεροῖν ἀνεδήσατο χαίτας.   50
τοῖα δὲ μειδιόωσα προσέννεπεν αἱμυλίοισιν·

196

straightway Hera was the first to speak her thought :
"Come, let us go to Cypris; let both of us accost her
and urge her to bid her son (if only he will obey)
speed his shaft at the daughter of Aeetes, the
enchantress, and charm her with love for Jason.
And I deem that by her device he will bring back
the fleece to Hellas."

Thus she spake, and the prudent plan pleased
Athena, and she addressed her in reply with gentle
words :

"Hera, my father begat me to be a stranger to
the darts of love, nor do I know any charm to work
desire. But if the word pleases thee, surely I will
follow ; but thou must speak when we meet her."

So she said, and starting forth they came to the
mighty palace of Cypris, which her husband, the
halt-footed god, had built for her when first he
brought her from Zeus to be his wife. And entering
the court they stood beneath the gallery of the
chamber where the goddess prepared the couch of
Hephaestus. But he had gone early to his forge
and anvils to a broad cavern in a floating island where
with the blast of flame he wrought all manner of
curious work ; and she all alone was sitting within, on
an inlaid seat facing the door. And her white
shoulders on each side were covered with the mantle
of her hair and she was parting it with a golden
comb and about to braid up the long tresses ; but
when she saw the goddesses before her, she stayed
and called them within, and rose from her seat and
placed them on couches. Then she herself sat
down, and with her hands gathered up the locks
still uncombed. And smiling she addressed them
with crafty words :

' Ἠθεῖαι, τίς δεῦρο νόος χρειώ τε κομίζει
δηναιὰς αὔτως; τί δ' ἱκάνετον, οὔτι πάρος γε
λίην φοιτίζουσαι, ἐπεὶ περίεστε θεάων;'
    Τὴν δ' Ἥρη τοίοισιν ἀμειβομένη προσέειπεν·
' Κερτομέεις· νῶιν δὲ κέαρ συνορίνεται ἄτῃ.
ἤδη γὰρ ποταμῷ ἐνὶ Φάσιδι νῆα κατίσχει
Αἰσονίδης, ἠδ' ἄλλοι ὅσοι μετὰ κῶας ἕπονται.
τῶν ἤτοι πάντων μέν, ἐπεὶ πέλας ἔργον ὄρωρεν,
δείδιμεν ἐκπάγλως, περὶ δ' Αἰσονίδαο μάλιστα.   60
τὸν μὲν ἐγών, εἰ καί περ ἐς Ἅιδα ναυτίλληται
λυσόμενος χαλκέων Ἰξίονα νειόθι δεσμῶν,
ῥύσομαι, ὅσσον ἐμοῖσιν ἐνὶ σθένος ἔπλετο γυίοις,
ὄφρα μὴ ἐγγελάσῃ Πελίης κακὸν οἶτον ἀλύξας,
ὅς μ' ὑπερηνορέῃ θυέων ἀγέραστον ἔθηκεν.
καὶ δ' ἄλλως ἔτι καὶ πρὶν ἐμοὶ μέγα φίλατ' Ἰήσων
ἐξότ' ἐπὶ προχοῇσιν ἅλις πλήθοντος Ἀναύρου
ἀνδρῶν εὐνομίης πειρωμένη ἀντεβόλησεν
θήρης ἐξανιών· νιφετῷ δ' ἐπαλύνετο πάντα
οὔρεα καὶ σκοπιαὶ περιμήκεες, οἱ δὲ κατ' αὐτῶν   70
χείμαρροι καναχηδὰ κυλινδόμενοι φορέοντο.
γρηὶ δέ μ' εἰσαμένην ὀλοφύρατο, καί μ' ἀναείρας
αὐτὸς ἑοῖς ὤμοισι διὲκ προαλὲς φέρεν ὕδωρ.
τῷ νύ μοι ἄλληκτον περιτίεται· οὐδέ κε λώβην
τίσειεν Πελίης, εἰ μή σύ γε νόστον ὀπάσσεις.'
    Ὣς ηὔδα. Κύπριν δ' ἐνεοστασίη λάβε μύθων.
ἅζετο δ' ἀντομένην Ἥρην ἕθεν εἰσορόωσα,
καί μιν ἔπειτ' ἀγανοῖσι προσέννεπεν ἤγ' ἐπέεσσιν·
' Πότνα θεά, μή τοί τι κακώτερον ἄλλο πέλοιτο
Κύπριδος, εἰ δὴ σεῖο λιλαιομένης ἀθερίζω   80
ἢ ἔπος ἠέ τι ἔργον, ὅ κεν χέρες αἵγε κάμοιεν
ἠπεδαναί· καὶ μή τις ἀμοιβαίη χάρις ἔστω.'
198

"Good friends, what intent, what occasion brings you here after so long? Why have ye come, not too frequent visitors before, chief among goddesses that ye are?"

And to her Hera replied: "Thou dost mock us, but our hearts are stirred with calamity. For already on the river Phasis the son of Aeson moors his ship, he and his comrades in quest of the fleece. For all their sakes we fear terribly (for the task is nigh at hand) but most for Aeson's son. Him will I deliver, though he sail even to Hades to free Ixion below from his brazen chains, as far as strength lies in my limbs, so that Pelias may not mock at having escaped an evil doom—Pelias who left me unhonoured with sacrifice. Moreover Jason was greatly loved by me before, ever since at the mouth of Anaurus in flood, as I was making trial of men's righteousness, he met me on his return from the chase; and all the mountains and long ridged peaks were sprinkled with snow, and from them the torrents rolling down were rushing with a roar. And he took pity on me in the likeness of an old crone, and raising me on his shoulders himself bore me through the headlong tide. So he is honoured by me unceasingly; nor will Pelias pay the penalty of his outrage, unless thou wilt grant Jason his return."

Thus she spake, and speechlessness seized Cypris. And beholding Hera supplicating her she felt awe, and then addressed her with friendly words: "Dread goddess, may no viler thing than Cypris ever be found, if I disregard thy eager desire in word or deed, whatever my weak arms can effect; and let there be no favour in return."

ʿΩς ἔφαθ'· Ἥρη δ' αὖτις ἐπιφραδέως ἀγόρευσεν·
'Οὔτι βίης χατέουσαι ἱκάνομεν, οὐδέ τι χειρῶν.
ἀλλ' αὔτως ἀκέουσα τεῷ ἐπικέκλεο παιδὶ
παρθένον Αἰήτεω θέλξαι πόθῳ Αἰσονίδαο.
εἰ γάρ οἱ κείνη συμφράσσεται εὐμενέουσα,
ῥηιδίως μιν ἑλόντα δέρος χρύσειον ὀίω
νοστήσειν ἐς Ἰωλκόν, ἐπεὶ δολόεσσα τέτυκται.'
    ʿΩς ἄρ' ἔφη· Κύπρις δὲ μετ' ἀμφοτέρῃσιν ἔειπεν· 90
'Ἥρη, Ἀθηναίη τε, πίθοιτό κεν ὔμμι μάλιστα,
ἢ ἐμοί. ὑμείων γὰρ ἀναιδήτῳ περ ἐόντι
τυτθή γ' αἰδὼς ἔσσετ' ἐν ὄμμασιν· αὐτὰρ ἐμεῖο
οὐκ ὄθεται, μάλα δ' αἰὲν ἐριδμαίνων ἀθερίζει.
καὶ δή οἱ μενέηνα, περισχομένη κακότητι,
αὐτοῖσιν τόξοισι δυσηχέας ἆξαι ὀιστοὺς
ἀμφαδίην. τοῖον γὰρ ἐπηπείλησε χαλεφθείς,
εἰ μὴ τηλόθι χεῖρας, ἕως ἔτι θυμὸν ἐρύκει,
ἕξω ἐμάς, μετέπειτά γ' ἀτεμβοίμην ἑοῖ αὐτῇ.'
    ʿΩς φάτο· μείδησαν δὲ θεαί, καὶ ἐσέδρακον ἄντην 100
ἀλλήλαις. ἡ δ' αὖτις ἀκηχεμένη προσέειπεν·
'Ἄλλοις ἄλγεα τἀμὰ γέλως πέλει· οὐδέ τί με χρὴ
μυθεῖσθαι πάντεσσιν· ἅλις εἰδυῖα καὶ αὐτή.
νῦν δ' ἐπεὶ ὔμμι φίλον τόδε δὴ πέλει ἀμφοτέρῃσιν,
πειρήσω, καί μιν μειλίξομαι, οὐδ' ἀπιθήσει.'
    ʿΩς φάτο· τὴν δ' Ἥρη ῥαδινῆς ἐπεμάσσατο
        χειρός,
ἦκα δὲ μειδιόωσα παραβλήδην προσέειπεν·
'Οὕτω νῦν, Κυθέρεια, τόδε χρέος, ὡς ἀγορεύεις,
ἔρξον ἄφαρ· καὶ μή τι χαλέπτεο, μηδ' ἐρίδαινε
χωομένη σῷ παιδί· μεταλλήξει γὰρ ὀπίσσω.' 110
    Ἦ ῥα, καὶ ἔλλιπε θῶκον· ἐφωμάρτησε δ' Ἀθήνη·
ἐκ δ' ἴσαν ἄμφω ταίγε παλίσσυτοι. ἡ δὲ καὶ αὐτὴ
βῆ ῥ' ἴμεν Οὐλύμποιο κατὰ πτύχας, εἴ μιν ἐφεύροι.

She spake, and Hera again addressed her with
prudence: "It is not in need of might or of
strength that we have come. But just quietly
bid thy boy charm Aeetes' daughter with love
for Jason. For if she will aid him with her kindly
counsel, easily do I think he will win the fleece of
gold and return to Iolcus, for she is full of wiles."

Thus she spake, and Cypris addressed them both:
"Hera and Athena, he will obey you rather than
me. For unabashed though he is, there will be
some slight shame in his eyes before you; but he
has no respect for me, but ever slights me in
contentious mood. And, overborne by his naughti-
ness, I purpose to break his ill-sounding arrows and
his bow in his very sight. For in his anger he has
threatened that if I shall not keep my hands off
him while he still masters his temper, I shall have
cause to blame myself thereafter."

So she spake, and the goddesses smiled and looked
at each other. But Cypris again spoke, vexed at
heart: "To others my sorrows are a jest; nor
ought I to tell them to all; I know them too well
myself. But now, since this pleases you both, I will
make the attempt and coax him, and he will not say
me nay."

Thus she spake, and Hera took her slender hand
and gently smiling, replied: "Perform this task,
Cytherea, straightway, as thou sayest; and be not
angry or contend with thy boy; he will cease here-
after to vex thee."

She spake, and left her seat, and Athena accom-
panied her and they went forth both hastening back.
And Cypris went on her way through the glens of
Olympus to find her boy. And she found him apart,

εὗρε δὲ τόνγ' ἀπάνευθε Διὸς θαλερῇ ἐν ἀλωῇ,
οὐκ οἶον, μετὰ καὶ Γανυμήδεα, τόν ῥά ποτε Ζεὺς
οὐρανῷ ἐγκατένασσεν ἐφέστιον ἀθανάτοισιν,
κάλλεος ἱμερθείς. ἀμφ' ἀστραγάλοισι δὲ τώγε
χρυσείοις, ἅτε κοῦροι ὁμήθεες, ἑψιόωντο.
καί ῥ' ὁ μὲν ἤδη πάμπαν ἐνίπλεον ᾧ ὑπὸ μαζῷ
μάργος Ἔρως λαιῆς ὑποΐσχανε χειρὸς ἀγοστόν,   120
ὀρθὸς ἐφεστηώς· γλυκερὸν δέ οἱ ἀμφὶ παρειὰς
χροιῇ θάλλεν ἔρευθος. ὁ δ' ἐγγύθεν ὀκλαδὸν ἧστο
σῖγα κατηφιόων· δοιὼ δ' ἔχεν, ἄλλον ἔτ' αὔτως
ἄλλῳ ἐπιπροΐεις, κεχόλωτο δὲ καγχαλόωντι.
καὶ μὴν τούσγε παρᾶσσον ἐπὶ προτέροισιν ὀλέσσας
βῆ κενεαῖς σὺν χερσὶν ἀμήχανος, οὐδ' ἐνόησεν
Κύπριν ἐπιπλομένην. ἡ δ' ἀντίη ἵστατο παιδός,
καί μιν ἄφαρ γναθμοῖο κατασχομένη προσέειπεν·
'Τίπτ' ἐπιμειδιάας, ἄφατον κακόν; ἦέ μιν αὔτως
ἤπαφες, οὐδὲ δίκῃ περιέπλεο νῆιν ἐόντα;   130
εἰ δ' ἄγε μοι πρόφρων τέλεσον χρέος, ὅττι κεν
        εἴπω·
καί κέν τοι ὀπάσαιμι Διὸς περικαλλὲς ἄθυρμα
κεῖνο, τό οἱ ποίησε φίλη τροφὸς Ἀδρήστεια
ἄντρῳ ἐν Ἰδαίῳ ἔτι νήπια κουρίζοντι,
σφαῖραν ἐυτρόχαλον, τῆς οὐ σύγε μείλιον ἄλλο
χειρῶν Ἡφαίστοιο κατακτεατίσσῃ ἄρειον.
χρύσεα μέν οἱ κύκλα τετεύχαται· ἀμφὶ δ' ἑκάστῳ
διπλόαι ἁψῖδες περιηγέες εἱλίσσονται·
κρυπταὶ δὲ ῥαφαί εἰσιν· ἕλιξ δ' ἐπιδέδρομε πάσαις
κυανέη. ἀτὰρ εἴ μιν ἑαῖς ἐνὶ χερσὶ βάλοιο,   140
ἀστὴρ ὥς, φλεγέθοντα δι' ἠέρος ὁλκὸν ἵησιν.
τήν τοι ἐγὼν ὀπάσω· σὺ δὲ παρθένον Αἰήταο
θέλξον ὀιστεύσας ἐπ' Ἰήσονι· μηδέ τις ἔστω
ἀμβολίη. δὴ γάρ κεν ἀφαυροτέρη χάρις εἴη.'

in the blooming orchard of Zeus, not alone, but with him Ganymedes, whom once Zeus had set to dwell among the immortal gods, being enamoured of his beauty. And they were playing for golden dice, as boys in one house are wont to do. And already greedy Eros was holding the palm of his left hand quite full of them under his breast, standing upright; and on the bloom of his cheeks a sweet blush was glowing. But the other sat crouching hard by, silent and downcast, and he had two dice left which he threw one after the other, and was angered by the loud laughter of Eros. And lo, losing them straightway with the former, he went off empty-handed, helpless, and noticed not the approach of Cypris. And she stood before her boy, and laying her hand on his lips, addressed him:

"Why dost thou smile in triumph, unutterable rogue? Hast thou cheated him thus, and unjustly overcome the innocent child? Come, be ready to perform for me the task I will tell thee of, and I will give thee Zeus' all-beauteous plaything—the one which his dear nurse Adrasteia made for him, while he still lived a child, with childish ways, in the Idaean cave—a well-rounded ball; no better toy wilt thou get from the hands of Hephaestus. All of gold are its zones, and round each double seams run in a circle; but the stitches are hidden, and a dark blue spiral overlays them all. But if thou shouldst cast it with thy hands, lo, like a star, it sends a flaming track through the sky. This I will give thee; and do thou strike with thy shaft and charm the daughter of Aeetes with love for Jason; and let there be no loitering. For then my thanks would be the slighter."

Ὣς φάτο· τῷ δ' ἀσπαστὸν ἔπος γένετ' εἰσαίοντι.
μείλια δ' ἔκβαλε πάντα, καὶ ἀμφοτέρῃσι χιτῶνος
νωλεμὲς ἔνθα καὶ ἔνθα θεᾶς ἔχεν ἀμφιμεμαρπώς.
λίσσετο δ' αἶψα πορεῖν αὐτοσχεδόν· ἡ δ' ἀγανοῖσιν
ἀντομένη μύθοισιν, ἐπειρύσσασα παρειάς,
κύσσε ποτισχομένη, καὶ ἀμείβετο μειδιόωσα·   150

'Ἴστω νῦν τόδε σεῖο φίλον κάρη ἠδ' ἐμὸν αὐτῆς,
ἦ μέν τοι δῶρόν γε παρέξομαι, οὐδ' ἀπατήσω,
εἴ κεν ἐνισκίμψῃς κούρῃ βέλος Αἰήταο.'

Φῆ· ὁ δ' ἄρ' ἀστραγάλους συναμήσατο, κὰδ δὲ
         φαεινῷ
μητρὸς ἑῆς εὖ πάντας ἀριθμήσας βάλε κόλπῳ.
αὐτίκα δ' ἰοδόκην χρυσέῃ περικάτθετο μίτρῃ
πρέμνῳ κεκλιμένην· ἀνὰ δ' ἀγκύλον εἵλετο τόξον.
βῆ δὲ διὲκ μεγάροιο Διὸς πάγκαρπον ἀλωήν.
αὐτὰρ ἔπειτα πύλας ἐξήλυθεν Οὐλύμποιο
αἰθερίας· ἔνθεν δὲ καταιβάτις ἐστὶ κέλευθος   160
οὐρανίη· δοιὼ δὲ πόλοι ἀνέχουσι κάρηνα
οὐρέων ἠλιβάτων, κορυφαὶ χθονός, ἧχί τ' ἀερθεὶς
ἠέλιος πρώτῃσιν ἐρεύθεται[1] ἀκτίνεσσιν.
νειόθι δ' ἄλλοτε γαῖα φερέσβιος ἄστεά τ' ἀνδρῶν
φαίνετο καὶ ποταμῶν ἱεροὶ ῥόοι, ἄλλοτε δ' αὖτε
ἄκριες, ἀμφὶ δὲ πόντος ἂν' αἰθέρα πολλὸν ἰόντι.

Ἥρωες δ' ἀπάνευθεν ἑῆς ἐπὶ σέλμασι νηὸς
ἐν ποταμῷ καθ' ἕλος λελοχημένοι ἠγορόωντο.
αὐτὸς δ' Αἰσονίδης μετεφώνεεν· οἱ δ' ὑπάκουον
ἠρέμας ᾗ ἐνὶ χώρῃ ἐπισχερὼ ἑδριόωντες·   170
'Ὦ φίλοι, ἤτοι ἐγὼ μὲν ὅ μοι ἐπιανδάνει αὐτῷ
ἐξερέω· τοῦ δ' ὕμμι τέλος κρηῆναι ἔοικεν.

_____
[1] ἐρεύθεται G, one Parisian : ἐρεύγεται L: ἐρείδεται Merkel.

Thus she spake, and welcome were her words to the listening boy. And he threw down all his toys, and eagerly seizing her robe on this side and on that, clung to the goddess. And he implored her to bestow the gift at once; but she, facing him with kindly words, touched his cheeks, kissed him and drew him to her, and replied with a smile:

"Be witness now thy dear head and mine, that surely I will give thee the gift and deceive thee not, if thou wilt strike with thy shaft Aeetes' daughter."

She spoke, and he gathered up his dice, and having well counted them all threw them into his mother's gleaming lap. And straightway with golden baldric he slung round him his quiver from where it leant against a tree-trunk, and took up his curved bow. And he fared forth through the fruitful orchard of the palace of Zeus. Then he passed through the gates of Olympus high in air; hence is a downward path from heaven; and the twin poles rear aloft steep mountain tops—the highest crests of earth, where the risen sun grows ruddy with his first beams. And beneath him there appeared now the life-giving earth and cities of men and sacred streams of rivers, and now in turn mountain peaks and the ocean all around, as he swept through the vast expanse of air.

Now the heroes apart in ambush, in a back-water of the river, were met in council, sitting on the benches of their ship. And Aeson's son himself was speaking among them; and they were listening silently in their places sitting row upon row: "My friends, what pleases myself that will I say out; it is for you to bring about its fulfilment. For in

ξυνὴ γὰρ χρειώ, ξυνοὶ δέ τε μῦθοι ἔασιν
πᾶσιν ὁμῶς· ὁ δὲ σῖγα νόον βουλήν τ' ἀπερύκων
ἴστω καὶ νόστου τόνδε στόλον οἷος ἀπούρας.
ὦλλοι μὲν κατὰ νῆα σὺν ἔντεσι μίμνεθ' ἔκηλοι·
αὐτὰρ ἐγὼν ἐς δώματ' ἐλεύσομαι Αἰήταο,
υἷας ἑλὼν Φρίξοιο δύω δ' ἐπὶ τοῖσιν ἑταίρους.
πειρήσω δ' ἐπέεσσι παροίτερον ἀντιβολήσας,
εἴ κ' ἐθέλοι φιλότητι δέρος χρύσειον ὀπάσσαι,   180
ἦε καὶ οὔ, πίσυνος δὲ βίῃ μετιόντας ἀτίσσει.
ὧδε γὰρ ἐξ αὐτοῖο πάρος κακότητα δαέντες
φρασσόμεθ' εἴτ' ἄρηι συνοισόμεθ', εἴτε τις ἄλλη
μῆτις ἐπίρροθος ἔσται ἐεργομένοισιν αὐτῆς.
μηδ' αὔτως ἀλκῇ, πρὶν ἔπεσσί γε πειρηθῆναι,
τόνδ' ἀπαμείρωμεν σφέτερον κτέρας. ἀλλὰ πάρ-
        οιθεν
λωίτερον μύθῳ μιν ἀρέσσασθαι μετιόντας.
πολλάκι τοι ῥέα μῦθος, ὅ κεν μόλις ἐξανύσειεν
ἠνορέη, τόδ' ἔρεξε κατὰ χρέος, ᾗπερ ἐῴκει
πρηΰνας. ὁ δὲ καί ποτ' ἀμύμονα Φρίξον ἔδεκτο   190
μητρυιῆς φεύγοντα δόλον πατρός τε θυηλάς.
πάντες ἐπεὶ πάντῃ καὶ ὅτις μάλα κύντατος ἀνδρῶν,
Ξεινίου αἰδεῖται Ζηνὸς θέμιν ἠδ' ἀλεγίζει.'
    Ὣς φάτ'· ἐπήνησαν δὲ νέοι ἔπος Αἰσονίδαο
πασσυδίῃ, οὐδ' ἔσκε παρὲξ ὅτις ἄλλο κελεύοι.
καὶ τότ' ἄρ' υἷας Φρίξου Τελαμῶνά θ' ἕπεσθαι
ὦρσε καὶ Αὐγείην· αὐτὸς δ' ἕλεν Ἑρμείαο
σκῆπτρον· ἄφαρ δ' ἄρα νηὸς ὑπὲρ δόνακάς τε καὶ
        ὕδωρ
χέρσονδ' ἐξαπέβησαν ἐπὶ θρωσμοῦ πεδίοιο.

common is our task, and common to all alike is the
right of speech ; and he who in silence withholds his
thought and his counsel, let him know that it is he
alone that bereaves this band of its home-return.
Do ye others rest here in the ship quietly with your
arms ; but I will go to the palace of Aeetes, taking
with me the sons of Phrixus and two comrades as
well. And when I meet him I will first make trial
with words to see if he will be willing to give up the
golden fleece for friendship's sake or not, but
trusting to his might will set at nought our quest.
For so, learning his frowardness first from himself,
we will consider whether we shall meet him
in battle, or some other plan shall avail us, if
we refrain from the war-cry. And let us not
merely by force, before putting words to the test,
deprive him of his own possession. But first it
is better to go to him and win his favour by
speech. Oftentimes, I ween, does speech accomplish
at need what prowess could hardly carry through,
smoothing the path in manner befitting. And he
once welcomed noble Phrixus, a fugitive from his
stepmother's wiles and the sacrifice prepared by his
father. For all men everywhere, even the most
shameless, reverence the ordinance of Zeus, god of
strangers, and regard it."

Thus he spake, and the youths approved the
words of Aeson's son with one accord, nor was there
one to counsel otherwise. And then he summoned
to go with him the sons of Phrixus, and Telamon
and Augeias ; and himself took Hermes' wand ; and
at once they passed forth from the ship beyond the
reeds and the water to dry land, towards the rising
ground of the plain. The plain, I wis, is called

Κιρκαῖον τόδε που κικλήσκεται· ἔνθα δὲ πολλαὶ   200
ἐξείης πρόμαλοί τε καὶ ἰτέαι ἐκπεφύασιν,
τῶν καὶ ἐπ᾽ ἀκροτάτων νέκυες σειρῇσι κρέμανται
δέσμιοι. εἰσέτι νῦν γὰρ ἄγος Κόλχοισιν ὄρωρεν
ἀνέρας οἰχομένους πυρὶ καιέμεν· οὐδ᾽ ἐνὶ γαίῃ
ἔστι θέμις στείλαντας ὕπερθ᾽ ἐπὶ σῆμα χέεσθαι,
ἀλλ᾽ ἐν ἀδεψήτοισι κατειλύσαντε βοείαις
δενδρέων ἐξάπτειν ἑκὰς ἄστεος. ἠέρι δ᾽ ἴσην
καὶ χθὼν ἔμμορεν αἶσαν, ἐπεὶ χθονὶ ταρχύουσιν
θηλυτέρας· ἡ γάρ τε δίκη θεσμοῖο τέτυκται.
    Τοῖσι δὲ νισσομένοις Ἥρη φίλα μητιόωσα   210
ἠέρα πουλὺν ἐφῆκε δι᾽ ἄστεος, ὄφρα λάθοιεν
Κόλχων μυρίον ἔθνος ἐς Αἰήταο κιόντες.
ὦκα δ᾽ ὅτ᾽ ἐκ πεδίοιο πόλιν καὶ δώμαθ᾽ ἵκοντο
Αἰήτεω, τότε δ᾽ αὖτις ἀπεσκέδασεν νέφος Ἥρη.
ἔσταν δ᾽ ἐν προμολῇσι τεθηπότες ἕρκε᾽ ἄνακτος
εὐρείας τε πύλας καὶ κίονας, οἳ περὶ τοίχους
ἑξείης ἄνεχον· θριγκὸς δ᾽ ἐφύπερθε δόμοιο
λαΐνεος χαλκέῃσιν ἐπὶ γλυφίδεσσιν ἀρήρει.
εὔκηλοι δ᾽ ὑπὲρ οὐδὸν ἔπειτ᾽ ἔβαν. ἄγχι δὲ τοῖο
ἡμερίδες χλοεροῖσι καταστεφέες πετάλοισιν   220
ὑψοῦ ἀειρόμεναι μέγ᾽ ἐθήλεον. αἱ δ᾽ ὑπὸ τῇσιν
ἀέναοι κρῆναι πίσυρες ῥέον, ἃς ἐλάχηνεν
Ἥφαιστος. καί ῥ᾽ ἡ μὲν ἀναβλύεσκε γάλακτι,
ἡ δ᾽ οἴνῳ, τριτάτη δὲ θυώδεϊ νᾶεν ἀλοιφῇ·
ἡ δ᾽ ἄρ᾽ ὕδωρ προρέεσκε, τὸ μέν ποθι δυομένῃσιν
θέρμετο Πληιάδεσσιν, ἀμοιβηδὶς δ᾽ ἀνιούσαις
κρυστάλλῳ ἴκελον κοίλης ἀνεκήκιε πέτρης.
τοῖ᾽ ἄρ᾽ ἐνὶ μεγάροισι Κυταιέος Αἰήταο
τεχνήῃς Ἥφαιστος ἐμήσατο θέσκελα ἔργα.
καί οἱ χαλκόποδας ταύρους κάμε, χάλκεα δέ σφεων   230

Circe's; and here in line grow many willows and
osiers, on whose topmost branches hang corpses
bound with cords. For even now it is an abomina-
tion with the Colchians to burn dead men with fire;
nor is it lawful to place them in the earth and raise
a mound above, but to wrap them in untanned
oxhides and suspend them from trees far from the
city. And so earth has an equal portion with air,
seeing that they bury the women; for that is the
custom of their land.

And as they went Hera with friendly thought
spread a thick mist through the city, that they
might fare to the palace of Aeetes unseen by the
countless hosts of the Colchians. But soon when
from the plain they came to the city and Aeetes'
palace, then again Hera dispersed the mist. And
they stood at the entrance, marvelling at the king's
courts and the wide gates and columns which rose
in ordered lines round the walls; and high up on
the palace a coping of stone rested on brazen
triglyphs. And silently they crossed the threshold.
And close by garden vines covered with green foliage
were in full bloom, lifted high in air. And
beneath them ran four fountains, ever-flowing, which
Hephaestus had delved out. One was gushing with
milk, one with wine, while the third flowed with
fragrant oil; and the fourth ran with water, which
grew warm at the setting of the Pleiads, and in turn
at their rising bubbled forth from the hollow rock,
cold as crystal. Such then were the wondrous works
that the craftsman-god Hephaestus had fashioned
in the palace of Cytaean Aeetes. And he wrought
for him bulls with feet of bronze, and their
mouths were of bronze, and from them they breathed

ἦν στόματ᾽, ἐκ δὲ πυρὸς δεινὸν σέλας ἀμπνείεσκον·
πρὸς δὲ καὶ αὐτόγυον στιβαροῦ ἀδάμαντος ἄροτρον
ἤλασεν, Ἡελίῳ τίνων χάριν, ὅς ῥά μιν ἵπποις
δέξατο, Φλεγραίῃ κεκμηότα δηιοτῆτι.
ἔνθα δὲ καὶ μέσσαυλος ἐλήλατο· τῇ δ᾽ ἐπὶ πολλαὶ
δικλίδες εὐπηγεῖς θάλαμοί τ᾽ ἔσαν ἔνθα καὶ ἔνθα.
δαιδαλέη δ᾽ αἴθουσα παρὲξ ἑκάτερθε τέτυκτο.
λέχρις δ᾽ αἰπύτεροι δόμοι ἔστασαν ἀμφοτέρωθεν.
τῶν ἤτοι ἄλλῳ μέν, ὅτις καὶ ὑπείροχος ἦεν,
κρείων Αἰήτης σὺν ἑῇ ναίεσκε δάμαρτι·
ἄλλῳ δ᾽ Ἄψυρτος ναῖεν πάις Αἰήταο,   240
τὸν μὲν Καυκασίη νύμφη τέκεν Ἀστερόδεια
πρίν περ κουριδίην θέσθαι Εἰδυῖαν ἄκοιτιν,
Τηθύος Ὠκεανοῦ τε πανοπλοτάτην γεγαυῖαν.
καί μιν Κόλχων υἷες ἐπωνυμίην Φαέθοντα
ἔκλεον, οὕνεκα πᾶσι μετέπρεπεν ἠιθέοισιν.
τοὺς δ᾽ ἔχον ἀμφίπολοί τε καὶ Αἰήταο θύγατρες
ἄμφω, Χαλκιόπη Μήδειά τε. τὴν μὲν ἄρ᾽ οἵγε [1]
ἐκ θαλάμου θαλαμόνδε κασιγνήτην μετιοῦσαν—
Ἥρη γάρ μιν ἔρυκε δόμῳ· πρὶν δ᾽ οὔτι θάμιζεν   250
ἐν μεγάροις, Ἑκάτης δὲ πανήμερος ἀμφεπονεῖτο
νηόν, ἐπεί ῥα θεᾶς αὐτὴ πέλεν ἀρήτειρα—
καί σφεας ὡς ἴδεν ἆσσον, ἀνίαχεν· ὀξὺ δ᾽ ἄκουσεν
Χαλκιόπη· δμωαὶ δὲ ποδῶν προπάροιθε βαλοῦσαι
νήματα καὶ κλωστῆρας ἀολλέες ἔκτοθι πᾶσαι
ἔδραμον. ἡ δ᾽ ἅμα τοῖσιν ἑοὺς υἷας ἰδοῦσα
ὑψοῦ χάρματι χεῖρας ἀνέσχεθεν· ὡς δὲ καὶ αὐτοὶ
μητέρα δεξιόωντο, καὶ ἀμφαγάπαζον ἰδόντες
γηθόσυνοι· τοῖον δὲ κινυρομένη φάτο μῦθον·

---

[1] τὴν μὲν ἄρ᾽ οἵγε . . . μετιοῦσαν two Vatican, L² by correction: τῇ μὲν ἄρ᾽ οἵγε . . . μετιοῦσαν LG: ἡ μὲν ἄρ᾽ ῆει . . . μετιοῦσα some Parisian.

out a terrible flame of fire; moreover he forged a plough of unbending adamant, all in one piece, in payment of thanks to Helios, who had taken the god up in his chariot when faint from the Phlegraean fight.[1] And here an inner-court was built, and round it were many well-fitted doors and chambers here and there, and all along on each side was a richly-wrought gallery. And on both sides loftier buildings stood obliquely. In one, which was the loftiest, lordly Aeetes dwelt with his queen; and in another dwelt Apsyrtus, son of Aeetes, whom a Caucasian nymph, Asterodeia, bare before he made Eidyia his wedded wife, the youngest daughter of Tethys and Oceanus. And the sons of the Colchians called him by the new name of Phaëthon,[2] because he outshone all the youths. The other buildings the handmaidens had, and the two daughters of Aeetes, Chalciope and Medea. Medea then [they found] going from chamber to chamber in search of her sister, for Hera detained her within that day; but beforetime she was not wont to haunt the palace, but all day long was busied in Hecate's temple, since she herself was the priestess of the goddess. And when she saw them she cried aloud, and quickly Chalciope caught the sound; and her maids, throwing down at their feet their yarn and their thread, rushed forth all in a throng. And she, beholding her sons among them, raised her hands aloft through joy; and so they likewise greeted their mother, and when they saw her embraced her in their gladness; and she with many sobs spoke thus:

[1] i.e. the fight between the gods and the giants.
[2] i.e. the Shining One.

'Ἔμπης οὐκ ἄρ' ἐμέλλετ' ἀκηδείῃ με λιπόντες 260
τηλόθι πλάγξασθαι· μετὰ δ' ὑμέας ἔτραπεν αἶσα.
δειλὴ ἐγώ, οἷον πόθον Ἑλλάδος ἔκποθεν ἄτης
λευγαλέης Φρίξοιο ἐφημοσύνῃσιν ἕλεσθε
πατρός. ὁ μὲν θνήσκων στυγερὰς ἐπετείλατ' ἀνίας
ἡμετέρῃ κραδίῃ. τί δέ κεν πόλιν Ὀρχομενοῖο,
ὅστις ὅδ' Ὀρχομενός, κτεάνων Ἀθάμαντος ἕκητι
μητέρ' ἐὴν ἀχέουσαν ἀποπρολιπόντες, ἵκοισθε;'
Ὣς ἔφατ'· Αἰήτης δὲ πανύστατος ὦρτο θύραζε,
ἐκ δ' αὐτὴ Εἰδυῖα δάμαρ κίεν Αἰήταο,
Χαλκιόπης ἀίουσα· τὸ δ' αὐτίκα πᾶν ὁμάδοιο 270
ἕρκος ἐπεπλήθει. τοὶ μὲν μέγαν ἀμφιπένοντο
ταῦρον ἅλις δμῶες· τοὶ δὲ ξύλα κάγκανα χαλκῷ
κόπτον· τοὶ δὲ λοετρὰ πυρὶ ζέον· οὐδέ τις ἦεν,
ὃς καμάτου μεθίεσκεν, ὑποδρήσσων βασιλῆι.

Τόφρα δ' Ἔρως πολιοῖο δι' ἠέρος ἷξεν ἄφαντος,
τετρηχώς, οἷόν τε νέαις ἐπὶ φορβάσιν οἶστρος
τέλλεται, ὅντε μύωπα βοῶν κλείουσι νομῆες.
ὦκα δ' ὑπὸ φλιὴν προδόμῳ ἔνι τόξα τανύσσας
ἰοδόκης ἀβλῆτα πολύστονον ἐξέλετ' ἰόν.
ἐκ δ' ὅγε καρπαλίμοισι λαθὼν ποσὶν οὐδὸν ἄμειψεν 280
ὀξέα δενδίλλων· αὐτῷ θ' ὑπὸ βαιὸς ἐλυσθεὶς
Αἰσονίδῃ γλυφίδας μέσσῃ ἐνικάτθετο νευρῇ,
ἰθὺς δ' ἀμφοτέρῃσι διασχόμενος παλάμῃσιν
ἧκ' ἐπὶ Μηδείῃ· τὴν δ' ἀμφασίῃ λάβε θυμόν.
αὐτὸς δ' ὑψορόφοιο παλιμπετὲς ἐκ μεγάροιο
καγχαλόων ἤιξε· βέλος δ' ἐνεδαίετο κούρῃ
νέρθεν ὑπὸ κραδίῃ, φλογὶ εἴκελον· ἀντία δ' αἰεὶ
βάλλεν ὑπ' Αἰσονίδην ἀμαρύγματα, καί οἱ ἄηντο

" After all then, ye were not destined to leave me in your heedlessness and to wander far; but fate has turned you back. Poor wretch that I am ! What a yearning for Hellas from some woeful madness seized you at the behest of your father Phrixus. Bitter sorrows for my heart did he ordain when dying. And why should ye go to the city of Orchomenus, whoever this Orchomenus is, for the sake of Athamas' wealth, leaving your mother alone to bear her grief ? "

Such were her words; and Aeetes came forth last of all and Eidyia herself came, the queen of Aeetes, on hearing the voice of Chalciope; and straightway all the court was filled with a throng. Some of the thralls were busied with a mighty bull, others with the axe were cleaving dry billets, and others heating with fire water for the baths; nor was there one who relaxed his toil, serving the king.

Meantime Eros passed unseen through the grey mist, causing confusion, as when against grazing heifers rises the gadfly, which oxherds call the breese. And quickly beneath the lintel in the porch he strung his bow and took from the quiver an arrow unshot before, messenger of pain. And with swift feet unmarked he passed the threshold and keenly glanced around; and gliding close by Aeson's son he laid the arrow-notch on the cord in the centre, and drawing wide apart with both hands he shot at Medea; and speechless amazement seized her soul. But the god himself flashed back again from the high-roofed hall, laughing loud; and the bolt burnt deep down in the maiden's heart, like a flame; and ever she kept darting bright glances straight up at Aeson's son, and within her breast her

στηθέων ἐκ πυκιναὶ καμάτῳ φρένες, οὐδέ τιν' ἄλλην
μνῆστιν ἔχεν, γλυκερῇ δὲ κατείβετο θυμὸν ἀνίῃ.   290
ὡς δὲ γυνὴ μαλερῷ περὶ κάρφεα χεύατο δαλῷ
χερνῆτις, τῇπερ ταλασήια ἔργα μέμηλεν,
ὥς κεν ὑπωρόφιον νύκτωρ σέλας ἐντύναιτο,
ἄγχι μάλ' ἐγρομένη· τὸ δ' ἀθέσφατον ἐξ ὀλίγοιο
δαλοῦ ἀνεγρόμενον σὺν κάρφεα πάντ' ἀμαθύνει·
τοῖος ὑπὸ κραδίῃ εἰλυμένος αἴθετο λάθρῃ
οὖλος Ἔρως· ἁπαλὰς δὲ μετετρωπᾶτο παρειὰς
ἐς χλόον, ἄλλοτ' ἔρευθος, ἀκηδείῃσι νόοιο.

Δμῶες δ' ὁππότε δή σφιν ἐπαρτέα θῆκαν ἐδωδήν,
αὐτοί τε λιαροῖσιν ἐφαιδρύναντο λοετροῖς,   300
ἀσπασίως δόρπῳ τε ποτῆτί τε θυμὸν ἄρεσσαν.
ἐκ δὲ τοῦ Αἰήτης σφετέρης ἐρέεινε θυγατρὸς
υἱῆας τοίοισι παρηγορέων ἐπέεσσιν·

'Παιδὸς ἐμῆς κοῦροι Φρίξοιό τε, τὸν περὶ πάντων
ξείνων ἡμετέροισιν ἐνὶ μεγάροισιν ἔτισα,
πῶς Αἶάνδε νέεσθε παλίσσυτοι; ἠέ τις ἄτη
σωομένους μεσσηγὺς ἐνέκλασεν; οὐ μὲν ἐμεῖο
πείθεσθε προφέροντος ἀπείρονα μέτρα κελεύθου.
ᾔδειν γάρ ποτε πατρὸς ἐν ἅρμασιν Ἠελίοιο
δινεύσας, ὅτ' ἐμεῖο κασιγνήτην ἐκόμιζεν   310
Κίρκην ἑσπερίης εἴσω χθονός, ἐκ δ' ἱκόμεσθα
ἀκτὴν ἠπείρου Τυρσηνίδος, ἔνθ' ἔτι νῦν περ
ναιετάει, μάλα πολλὸν ἀπόπροθι Κολχίδος αἴης.
ἀλλὰ τί μύθων ἦδος; ἃ δ' ἐν ποσὶν ὑμῖν ὄρωρεν,
εἴπατ' ἀριφραδέως, ἠδ' οἵτινες οἵδ' ἐφέπονται
ἀνέρες, ὅπῃ τε γλαφυρῆς ἐκ νηὸς ἔβητε.'

Τοῖά μιν ἐξερέοντα κασιγνήτων προπάροιθεν
Ἄργος ὑποδδείσας ἀμφὶ στόλῳ Αἰσονίδαο
μειλιχίως προσέειπεν, ἐπεὶ προγενέστερος ἦεν·

heart panted fast through anguish, all remembrance
left her, and her soul melted with the sweet pain.
And as a poor woman heaps dry twigs round a
blazing brand—a daughter of toil, whose task is the
spinning of wool, that she may kindle a blaze at
night beneath her roof, when she has waked very
early—and the flame waxing wondrous great from
the small brand consumes all the twigs together; so,
coiling round her heart, burnt secretly Love the
destroyer; and the hue of her soft cheeks went and
came, now pale, now red, in her soul's distraction.

Now when the thralls had laid a banquet ready
before them, and they had refreshed themselves
with warm baths, gladly did they please their souls
with meat and drink. And thereafter Aeetes
questioned the sons of his daughter, addressing them
with these words:

"Sons of my daughter and of Phrixus, whom
beyond all strangers I honoured in my halls, how
have ye come returning back to Aea? Did some
calamity cut short your escape in the midst? Ye
did not listen when I set before you the boundless
length of the way. For I marked it once, whirled
along in the chariot of my father Helios, when he
was bringing my sister Circe to the western
land and we came to the shore of the Tyrrhenian
mainland, where even now she abides, exceeding far
from Colchis. But what pleasure is there in words?
Do ye tell me plainly what has been your fortune,
and who these men are, your companions, and where
from your hollow ship ye came ashore."

Such were his questions, and Argus, before all his
brethren, being fearful for the mission of Aeson's
son, gently replied, for he was the elder-born:

'Αἰήτη, κείνην μὲν ἄφαρ διέχευαν ἄελλαι 320
ζαχρηεῖς· αὐτοὺς δ' ὑπὸ δούρασι πεπτηῶτας
νήσου Ἐνυαλίοιο ποτὶ ξερὸν ἔκβαλε κῦμα
λυγαίῃ ὑπὸ νυκτί· θεὸς δέ τις ἄμμ' ἐσάωσεν.
οὐδὲ γὰρ αἳ τὸ πάροιθεν ἐρημαίην κατὰ νῆσον
ηὐλίζοντ' ὄρνιθες Ἀρήιαι, οὐδ' ἔτι κείνας
εὕρομεν. ἀλλ' οἵγ' ἄνδρες ἀπήλασαν, ἐξαποβάντες
νηὸς ἑῆς προτέρῳ ἐνὶ ἤματι· καί σφ' ἀπέρυκεν
ἡμέας οἰκτείρων Ζηνὸς νόος, ἠέ τις αἶσα,
αὐτίκ' ἐπεὶ καὶ βρῶσιν ἅλις καὶ εἵματ' ἔδωκαν,
οὔνομά τε Φρίξοιο περικλεὲς εἰσαΐοντες 330
ἠδ' αὐτοῖο σέθεν· μετὰ γὰρ τεὸν ἄστυ νέονται.
χρειὼ δ' ἦν ἐθέλῃς ἐξίδμεναι, οὔ σ' ἐπικεύσω.
τόνδε τις ἱέμενος πάτρης ἀπάνευθεν ἐλάσσαι
καὶ κτεάνων βασιλεὺς περιώσιον, οὕνεκεν ἀλκῇ
σφωιτέρῃ πάντεσσι μετέπρεπεν Αἰολίδῃσιν,
πέμπει δεῦρο νέεσθαι ἀμήχανον· οὐδ' ὑπαλύξειν
στεῦται ἀμειλίκτοιο Διὸς θυμαλγέα μῆνιν
καὶ χόλον, οὐδ' ἄτλητον ἄγος Φρίξοιό τε ποινὰς
Αἰολιδέων γενεήν, πρὶν ἐς Ἑλλάδα κῶας ἱκέσθαι.
νῆα δ' Ἀθηναίη Παλλὰς κάμεν, οὐ μάλα τοίην, 340
οἷαί περ Κόλχοισι μετ' ἀνδράσι νῆες ἔασιν,
τάων αἰνοτάτης ἐπεκύρσαμεν. ἤλιθα γάρ μιν
λάβρον ὕδωρ πνοιή τε διέτμαγεν· ἡ δ' ἐνὶ γόμφοις
ἴσχεται, ἢν καὶ πᾶσαι ἐπιβρίσωσιν ἄελλαι.
ἶσον δ' ἐξ ἀνέμοιο θέει καὶ ὅτ' ἀνέρες αὐτοὶ
νωλεμέως χείρεσσιν ἐπισπέρχωσιν ἐρετμοῖς.
τῇ δ' ἐναγειράμενος Παναχαιίδος εἴ τι φέριστον
ἡρώων, τεὸν ἄστυ μετήλυθε, πόλλ' ἐπαληθεὶς
ἄστεα καὶ πελάγη στυγερῆς ἁλός, εἴ οἱ ὀπάσσαις.

" Aeetes, that ship forthwith stormy blasts tore
asunder, and ourselves, crouching on the beams, a
wave drove on to the beach of the isle of Enyalius [1]
in the murky night; and some god preserved us.
For even the birds of Ares that haunted the desert
isle beforetime, not even them did we find. But
these men had driven them off, having landed from
their ship on the day before; and the will of Zeus
taking pity on us, or some fate, detained them
there, since they straightway gave us both food
and clothing in abundance, when they heard
the illustrious name of Phrixus and thine own;
for to thy city are they faring. And if thou dost
wish to know their errand, I will not hide it from
thee. A certain king, vehemently longing to drive
this man far from his fatherland and possessions,
because in might he outshone all the sons of Aeolus,
sends him to voyage hither on a bootless venture;
and asserts that the stock of Aeolus will not escape
the heart-grieving wrath and rage of implacable
Zeus, nor the unbearable curse and vengeance due
for Phrixus, until the fleece comes back to Hellas.
And their ship was fashioned by Pallas Athena, not
such a one as are the ships among the Colchians, on
the vilest of which we chanced. For the fierce
waves and wind broke her utterly to pieces; but the
other holds firm with her bolts, even though all the
blasts should buffet her. And with equal swiftness
she speedeth before the wind and when the crew
ply the oar with unresting hands. And he hath
gathered in her the mightiest heroes of all Achaea,
and hath come to thy city from wandering far through
cities and gulfs of the dread ocean, in the hope that

[1] A name of Ares.

αὐτῷ δ' ὥς κεν ἅδῃ, τῶς ἔσσεται· οὐ γὰρ ἱκάνει 350
χερσὶ βιησόμενος· μέμονεν δέ τοι ἄξια τίσειν
δωτίνης, ἀίων ἐμέθεν μέγα δυσμενέοντας
Σαυρομάτας, τοὺς σοῖσιν ὑπὸ σκήπτροισι δα-
    μάσσει.
εἰ δὲ καὶ οὔνομα δῆθεν ἐπιθύεις γενεήν τε
ἴδμεναι, οἵτινές εἰσιν, ἕκαστά γε μυθησαίμην.
τόνδε μέν, οἷό περ οὕνεκ' ἀφ' Ἑλλάδος ὦλλοι
    ἄγερθεν,
κλείουσ' Αἴσονος υἱὸν Ἰήσονα Κρηθείδαο.
εἰ δ' αὐτοῦ Κρηθῆος ἐτήτυμόν ἐστι γενέθλης,
οὕτω κεν γνωτὸς πατρώιος ἄμμι πέλοιτο.
ἄμφω γὰρ Κρηθεὺς Ἀθάμας τ' ἔσαν Αἰόλου υἷες· 360
Φρίξος δ' αὖτ' Ἀθάμαντος ἔην πάις Αἰολίδαο.
τόνδε δ' ἄρ', Ἠελίου γόνον ἔμμεναι εἴ τιν' ἀκούεις,
δέρκεαι Αὐγείην· Τελαμὼν δ' ὅγε, κυδίστοιο
Αἰακοῦ ἐκγεγαώς· Ζεὺς δ' Αἰακὸν αὐτὸς ἔτικτεν.
ὣς δὲ καὶ ὦλλοι πάντες, ὅσοι συνέπονται ἑταῖροι,
ἀθανάτων υἷές τε καὶ υἱωνοὶ γεγάασιν.'
    Τοῖα παρέννεπεν Ἄργος· ἄναξ δ' ἐπεχώσατο
        μύθοις
εἰσαΐων· ὑψοῦ δὲ χόλῳ φρένες ἠερέθοντο.
φῆ δ' ἐπαλαστήσας· μενέαινε δὲ παισὶ μάλιστα
Χαλκιόπης· τῶν γάρ σφε μετελθέμεν οὕνεκ' ἐώλπει· 370
ἐκ δέ οἱ ὄμματ' ἔλαμψεν ὑπ' ὀφρύσιν ἱεμένοιο·
    'Οὐκ ἄφαρ ὀφθαλμῶν μοι ἀπόπροθι, λωβη-
        τῆρες,
νεῖσθ' αὐτοῖσι δόλοισι παλίσσυτοι ἔκτοθι γαίης,
πρίν τινα λευγαλέον τε δέρος καὶ Φρίξον ἰδέσθαι;
αὐτίχ' ὁμαρτήσαντες ἀφ' Ἑλλάδος, οὐκ ἐπὶ κῶας,
σκῆπτρα δὲ καὶ τιμὴν βασιληίδα δεῦρο νέεσθε.
εἰ δέ κε μὴ προπάροιθεν ἐμῆς ἥψασθε τραπέζης,

218

thou wilt grant him the fleece. But as thou dost please, so shall it be, for he cometh not to use force, but is eager to pay thee a recompense for the gift. He has heard from me of thy bitter foes the Sauromatae, and he will subdue them to thy sway. And if thou desirest to know their names and lineage I will tell thee all. This man on whose account the rest were gathered from Hellas, they call Jason, son of Aeson, whom Cretheus begat. And if in truth he is of the stock of Cretheus himself, thus he would be our kinsman on the father's side. For Cretheus and Athamas were both sons of Aeolus; and Phrixus was the son of Athamas, son of Aeolus. And here, if thou hast heard at all of the seed of Helios, thou dost behold Augeias; and this is Telamon sprung from famous Aeacus; and Zeus himself begat Aeacus. And so all the rest, all the comrades that follow him, are the sons or grandsons of the immortals."

Such was the tale of Argus; but the king at his words was filled with rage as he heard; and his heart was lifted high in wrath. And he spake in heavy displeasure; and was angered most of all with the son of Chalciope; for he deemed that on their account the strangers had come; and in his fury his eyes flashed forth beneath his brows:

" Begone from my sight, felons, straightway, ye and your tricks, from the land, ere someone see a fleece and a Phrixus to his sorrow. Banded together with your friends from Hellas, not for the fleece, but to seize my sceptre and royal power have ye come hither. Had ye not first tasted of my table, surely

ἦ τ᾽ ἂν ἀπὸ γλώσσας τε ταμὼν καὶ χεῖρε κεάσσας
ἀμφοτέρας, οἵοισιν ἐπιπροέηκα πόδεσσιν,
ὥς κεν ἐρητύοισθε καὶ ὕστερον ὁρμηθῆναι·   380
οἷα δὲ καὶ μακάρεσσιν ἐπεψεύσασθε θεοῖσιν.᾽

Φῆ ῥα χαλεψάμενος· μέγα δὲ φρένες Αἰακίδαο
νειόθεν οἰδαίνεσκον· ἐέλδετο δ᾽ ἔνδοθι θυμὸς
ἀντιβίην ὀλοὸν φάσθαι ἔπος· ἀλλ᾽ ἀπέρυκεν
Αἰσονίδης· πρὸ γὰρ αὐτὸς ἀμείψατο μειλιχίοισιν·
‘ Αἰήτη, σχέο μοι τῷδε στόλῳ. οὔτι γὰρ αὕτως
ἄστυ τεὸν καὶ δώμαθ᾽ ἱκάνομεν, ὥς που ἔολπας,
οὐδὲ μὲν ἱέμενοι. τίς δ᾽ ἂν τόσον οἶδμα περῆσαι
τλαίη ἑκὼν ὀθνεῖον ἐπὶ κτέρας; ἀλλά με δαίμων
καὶ κρυερὴ βασιλῆος ἀτασθάλου ὦρσεν ἐφετμή.   390
δὸς χάριν ἀντομένοισι· σέθεν δ᾽ ἐγὼ Ἑλλάδι πάσῃ
θεσπεσίην οἴσω κληηδόνα· καὶ δέ τοι ἤδη
πρόφρονές εἰμεν ἄρηι θοὴν ἀποτῖσαι ἀμοιβήν,
εἴτ᾽ οὖν Σαυρομάτας γε λιλαίεαι, εἴτε τιν᾽ ἄλλον
δῆμον σφωιτέροισιν ὑπὸ σκήπτροισι δαμάσσαι.᾽

Ἴσκεν ὑποσσαίνων ἀγανῇ ὀπί· τοῖο δὲ θυμὸς
διχθαδίην πόρφυρεν ἐνὶ στήθεσσι μενοινήν,
ἤ σφεας ὁρμηθεὶς αὐτοσχεδὸν ἐξεναρίζοι,
ἦ ὅγε πειρήσαιτο βίης. τό οἱ εἴσατ᾽ ἄρειον
φραζομένῳ· καὶ δή μιν ὑποβλήδην προσέειπεν·   400
‘ Ξεῖνε, τί κεν τὰ ἕκαστα διηνεκέως ἀγορεύοις;
εἰ γὰρ ἐτήτυμόν ἐστε θεῶν γένος, ἠὲ καὶ ἄλλως
οὐδὲν ἐμεῖο χέρηες ἐπ᾽ ὀθνείοισιν ἔβητε,
δώσω τοι χρύσειον ἄγειν δέρος, αἴ κ᾽ ἐθέλησθα,
πειρηθείς. ἐσθλοῖς γὰρ ἐπ᾽ ἀνδράσιν οὔτι μεγαίρω,
ὡς αὐτοὶ μυθεῖσθε τὸν Ἑλλάδι κοιρανέοντα.

would I have cut out your tongues and hewn off both hands and sent you forth with your feet alone, so that ye might be stayed from starting hereafter. And what lies have ye uttered against the blessed gods ! "

Thus he spake in his wrath ; and mightily from its depths swelled the heart of Aeacus' son, and his soul within longed to speak a deadly word in defiance, but Aeson's son checked him, for he himself first made gentle answer :

" Aeetes, bear with this armed band, I pray. For not in the way thou deemest have we come to thy city and palace, no, nor yet with such desires. For who would of his own will dare to cross so wide a sea for the goods of a stranger ? But fate and the ruthless command of a presumptuous king urged me. Grant a favour to thy suppliants, and to all Hellas will I publish a glorious fame of thee ; yea, we are ready now to pay thee a swift recompense in war, whether it be the Sauromatae or some other people that thou art eager to subdue to thy sway."

He spake, flattering him with gentle utterance ; but the king's soul brooded a twofold purpose within him, whether he should attack and slay them on the spot or should make trial of their might. And this, as he pondered, seemed the better way, and he addressed Jason in answer :

" Stranger, why needest thou go through thy tale to the end ? For if ye are in truth of heavenly race, or have come in no wise inferior to me, to win the goods of strangers, I will give thee the fleece to bear away, if thou dost wish, when I have tried thee. For against brave men I bear no grudge, such as ye yourselves tell me of him who bears sway in Hellas.

πεῖρα δέ τοι μένεός τε καὶ ἀλκῆς ἔσσετ' ἄεθλος,
τόν ῥ' αὐτὸς περίειμι χεροῖν ὀλοόν περ ἐόντα.
δοιώ μοι πεδίον τὸ Ἀρήιον ἀμφινέμονται
ταύρω χαλκόποδε, στόματι φλόγα φυσιόωντες·   410
τοὺς ἐλάω ζεύξας στυφελὴν κατὰ νειὸν Ἄρηος
τετράγυον, τὴν αἶψα ταμὼν ἐπὶ τέλσον ἀρότρῳ
οὐ σπόρον ὁλκοῖσιν Δηοῦς ἐνιβάλλομαι ἀκτήν,
ἀλλ' ὄφιος δεινοῖο μεταλδήσκοντας ὀδόντας
ἀνδράσι τευχηστῇσι δέμας· τοὺς δ' αὖθι δαΐζων
κείρω ἐμῷ ὑπὸ δουρὶ περισταδὸν ἀντιόωντας.
ἠέριος ζεύγνυμι βόας, καὶ δείελον ὥρην
παύομαι ἀμήτοιο.   σὺ δ', εἰ τάδε τοῖα τελέσσεις,
αὐτῆμαρ τόδε κῶας ἀποίσεαι εἰς βασιλῆος·
πρὶν δέ κεν οὐ δοίην, μηδ' ἔλπεο.   δὴ γὰρ ἀεικὲς   420
ἄνδρ' ἀγαθὸν γεγαῶτα κακωτέρῳ ἀνέρι εἶξαι.'
    Ὣς ἄρ' ἔφη· ὁ δὲ σῖγα ποδῶν πάρος ὄμματα
            πήξας
ἧστ' αὔτως ἄφθογγος, ἀμηχανέων κακότητι.
βουλὴν δ' ἀμφὶ πολὺν στρώφα χρόνον, οὐδέ πη
            εἶχεν
θαρσαλέως ὑποδέχθαι, ἐπεὶ μέγα φαίνετο ἔργον·
ὀψὲ δ' ἀμειβόμενος προσελέξατο κερδαλέοισιν·
    'Αἰήτη, μάλα τοί με δίκη περιπολλὸν ἐέργεις.
τῷ καὶ ἐγὼ τὸν ἄεθλον ὑπερφίαλόν περ ἐόντα
τλήσομαι, εἰ καί μοι θανέειν μόρος.   οὐ γὰρ ἔτ'
            ἄλλο
ῥίγιον ἀνθρώποισι κακῆς ἐπικείσετ' ἀνάγκης,   430
ἤ με καὶ ἐνθάδε νεῖσθαι ἐπέχραεν ἐκ βασιλῆος.'
    Ὣς φάτ' ἀμηχανίῃ βεβολημένος· αὐτὰρ ὁ τόνγε
σμερδαλέοις ἐπέεσσι προσέννεπεν ἀσχαλόωντα·

And the trial of your courage and might shall be a contest which I myself can compass with my hands, deadly though it be. Two bulls with feet of bronze I have that pasture on the plain of Ares, breathing forth flame from their jaws; them do I yoke and drive over the stubborn field of Ares, four plough-gates; and quickly cleaving it with the share up to the headland, I cast into the furrows for seed, not the corn of Demeter, but the teeth of a dread serpent that grow up into the fashion of armed men; them I slay at once, cutting them down beneath my spear as they rise against me on all sides. In the morning do I yoke the oxen, and at eventide I cease from the harvesting. And thou, if thou wilt accomplish such deeds as these, on that very day shalt carry off the fleece to the king's palace; ere that time comes I will not give it, expect it not. For indeed it is unseemly that a brave man should yield to a coward."

Thus he spake; and Jason, fixing his eyes on the ground, sat just as he was, speechless, helpless in his evil plight. For a long time he turned the matter this way and that, and could in no way take on him the task with courage, for a mighty task it seemed; and at last he made reply with crafty words:

"With thy plea of right, Aeetes, thou dost shut me in overmuch. Wherefore also I will dare that contest, monstrous as it is, though it be my doom to die. For nothing will fall upon men more dread than dire necessity, which indeed constrained me to come hither at a king's command."

Thus he spake, smitten by his helpless plight; and the king with grim words addressed him, sore

'Έρχεο νῦν μεθ' ὅμιλον, ἐπεὶ μέμονάς γε πόνοιο·
εἰ δὲ σύγε ζυγὰ βουσὶν ὑποδδείσαις ἐπαεῖραι,
ἠὲ καὶ οὐλομένου μεταχάσσεαι ἀμήτοιο,
αὐτῷ κεν τὰ ἕκαστα μέλοιτό μοι, ὄφρα καὶ ἄλλος
ἀνὴρ ἐρρίγῃσιν ἀρείονα φῶτα μετελθεῖν.'

Ἴσκεν ἀπηλεγέως· ὁ δ' ἀπὸ θρόνου ὦρνυτ'
    Ἰήσων,
Αὐγείης Τελαμών τε παρασχεδόν· εἵπετο δ' Ἄργος   440
οἶος, ἐπεὶ μεσσηγὺς ἔτ' αὐτόθι νεῦσε λιπέσθαι
αὐτοκασιγνήτοις· οἱ δ' ἤισαν[1] ἐκ μεγάροιο.
θεσπέσιον δ' ἐν πᾶσι μετέπρεπεν Αἴσονος υἱὸς
κάλλεϊ καὶ χαρίτεσσιν· ἐπ' αὐτῷ δ' ὅμματα κούρη
λοξὰ παρὰ λιπαρὴν σχομένη θηεῖτο καλύπτρην,
κῆρ ἄχεϊ σμύχουσα· νόος δέ οἱ ἠΰτ' ὄνειρος
ἑρπύζων πεπότητο μετ' ἴχνια νισσομένοιο.
καί ῥ' οἱ μέν ῥα δόμων ἐξήλυθον ἀσχαλόωντες.
Χαλκιόπη δὲ χόλον πεφυλαγμένη Αἰήταο
καρπαλίμως θάλαμόνδε σὺν υἱάσιν οἷσι βεβήκει.   450
αὔτως δ' αὖ Μήδεια μετέστιχε· πολλὰ δὲ θυμῷ
ὥρμαιν', ὅσσα τ' Ἔρωτες ἐποτρύνουσι μέλεσθαι.
προπρὸ δ' ἄρ' ὀφθαλμοῖσιν ἔτι οἱ ἰνδάλλετο πάντα,
αὐτός θ' οἷος ἔην, οἵοισί τε φάρεσιν ἕστο,
οἷά τ' ἔειφ', ὥς θ' ἕζετ' ἐπὶ θρόνου, ὥς τε θύραζε
ἤιεν· οὐδέ τιν' ἄλλον ὀίσσατο πορφύρουσα
ἔμμεναι ἀνέρα τοῖον· ἐν οὔασι δ' αἰὲν ὀρώρει
αὐδή τε μῦθοί τε μελίφρονες, οὓς ἀγόρευσεν.
τάρβει δ' ἀμφ' αὐτῷ, μή μιν βόες ἠὲ καὶ αὐτὸς
Αἰήτης φθίσειεν· ὀδύρετο δ' ἠΰτε πάμπαν   460
ἤδη τεθνειῶτα, τέρεν δέ οἱ ἀμφὶ παρειὰς
δάκρυον αἰνοτάτῳ ἐλέῳ ῥέε κηδοσύνῃσιν·
ἦκα δὲ μυρομένη λιγέως ἀνενείκατο μῦθον·

    [1] ἤισαν Rzach : ἦεσαν MSS.

troubled as he was: " Go forth now to the gathering, since thou art eager for the toil; but if thou shouldst fear to lift the yoke upon the oxen or shrink from the deadly harvesting, then all this shall be my care, so that another too may shudder to come to a man that is better than he."

He spake outright; and Jason rose from his seat, and Augeias and Telamon at once; and Argus followed alone, for he signed to his brothers to stay there on the spot meantime ; and so they went forth from the hall. And wonderfully among them all shone the son of Aeson for beauty and grace ; and the maiden looked at him with stealthy glance, holding her bright veil aside, her heart smouldering with pain; and her soul creeping like a dream flitted in his track as he went. So they passed forth from the palace sorely troubled. And Chalciope, shielding herself from the wrath of Aeetes, had gone quickly to her chamber with her sons. And Medea likewise followed, and much she brooded in her soul all the cares that the Loves awaken. And before her eyes the vision still appeared—himself what like he was, with what vesture he was clad, what things he spake, how he sat on his seat, how he moved forth to the door—and as she pondered she deemed there never was such another man ; and ever in her ears rung his voice and the honey-sweet words which he uttered. And she feared for him, lest the oxen or Aeetes with his own hand should slay him ; and she mourned him as though already slain outright, and in her affliction a round tear through very grievous pity coursed down her cheek ; and gently weeping she lifted up her voice aloud :

'Τίπτε με δειλαίην τόδ' ἔχει ἄχος; εἴθ' ὅγε
 πάντων
φθίσεται ἡρώων προφερέστατος, εἴτε χερείων,
ἐρρέτω. ἦ μὲν ὄφελλεν ἀκήριος ἐξαλέασθαι.
ναὶ δὴ τοῦτό γε, πότνα θεὰ Περσηί, πέλοιτο,
οἴκαδε νοστήσειε φυγὼν μόρον· εἰ δέ μιν αἶσα
δμηθῆναι ὑπὸ βουσί, τόδε προπάροιθε δαείη,
οὕνεκεν οὔ οἱ ἔγωγε κακῇ ἐπαγαίομαι ἄτῃ.' 470
Ἡ μὲν ἄρ' ὣς ἐόλητο νόον μελεδήμασι κούρη.
οἱ δ' ἐπεὶ οὖν δήμου τε καὶ ἄστεος ἐκτὸς ἔβησαν
τὴν ὁδόν, ἣν τὸ πάροιθεν ἀνήλυθον ἐκ πεδίοιο,
δὴ τότ' Ἰήσονα τοῖσδε προσέννεπεν Ἄργος ἔπεσ-
 σιν·
'Αἰσονίδη, μῆτιν μὲν ὀνόσσεαι, ἥντιν' ἐνίψω·
πείρης δ' οὐ μάλ' ἔοικε μεθιέμεν ἐν κακότητι.
κούρην δή τινα πρόσθεν ὑπέκλυες αὐτὸς ἐμεῖο
φαρμάσσειν Ἑκάτης Περσηίδος ἐννεσίῃσιν.
τὴν εἴ κεν πεπίθοιμεν, ὀίομαι, οὐκέτι τάρβος
ἔσσετ' ἀεθλεύοντι δαμήμεναι· ἀλλὰ μάλ' αἰνῶς 480
δείδω, μή πως οὔ μοι ὑποσταίη τόγε μήτηρ.
ἔμπης δ' ἐξαῦτις μετελεύσομαι ἀντιβολήσων,
ξυνὸς ἐπεὶ πάντεσσιν ἐπικρέμαθ' ἡμιν ὄλεθρος.'
Ἴσκεν ἐυφρονέων· ὁ δ' ἀμείβετο τοῖσδ' ἐπέεσσιν·
'Ὦ πέπον, εἴ νύ τοι αὐτῷ ἐφανδάνει, οὔτι μεγαίρω.
βάσκ' ἴθι καὶ πυκινοῖσι τεὴν παρὰ μητέρα μύθοις
ὄρνυθι λισσόμενος· μελέη γε μὲν ἧμιν ὄρωρεν
ἐλπωρή, ὅτε νόστον ἐπετραπόμεσθα γυναιξίν.'
ὣς ἔφατ'· ὦκα δ' ἕλος μετεκίαθον. αὐτὰρ ἑταῖροι
γηθόσυνοι ἐρέεινον, ὅπως παρεόντας ἴδοντο· 490
τοῖσιν δ' Αἰσονίδης τετιημένος ἔκφατο μῦθον·

"Why does this grief come upon me, poor wretch? Whether he be the best of heroes now about to perish, or the worst, let him go to his doom. Yet I would that he had escaped unharmed; yea, may this be so, revered goddess, daughter of Perses, may he avoid death and return home; but if it be his lot to be o'ermastered by the oxen, may he first learn this, that I at least do not rejoice in his cruel calamity."

Thus then was the maiden's heart racked by love-cares. But when the others had gone forth from the people and the city, along the path by which at the first they had come from the plain, then Argus addressed Jason with these words:

"Son of Aeson, thou wilt despise the counsel which I will tell thee, but, though in evil plight, it is not fitting to forbear from the trial. Ere now thou hast heard me tell of a maiden that uses sorcery under the guidance of Hecate, Perses' daughter. If we could win her aid there will be no dread, methinks, of thy defeat in the contest; but terribly do I fear that my mother will not take this task upon her. Nevertheless I will go back again to entreat her, for a common destruction overhangs us all."

He spake with goodwill, and Jason answered with these words: "Good friend, if this is good in thy sight, I say not nay. Go and move thy mother, beseeching her aid with prudent words; pitiful indeed is our hope when we have put our return in the keeping of women." So he spake, and quickly they reached the back-water. And their comrades joyfully questioned them, when they saw them close at hand; and to them spoke Aeson's son grieved at heart:

'Ὦ φίλοι, Αἰήταο ἀπηνέος ἄμμι φίλον κῆρ
ἀντικρὺ κεχόλωται, ἕκαστα γὰρ οὔ νύ τι τέκμωρ
οὔτ' ἐμοί, οὔτε κεν ὔμμι διειρομένοισι πέλοιτο.
φῆ δὲ δύω πεδίον τὸ Ἀρήιον ἀμφινέμεσθαι
ταύρω χαλκόποδε, στόματι φλόγα φυσιόωντας.
τετράγυον δ' ἐπὶ τοῖσιν ἐφίετο νειὸν ἀρόσσαι·
δώσειν δ' ἐξ ὄφιος γενύων σπόρον, ὅς ῥ' ἀνίησιν
γηγενέας χαλκέοις σὺν τεύχεσιν· ἤματι δ' αὐτῷ
χρειὼ τούσγε δαΐξαι. ὁ δή νύ οἱ—οὔτι γὰρ ἄλλο   500
βέλτερον ἦν φράσσασθαι—ἀπηλεγέως ὑποέστην.'
    Ὣς ἄρ' ἔφη· πάντεσσι δ' ἀνήνυτος εἴσατ'
    ἄεθλος,
δὴν δ' ἄνεω καὶ ἄναυδοι ἐς ἀλλήλους ὁρόωντο,
ἄτη ἀμηχανίη τε κατηφέες· ὀψὲ δὲ Πηλεὺς
θαρσαλέως μετὰ πᾶσιν ἀριστήεσσιν ἔειπεν·
'Ὤρη μητιάασθαι ὅ κ' ἔρξομεν. οὐ μὲν ἔολπα
βουλῆς εἶναι ὄνειαρ, ὅσον τ' ἐπὶ κάρτεϊ χειρῶν.
εἰ μέν νυν τύνη ζεῦξαι βόας Αἰήταο,
ἥρως Αἰσονίδη, φρονέεις, μέμονάς τε πόνοιο,
ἦ τ' ἂν ὑποσχεσίην πεφυλαγμένος ἐντύναιο·   510
εἰ δ' οὔ τοι μάλα θυμὸς ἑῇ ἐπὶ πάγχυ πέποιθεν
ἠνορέῃ, μήτ' αὐτὸς ἐπείγεο, μήτε τιν' ἄλλον
τῶνδ' ἀνδρῶν πάπταινε παρήμενος. οὐ γὰρ ἔγωγε
σχήσομ', ἐπεὶ θάνατός γε τὸ κύντατον ἔσσεται
    ἄλγος.'
    Ὣς ἔφατ' Αἰακίδης· Τελαμῶνι δὲ θυμὸς ὀ̣ινθη
σπερχόμενος δ' ἀνόρουσε θοῶς· ἐπὶ δὲ τρίτος Ἴδας
ὦρτο μέγα φρονέων, ἐπὶ δ' υἱέε[1] Τυνδαρέοιο·
σὺν δὲ καὶ Οἰνεΐδης ἐναρίθμιος αἰζηοῖσιν
ἀνδράσιν, οὐδέ περ ὅσσον ἐπανθιόωντας ἰούλους

---

[1] υἱέε Köchly : υἷες MSS.

"My friends, the heart of ruthless Aeetes is utterly filled with wrath against us, for not at all can the goal be reached either by me or by you who question me. He said that two bulls with feet of bronze pasture on the plain of Ares, breathing forth flame from their jaws. And with these he bade me plough the field, four plough-gates; and said that he would give me from a serpent's jaws seed which will raise up earthborn men in armour of bronze; and on the same day I must slay them. This task—for there was nothing better to devise—I took on myself outright."

Thus he spake; and to all the contest seemed one that none could accomplish, and long, quiet and silent, they looked at one another, bowed down with the calamity and their despair; but at last Peleus spake with courageous words among all the chiefs: "It is time to be counselling what we shall do. Yet there is not so much profit, I trow, in counsel as in the might of our hands. If thou then, hero son of Aeson, art minded to yoke Aeetes' oxen, and art eager for the toil, surely thou wilt keep thy promise and make thyself ready. But if thy soul trusts not her prowess utterly, then neither bestir thyself nor sit still and look round for some one else of these men. For it is not I who will flinch, since the bitterest pain will be but death."

So spake the son of Aeacus; and Telamon's soul was stirred, and quickly he started up in eagerness; and Idas rose up the third in his pride; and the twin sons of Tyndareus; and with them Oeneus' son who was numbered among strong men, though even the soft down on his cheek showed not yet;

ἀντέλλων· τοίῳ οἱ ἀείρετο κάρτεϊ θυμός.   520
οἱ δ᾽ ἄλλοι εἴξαντες ἀκὴν ἔχον. αὐτίκα δ᾽ Ἄργος
τοῖον ἔπος μετέειπεν ἐελδομένοισιν ἀέθλου·

  '῏Ω φίλοι, ἤτοι μὲν τόδε λοίσθιον. ἀλλά τιν᾽ οἴω
μητρὸς ἐμῆς ἔσσεσθαι ἐναίσιμον ὕμμιν ἀρωγήν.
τῷ καί περ μεμαῶτες, ἐρητύοισθ᾽ ἐνὶ νηὶ
τυτθὸν ἔθ᾽, ὡς τὸ πάροιθεν, ἐπεὶ καὶ ἐπισχέμεν
    ἔμπης
λώιον, ἢ κακὸν οἶτον ἀφειδήσαντας ἑλέσθαι.
κούρη τις μεγάροισιν ἐνιτρέφετ᾽ Αἰήταο,
τὴν Ἑκάτη περίαλλα θεὰ δάε τεχνήσασθαι
φάρμαχ᾽, ὅσ᾽ ἤπειρός τε φύει καὶ νήχυτον ὕδωρ.   530
τοῖσι καὶ ἀκαμάτοιο πυρὸς μειλίσσετ᾽ ἀυτμή,
καὶ ποταμοὺς ἵστησιν ἄφαρ κελαδεινὰ ῥέοντας,
ἄστρα τε καὶ μήνης ἱερῆς ἐπέδησε κελεύθους.
τῆς μὲν ἀπὸ μεγάροιο κατὰ στίβον ἐνθάδ᾽ ἰόντες
μνησάμεθ᾽, εἴ κε δύναιτο, κασιγνήτη γεγαυῖα,
μήτηρ ἡμετέρη πεπιθεῖν ἐπαρῆξαι ἀέθλῳ.
εἰ δὲ καὶ αὐτοῖσιν τόδ᾽ ἐφανδάνει, ἦ τ᾽ ἂν ἱκοίμην
ἤματι τῷδ᾽ αὐτῷ πάλιν εἰς δόμον Αἰήταο
πειρήσων· τάχα δ᾽ ἂν σὺν δαίμονι πειρηθείην.'

  ῝Ως φάτο· τοῖσι δὲ σῆμα θεοὶ δόσαν εὐμενέοντες. 540
τρήρων μὲν φεύγουσα βίην κίρκοιο πέλειας
ὑψόθεν Αἰσονίδεω πεφοβημένη ἔμπεσε κόλποις·
κίρκος δ᾽ ἀφλάστῳ περικάππεσεν. ὦκα δὲ Μόψος
τοῖον ἔπος μετὰ πᾶσι θεοπροπέων ἀγόρευσεν·

  '῝Υμμι, φίλοι, τόδε σῆμα θεῶν ἰότητι τέτυκται·
οὐδέ πῃ ἄλλως ἐστὶν ὑποκρίνασθαι ἄρειον,
παρθενικὴν δ᾽ ἐπέεσσι μετελθέμεν ἀμφιέποντας
μήτι παντοίῃ. δοκέω δέ μιν οὐκ ἀθερίζειν,

with such courage was his soul uplifted. But the others gave way to these in silence. And straightway Argus spake these words to those that longed for the contest:

"My friends, this indeed is left us at the last. But I deem that there will come to you some timely aid from my mother. Wherefore, eager though ye be, refrain and abide in your ship a little longer as before, for it is better to forbear than recklessly to choose an evil fate. There is a maiden, nurtured in the halls of Aeetes, whom the goddess Hecate taught to handle magic herbs with exceeding skill—all that the land and flowing waters produce. With them is quenched the blast of unwearied flame, and at once she stays the course of rivers as they rush roaring on, and checks the stars and the paths of the sacred moon. Of her we bethought us as we came hither along the path from the palace, if haply my mother, her own sister, might persuade her to aid us in the venture. And if this is pleasing to you as well, surely on this very day will I return to the palace of Aeetes to make trial; and perchance with some god's help shall I make the trial."

Thus he spake, and the gods in their goodwill gave them a sign. A trembling dove in her flight from a mighty hawk fell from on high, terrified, into the lap of Aeson's son, and the hawk fell impaled on the stern-ornament. And quickly Mopsus with prophetic words spake among them all:

"For you, friends, this sign has been wrought by the will of heaven; in no other way is it possible to interpret its meaning better, than to seek out the maiden and entreat her with manifold skill. And I think she will not reject our prayer, if in truth

εἰ ἐτεὸν Φινεύς γε θεᾷ ἐνὶ Κύπριδι νόστον
πέφραδεν ἔσσεσθαι. κείνης δ' ὅγε μείλιχος ὄρνις 550
πότμον ὑπεξήλυξε· κέαρ δέ μοι ὡς ἐνὶ θυμῷ
τόνδε κατ' οἰωνὸν προτιόσσεται, ὡς δὲ πέλοιτο.
ἀλλά, φίλοι, Κυθέρειαν ἐπικλείοντες ἀμύνειν,
ἤδη νῦν Ἀργοιο παραιφασίῃσι πίθεσθε.'

Ἴσκεν· ἐπήνησαν δὲ νέοι, Φινῆος ἐφετμὰς
μνησάμενοι· μοῦνος δ' Ἀφαρήιος ἄνθορεν Ἴδας,
δείν' ἐπαλαστήσας μεγάλῃ ὀπί, φώνησέν τε·
'Ὦ πόποι, ἦ ῥα γυναιξὶν ὁμόστολοι ἐνθάδ' ἔβημεν,
οἳ Κύπριν καλέουσιν ἐπίρροθον ἄμμι πέλεσθαι,
οὐκέτ' Ἐννυαλίοιο μέγα σθένος; ἐς δὲ πελείας 560
καὶ κίρκους λεύσσοντες ἐρητύεσθε ἀέθλων;
ἔρρετε, μηδ' ὔμμιν πολεμήια ἔργα μέλοιτο,
παρθενικὰς δὲ λιτῇσιν ἀνάλκιδας ἠπεροπεύειν.'

Ὣς ηὔδα μεμαώς· πολέες δ' ὁμάδησαν ἑταῖροι
ἦκα μάλ', οὐδ' ἄρα τις οἱ ἐναντίον ἔκφατο μῦθον.
χωόμενος δ' ὅγ' ἔπειτα καθέζετο· τοῖσι δ' Ἰήσων
αὐτίκ' ἐποτρύνων τὸν ἑὸν νόον ὧδ' ἀγόρευεν·
'Ἄργος μὲν παρὰ νηός, ἐπεὶ τόδε πᾶσιν ἔαδεν,
στελλέσθω· ἀτὰρ αὐτοὶ ἐπὶ χθονὸς ἐκ ποταμοῖο
ἀμφαδὸν ἤδη πείσματ' ἀνάψομεν. ἦ γὰρ ἔοικεν 570
μηκέτι δὴν κρύπτεσθαι ὑποπτήσσοντας αὐτήν.'

Ὣς ἄρ' ἔφη· καὶ τὸν μὲν ἄφαρ προΐαλλε νέεσθαι
καρπαλίμως ἐξαῦτις ἀνὰ πτόλιν· οἱ δ' ἐπὶ νηὸς
εὐναίας ἐρύσαντες ἐφετμαῖς Αἰσονίδαο
τυτθὸν ὑπὲξ ἕλεος χέρσῳ ἐπέκελσαν ἐρετμοῖς.

Αὐτίκα δ' Αἰήτης ἀγορὴν ποιήσατο Κόλχων
νόσφιν ἑοῖο δόμου, τόθι περ καὶ πρόσθε κάθιζον,
ἀτλήτους Μινύῃσι δόλους καὶ κήδεα τεύχων.
στεῦτο δ', ἐπεί κεν πρῶτα βόες διαδηλήσωνται

Phineus said that our return should be with the help
of the Cyprian goddess. It was her gentle bird that
escaped death ; and as my heart within me foresees
according to this omen, so may it prove ! But, my
friends, let us call on Cytherea to aid us, and now
at once obey the counsels of Argus."

He spake, and the warriors approved, remember-
ing the injunctions of Phineus ; but all alone leapt
up Aphareian Idas and shouted loudly in terrible
wrath : " Shame on us, have we come here fellow-
voyagers with women, calling on Cypris for help and
not on the mighty strength of Enyalius ? And do ye
look to doves and hawks to save yourselves from
contests ? Away with you, take thought not for
deeds of war, but by supplication to beguile weak-
ling girls."

Such were his eager words ; and of his comrades
many murmured low, but none uttered a word
of answer back. And he sat down in wrath ; and at
once Jason roused them and uttered his own thought :
" Let Argus set forth from the ship, since this
pleases all ; but we will now move from the river
and openly fasten our hawsers to the shore. For
surely it is not fitting for us to hide any longer
cowering from the battle-cry."

So he spake, and straightway sent Argus to
return in haste to the city ; and they drew the
anchors on board at the command of Aeson's son,
and rowed the ship close to the shore, a little away
from the back-water.

But straightway Aeetes held an assembly of the
Colchians far aloof from his palace at a spot where
they sat in times before, to devise against the Minyae
grim treachery and troubles. And he threatened

ἄνδρα τόν, ὅς ῥ' ὑπέδεκτο βαρὺν καμέεσθαι ἄεθλον,   580
δρυμὸν ἀναρρήξας λασίης καθύπερθε κολώνης
αὔτανδρον φλέξειν δόρυ νήιον, ὄφρ' ἀλεγεινὴν
ὕβριν ἀποφλύξωσιν ὑπέρβια μηχανόωντες.
οὐδὲ γὰρ Αἰολίδην Φρίξον μάλα περ χατέοντα
δέχθαι ἐνὶ μεγάροισιν ἐφέστιον, ὃς περὶ πάντων
ξείνων μειλιχίῃ τε θεουδείῃ τ' ἐκέκαστο,
εἰ μή οἱ Ζεὺς αὐτὸς ἀπ' οὐρανοῦ ἄγγελον ἧκεν
Ἑρμείαν, ὥς κεν προσκηδέος ἀντιάσειεν·
μὴ καὶ ληιστῆρας ἑὴν ἐς γαῖαν ἰόντας
ἔσσεσθαι δηναιὸν ἀπήμονας, οἷσι μέμηλεν   590
ὀθνείοις ἐπὶ χεῖρα ἑὴν κτεάτεσσιν ἀείρειν,
κρυπταδίους τε δόλους τεκταίνέμεν, ἠδὲ βοτήρων
αὔλια δυσκελάδοισιν ἐπιδρομίῃσι δαΐξαι.
νόσφι δὲ οἷ αὐτῷ φάτ' ἐοικότα μείλια τίσειν
υἷας Φρίξοιο, κακορρέκτῃσιν ὀπηδοὺς
ἀνδράσι νοστήσαντας ὁμιλαδόν, ὄφρα ἑ τιμῆς
καὶ σκήπτρων ἐλάσειαν ἀκηδέες· ὥς ποτε βάξιν
λευγαλέην οὗ πατρὸς ἐπέκλυεν Ἠελίοιο,
χρειώ μιν πυκινόν τε δόλον βουλάς τε γενέθλης
σφωιτέρης ἄτην τε πολύτροπον ἐξαλέασθαι·   600
τῷ καὶ ἐελδομένους πέμπειν ἐς Ἀχαιίδα γαῖαν
πατρὸς ἐφημοσύνῃ, δολιχὴν ὁδόν. οὐδὲ θυγατρῶν
εἶναί οἱ τυτθόν γε δέος, μή πού τινα μῆτιν
φράσσωνται στυγερήν, οὐδ' υἱέος Ἀψύρτοιο·
ἀλλ' ἐνὶ Χαλκιόπης γενεῇ τάδε λυγρὰ τετύχθαι·
καί ῥ' ὁ μὲν ἄσχετα ἔργα πιφαύσκετο δημοτέροισιν
χωόμενος· μέγα δέ σφιν ἀπείλεε νῆά τ' ἐρύσθαι
ἠδ' αὐτούς, ἵνα μήτις ὑπὲκ κακότητος ἀλύξῃ.

that when first the oxen should have torn in pieces the man who had taken upon him to perform the heavy task, he would hew down the oak grove above the wooded hill, and burn the ship and her crew, that so they might vent forth in ruin their grievous insolence, for all their haughty schemes. For never would he have welcomed the Aeolid Phrixus as a guest in his halls, in spite of his sore need, Phrixus, who surpassed all strangers in gentleness and fear of the gods, had not Zeus himself sent Hermes his messenger down from heaven, so that he might meet with a friendly host; much less would pirates coming to his land be let go scatheless for long, men whose care it was to lift their hands and seize the goods of others, and to weave secret webs of guile, and harry the steadings of herdsmen with ill-sounding forays. And he said that besides all that the sons of Phrixus should pay a fitting penalty to himself for returning in consort with evildoers, that they might recklessly drive him from his honour and his throne; for once he had heard a baleful prophecy from his father Helios, that he must avoid the secret treachery and schemes of his own offspring and their crafty mischief. Wherefore he was sending them, as they desired, to the Achaean land at the bidding of their father—a long journey. Nor had he ever so slight a fear of his daughters, that they would form some hateful scheme, nor of his son Apsyrtus; but this curse was being fulfilled in the children of Chalciope. And he proclaimed terrible things in his rage against the strangers, and loudly threatened to keep watch over the ship and its crew, so that no one might escape calamity.

Τόφρα δὲ μητέρ' ἑήν, μετιὼν δόμον Αἰήταο,
"Αργος παντοίοισι παρηγορέεσκ' ἐπέεσσιν,   610
Μήδειαν λίσσεσθαι ἀμυνέμεν· ἡ δὲ καὶ αὐτὴ
πρόσθεν μητιάασκε· δέος δέ μιν ἴσχανε θυμόν,
μή πως ἠὲ παρ' αἶσαν ἐτώσια μειλίξαιτο
πατρὸς ἀτυζομένην ὀλοὸν χόλον, ἠὲ λιτῆσιν
ἑσπομένης ἀρίδηλα καὶ ἀμφαδὰ ἔργα πέλοιτο.

   Κούρην δ' ἐξ ἀχέων ἀδινὸς κατελώφεεν ὕπνος
λέκτρῳ ἀνακλινθεῖσαν. ἄφαρ δέ μιν ἠπεροπῆες,
οἷά τ' ἀκηχεμένην, ὀλοοὶ ἐρέθεσκον ὄνειροι.
τὸν ξεῖνον δ' ἐδόκησεν ὑφεστάμεναι τὸν ἄεθλον,
οὔτι μάλ' ὁρμαίνοντα δέρος κριοῖο κομίσσαι,   620
οὐδέ τι τοῖο ἕκητι μετὰ πτόλιν Αἰήταο
ἐλθέμεν, ὄφρα δέ μιν σφέτερον δόμον εἰσαγάγοιτο
κουριδίην παράκοιτιν· οἴετο δ' ἀμφὶ βόεσσιν
αὐτὴ ἀεθλεύουσα μάλ' εὐμαρέως πονέεσθαι·
σφωιτέρους δὲ τοκῆας ὑποσχεσίης ἀθερίζειν,
οὕνεκεν οὐ κούρῃ ζεῦξαι βόας, ἀλλά οἱ αὐτῷ
προύθεσαν· ἐκ δ' ἄρα τοῦ νεῖκος πέλεν ἀμφήριστον
πατρί τε καὶ ξείνοις· αὐτῇ δ' ἐπιέτρεπον ἄμφω
τῶς ἔμεν, ὥς κεν ἔῃσι μετὰ φρεσὶν ἰθύσειεν.
ἡ δ' ἄφνω τὸν ξεῖνον, ἀφειδήσασα τοκήων,   630
εἵλετο· τοὺς δ' ἀμέγαρτον ἄχος λάβεν, ἐκ δ' ἐ-
      βόησαν
χωόμενοι· τὴν δ' ὕπνος ἅμα κλαγγῇ μεθέηκεν.
παλλομένη δ' ἀνόρουσε φόβῳ, περί τ' ἀμφί τε τοί-
      χους
πάπτηνεν θαλάμοιο· μόλις δ' ἐσαγείρατο θυμὸν
ὡς πάρος ἐν στέρνοις, ἀδινὴν δ' ἀνενείκατο φωνήν·

   'Δειλὴ ἐγών, οἷόν με βαρεῖς ἐφόβησαν ὄνειροι.
δείδια, μὴ μέγα δή τι φέρῃ κακὸν ἥδε κέλευθος

236

Meantime Argus, going to Aeetes' palace, with manifold pleading besought his mother to pray Medea's aid; and Chalciope herself already had the same thoughts, but fear checked her soul lest haply either fate should withstand and she should entreat her in vain, all distraught as she would be at her father's deadly wrath, or, if Medea yielded to her prayers, her deeds should be laid bare and open to view.

Now a deep slumber had relieved the maiden from her love-pains as she lay upon her couch. But straightway fearful dreams, deceitful, such as trouble one in grief, assailed her. And she thought that the stranger had taken on him the contest, not because he longed to win the ram's fleece, and that he had not come on that account to Aeetes' city, but to lead her away, his wedded wife, to his own home; and she dreamed that herself contended with the oxen and wrought the task with exceeding ease; and that her own parents set at naught their promise, for it was not the maiden they had challenged to yoke the oxen but the stranger himself; from that arose a contention of doubtful issue between her father and the strangers; and both laid the decision upon her, to be as she should direct in her mind. But she suddenly, neglecting her parents, chose the stranger. And measureless anguish seized them and they shouted out in their wrath; and with the cry sleep released its hold upon her. Quivering with fear she started up, and stared round the walls of her chamber, and with difficulty did she gather her spirit within her as before, and lifted her voice aloud:

"Poor wretch, how have gloomy dreams affrighted me! I fear that this voyage of the heroes will

ἡρώων.   περί μοι ξείνῳ φρένες ἠερέθονται.
μνάσθω ἑὸν κατὰ δῆμον Ἀχαιίδα τηλόθι κούρην·
ἄμμι δὲ παρθενίη τε μέλοι καὶ δῶμα τοκήων.   640
ἔμπα γε μὴν θεμένη κύνεον κέαρ, οὐκέτ᾽ ἄνευθεν
αὐτοκασιγνήτης πειρήσομαι, εἴ κέ μ᾽ ἀέθλῳ
χραισμεῖν ἀντιάσῃσιν, ἐπὶ σφετέροις ἀχέουσα
παισί· τό κέν μοι λυγρὸν ἐνὶ κραδίῃ σβέσαι¹ ἄλγος.᾽
    Ἦ ῥα, καὶ ὀρθωθεῖσα θύρας ὦιξε δόμοιο,
νήλιπος, οἰέανος· καὶ δὴ λελίητο νέεσθαι
αὐτοκασιγνήτηνδε, καὶ ἕρκεος οὐδὸν ἄμειψεν.
δὴν δὲ καταυτόθι μίμνεν ἐνὶ προδόμῳ θαλάμοιο,
αἰδοῖ ἐεργομένη· μετὰ δ᾽ ἐτράπετ᾽ αὖτις ὀπίσσω
στρεφθεῖσ᾽· ἐκ δὲ πάλιν κίεν ἔνδοθεν, ἄψ τ᾽ ἀλέ-
        εινεν   650
εἴσω· τηΰσιοι δὲ πόδες φέρον ἔνθα καὶ ἔνθα·
ἤτοι ὅτ᾽ ἰθύσειεν, ἔρυκέ μιν ἔνδοθεν αἰδώς·
αἰδοῖ δ᾽ ἐργομένην θρασὺς ἵμερος ὀτρύνεσκεν.
τρὶς μὲν ἐπειρήθη, τρὶς δ᾽ ἔσχετο, τέτρατον αὖτις
λέκτροισιν πρηνὴς ἐνικάππεσεν εἰλιχθεῖσα.
ὡς δ᾽ ὅτε τις νύμφη θαλερὸν πόσιν ἐν θαλάμοισιν
μύρεται, ᾧ μιν ὄπασσαν ἀδελφεοὶ ἠδὲ τοκῆες,
οὐδέ τί πω πάσαις ἐπιμίσγεται ἀμφιπόλοισιν
αἰδοῖ ἐπιφροσύνῃ τε· μυχῷ δ᾽ ἀχέουσα θαάσσει·
τὸν δέ τις ὤλεσε μοῖρα, πάρος ταρπήμεναι ἄμφω   660
δήνεσιν ἀλλήλων· ἡ δ᾽ ἔνδοθι δαιομένη περ
σῖγα μάλα κλαίει χῆρον λέχος εἰσορόωσα,
μή μιν κερτομέουσαι ἐπιστοβέωσι γυναῖκες·
τῇ ἰκέλη Μήδεια κινύρετο.   τὴν δέ τις ἄφνω
μυρομένην μεσσηγὺς ἐπιπρομολοῦσ᾽ ἐνόησεν

¹ σβέσαι Madvig : σβέσοι MSS.

bring some great evil. My heart is trembling for the stranger. Let him woo some Achaean girl far away among his own folk; let maidenhood be mine and the home of my parents. Yet, taking to myself a reckless heart, I will no more keep aloof but will make trial of my sister to see if she will entreat me to aid in the contest, through grief for her own sons; this would quench the bitter pain in my heart."

She spake, and rising from her bed opened the door of her chamber, bare-footed, clad in one robe; and verily she desired to go to her sister, and crossed the threshold. And for long she stayed there at the entrance of her chamber, held back by shame; and she turned back once more; and again she came forth from within, and again stole back; and idly did her feet bear her this way and that; yea, as oft as she went straight on, shame held her within the chamber, and though held back by shame, bold desire kept urging her on. Thrice she made the attempt and thrice she checked herself, the fourth time she fell on her bed face downward, writhing in pain. And as when a bride in her chamber bewails her youthful husband, to whom her brothers and parents have given her, nor yet does she hold converse with all her attendants for shame and for thinking of him; but she sits apart in her grief; and some doom has destroyed him, before they have had pleasure of each other's charms; and she with heart on fire silently weeps, beholding her widowed couch, in fear lest the women should mock and revile her: like to her did Medea lament. And suddenly as she was in the midst of her tears, one of

δμωάων, ἥ οἱ ἐπέτις πέλε κουρίζουσα·
Χαλκιόπη δ᾽ ἤγγειλε παρασχεδόν· ἡ δ᾽ ἐνὶ παισὶν
ἦστ᾽ ἐπιμητιόωσα κασιγνήτην ἀρέσασθαι.
ἀλλ᾽ οὐδ᾽ ὣς ἀπίθησεν, ὅτ᾽ ἔκλυεν ἀμφιπόλοιο
μῦθον ἀνώιστον· διὰ δ᾽ ἔσσυτο θαμβήσασα   670
ἐκ θαλάμου θαλαμόνδε διαμπερές, ᾧ ἔνι κούρη
κέκλιτ᾽ ἀκηχεμένη, δρύψεν δ᾽ ἑκάτερθε παρειάς·
ὡς δ᾽ ἴδε δάκρυσιν ὄσσε πεφυρμένα, φώνησέν μιν·

'Ὤι μοι ἐγώ, Μήδεια, τί δὴ τάδε δάκρυα λείβεις;
τίπτ᾽ ἔπαθες; τί τοι αἰνὸν ὑπὸ φρένας ἵκετο πέν-
        θος;
ἦ νύ σε θευμορίη περιδέδρομεν ἅψεα νοῦσος,
ἠέ τιν᾽ οὐλομένην ἐδάης ἐκ πατρὸς ἐνιπὴν
ἀμφί τ᾽ ἐμοὶ καὶ παισίν; ὄφελλέ με μήτε τοκήων
δῶμα τόδ᾽ εἰσοράαν, μηδὲ πτόλιν, ἀλλ᾽ ἐπὶ γαίης
πείρασι ναιετάειν, ἵνα μηδέ περ οὔνομα Κόλχων.'   680

Ὣς φάτο· τῆς δ᾽ ἐρύθηνε παρήια· δὴν δέ μιν αἰδὼς
παρθενίη κατέρυκεν ἀμείψασθαι μεμαυῖαν.
μῦθος δ᾽ ἄλλοτε μέν οἱ ἐπ᾽ ἀκροτάτης ἀνέτελλεν
γλώσσης, ἄλλοτ᾽ ἔνερθε κατὰ στῆθος πεπότητο.
πολλάκι δ᾽ ἱμερόεν μὲν ἀνὰ στόμα θῦεν ἐνισπεῖν·
φθογγῇ δ᾽ οὐ προύβαινε παροιτέρω· ὀψὲ δ᾽ ἔειπεν
τοῖα δόλῳ· θρασέες γὰρ ἐπεκλονέεσκον Ἔρωτες·

'Χαλκιόπη, περί μοι παίδων σέο θυμὸς ἄηται,
μή σφε πατὴρ ξείνοισι σὺν ἀνδράσιν αὐτίκ᾽ ὀλέσσῃ.
τοῖα κατακνώσσουσα μινυνθαδίῳ νέον ὕπνῳ   690
λεύσσω ὀνείρατα λυγρά, τά τις θεὸς ἀκράαντα
θείη, μηδ᾽ ἀλεγεινὸν ἐφ᾽ υἱάσι κῆδος ἕλοιο.'

the handmaids came forth and noticed her, one who was her youthful attendant; and straightway she told Chalciope, who sat in the midst of her sons devising how to win over her sister. And when Chalciope heard the strange tale from the handmaid, not even so did she disregard it. And she rushed in dismay from her chamber right on to the chamber where the maiden lay in her anguish, having torn her cheeks on each side; and when Chalciope saw her eyes all dimmed with tears, she thus addressed her:

"Ah me, Medea, why dost thou weep so? What hath befallen thee? What terrible grief has entered thy heart? Has some heaven-sent disease enwrapt thy frame, or hast thou heard from our father some deadly threat concerning me and my sons? Would that I did not behold this home of my parents, or the city, but dwelt at the ends of the earth, where not even the name of Colchians is known!"

Thus she spake, and her sister's cheeks flushed; and though she was eager to reply, long did maiden shame restrain her. At one moment the word rose on the end of her tongue, at another it fluttered back deep within her breast. And often through her lovely lips it strove for utterance; but no sound came forth; till at last she spoke with guileful words; for the bold Loves were pressing her hard:

"Chalciope, my heart is all trembling for thy sons, lest my father forthwith destroy them together with the strangers. Slumbering just now in a short-lived sleep such a ghastly dream did I see—may some god forbid its fulfilment and never mayst thou win for thyself bitter care on thy sons' account."

241

Φῆ ῥα, κασιγνήτης πειρωμένη, εἴ κέ μιν αὐτὴ
ἀντιάσειε πάροιθεν ἑοῖς τεκέεσσιν ἀμύνειν.
τὴν δ' αἰνῶς ἄτλητος ἐπέκλυσε θυμὸν ἀνίη
δείματι, τοῖ' ἐσάκουσεν· ἀμείβετο δ' ὧδ' ἐπέεσσιν·
'Καὶ δ' αὐτὴ τάδε πάντα μετήλυθον ὁρμαίνουσα,
εἴ τινα συμφράσσαιο καὶ ἀρτύνειας ἀρωγήν.
ἀλλ' ὄμοσον Γαῖάν τε καὶ Οὐρανόν, ὅττι τοι εἴπω
σχήσειν ἐν θυμῷ, σύν τε δρήστειρα πέλεσθαι.   700
λίσσομ' ὑπὲρ μακάρων σέο τ' αὐτῆς ἠδὲ τοκήων,
μή σφε κακῇ ὑπὸ κηρὶ διαρραισθέντας ἰδέσθαι
λευγαλέως· ἢ σοίγε φίλοις σὺν παισὶ θανοῦσα
εἴην ἐξ Ἀίδεω στυγερὴ μετόπισθεν Ἐρινύς.'

Ὣς ἄρ' ἔφη, τὸ δὲ πολλὸν ὑπεξέχυτ' αὐτίκα
    δάκρυ·
νειόθι θ' ἀμφοτέρῃσι περίσχετο γούνατα χερσίν,
σὺν δὲ κάρη κόλποις περικάββαλεν. ἔνθ' ἐλεεινὸν
ἄμφω ἐπ' ἀλλήλῃσι θέσαν γόον· ὦρτο δ' ἰωὴ
λεπταλέη διὰ δώματ' ὀδυρομένων ἀχέεσσιν.
τὴν δὲ πάρος Μήδεια προσέννεπεν ἀσχαλόωσα·   710

'Δαιμονίη, τί νύ τοι ῥέξω ἄκος, οἷ' ἀγορεύεις,
ἀράς τε στυγερὰς καὶ Ἐρινύας; αἱ γὰρ ὄφελλεν
ἔμπεδον εἶναι ἐπ' ἄμμι τεοὺς υἷας ἔρυσθαι.
ἴστω Κόλχων ὅρκος ὑπέρβιος ὅντιν' ὀμόσσαι
αὐτὴ ἐποτρύνεις, μέγας Οὐρανός, ἥ θ' ὑπένερθεν
Γαῖα, θεῶν μήτηρ, ὅσσον σθένος ἐστὶν ἐμεῖο,
μή σ' ἐπιδευήσεσθαι, ἀνυστά περ ἀντιόωσαν.'

Φῆ ἄρα· Χαλκιόπη δ' ἠμείβετο τοῖσδ' ἐπέεσσιν·
'Οὐκ ἂν δὴ ξείνῳ τλαίης χατέοντι καὶ αὐτῷ
ἢ δόλον, ἤ τινα μῆτιν ἐπιφράσσασθαι ἀέθλου,   720
παίδων εἵνεκ' ἐμεῖο; καὶ ἐκ κείνοιο δ' ἱκάνει

She spake, making trial of her sister to see if she first would entreat help for her sons. And utterly unbearable grief surged over Chalciope's soul for fear at what she heard; and then she replied: "Yea, I myself too have come to thee in eager furtherance of this purpose, if thou wouldst haply devise with me and prepare some help. But swear by Earth and Heaven that thou wilt keep secret in thy heart what I shall tell thee, and be fellow-worker with me. I implore thee by the blessed gods, by thyself and by thy parents, not to see them destroyed by an evil doom piteously; or else may I die with my dear sons and come back hereafter from Hades an avenging Fury to haunt thee."

Thus she spake, and straightway a torrent of tears gushed forth, and low down she clasped her sister's knees with both hands and let her head sink on to her breast. Then they both made piteous lamentation over each other, and through the halls rose the faint sound of women weeping in anguish. Medea, sore troubled, first addressed her sister:

"God help thee, what healing can I bring thee for what thou speakest of, horrible curses and Furies? Would that it were firmly in my power to save thy sons! Be witness that mighty oath of the Colchians by which thou urgest me to swear, the great Heaven, and Earth beneath, mother of the gods, that as far as strength lies in me, never shalt thou fail of help, if only thy prayers can be accomplished."

She spake, and Chalciope thus replied: "Couldst thou not then, for the stranger—who himself craves thy aid—devise some trick or some wise thought to win the contest, for the sake of my sons? And from

Ἄργος, ἐποτρύνων με τεῆς πειρῆσαι ἀρωγῆς·
μεσσηγὺς μὲν τόνγε δόμῳ λίπον ἐνθάδ᾽ ἰοῦσα.᾽
  Ὣς φάτο· τῇ δ᾽ ἔντοσθεν ἀνέπτατο χάρματι
    θυμός,
φοινίχθη δ᾽ ἄμυδις καλὸν χρόα, κὰδ δέ μιν ἀχλὺς
εἷλεν ἰαινομένην, τοῖον δ᾽ ἐπὶ μῦθον ἔειπεν·
'Χαλκιόπη, ὡς ὕμμι φίλον τερπνόν τε τέτυκται,
ὣς ἔρξω. μὴ γάρ μοι ἐν ὀφθαλμοῖσι φαείνοι
ἠώς, μηδέ με δηρὸν ἔτι ζώουσαν ἴδοιο,
εἴ γέ τι σῆς ψυχῆς προφερέστερον, ἠέ τι παίδων   730
σῶν θείην, οἳ δή μοι ἀδελφειοὶ γεγάασιν,
κηδεμόνες τε φίλοι καὶ ὁμήλικες. ὣς δὲ καὶ αὐτὴ
φημὶ κασιγνήτη τε σέθεν κούρη τε πέλεσθαι,
ἶσον ἐπεὶ κείνοις με τεῷ ἐπαείραο μαζῷ
νηπυτίην, ὡς αἰὲν ἐγώ ποτε μητρὸς ἄκουον.
ἀλλ᾽ ἴθι, κεῦθε δ᾽ ἐμὴν σιγῇ χάριν, ὄφρα τοκῆας
λήσομαι ἐντύνουσα ὑπόσχεσιν· ἦρι δὲ νηὸν
οἴσομαι ¹ εἰς Ἑκάτης θελκτήρια φάρμακα ταύρων.᾽
  Ὣς ἥγ᾽ ἐκ θαλάμοιο πάλιν κίε, παισί τ᾽ ἀρωγὴν   740
αὐτοκασιγνήτης διεπέφραδε. τὴν δέ μιν αὖτις ²
αἰδώς τε στυγερόν τε δέος λάβε μουνωθεῖσαν,
τοῖα παρὲξ οὗ πατρὸς ἐπ᾽ ἀνέρι μητιάασθαι.
  Νὺξ μὲν ἔπειτ᾽ ἐπὶ γαῖαν ἄγεν κνέφας· οἱ δ᾽
    ἐνὶ πόντῳ
ναῦται ³ εἰς Ἑλίκην τε καὶ ἀστέρας Ὠρίωνος
ἔδρακον ἐκ νηῶν· ὕπνοιο δὲ καί τις ὁδίτης
ἤδη καὶ πυλαωρὸς ἐέλδετο· καί τινα παίδων
μητέρα τεθνεώτων ἀδινὸν περὶ κῶμ᾽ ἐκάλυπτεν·

---

¹ οἴσομαι L. After this line occurs in scholia as a variant
the line οἰσομένη ξείνῳ ὑπὲρ οὗ τόδε νεῖκος ὄρωρε.
² μάλ᾽ αὖτις and μεταῦτις have been conjectured.
³ ναυτίλοι Porson.

him has come Argus urging me to try to win thy help; I left him in the palace meantime while I came hither."

Thus she spake, and Medea's heart bounded with joy within her, and at once her fair cheeks flushed, and a mist swam before her melting eyes, and she spake as follows : " Chalciope, as is dear and delightful to thee and thy sons, even so will I do. Never may the dawn appear again to my eyes, never mayst thou see me living any longer, if I should take thought for anything before thy life or thy sons' lives, for they are my brothers, my dear kinsmen and youthful companions. So do I declare myself to be thy sister, and thy daughter too, for thou didst lift me to thy breast when an infant equally with them, as I ever heard from my mother in past days. But go, bury my kindness in silence, so that I may carry out my promise unknown to my parents ; and at dawn I will bring to Hecate's temple charms to cast a spell upon the bulls."

Thus Chalciope went back from the chamber, and made known to her sons the help given by her sister. And again did shame and hateful fear seize Medea thus left alone, that she should devise such deeds for a man in her father's despite.

Then did night draw darkness over the earth ; and on the sea sailors from their ships looked towards the Bear and the stars of Orion ; and now the wayfarer and the warder longed for sleep, and the pall of slumber wrapped round the mother whose children were dead ; nor was there any more

οὐδὲ κυνῶν ὑλακὴ ἔτ' ἀνὰ πτόλιν, οὐ θρόος ἦεν
ἠχήεις· σιγῇ δὲ μελαινομένην ἔχεν ὄρφνην.　　750
ἀλλὰ μάλ' οὐ Μήδειαν ἐπὶ γλυκερὸς λάβεν ὕπνος.
πολλὰ γὰρ Αἰσονίδαο πόθῳ μελεδήματ' ἔγειρεν
δειδυῖαν ταύρων κρατερὸν μένος, οἷσιν ἔμελλεν
φθίσθαι ἀεικελίῃ μοίρῃ κατὰ νειὸν Ἄρηος.
πυκνὰ δέ οἱ κραδίη στηθέων ἔντοσθεν ἔθυιεν,
ἠελίου ὥς τίς τε δόμοις ἐνιπάλλεται αἴγλη
ὕδατος ἐξανιοῦσα, τὸ δὴ νέον ἠὲ λέβητι
ἠέ που ἐν γαυλῷ κέχυται· ἡ δ' ἔνθα καὶ ἔνθα
ὠκείῃ στροφάλιγγι τινάσσεται ἀίσσουσα·
ὣς δὲ καὶ ἐν στήθεσσι κέαρ ἐλελίζετο κούρης.　　760
δάκρυ δ' ἀπ' ὀφθαλμῶν ἐλέῳ ῥέεν· ἔνδοθι δ' αἰεὶ
τεῖρ' ὀδύνη σμύχουσα διὰ χροός, ἀμφί τ' ἀραιὰς
ἶνας καὶ κεφαλῆς ὑπὸ νείατον ἰνίον ἄχρις,
ἔνθ' ἀλεγεινότατον δύνει ἄχος, ὁππότ' ἀνίας
ἀκάματοι πραπίδεσσιν ἐνισκίμψωσιν Ἔρωτες.
φῆ δέ οἱ ἄλλοτε μὲν θελκτήρια φάρμακα ταύρων
δωσέμεν, ἄλλοτε δ' οὔτι· καταφθίσθαι δὲ καὶ αὐτή·
αὐτίκα δ' οὔτ' αὐτὴ θανέειν, οὐ φάρμακα δώσειν,
ἀλλ' αὔτως εὔκηλος ἐὴν ὀτλησέμεν ἄτην.　　770
ἑζομένη δ' ἔπειτα δοάσσατο, φώνησέν τε·
  'Δειλὴ ἐγώ, νῦν ἔνθα κακῶν ἢ ἔνθα γένωμαι;
πάντῃ μοι φρένες εἰσὶν ἀμήχανοι· οὐδέ τις ἀλκὴ
πήματος· ἀλλ' αὔτως φλέγει ἔμπεδον. ὡς ὄφελόν γε
Ἀρτέμιδος κραιπνοῖσι πάρος βελέεσσι δαμῆναι,
πρὶν τόνγ' εἰσιδέειν, πρὶν Ἀχαιίδα γαῖαν ἱκέσθαι
Χαλκιόπης υἷας.   τοὺς μὲν θεὸς ἤ τις Ἐρινὺς
ἄμμι πολυκλαύτους δεῦρ' ἤγαγε κεῖθεν ἀνίας.
φθίσθω ἀεθλεύων, εἴ οἱ κατὰ νειὸν ὀλέσθαι

246

the barking of dogs through the city, nor sound of men's voices; but silence held the blackening gloom. But not indeed upon Medea came sweet sleep. For in her love for Aeson's son many cares kept her wakeful, and she dreaded the mighty strength of the bulls, beneath whose fury he was like to perish by an unseemly fate in the field of Ares. And fast did her heart throb within her breast, as a sunbeam quivers upon the walls of a house when flung up from water, which is just poured forth in a caldron or a pail may be; and hither and thither on the swift eddy does it dart and dance along; even so the maiden's heart quivered in her breast. And the tear of pity flowed from her eyes, and ever within anguish tortured her, a smouldering fire through her frame, and about her fine nerves and deep down beneath the nape of the neck where the pain enters keenest, whenever the unwearied Loves direct against the heart their shafts of agony. And she thought now that she would give him the charms to cast a spell on the bulls, now that she would not, and that she herself would perish; and again that she would not perish and would not give the charms, but just as she was would endure her fate in silence. Then sitting down she wavered in mind and said:

"Poor wretch, must I toss hither and thither in woe? On every side my heart is in despair; nor is there any help for my pain; but it burneth ever thus. Would that I had been slain by the swift shafts of Artemis before I had set eyes on him, before Chalciope's sons reached the Achaean land. Some god or some Fury brought them hither for our grief, a cause of many tears. Let him perish in the contest if it be his lot to die in the field. For how

μοῖρα πέλει. πῶς γάρ κεν ἐμοὺς λελάθοιμι τοκῆας
φάρμακα μησαμένη; ποῖον δ' ἐπὶ μῦθον ἐνίψω; 780
τίς δὲ δόλος, τίς μῆτις ἐπίκλοπος ἔσσετ' ἀρωγῆς;
ἢ μιν ἄνευθ' ἑτάρων προσπτύξομαι οἶον ἰδοῦσα;
δύσμορος· οὐ μὲν ἔολπα καταφθιμένοιό περ ἔμπης
λωφήσειν ἀχέων· τότε δ' ἂν κακὸν ἄμμι πέλοιτο,
κεῖνος ὅτε ζωῆς ἀπαμείρεται. ἐρρέτω αἰδώς,
ἐρρέτω ἀγλαΐη· ὁ δ' ἐμῇ ἰότητι σαωθεὶς
ἀσκηθής, ἵνα οἱ θυμῷ φίλον, ἔνθα νέοιτο.
αὐτὰρ ἐγὼν αὐτῆμαρ, ὅτ' ἐξανύσειεν ἄεθλον,
τεθναίην, ἢ λαιμὸν ἀναρτήσασα μελάθρῳ,
ἢ καὶ πασσαμένη ῥαιστήρια φάρμακα θυμοῦ. 790
ἀλλὰ καὶ ὣς φθιμένη μοι ἐπιλλίξουσιν ὀπίσσω
κερτομίας· τηλοῦ δὲ πόλις περὶ πᾶσα βοήσει
πότμον ἐμόν· καί κέν με διὰ στόματος φορέουσαι
Κολχίδες ἄλλυδις ἄλλαι ἀεικέα μωμήσονται·
ἥτις κηδομένη τόσον ἀνέρος ἀλλοδαποῖο
κάτθανεν, ἥτις δῶμα καὶ οὓς ᾔσχυνε τοκῆας,
μαργοσύνῃ εἴξασα. τί δ' οὐκ ἐμὸν ἔσσεται αἶσχος;
ὤ μοι ἐμῆς ἄτης. ἦ τ' ἂν πολὺ κέρδιον εἴη
τῇδ' αὐτῇ ἐν νυκτὶ λιπεῖν βίον ἐν θαλάμοισιν
πότμῳ ἀνωίστῳ, κάκ' ἐλέγχεα πάντα φυγοῦσαν, 800
πρὶν τάδε λωβήεντα καὶ οὐκ ὀνομαστὰ τελέσσαι.'
    Ἦ, καὶ φωριαμὸν μετεκίαθεν, ᾗ ἔνι πολλὰ
φάρμακά οἱ, τὰ μὲν ἐσθλά, τὰ δὲ ῥαιστήρι', ἔκειτο.
ἐνθεμένη δ' ἐπὶ γούνατ' ὀδύρετο. δεῦε δὲ κόλπους
ἄλληκτον δακρύοισι, τὰ δ' ἔρρεεν ἀσταγὲς αὔτως,
αἴν' ὀλοφυρομένης τὸν ἑὸν μόρον. ἵετο δ' ἥγε
φάρμακα λέξασθαι θυμοφθόρα, τόφρα πάσαιτο.
ἤδη καὶ δεσμοὺς ἀνέλυετο φωριαμοῖο,
ἐξελέειν μεμαυῖα, δυσάμμορος. ἀλλά οἱ ἄφνω

could I prepare the charms without my parents'
knowledge? What story can I tell them? What
trick, what cunning device for aid can I find? If I see
him alone, apart from his comrades, shall I greet him?
Ill-starred that I am! I cannot hope that I should
rest from my sorrows even though he perished;
then will evil come to me when he is bereft of life.
Perish all shame, perish all glory; may he, saved by
my effort, go scatheless wherever his heart desires.
But as for me, on the day when he bides the contest
in triumph, may I die either straining my neck in the
noose from the roof-tree or tasting drugs destructive
of life. But even so, when I am dead, they will fling
out taunts against me; and every city far away will
ring with my doom, and the Colchian women, tossing
my name on their lips hither and thither, will revile
me with unseemly mocking—the maid who cared so
much for a stranger that she died, the maid who
disgraced her home and her parents, yielding to a
mad passion. And what disgrace will not be mine?
Alas for my infatuation! Far better would it be for
me to forsake life this very night in my chamber
by some mysterious fate, escaping all slanderous
reproach, before I complete such nameless dis-
honour."

She spake, and brought a casket wherein lay many
drugs, some for healing, others for killing, and
placing it upon her knees she wept. And she
drenched her bosom with ceaseless tears, which
flowed in torrents as she sat, bitterly bewailing her
own fate. And she longed to choose a murderous
drug to taste it, and now she was loosening
the bands of the casket eager to take it forth,
unhappy maid! But suddenly a deadly fear of

δεῖμ' ὀλοὸν στυγεροῖο κατὰ φρένας ἦλθ' Ἀίδαο.   810
ἔσχετο δ' ἀμφασίῃ δηρὸν χρόνον, ἀμφὶ δὲ πᾶσαι
θυμηδεῖς βιότοιο μεληδόνες ἰνδάλλοντο.
μνήσατο μὲν τερπνῶν, ὅσ' ἐνὶ ζωοῖσι πέλονται,
μνήσαθ' ὁμηλικίης περιγηθέος, οἷά τε κούρη·
καί τέ οἱ ἠέλιος γλυκίων γένετ' εἰσοράασθαι,
ἢ πάρος, εἰ ἐτεόν γε νόῳ ἐπεμαίεθ' ἕκαστα.
καὶ τὴν μέν ῥα πάλιν σφετέρων ἀποκάτθετο
          γούνων,
Ἥρης ἐννεσίῃσι μετάτροπος, οὐδ' ἔτι βουλὰς
ἄλλῃ δοιάζεσκεν· ἐέλδετο δ' αἶψα φανῆναι
ἠῶ τελλομένην, ἵνα οἱ θελκτήρια δοίη   820
φάρμακα συνθεσίῃσι, καὶ ἀντήσειεν ἐς ὠπήν.
πυκνὰ δ' ἀνὰ κληῖδας ἑῶν λύεσκε θυράων,
αἴγλην σκεπτομένη· τῇ δ' ἀσπάσιον βάλε φέγγος
Ἠριγενής, κίνυντο δ' ἀνὰ πτολίεθρον ἕκαστοι.

Ἔνθα κασιγνήτους μὲν ἔτ' αὐτόθι μεῖναι ἀνώγει
Ἄργος, ἵνα φράζοιντο νόον καὶ μήδεα κούρης·
αὐτὸς δ' αὖτ' ἐπὶ νῆα κίεν προπάροιθε λιασθείς.

Ἡ δ' ἐπεὶ οὖν τὰ πρῶτα φαεινομένην ἴδεν ἠῶ
παρθενική, ξανθὰς μὲν ἀνήψατο χερσὶν ἐθείρας,
αἵ οἱ ἀτημελίῃ καταειμέναι ἠερέθοντο,   830
αὐσταλέας δ' ἔψησε παρηίδας· αὐτὰρ ἀλοιφῇ
νεκταρέῃ φαιδρύνετ' ἐπὶ χρόα· δῦνε δὲ πέπλον
καλόν, εὐγνάμπτοισιν ἀρηρέμενον περόνῃσιν·
ἀμβροσίῳ δ' ἐφύπερθε καρήατι βάλλε καλύπτρην
ἀργυφέην.   αὐτοῦ δὲ δόμοις ἔνι δινεύουσα
στεῖβε πέδον λήθῃ ἀχέων, τά οἱ ἐν ποσὶν ἦεν
θεσπέσι', ἄλλα τ' ἔμελλεν ἀεξήσεσθαι ὀπίσσω.
κέκλετο δ' ἀμφιπόλοις, αἵ οἱ δυοκαίδεκα πᾶσαι
ἐν προδόμῳ θαλάμοιο θυώδεος ηὐλίζοντο

hateful Hades came upon her heart. And long
she held back in speechless horror, and all around
her thronged visions of the pleasing cares of life.
She thought of all the delightful things that are
among the living, she thought of her joyous play-
mates, as a maiden will; and the sun grew sweeter
than ever to behold, seeing that in truth her soul
yearned for all. And she put the casket again from
off her knees, all changed by the prompting of
Hera, and no more did she waver in purpose; but
longed for the rising dawn to appear quickly, that she
might give him the charms to work the spell as she
had promised, and meet him face to face. And
often did she loosen the bolts of her door, to watch
for the faint gleam: and welcome to her did the
dayspring shed its light, and folk began to stir
throughout the city.

Then Argus bade his brothers remain there to
learn the maiden's mind and plans, but himself
turned back and went to the ship.

Now soon as ever the maiden saw the light of
dawn, with her hands she gathered up her golden
tresses which were floating round her shoulders in
careless disarray, and bathed her tear-stained
cheeks, and made her skin shine with ointment
sweet as nectar; and she donned a beautiful robe,
fitted with well bent clasps, and above on her head,
divinely fair, she threw a veil gleaming like silver.
And there, moving to and fro in the palace, she
trod the ground forgetful of the heaven-sent woes
thronging round her and of others that were destined
to follow. And she called to her maids. Twelve
they were, who lay during the night in the vestibule
of her fragrant chamber, young as herself, not yet

ἥλικες, οὔπω λέκτρα σὺν ἀνδράσι πορσύνουσαι,   840
ἐσσυμένως οὐρῆας ὑποζεύξασθαι ἀπήνῃ,
οἵ κέ μιν εἰς Ἑκάτης περικαλλέα νηὸν ἄγοιεν.
ἔνθ᾽ αὖτ᾽ ἀμφίπολοι μὲν ἐφοπλίζεσκον ἀπήνην·
ἡ δὲ τέως γλαφυρῆς ἐξείλετο φωριαμοῖο
φάρμακον, ὅ ῥά τέ φασι Προμήθειον καλέεσθαι.
τῷ εἴ κ᾽ ἐννυχίοισιν ἀρεσσάμενος θυέεσσιν
Κούρην¹ μουνογένειαν ἑὸν δέμας ἰκμαίνοιτο,
ἦ τ᾽ ἂν ὅγ᾽ οὔτε ῥηκτὸς ἔοι χαλκοῖο τυπῇσιν,
οὔτε κεν αἰθομένῳ πυρὶ εἰκάθοι· ἀλλὰ καὶ ἀλκῇ
λωίτερος κεῖν᾽ ἦμαρ ὁμῶς κάρτει τε πέλοιτο.   850
πρωτοφυὲς τόγ᾽ ἀνέσχε καταστάξαντος ἔραζε
αἰετοῦ ὠμηστέω κνημοῖς ἔνι Καυκασίοισιν
αἱματόεντ᾽ ἰχῶρα Προμηθῆος μογεροῖο.
τοῦ δ᾽ ἤτοι ἄνθος μὲν ὅσον πήχυιον ὕπερθεν
χροιῇ Κωρυκίῳ ἴκελον κρόκῳ ἐξεφαάνθη,
καυλοῖσιν διδύμοισιν ἐπήορον· ἡ δ᾽ ἐνὶ γαίῃ
σαρκὶ νεοτμήτῳ ἐναλιγκίη ἔπλετο ῥίζα.
τῆς οἵην τ᾽ ἐν ὄρεσσι κελαινὴν ἰκμάδα φηγοῦ
Κασπίῃ ἐν κόχλῳ ἀμήσατο φαρμάσσεσθαι,
ἑπτὰ μὲν ἀενάοισι λοεσσαμένη ὑδάτεσσιν,   860
ἑπτάκι δὲ Βριμὼ κουροτρόφον ἀγκαλέσασα,
Βριμὼ νυκτιπόλον, χθονίην, ἐνέροισιν ἄνασσαν,
λυγαίῃ ἐνὶ νυκτί, σὺν ὀρφναίοις φαρέεσσιν.
μυκηθμῷ δ᾽ ὑπένερθεν ἐρεμνὴ σείετο γαῖα,
ῥίζης τεμνομένης Τιτηνίδος· ἔστενε δ᾽ αὐτὸς
Ἰαπετοῖο πάις ὀδύνῃ πέρι θυμὸν ἀλύων.
τό ῥ᾽ ἥγ᾽ ἐξανελοῦσα θυώδεϊ κάτθετο μίτρῃ,
ἥτε οἱ ἀμβροσίοισι περὶ στήθεσσιν ἔερτο.
ἐκ δὲ θύραζε κιοῦσα θοῆς ἐπεβήσατ᾽ ἀπήνης·
σὺν δέ οἱ ἀμφίπολοι δοιαὶ ἑκάτερθεν ἔβησαν.   870

¹ Κούρην] Δαῖραν G, schol.

sharing the bridal couch, and she bade them hastily yoke the mules to the chariot to bear her to the beauteous shrine of Hecate. Thereupon the hand-maids were making ready the chariot; and Medea meanwhile took from the hollow casket a charm which men say is called the charm of Prometheus. If a man should anoint his body therewithal, having first appeased the Maiden, the only-begotten, with sacrifice by night, surely that man could not be wounded by the stroke of bronze nor would he flinch from blazing fire; but for that day he would prove superior both in prowess and in might. It shot up first-born when the ravening eagle on the rugged flanks of Caucasus let drip to the earth the blood-like ichor[1] of tortured Prometheus. And its flower appeared a cubit above ground in colour like the Corycian crocus, rising on twin stalks; but in the earth the root was like newly-cut flesh. The dark juice of it, like the sap of a mountain-oak, she had gathered in a Caspian shell to make the charm withal, when she had first bathed in seven ever-flowing streams, and had called seven times on Brimo, nurse of youth, night-wandering Brimo, of the under-world, queen among the dead,—in the gloom of night, clad in dusky garments. And beneath, the dark earth shook and bellowed when the Titanian root was cut; and the son of Iapetus himself groaned, his soul distraught with pain. And she brought the charm forth and placed it in the fragrant band which engirdled her, just beneath her bosom, divinely fair. And going forth she mounted the swift chariot, and with her went two handmaidens on each side. And she herself took the reins and in

---

[1] *i.e.* the liquid that flows in the veins of gods.

αὐτὴ δ᾽ ἥνι᾽ ἔδεκτο καὶ εὐποίητον ἱμάσθλην
δεξιτερῇ, ἔλαεν δὲ δι᾽ ἄστεος· αἱ δὲ δὴ ἄλλαι
ἀμφίπολοι, πείρινθος ἐφαπτόμεναι μετόπισθεν,
τρώχων εὐρεῖαν κατ᾽ ἀμαξιτόν· ἂν δὲ χιτῶνας
λεπταλέους λευκῆς ἐπιγουνίδος ἄχρις ἄειρον.
οἵη δὲ λιαροῖσιν ἐφ᾽ ὕδασι Παρθενίοιο,
ἠὲ καὶ Ἀμνισοῖο λοεσσαμένη ποταμοῖο
χρυσείοις Λητωὶς ἐφ᾽ ἅρμασιν ἑστηυῖα
ὠκείαις κεμάδεσσι διεξελάσῃσι κολώνας,
τηλόθεν ἀντιόωσα πολυκνίσου ἑκατόμβης·   880
τῇ δ᾽ ἅμα νύμφαι ἕπονται ἀμορβάδες, αἱ μὲν ἐπ᾽
          αὐτῆς
ἀγρόμεναι πηγῆς Ἀμνισίδος, ἂν δὲ δὴ ἄλλαι
ἄλσεα καὶ σκοπιὰς πολυπίδακας· ἀμφὶ δὲ θῆρες
κνυζηθμῷ σαίνουσιν ὑποτρομέοντες ἰοῦσαν·
ὣς αἵγ᾽ ἐσσεύοντο δι᾽ ἄστεος· ἀμφὶ δὲ λαοὶ
εἶκον, ἀλευάμενοι βασιληίδος ὄμματα κούρης.
αὐτὰρ ἐπεὶ πόλιος μὲν ἐυδμήτους λίπ᾽ ἀγυιάς,
νηὸν δ᾽ εἰσαφίκανε διὲκ πεδίων ἐλάουσα,
δὴ τότ᾽ ἐυτροχάλοιο κατ᾽ αὐτόθι βήσατ᾽ ἀπήνης
ἱεμένη, καὶ τοῖα μετὰ δμωῇσιν ἔειπεν·   890
   "Ὦ φίλαι, ἦ μέγα δή τι παρήλιτον, οὐδ᾽ ἐνόησα
μὴ ἴμεν[1] ἀλλοδαποῖσι μετ᾽ ἀνδράσιν, οἵτ᾽ ἐπὶ γαῖαν
ἡμετέρην στρωφῶσιν. ἀμηχανίη βεβόληται
πᾶσα πόλις· τὸ καὶ οὔτις ἀνήλυθε δεῦρο γυναικῶν
τάων, αἳ τὸ πάροιθεν ἐπημάτιαι ἀγέρονται.
ἀλλ᾽ ἐπεὶ οὖν ἱκόμεσθα, καὶ οὔ νύ τις ἄλλος ἔπεισιν,
εἰ δ᾽ ἄγε μολπῇ θυμὸν ἀφειδέως κορέσωμεν
μειλιχίῃ, τὰ δὲ καλὰ τερείνης ἄνθεα ποίης
λεξάμεναι τότ᾽ ἔπειτ᾽ αὐτὴν ἀπονισσόμεθ᾽ ὥρην.

----

[1] μήνιμ᾽ Merkel.

her right hand the well-fashioned whip, and drove
through the city ; and the rest, the handmaids, laid
their hands on the chariot behind and ran along the
broad highway ; and they kilted up their light robes
above their white knees. And even as by the mild
waters of Parthenius, or after bathing in the river
Amnisus, Leto's daughter stands upon her golden
chariot and courses over the hills with her swift-
footed roes, to greet from afar some richly-steaming
hecatomb ; and with her come the nymphs in attend-
ance, gathering, some at the spring of Amnisus
itself, others by the glens and many-fountained
peaks ; and round her whine and fawn the beasts
cowering as she moves along : thus they sped through
the city ; and on both sides the people gave way,
shunning the eyes of the royal maiden. But when
she had left the city's well paved streets, and was
approaching the shrine as she drove over the plains,
then she alighted eagerly from the smooth running
chariot and spake as follows among her maidens :

"Friends, verily have I sinned greatly and took no
heed not to go among the stranger-folk[1] who roam
over our land. The whole city is smitten with
dismay ; wherefore no one of the women who formerly
gathered here day by day has now come hither.
But since we have come and no one else draws near,
come, let us satisfy our souls without stint with
soothing song, and when we have plucked the fair
flowers amid the tender grass, that very hour will we

[1] Or, reading μῆνιμ', "took no heed of the cause of wrath
with the stranger-folk"

καὶ δέ κε σὺν πολέεσσιν ὀνείασιν οἴκαδ' ἵκοισθε   900
ἤματι τῷ, εἴ μοι συναρέσσετε τήνδε μενοινήν.
Ἄργος γάρ μ' ἐπέεσσι παρατρέπει, ὡς δὲ καὶ αὐτὴ
Χαλκιόπη· τὰ δὲ σῖγα νόῳ ἔχετ' εἰσαΐουσαι
ἐξ ἐμέθεν, μὴ πατρὸς ἐς οὔατα μῦθος ἵκηται.
τὸν ξεῖνόν με κέλονται, ὅτις περὶ βουσὶν ὑπέστη,
δῶρ' ἀποδεξαμένην ὀλοῶν ῥύσασθαι ἀέθλων.
αὐτὰρ ἐγὼ τὸν μῦθον ἐπήνεον, ἠδὲ καὶ αὐτὸν
κέκλομαι εἰς ὠπὴν ἑτάρων ἄπο μοῦνον ἱκέσθαι,
ὄφρα τὰ μὲν δασόμεσθα μετὰ σφίσιν, εἴ κεν ὀπάσσῃ
δῶρα φέρων, τῷ δ' αὖτε κακώτερον ἄλλο πόρωμεν   910
φάρμακον. ἀλλ' ἀπονόσφι πέλεσθέ μοι, εὖτ' ἂν ἵκη-
    ται.'
    Ὣς ηὔδα· πάσῃσι δ' ἐπίκλοπος ἥνδανε μῆτις.
αὐτίκα δ' Αἰσονίδην ἑτάρων ἄπο μοῦνον ἐρύσσας
Ἄργος, ὅτ' ἤδη τήνδε κασιγνήτων ἐσάκουσεν
ἠερίην Ἑκάτης ἱερὸν μετὰ νηὸν ἰοῦσαν,
ἦγε διὲκ πεδίου· ἅμα δέ σφισιν εἵπετο Μόψος
Ἀμπυκίδης, ἐσθλὸς μὲν ἐπιπροφανέντας ἐνισπεῖν
οἰωνούς, ἐσθλὸς δὲ σὺν εὖ φράσσασθαι ἰοῦσιν.
    Ἔνθ' οὔπω τις τοῖος ἐπὶ προτέρων γένετ' ἀνδρῶν,
οὔθ' ὅσοι ἐξ αὐτοῖο Διὸς γένος, οὔθ' ὅσοι ἄλλων   920
ἀθανάτων ἥρωες ἀφ' αἵματος ἐβλάστησαν,
οἷον Ἰήσονα θῆκε Διὸς δάμαρ ἤματι κείνῳ
ἠμὲν ἐσάντα ἰδεῖν, ἠδὲ προτιμυθήσασθαι.
τὸν καὶ παπταίνοντες ἐθάμβεον αὐτοὶ ἑταῖροι
λαμπόμενον χαρίτεσσιν· ἐγήθησεν δὲ κελεύθῳ
Ἀμπυκίδης, ἤδη που ὀισσάμενος τὰ ἕκαστα.
    Ἔστι δέ τις πεδίοιο κατὰ στίβον ἐγγύθι νηοῦ
αἴγειρος φύλλοισιν ἀπειρεσίοις κομόωσα,
τῇ θαμὰ δὴ λακέρυζαι ἐπηυλίζοντο κορῶναι.

return. And with many a gift shall ye reach home this very day, if ye will gladden me with this desire of mine. For Argus pleads with me, also Chalciope herself; but this that ye hear from me keep silently in your hearts, lest the tale reach my father's ears. As for yon stranger who took on him the task with the oxen, they bid me receive his gifts and rescue him from the deadly contest. And I approved their counsel, and I have summoned him to come to my presence apart from his comrades, so that we may divide the gifts among ourselves if he bring them in his hands, and in return may give him a baleful charm. But when he comes, do ye stand aloof."

So she spake, and the crafty counsel pleased them all. And straightway Argus drew Aeson's son apart from his comrades as soon as he heard from his brothers that Medea had gone at daybreak to the holy shrine of Hecate, and led him over the plain; and with them went Mopsus, son of Ampycus, skilled to utter oracles from the appearance of birds, and skilled to give good counsel to those who set out on a journey.

Never yet had there been such a man in the days of old, neither of all the heroes of the lineage of Zeus himself, nor of those who sprung from the blood of the other gods, as on that day the bride of Zeus made Jason, both to look upon and to hold converse with. Even his comrades wondered as they gazed upon him, radiant with manifold graces; and the son of Ampycus rejoiced in their journey, already foreboding how all would end.

Now by the path along the plain there stands near the shrine a poplar with its crown of countless leaves, whereon often chattering crows would roost. One

τάων τις μεσσηγὺς ἀνὰ πτερὰ κινήσασα   930
ὑψοῦ ἐπ' ἀκρεμόνων "Ηρης ἠνίπαπε βουλάς·

'Ἀκλειὴς ὅδε μάντις, ὃς οὐδ' ὅσα παῖδες ἴσασιν
οἶδε νόῳ φράσσασθαι, ὁθούνεκεν οὔτε τι λαρὸν
οὔτ' ἐρατὸν κούρη κεν ἔπος προτιμυθήσαιτο
ἠιθέῳ, εὖτ' ἄν σφιν ἐπήλυδες ἄλλοι ἔπωνται.
ἔρροις, ὦ κακόμαντι, κακοφραδές· οὔτε σε Κύπρις,
οὔτ' ἀγανοὶ φιλέοντες ἐπιπνείουσιν "Ερωτες.'

"Ισκεν ἀτεμβομένη· μείδησε δὲ Μόψος ἀκούσας
ὀμφὴν οἰωνοῖο θεήλατον, ὧδέ τ' ἔειπεν·
'Τύνη μὲν νηόνδε θεᾶς ἴθι, τῷ ἔνι κούρην   940
δήεις, Αἰσονίδη· μάλα δ' ἠπίη ἀντιβολήσεις
Κύπριδος ἐννεσίῃς, ἥ τοι συνέριθος ἀέθλων
ἔσσεται, ὡς δὴ καὶ πρὶν Ἀγηνορίδης φάτο Φινεύς.
νῶι δ', ἐγὼν Ἄργος τε, δεδεγμένοι, εὖτ' ἂν ἵκηαι,
τῷδ' αὐτῷ ἐνὶ χώρῳ ἀπεσσόμεθ'· οἰόθι δ' αὐτὸς
λίσσεό μιν πυκινοῖσι παρατροπέων ἐπέεσσιν.'

Ἦ ῥα περιφραδέως, ἐπὶ δὲ σχεδὸν ἤνεον ἄμφω.
οὐδ' ἄρα Μηδείης θυμὸς τράπετ' ἄλλα νοῆσαι,
μελπομένης περ ὅμως· πᾶσαι δέ οἱ, ἥντιν' ἀθύροι
μολπήν, οὐκ ἐπὶ δηρὸν ἐφήνδανεν ἑψιάασθαι.   950
ἀλλὰ μεταλλήγεσκεν ἀμήχανος, οὐδέ ποτ' ὄσσε
ἀμφιπόλων μεθ' ὅμιλον ἔχ' ἀτρέμας· ἐς δὲ κελεύθους
τηλόσε παπταίνεσκε, παρακλίνουσα παρειάς.
ἦ θαμὰ δὴ στηθέων ἐάγη κέαρ, ὁππότε δοῦπον
ἢ ποδὸς ἢ ἀνέμοιο παραθρέξαντα δοάσσαι.
αὐτὰρ ὅγ' οὐ μετὰ δηρὸν ἐελδομένῃ ἐφαάνθη
ὑψόσ' ἀναθρώσκων ἅτε Σείριος Ὠκεανοῖο,
ὃς δή τοι καλὸς μὲν ἀρίζηλός τ' ἐσιδέσθαι
ἀντέλλει, μήλοισι δ' ἐν ἄσπετον ἧκεν ὀιζύν·
ὣς ἄρα τῇ καλὸς μὲν ἐπήλυθεν εἰσοράασθαι   960
Αἰσονίδης, κάματον δὲ δυσίμερον ὦρσε φαανθείς.

of them meantime as she clapped her wings aloft in the branches uttered the counsels of Hera:

" What a pitiful seer is this, that has not the wit to conceive even what children know, how that no maiden will say a word of sweetness or love to a youth when strangers be near. Begone, sorry prophet, witless one; on thee neither Cypris nor the gentle Loves breathe in their kindness."

She spake chiding, and Mopsus smiled to hear the god-sent voice of the bird, and thus addressed them: " Do thou, son of Aeson, pass on to the temple, where thou wilt find the maiden; and very kind will her greeting be to thee through the prompting of Cypris, who will be thy helpmate in the contest, even as Phineus, Agenor's son, foretold. But we two, Argus and I, will await thy return, apart in this very spot; do thou all alone be a suppliant and win her over with prudent words."

He spake wisely, and both at once gave approval. Nor was Medea's heart turned to other thoughts, for all her singing, and never a song that she essayed pleased her long in her sport. But in confusion she ever faltered, nor did she keep her eyes resting quietly upon the throng of her handmaids; but to the paths far off she strained her gaze, turning her face aside. Oft did her heart sink fainting within her bosom whenever she fancied she heard passing by the sound of a footfall or of the wind. But soon he appeared to her longing eyes, striding along loftily, like Sirius coming from ocean, which rises fair and clear to see, but brings unspeakable mischief to flocks; thus then did Aeson's son come to her, fair to see, but the sight of him brought love-sick

259

ἐκ δ' ἄρα οἱ κραδίη στηθέων πέσεν, ὄμματα δ' αὔτως
ἤχλυσαν· θερμὸν δὲ παρηίδας εἷλεν ἔρευθος.
γούνατα δ' οὔτ' ὀπίσω οὔτε προπάροιθεν ἀεῖραι
ἔσθενεν, ἀλλ' ὑπένερθε πάγη πόδας. αἱ δ' ἄρα τείως
ἀμφίπολοι μάλα πᾶσαι ἀπὸ σφείων ἐλίασθεν.
τὼ δ' ἄνεῳ καὶ ἄναυδοι ἐφέστασαν ἀλλήλοισιν,
ἢ δρυσίν, ἢ μακρῇσιν ἐειδόμενοι ἐλάτῃσιν,
αἵτε παράσσον ἔκηλοι ἐν οὔρεσιν ἐρρίζωνται,
νηνεμίῃ· μετὰ δ' αὖτις ὑπὸ ῥιπῆς ἀνέμοιο   970
κινύμεναι ὁμάδησαν ἀπείριτον· ὣς ἄρα τώγε
μέλλον ἅλις φθέγξασθαι ὑπὸ πνοιῇσιν Ἔρωτος.
γνῶ δέ μιν Αἰσονίδης ἄτῃ ἐνιπεπτηυῖαν
θευμορίῃ, καὶ τοῖον ὑποσσαίνων φάτο μῦθον·

'Τίπτε με, παρθενική, τόσον ἅζεαι, οἷον ἐόντα;
οὔ τοι ἐγών, οἷοί τε δυσαυχέες ἄλλοι ἔασιν
ἀνέρες, οὐδ' ὅτε περ πάτρῃ ἔνι ναιετάασκον,
ἦα πάρος. τῶ μή με λίην ὑπεραίδεο, κούρη,
ἤ τι παρεξερέεσθαι, ὅ τοι φίλον, ἠέ τι φάσθαι.
ἀλλ' ἐπεὶ ἀλλήλοισιν ἱκάνομεν εὐμενέοντες,   980
χώρῳ ἐν ἠγαθέῳ, ἵνα τ' οὐ θέμις ἔστ' ἀλιτέσθαι,
ἀμφαδίην ἀγόρευε καὶ εἴρεο· μηδέ με τερπνοῖς
φηλώσῃς ἐπέεσσιν, ἐπεὶ τὸ πρῶτον ὑπέστης
αὐτοκασιγνήτῃ μενοεικέα φάρμακα δώσειν.
πρός σ' αὐτῆς Ἑκάτης μειλίσσομαι ἠδὲ τοκήων
καὶ Διός, ὃς ξείνοις ἱκέτῃσί τε χεῖρ' ὑπερίσχει·
ἀμφότερον δ', ἱκέτης ξεῖνός τέ τοι ἐνθάδ' ἱκάνω,
χρειοῖ ἀναγκαίῃ γουνούμενος. οὐ γὰρ ἄνευθεν
ὑμείων στονόεντος ὑπέρτερος ἔσσομ' ἀέθλου.
σοὶ δ' ἂν ἐγὼ τίσαιμι χάριν μετόπισθεν ἀρωγῆς,   990
ἢ θέμις, ὡς ἐπέοικε διάνδιχα ναιετάοντας,

care. Her heart fell from out her bosom, and a dark
mist came over her eyes, and a hot blush covered
her cheeks. And she had no strength to lift her
knees backwards or forwards, but her feet beneath
were rooted to the ground; and meantime all her
handmaidens had drawn aside. So they two stood
face to face without a word, without a sound, like
oaks or lofty pines, which stand quietly side by side
on the mountains when the wind is still; then again,
when stirred by the breath of the wind, they murmur
ceaselessly; so they two were destined to tell out all
their tale, stirred by the breath of Love. And
Aeson's son saw that she had fallen into some
heaven-sent calamity, and with soothing words thus
addressed her:

"Why, pray, maiden, dost thou fear me so much,
all alone as I am? Never was I one of these idle
boasters such as other men are—not even aforetime,
when I dwelt in my own country. Wherefore,
maiden, be not too much abashed before me, either
to enquire whatever thou wilt or to speak thy mind.
But since we have met one another with friendly
hearts, in a hallowed spot, where it is wrong to sin,
speak openly and ask questions, and beguile me not
with pleasing words, for at the first thou didst
promise thy sister to give me the charms my heart
desires. I implore thee by Hecate herself, by thy
parents, and by Zeus who holds his guardian hand
over strangers and suppliants; I come here to thee
both a suppliant and a stranger, bending the knee
in my sore need. For without thee and thy sister
never shall I prevail in the grievous contest. And
to thee will I render thanks hereafter for thy aid,
as is right and fitting for men who dwell far off,

οὔνομα καὶ καλὸν τεύχων κλέος· ὡς δὲ καὶ ὧλλοι
ἥρωες κλήσουσιν ἐς Ἑλλάδα νοστήσαντες
ἡρώων τ' ἄλοχοι καὶ μητέρες, αἵ νύ που ἤδη
ἡμέας ἠιόνεσσιν ἐφεζόμεναι γοάουσιν·
τάων ἀργαλέας κεν ἀποσκεδάσειας ἀνίας.
δή ποτε καὶ Θησῆα κακῶν ὑπελύσατ' ἀέθλων
παρθενικὴ Μινωὶς ἐυφρονέουσ' Ἀριάδνη,
ἣν ῥά τε Πασιφάη κούρη τέκεν Ἠελίοιο.
ἀλλ' ἡ μὲν καὶ νηός, ἐπεὶ χόλον εὔνασε Μίνως,   1000
σὺν τῷ ἐφεζομένη πάτρην λίπε· τὴν δὲ καὶ αὐτοὶ
ἀθάνατοι φίλαντο, μέσῳ δέ οἱ αἰθέρι τέκμαρ
ἀστερόεις στέφανος, τόντε κλείουσ' Ἀριάδνης,
πάννυχος οὐρανίοισιν ἑλίσσεται εἰδώλοισιν.
ὣς καὶ σοὶ θεόθεν χάρις ἔσσεται, εἴ κε σαώσῃς
τόσσον ἀριστήων ἀνδρῶν στόλον.   ἦ γὰρ ἔοικας
ἐκ μορφῆς ἀγανῆσιν ἐπητείῃσι κεκάσθαι.'

    Ὣς φάτο κυδαίνων· ἡ δ' ἐγκλιδὸν ὄσσε βαλοῦσα
νεκτάρεον μείδησ'· ἐχύθη δέ οἱ ἔνδοθι θυμὸς
αἴνῳ ἀειρομένης, καὶ ἀνέδρακεν ὄμμασιν ἄντην·   1010
οὐδ' ἔχεν ὅττι πάροιθεν ἔπος προτιμυθήσαιτο,
ἀλλ' ἄμυδις μενέαινεν ἀολλέα πάντ' ἀγορεῦσαι.
προπρὸ δ' ἀφειδήσασα θυώδεος ἔξελε μίτρης
φάρμακον· αὐτὰρ ὅγ' αἶψα χεροῖν ὑπέδεκτο γε-
        γηθώς.
καί νύ κέ οἱ καὶ πᾶσαν ἀπὸ στηθέων ἀρύσασα
ψυχὴν ἐγγυάλιξεν ἀγαιομένη χατέοντι·
τοῖος ἀπὸ ξανθοῖο καρήατος Αἰσονίδαο
στράπτεν Ἔρως ἡδεῖαν ἀπὸ φλόγα· τῆς δ' ἀμαρυγὰς
ὀφθαλμῶν ἥρπαζεν· ἰαίνετο δὲ φρένας εἴσω
τηκομένη, οἷόν τε περὶ ῥοδέῃσιν ἐέρσῃ   1020
τήκεται ἠῴοισιν ἰαινομένη φαέεσσιν.

262

making glorious thy name and fame; and the rest of
the heroes, returning to Hellas, will spread thy
renown and so will the heroes' wives and mothers,
who now perhaps are sitting on the shore and
making moan for us; their painful affliction thou
mightest scatter to the winds. In days past the
maiden Ariadne, daughter of Minos, with kindly
intent rescued Theseus from grim contests—the
maiden whom Pasiphae daughter of Helios bare.
But she, when Minos had lulled his wrath to rest,
went aboard the ship with him and left her
fatherland; and her even the immortal gods loved,
and, as a sign in mid-sky, a crown of stars, which
men call Ariadne's crown, rolls along all night
among the heavenly constellations. So to thee too
shall be thanks from the gods, if thou wilt save so
mighty an array of chieftains. For surely from thy
lovely form thou art like to excel in gentle
courtesy."

Thus he spake, honouring her; and she cast her
eyes down with a smile divinely sweet; and her soul
melted within her, uplifted by his praise, and she
gazed upon him face to face; nor did she know what
word to utter first, but was eager to pour out every-
thing at once. And forth from her fragrant girdle
ungrudgingly she brought out the charm; and he at
once received it in his hands with joy. And she
would even have drawn out all her soul from her
breast and given it to him, exulting in his desire; so
wonderfully did love flash forth a sweet flame from
the golden head of Aeson's son; and he captivated
her gleaming eyes; and her heart within grew warm,
melting away as the dew melts away round roses
when warmed by the morning's light. And now both

ἄμφω δ' ἄλλοτε μέν τε κατ' οὔδεος ὄμματ' ἔρειδον
αἰδόμενοι, ὁτὲ δ' αὖτις ἐπὶ σφίσι βάλλον ὀπωπάς,
ἱμερόεν φαιδρῇσιν ὑπ' ὀφρύσι μειδιόωντες.
ὀψὲ δὲ δὴ τοίοισι μόλις προσπτύξατο κούρη·
'Φράζεο νῦν, ὥς κέν τοι ἐγὼ μητίσομ' ἀρωγήν.
εὖτ' ἂν δὴ μετιόντι πατὴρ ἐμὸς ἐγγυαλίξῃ
ἐξ ὄφιος γενύων ὀλοοὺς σπείρασθαι ὀδόντας,
δὴ τότε μέσσην νύκτα διαμμοιρηδὰ φυλάξας,
ἀκαμάτοιο ῥοῇσι λοεσσάμενος ποταμοῖο,   1030
οἶος ἄνευθ' ἄλλων ἐνὶ φάρεσι κυανέοισιν
βόθρον ὀρύξασθαι περιηγέα· τῷ δ' ἔνι θῆλυν
ἀρνειὸν σφάζειν, καὶ ἀδαίετον ὠμοθετῆσαι,
αὐτῷ πυρκαϊὴν εὖ νηήσας ἐπὶ βόθρῳ.
μουνογενῆ δ' Ἑκάτην Περσηίδα μειλίσσοιο,
λείβων ἐκ δέπαος σιμβλήια ἔργα μελισσῶν.
ἔνθα δ' ἐπεί κε θεὰν μεμνημένος ἱλάσσηαι,
ἂψ ἀπὸ πυρκαϊῆς ἀναχάζεο· μηδέ σε δοῦπος
ἠὲ ποδῶν ὄρσῃσι μεταστρεφθῆναι ὀπίσσω,
ἠὲ κυνῶν ὑλακή, μή πως τὰ ἕκαστα κολούσας   1040
οὐδ' αὐτὸς κατὰ κόσμον ἑοῖς ἑτάροισι πελάσσῃς.
ἦρι δὲ μυδήνας τόδε φάρμακον, ἠύτ' ἀλοιφῇ
γυμνωθεὶς φαίδρυνε τεὸν δέμας· ἐν δέ οἱ ἀλκὴ
ἔσσετ' ἀπειρεσίη μέγα τε σθένος, οὐδέ κε φαίης
ἀνδράσιν, ἀλλὰ θεοῖσιν ἰσαζέμεν ἀθανάτοισιν.
πρὸς δὲ καὶ αὐτῷ δουρὶ σάκος πεπαλαγμένον ἔστω
καὶ ξίφος. ἔνθ' οὐκ ἄν σε διατμήξειαν ἀκωκαὶ
γηγενέων ἀνδρῶν, οὐδ' ἄσχετος ἀίσσουσα
φλὸξ ὀλοῶν ταύρων. τοίός γε μὲν οὐκ ἐπὶ δηρὸν
ἔσσεαι, ἀλλ' αὐτῆμαρ· ὅμως σύγε μή ποτ' ἀέθλου   1050
χάζεο. καὶ δέ τοι ἄλλο παρὲξ ὑποθήσομ' ὄνειαρ.
αὐτίκ' ἐπὴν κρατεροὺς ζεύξῃς βόας, ὦκα δὲ πᾶσαν
χερσὶ καὶ ἠνορέῃ στυφελὴν διὰ νειὸν ἀρόσσῃς,

were fixing their eyes on the ground abashed, and again were throwing glances at each other, smiling with the light of love beneath their radiant brows. And at last and scarcely then did the maiden greet him :

" Take heed now, that I may devise help for thee. When at thy coming my father has given thee the deadly teeth from the dragon's jaws for sowing, then watch for the time when the night is parted in twain, then bathe in the stream of the tireless river, and alone, apart from others, clad in dusky raiment, dig a rounded pit ; and therein slay a ewe, and sacrifice it whole, heaping high the pyre on the very edge of the pit. And propitiate only-begotten Hecate, daughter of Perses, pouring from a goblet the hive-stored labour of bees. And then, when thou hast heedfully sought the grace of the goddess, retreat from the pyre ; and let neither the sound of feet drive thee to turn back, nor the baying of hounds, lest haply thou shouldst maim all the rites and thyself fail to return duly to thy comrades. And at dawn steep this charm in water, strip, and anoint thy body therewith as with oil; and in it there will be boundless prowess and mighty strength, and thou wilt deem thyself a match not for men but for the immortal gods. And besides, let thy spear and shield and sword be sprinkled. Thereupon the spear-heads of the earthborn men shall not pierce thee, nor the flame of the deadly bulls as it rushes forth resistless. But such thou shalt be not for long, but for that one day ; still never flinch from the contest. And I will tell thee besides of yet another help. As soon as thou hast yoked the strong oxen, and with thy might and thy prowess

οἱ δ᾽ ἤδη κατὰ ὦλκας ἀνασταχύωσι Γίγαντες
σπειρομένων ὄφιος δνοφερὴν ἐπὶ βῶλον ὀδόντων,
αἴ κεν ὀρινομένους πολέας νειοῖο δοκεύσῃς,
λάθρῃ λᾶαν ἄφες στιβαρώτερον· οἱ δ᾽ ἂν ἐπ᾽ αὐτῷ,
καρχαλέοι κύνες ὥστε περὶ βρώμης, ὀλέκοιεν
ἀλλήλους· καὶ δ᾽ αὐτὸς ἐπείγεο δηιοτῆτος
ἰθῦσαι.   τὸ δὲ κῶας ἐς Ἑλλάδα τοῖό γ᾽ ἕκητι   1060
οἴσεαι ἐξ Αἴης τηλοῦ ποθι· νίσσεο δ᾽ ἔμπης,
ἢ φίλον, ἤ τοι ἔαδεν ἀφορμηθέντι νέεσθαι.᾽

  Ὣς ἄρ᾽ ἔφη, καὶ σῖγα ποδῶν πάρος ὄσσε βαλοῦσα
θεσπέσιον λιαροῖσι παρηίδα δάκρυσι δεῦεν
μυρομένη, ὅ τ᾽ ἔμελλεν ἀπόπροθι πολλὸν ἑοῖο
πόντον ἐπιπλάγξεσθαι· ἀνιηρῷ δέ μιν ἄντην
ἐξαῦτις μύθῳ προσεφώνεεν, εἷλέ τε χειρὸς
δεξιτερῆς· δὴ γάρ οἱ ἀπ᾽ ὀφθαλμοὺς λίπεν αἰδώς·

  ῾Μνώεο δ᾽, ἢν ἄρα δή ποθ᾽ ὑπότροπος οἴκαδ᾽
      ἵκηαι,
οὔνομα Μηδείης· ὣς δ᾽ αὖτ᾽ ἐγὼ ἀμφὶς ἐόντος   1070
μνήσομαι. εἰπὲ δέ μοι πρόφρων τόδε, πῇ τοι ἔασιν
δώματα, πῇ νῦν ἔνθεν ὑπεὶρ ἅλα νηὶ περήσεις·
ἤ νύ που ἀφνειοῦ σχεδὸν ἵξεαι Ὀρχομενοῖο,
ἠὲ καὶ Αἰαίης νήσου πέλας; εἰπὲ δὲ κούρην,
ἥντινα τήνδ᾽ ὀνόμηνας ἀριγνώτην γεγαυῖαν
Πασιφάης, ἣ πατρὸς ὁμόγνιός ἐστιν ἐμεῖο.᾽

  Ὣς φάτο· τὸν δὲ καὶ αὐτὸν ὑπήιε δάκρυσι
      κούρης
οὖλος Ἔρως, τοῖον δὲ παραβλήδην ἔπος ηὔδα·

  ῾Καὶ λίην οὐ νύκτας ὀίομαι, οὐδέ ποτ᾽ ἦμαρ
σεῦ ἐπιλήσεσθαι, προφυγὼν μόρον, εἰ ἐτεόν γε   1080
φεύξομαι ἀσκηθὴς ἐς Ἀχαιίδα, μηδέ τιν᾽ ἄλλον
Αἰήτης προβάλῃσι κακώτερον ἄμμιν ἄεθλον.

hast ploughed all the stubborn fallow, and now along the furrows the Giants are springing up, when the serpent's teeth are sown on the dusky clods, if thou markest them uprising in throngs from the fallow, cast unseen among them a massy stone; and they over it, like ravening hounds over their food, will slay one another; and do thou thyself hasten to rush to the battle-strife, and the fleece thereupon thou shalt bear far away from Aea; nevertheless, depart wherever thou wilt, or thy pleasure takes thee, when thou hast gone hence."

Thus she spake, and cast her eyes to her feet in silence, and her cheek, divinely fair, was wet with warm tears as she sorrowed for that he was about to wander far from her side over the wide sea: and once again she addressed him face to face with mournful words, and took his right hand; for now shame had left her eyes:

" Remember, if haply thou returnest to thy home, Medea's name; and so will I remember thine, though thou be far away. And of thy kindness tell me this, where is thy home, whither wilt thou sail hence in thy ship over the sea; wilt thou come near wealthy Orchomenus, or near the Aeaean isle? And tell me of the maiden, whosoever she be that thou hast named, the far-renowned daughter of Pasiphae, who is kinswoman to my father."

Thus she spake; and over him too, at the tears of the maiden, stole Love the destroyer, and he thus answered her:

" All too surely do I deem that never by night and never by day will I forget thee if I escape death and indeed make my way in safety to the Achaean land, and Aeetes set not before us some other

εἰ δέ τοι ἡμετέρην ἐξίδμεναι εὔαδε πάτρην
ἐξερέω· μάλα γάρ με καὶ αὐτὸν θυμὸς ἀνώγει.
ἔστι τις αἰπεινοῖσι περίδρομος οὔρεσι γαῖα,
πάμπαν ἐύρρηνός τε καὶ εὔβοτος, ἔνθα Προμηθεὺς
Ἰαπετιονίδης ἀγαθὸν τέκε Δευκαλίωνα,
ὃς πρῶτος ποίησε πόλεις καὶ ἐδείματο νηοὺς
ἀθανάτοις, πρῶτος δὲ καὶ ἀνθρώπων βασίλευσεν.
Αἱμονίην δὴ τήνγε περικτίονες καλέουσιν.   1090
ἐν δ' αὐτῇ Ἰαωλκός, ἐμὴ πόλις, ἐν δὲ καὶ ἄλλαι
πολλαὶ ναιετάουσιν, ἵν' οὐδέ περ οὔνομ' ἀκοῦσαι
Αἰαίης νήσου· Μινύην γε μὲν ὁρμηθέντα,
Αἰολίδην Μινύην ἔνθεν φάτις Ὀρχομενοῖο
δή ποτε Καδμείοισιν ὁμούριον ἄστυ πολίσσαι.
ἀλλὰ τίη τάδε τοι μεταμώνια πάντ' ἀγορεύω,
ἡμετέρους τε δόμους τηλεκλείτην τ' Ἀριάδνην,
κούρην Μίνωος, τόπερ ἀγλαὸν οὔνομα κείνην
παρθενικὴν καλέεσκον ἐπήρατον, ἥν μ' ἐρεείνεις;
αἴθε γάρ, ὡς Θησῆι τότε ξυναρέσσατο Μίνως   1100
ἀμφ' αὐτῆς, ὡς ἄμμι πατὴρ τεὸς ἄρθμιος εἴη.'
    Ὣς φάτο, μειλιχίοισι καταψήχων ὀάροισιν.
τῆς δ' ἀλεγεινόταται κραδίην ἐρέθεσκον ἀνίαι,
καί μιν ἀκηχεμένη ἀδινῷ προσπτύξατο μύθῳ·
    'Ἑλλάδι που τάδε καλά, συνημοσύνας ἀλεγύ-
         νειν·
Αἰήτης δ' οὐ τοῖος ἐν ἀνδράσιν, οἷον ἔειπας
Μίνω Πασιφάης πόσιν ἔμμεναι· οὐδ' Ἀριάδνη
ἰσοῦμαι· τῶ μήτι φιλοξενίην ἀγόρευε.
ἀλλ' οἷον τύνη μὲν ἐμεῦ, ὅτ' Ἰωλκὸν ἵκηαι,
μνώεο· σεῖο δ' ἐγὼ καὶ ἐμῶν ἀέκητι τοκήων   1110
μνήσομαι. ἔλθοι δ' ἡμιν ἀπόπροθεν ἠέ τις ὄσσα,
ἠέ τις ἄγγελος ὄρνις, ὅτ' ἐκλελάθοιο ἐμεῖο·
ἢ αὐτήν με ταχεῖαι ὑπὲρ πόντοιο φέροιεν

contest worse than this. And if it pleases thee
to know about my fatherland, I will tell it out;
for indeed my own heart bids me do that. There is
a land encircled by lofty mountains, rich in sheep
and in pasture, where Prometheus, son of Iapetus,
begat goodly Deucalion, who first founded cities and
reared temples to the immortal gods, and first ruled
over men. This land the neighbours who dwell
around call Haemonia. And in it stands Iolcus, my
city, and in it many others, where they have not so
much as heard the name of the Aeaean isle; yet
there is a story that Minyas starting thence, Minyas
son of Aeolus, built long ago the city of Orchomenus
that borders on the Cadmeians. But why do I tell
thee all this vain talk, of our home and of Minos'
daughter, far-famed Ariadne, by which glorious name
they called that lovely maiden of whom thou askest
me? Would that, as Minos then was well inclined
to Theseus for her sake, so may thy father be joined
to us in friendship!"

Thus he spake, soothing her with gentle con-
verse. But pangs most bitter stirred her heart
and in grief did she address him with vehement
words:

"In Hellas, I ween, this is fair—to pay heed to
covenants; but Aeetes is not such a man among
men as thou sayest was Pasiphae's husband, Minos;
nor can I liken myself to Ariadne; wherefore speak
not of guest-love. But only do thou, when thou hast
reached Iolcus, remember me, and thee even in my
parents' despite, will I remember. And from far off
may a rumour come to me or some messenger-bird,
when thou forgettest me; or me, even me, may swift
blasts catch up and bear over the sea hence to

ἐνθένδ᾽ εἰς Ἰαωλκὸν ἀναρπάξασαι ἄελλαι,
ὄφρα σ᾽, ἐν ὀφθαλμοῖσιν ἐλεγχείας προφέρουσα,
μνήσω ἐμῇ ἰότητι πεφυγμένον. αἴθε γὰρ εἴην
ἀπροφάτως τότε σοῖσιν ἐφέστιος ἐν μεγάροισιν.᾽

Ὣς ἄρ᾽ ἔφη, ἐλεεινὰ καταπροχέουσα παρειῶν
δάκρυα· τὴν δ᾽ ὅγε δῆθεν ὑποβλήδην προσέειπεν·
‘Δαιμονίη, κενεὰς κὲν ἔα πλάζεσθαι ἀέλλας,   112⟨
ὣς δὲ καὶ ἄγγελον ὄρνιν, ἐπεὶ μεταμώνια βάζεις.
εἰ δέ κεν ἤθεα κεῖνα καὶ Ἑλλάδα γαῖαν ἵκηαι,
τιμήεσσα γυναιξὶ καὶ ἀνδράσιν αἰδοίη τε
ἔσσεαι· οἱ δέ σε πάγχυ θεὸν ὣς πορσανέουσιν,
οὕνεκα τῶν μὲν παῖδες ὑπότροποι οἴκαδ᾽ ἵκοντο
σῇ βουλῇ, τῶν δ᾽ αὖτε κασίγνητοί τε ἔται τε
καὶ θαλεροὶ κακότητος ἄδην ἐσάωθεν ἀκοῖται.
ἡμέτερον δὲ λέχος θαλάμοις ἔνι κουριδίοισιν
πορσυνέεις· οὐδ᾽ ἄμμε διακρινέει φιλότητος
ἄλλο, πάρος θάνατόν γε μεμορμένον ἀμφικαλύψαι.᾽   113⟨

Ὣς φάτο· τῇ δ᾽ ἔντοσθε κατείβετο θυμὸς ἀκουῇ,
ἔμπης δ᾽ ἔργ᾽ ἀίδηλα κατερρίγησεν ἰδέσθαι.
σχετλίη· οὐ μὲν δηρὸν ἀπαρνήσεσθαι ἔμελλεν
Ἑλλάδα ναιετάειν. ὣς γὰρ τόδε μήδετο Ἥρη,
ὄφρα κακὸν Πελίῃ ἱερὴν ἐς Ἰωλκὸν ἵκοιτο
Αἰαίη Μήδεια, λιποῦσ᾽ ἄπο πατρίδα γαῖαν.

Ἤδη δ᾽ ἀμφίπολοι μὲν ὀπιπεύουσαι ἄπωθεν
σιγῇ ἀνιάζεσκον· ἐδεύετο δ᾽ ἤματος ὥρη
ἂψ οἰκόνδε νέεσθαι ἑὴν μετὰ μητέρα κούρην.
ἡ δ᾽ οὔπω κομιδῆς μιμνήσκετο, τέρπετο γάρ οἱ   114⟨
θυμὸς ὁμῶς μορφῇ τε καὶ αἱμυλίοισι λόγοισιν,
εἰ μὴ ἄρ᾽ Αἰσονίδης πεφυλαγμένος ὀψέ περ ηὔδα·
‘Ὥρη ἀποβλώσκειν, μὴ πρὶν φάος ἠελίοιο
δύῃ ὑποφθάμενον, καί τις τὰ ἕκαστα νοήσῃ
ὀθνείων· αὖτις δ᾽ ἀβολήσομεν ἐνθάδ᾽ ἰόντες.᾽

Iolcus, that so I may cast reproaches in thy face and
remind thee that it was by my good will thou didst
escape. May I then be seated in thy halls, an
unexpected guest!"

Thus she spake with piteous tears falling down
her cheeks, and to her Jason replied : " Let the
empty blasts wander at will, lady, and the messenger-
bird, for vain is thy talk. But if thou comest to
those abodes and to the land of Hellas, honoured and
reverenced shalt thou be by women and men ; and
they shall worship thee even as a goddess, for that
by thy counsel their sons came home again, their
brothers and kinsmen and stalwart husbands were
saved from calamity. And in our bridal chamber
shalt thou prepare our couch ; and nothing shall
come between our love till the doom of death fold
us round."

Thus he spake ; and her soul melted within her to
hear his words ; nevertheless she shuddered to behold
the deeds of destruction to come. Poor wretch ! Not
long was she destined to refuse a home in Hellas.
For thus Hera devised it, that Aeaean Medea might
come to Iolcus for a bane to Pelias, forsaking her
native land.

And now her handmaids, glancing at them from a
distance, were grieving in silence ; and the time of
day required that the maiden should return home to
her mother's side. But she thought not yet of
departing, for her soul delighted both in his beauty
and in his winsome words, but Aeson's son took
heed, and spake at last, though late : " It is time to
depart, lest the sunlight sink before we know it, and
some stranger notice all ; but again will we come and
meet here."

Ὣς τώγ' ἀλλήλων ἀγανοῖς ἐπὶ τόσσον ἔπεσσιν
πείρηθεν· μετὰ δ' αὖτε διέτμαγεν. ἤτοι Ἰήσων
εἰς ἑτάρους καὶ νῆα κεχαρμένος ὦρτο νέεσθαι·
ἡ δὲ μετ' ἀμφιπόλους· αἱ δὲ σχεδὸν ἀντεβόλησαν
πᾶσαι ὁμοῦ· τὰς δ' οὔτι περιπλομένας ἐνόησεν.   115
ψυχὴ γὰρ νεφέεσσι μεταχρονίη πεπότητο.
αὐτομάτοις δὲ πόδεσσι θοῆς ἐπεβήσατ' ἀπήνης,
καί ῥ' ἑτέρῃ μὲν χειρὶ λάβ' ἡνία, τῇ δ' ἄρ' ἱμάσθλην
δαιδαλέην, οὐρῆας ἐλαυνέμεν· οἱ δὲ πόλινδε
θῦνον ἐπειγόμενοι ποτὶ δώματα. τὴν δ' ἄρ' ἰοῦσαν
Χαλκιόπη περὶ παισὶν ἀκηχεμένη ἐρέεινεν·
ἡ δὲ παλιντροπίῃσιν ἀμήχανος οὔτε τι μύθων
ἔκλυεν, οὔτ' αὐδῆσαι ἀνειρομένῃ λελίητο.
ἷζε δ' ἐπὶ χθαμαλῷ σφέλαϊ κλιντῆρος ἔνερθεν
λέχρις ἐρεισαμένη λαιῇ ἐπὶ χειρὶ παρειήν·   116
ὑγρὰ δ' ἐνὶ βλεφάροις ἔχεν ὄμματα, πορφύρουσα
οἷον ἑῇ κακὸν ἔργον ἐπιξυνώσατο βουλῇ.

Αἰσονίδης δ' ὅτε δὴ ἑτάροις ἐξαῦτις ἔμικτο
ἐν χώρῃ, ὅθι τούσγε καταπρολιπὼν ἐλιάσθη,
ὦρτ' ἰέναι σὺν τοῖσι, πιφαυσκόμενος τὰ ἕκαστα,
ἡρώων ἐς ὅμιλον· ὁμοῦ δ' ἐπὶ νῆα πέλασσαν.
οἱ δέ μιν ἀμφαγάπαζον, ὅπως ἴδον, ἔκ τ' ἐρέοντο.
αὐτὰρ ὁ τοῖς πάντεσσι μετέννεπε δήνεα κούρης,
δεῖξέ τε φάρμακον αἰνόν· ὁ δ' οἰόθεν οἶος ἑταίρων
Ἴδας ἧστ' ἀπάνευθε δακὼν χόλον· οἱ δὲ δὴ ἄλλοι   117
γηθόσυνοι τῆμος μέν, ἐπεὶ κνέφας ἔργαθε νυκτός,
εὔκηλοι ἐμέλοντο περὶ σφίσιν. αὐτὰρ ἅμ' ἠοῖ
πέμπον ἐς Αἰήτην ἰέναι σπόρον αἰτήσοντας
ἄνδρε δύω, πρὸ μὲν αὐτὸν ἀρηίφιλον Τελαμῶνα,
σὺν δὲ καὶ Αἰθαλίδην, υἷα κλυτὸν Ἑρμείαο.

So did they two make trial of one another thus far
with gentle words; and thereafter parted. Jason
hastened to return in joyous mood to his comrades
and the ship, she to her handmaids; and they all
together came near to meet her, but she marked
them not at all as they thronged around. For her
soul had soared aloft amid the clouds. And her feet
of their own accord mounted the swift chariot, and
with one hand she took the reins, and with the other
the whip of cunning workmanship, to drive the
mules; and they rushed hasting to the city and the
palace. And when she was come Chalciope in grief
for her sons questioned her; but Medea, distraught
by swiftly-changing thoughts, neither heard her
words nor was eager to speak in answer to her
questions. But she sat upon a low stool at the foot
of her couch, bending down, her cheek leaning on
her left hand, and her eyes were wet with tears as
she pondered what an evil deed she had taken part
in by her counsels.

Now when Aeson's son had joined his comrades
again in the spot where he had left them when he
departed, he set out to go with them, telling them
all the story, to the gathering of the heroes; and
together they approached the ship. And when they
saw Jason they embraced him and questioned him.
And he told to all the counsels of the maiden and
showed the dread charm; but Idas alone of his com-
rades sat apart biting down his wrath; and the rest
joyous in heart, at the hour when the darkness of night
stayed them, peacefully took thought for themselves.
But at daybreak they sent two men to go to Aeetes
and ask for the seed, first Telamon himself, dear to
Ares, and with him Aethalides, Hermes' famous

βὰν δ' ἴμεν, οὐδ' ἁλίωσαν ὁδόν· πόρε δέ σφιν ἰοῦσιν
κρείων Αἰήτης χαλεποὺς ἐς ἄεθλον ὀδόντας
'Αονίοιο δράκοντος, ὃν 'Ωγυγίῃ ἐνὶ Θήβῃ
Κάδμος, ὅτ' Εὐρώπην διζήμενος εἰσαφίκανεν,
πέφνεν 'Αρητιάδι κρήνῃ ἐπίουρον ἐόντα·   11
ἔνθα καὶ ἐννάσθη πομπῇ βοός, ἥν οἱ 'Απόλλων
ὥπασε μαντοσύνῃσι προηγήτειραν ὁδοῖο.
τοὺς δὲ θεὰ Τριτωνὶς ὑπὲκ γενύων ἐλάσασα
Αἰήτῃ πόρε δῶρον ὁμῶς αὐτῷ τε φονῆι.
καὶ ῥ' ὁ μὲν 'Αονίοισιν ἐνισπείρας πεδίοισιν
Κάδμος 'Αγηνορίδης γαιηγενῆ εἵσατο λαόν,
'Άρεος ἀμώοντος ὅσοι ὑπὸ δουρὶ λίπωντο·
τοὺς δὲ τότ' Αἰήτης ἔπορεν μετὰ νῆα φέρεσθαι
προφρονέως, ἐπεὶ οὔ μιν ὀίσσατο πείρατ' ἀέθλου
ἐξανύσειν, εἰ καί περ ἐπὶ ζυγὰ βουσὶ βάλοιτο.   11

    'Ήλιος μὲν ἄπωθεν ἐρεμνὴν δύετο γαῖαν
ἑσπέριος, νεάτας ὑπὲρ ἄκριας Αἰθιοπήων·
Νὺξ δ' ἵπποισιν ἔβαλλεν ἔπι ζυγά· τοὶ δὲ χαμεύνας
ἔντυον ἥρωες παρὰ πείσμασιν. αὐτὰρ 'Ιήσων
αὐτίκ' ἐπεί ῥ' Ἑλίκης εὐφεγγέος ἀστέρες 'Άρκτου
ἔκλιθεν, οὐρανόθεν δὲ πανεύκηλος γένετ' αἰθήρ,
βῆ ῥ' ἐς ἐρημαίην, κλωπήιος ἥύτε τις φώρ,
σὺν πᾶσιν χρήεσσι· πρὸ γάρ τ' ἀλέγυνεν ἕκαστα
ἡμάτιος· θῆλυν μὲν ὄιν γάλα τ' ἔκτοθι ποίμνης
'Άργος ἰὼν ἤνεικε· τὰ δ' ἐξ αὐτῆς ἕλε νηός.
ἀλλ' ὅτε δὴ ἴδε χῶρον, ὅτις πάτου ἔκτοθεν ἦεν   12
ἀνθρώπων, καθαρῇσιν ὑπεύδιος εἰαμενῇσιν,
ἔνθ' ἤτοι πάμπρωτα λοέσσατο μὲν ποταμοῖο
εὐαγέως θείοιο τέρεν δέμας· ἀμφὶ δὲ φᾶρος
ἕσσατο κυάνεον, τό ῥά οἱ πάρος ἐγγυάλιξεν
Λημνιὰς 'Υψιπύλη, ἀδινῆς μνημήιον εὐνῆς.

son. So they went and made no vain journey; but when they came, lordly Aeetes gave them for the contest the fell teeth of the Aonian dragon which Cadmus found in Ogygian Thebes when he came seeking for Europa and there slew—the warder of the spring of Ares. There he settled by the guidance of the heifer whom Apollo by his prophetic word granted him to lead him on his way. But the teeth the Tritonian goddess tore away from the dragon's jaws and bestowed as a gift upon Aeetes and the slayer. And Agenor's son, Cadmus, sowed them on the Aonian plains and founded an earthborn people of all who were left from the spear when Ares did the reaping; and the teeth Aeetes then readily gave to be borne to the ship, for he deemed not that Jason would bring the contest to an end, even though he should cast the yoke upon the oxen.

Far away in the west the sun was sailing beneath the dark earth, beyond the furthest hills of the Aethiopians; and Night was laying the yoke upon her steeds; and the heroes were preparing their beds by the hawsers. But Jason, as soon as the stars of Helice, the bright-gleaming bear, had set, and the air had all grown still under heaven, went to a desert spot, like some stealthy thief, with all that was needful; for beforehand in the daytime had he taken thought for everything; and Argus came bringing a ewe and milk from the flock; and them he took from the ship. But when the hero saw a place which was far away from the tread of men, in a clear meadow beneath the open sky, there first of all he bathed his tender body reverently in the sacred river; and round him he placed a dark robe, which Hypsipyle of Lemnos had given him aforetime, a memorial of many

πήχυιον δ' ἄρ' ἔπειτα πέδῳ ἔνι βόθρον ὀρύξας
νήησε σχίζας, ἐπὶ δ' ἀρνειοῦ τάμε λαιμόν,
αὐτόν τ' εὖ καθύπερθε τανύσσατο· δαῖε δὲ φιτροὺς
πῦρ ὑπένερθεν ἱείς, ἐπὶ δὲ μιγάδας χέε λοιβάς,   121
Βριμὼ κικλήσκων Ἑκάτην ἐπαρωγὸν ἀέθλων.
καί ῥ' ὁ μὲν ἀγκαλέσας πάλιν ἔστιχεν· ἡ δ' ἀίουσα
κευθμῶν ἐξ ὑπάτων δεινὴ θεὸς ἀντεβόλησεν
ἱροῖς Αἰσονίδαο· πέριξ δέ μιν ἐστεφάνωντο
σμερδαλέοι δρυΐνοισι μετὰ πτόρθοισι δράκοντες·
στράπτε δ' ἀπειρέσιον δαΐδων σέλας· ἀμφὶ δὲ τήνγε
ὀξείη ὑλακῇ χθόνιοι κύνες ἐφθέγγοντο.
πίσεα δ' ἔτρεμε πάντα κατὰ στίβον· αἱ δ' ὀλόλυξαν
νύμφαι ἑλειονόμοι ποταμηίδες, αἳ περὶ κείνην
Φάσιδος εἱαμενὴν Ἀμαραντίου εἱλίσσονται.   122
Αἰσονίδην δ' ἤτοι μὲν ἕλεν δέος, ἀλλά μιν οὐδ' ὣς
ἐντροπαλιζόμενον πόδες ἔκφερον, ὄφρ' ἑτάροισιν
μίκτο κιών· ἤδη δὲ φόως νιφόεντος ὕπερθεν
Καυκάσου ἠριγενὴς Ἠὼς βάλεν ἀντέλλουσα.

    Καὶ τότ' ἄρ' Αἰήτης περὶ μὲν στήθεσσιν ἕεστο
θώρηκα στάδιον, τόν οἱ πόρεν ἐξεναρίξας
σφωιτέραις Φλεγραῖον Ἄρης ὑπὸ χερσὶ Μίμαντα·
χρυσείην δ' ἐπὶ κρατὶ κόρυν θέτο τετραφάληρον,
λαμπομένην οἷόν τε περίτροχον ἔπλετο φέγγος
ἠελίου, ὅτε πρῶτον ἀνέρχεται Ὠκεανοῖο.   123
ἂν δὲ πολύρρινον νώμα σάκος, ἂν δὲ καὶ ἔγχος
δεινόν, ἀμαιμάκετον· τὸ μὲν οὔ κέ τις ἄλλος ὑπέστη
ἀνδρῶν ἡρώων, ὅτε κάλλιπον Ἡρακλῆα
τῆλε παρέξ, ὅ κεν οἷος ἐναντίβιον πολέμιξεν.
τῷ δὲ καὶ ὠκυπόδων ἵππων εὐπηγέα δίφρον
ἔσχε πέλας Φαέθων ἐπιβήμεναι· ἂν δὲ καὶ αὐτὸς
βήσατο, ῥυτῆρας δὲ χεροῖν ἔχεν. ἐκ δὲ πόληος
ἤλασεν εὐρεῖαν κατ' ἀμαξιτόν, ὥς κεν ἀέθλῳ

a loving embrace. Then he dug a pit in the ground of a cubit's depth and heaped up billets of wood, and over it he cut the throat of the sheep, and duly placed the carcase above; and he kindled the logs placing fire beneath, and poured over them mingled libations, calling on Hecate Brimo to aid him in the contests. And when he had called on her he drew back; and she heard him, the dread goddess, from the uttermost depths and came to the sacrifice of Aeson's son; and round her horrible serpents twined themselves among the oak boughs; and there was a gleam of countless torches; and sharply howled around her the hounds of hell. All the meadows trembled at her step; and the nymphs that haunt the marsh and the river shrieked, all who dance round that mead of Amarantian Phasis. And fear seized Aeson's son, but not even so did he turn round as his feet bore him forth, till he came back to his comrades; and now early dawn arose and shed her light above snowy Caucasus.

Then Aeetes arrayed his breast in the stiff corslet which Ares gave him when he had slain Phlegraean Mimas with his own hands; and upon his head he placed a golden helmet with four plumes, gleaming like the sun's round light when he first rises from Ocean. And he wielded his shield of many hides, and his spear, terrible, resistless; none of the heroes could have withstood its shock now that they had left behind Heracles far away, who alone could have met it in battle. For the king his well-fashioned chariot of swift steeds was held near at hand by Phaëthon, for him to mount; and he mounted, and held the reins in his hands. Then from the city he drove along the broad highway, that

παρσταίη· σὺν δέ σφιν ἀπείριτος ἔσσυτο λαός.
οἷος δ᾽ Ἴσθμιον εἶσι Ποσειδάων ἐς ἀγῶνα   1240
ἅρμασιν ἐμβεβαώς, ἢ Ταίναρον, ἢ ὅγε Λέρνης
ὕδωρ, ἠὲ κατ᾽ ἄλσος Ὑαντίου Ὀγχηστοῖο,
καί τε Καλαύρειαν μετὰ δῆθ᾽ ἅμα νίσσεται ἵπποις,
πέτρην θ᾽ Αἱμονίην, ἢ δενδρήεντα Γεραιστόν·
τοῖος ἄρ᾽ Αἰήτης Κόλχων ἀγὸς ἦεν ἰδέσθαι.

Τόφρα δὲ Μηδείης ὑποθημοσύνῃσιν Ἰήσων
φάρμακα μυδήνας ἠμὲν σάκος ἀμφεπάλυνεν
ἠδὲ δόρυ βριαρόν, περὶ δὲ ξίφος· ἀμφὶ δ᾽ ἑταῖροι
πείρησαν τευχέων βεβιημένοι, οὐδ᾽ ἐδύναντο
κεῖνο δόρυ γνάμψαι τυτθόν γέ περ, ἀλλὰ μάλ᾽ αὔ-
τως   1250
ἀαγὲς κρατερῇσιν ἐνεσκλήκει παλάμῃσιν.
αὐτὰρ ὁ τοῖς ἄμοτον κοτέων Ἀφαρήιος Ἴδας
κόψε παρ᾽ οὐρίαχον μεγάλῳ ξίφει· ἆλτο δ᾽ ἀκωκὴ
ῥαιστὴρ ἄκμονος ὥστε, παλιντυπές· οἱ δ᾽ ὁμάδησαν
γηθόσυνοι ἥρωες ἐπ᾽ ἐλπωρῇσιν ἀέθλου.
καὶ δ᾽ αὐτὸς μετέπειτα παλύνετο· δῦ δέ μιν ἀλκὴ
σμερδαλέη ἄφατός τε καὶ ἄτρομος· αἱ δ᾽ ἑκάτερθεν
χεῖρες ἐπερρώσαντο περὶ σθένεϊ σφριγόωσαι.
ὡς δ᾽ ὅτ᾽ ἀρήιος ἵππος ἐελδόμενος πολέμοιο
σκαρθμῷ ἐπιχρεμέθων κρούει πέδον, αὐτὰρ ὕπερθεν 1260
κυδιόων ὀρθοῖσιν ἐπ᾽ οὔασιν αὐχέν᾽ ἀείρει·
τοῖος ἄρ᾽ Αἰσονίδης ἐπαγαίετο κάρτεϊ γυίων.
πολλὰ δ᾽ ἄρ᾽ ἔνθα καὶ ἔνθα μετάρσιον ἴχνος ἔπαλ-
λεν,
ἀσπίδα χαλκείην μελίην τ᾽ ἐν χερσὶ τινάσσων.
φαίης κε ζοφεροῖο κατ᾽ αἰθέρος ἀίσσουσαν
χειμερίην στεροπὴν θαμινὸν μεταπαιφάσσεσθαι
ἐκ νεφέων, ὅτ᾽ ἔπειτα μελάντατον ὄμβρον ἄγωνται.
καὶ τότ᾽ ἔπειτ᾽ οὐ δηρὸν ἔτι σχήσεσθαι ἀέθλων

he might be present at the contest; and with him
a countless multitude rushed forth. And as Poseidon
rides, mounted in his chariot, to the Isthmian contest
or to Taenarus, or to Lerna's water, or through the
grove of Hyantian Onchestus, and thereafter passes
even to Calaureia with his steeds, and the Haemonian
rock, or well-wooded Geraestus; even so was Aeetes,
lord of the Colchians, to behold.

Meanwhile, prompted by Medea, Jason steeped
the charm in water and sprinkled with it his shield
and sturdy spear, and sword; and his comrades round
him made proof of his weapons with might and main,
but could not bend that spear even a little, but
it remained firm in their stalwart hands unbroken as
before. But in furious rage with them Idas,
Aphareus' son, with his great sword hewed at the
spear near the butt, and the edge leapt back repelled
by the shock, like a hammer from the anvil; and the
heroes shouted with joy for their hope in the con-
test. And then he sprinkled his body, and terrible
prowess entered into him, unspeakable, dauntless;
and his hands on both sides thrilled vigorously as
they swelled with strength. And as when a warlike
steed eager for the fight neighs and beats the ground
with his hoof, while rejoicing he lifts his neck on
high with ears erect; in such wise did Aeson's son
rejoice in the strength of his limbs. And often
hither and thither did he leap high in air tossing
in his hands his shield of bronze and ashen spear.
Thou wouldst say that wintry lightning flashing from
the gloomy sky kept on darting forth from the
clouds what time they bring with them their blackest
rainstorm. Not long after that were the heroes to
hold back from the contests; but sitting in rows on

279

μέλλον· ἀτὰρ κληῖσιν ἐπισχερὼ ἱδρυνθέντες
ῥίμφα μάλ' ἐς πεδίον τὸ Ἀρήιον ἠπείγοντο.   1270
τόσσον δὲ προτέρω πέλεν ἄστεος ἀντιπέρηθεν,
ὅσσον τ' ἐκ βαλβῖδος ἐπήβολος ἅρματι νύσσα
γίγνεται, ὁππότ' ἄεθλα καταφθιμένοιο ἄνακτος
κηδεμόνες πεζοῖσι καὶ ἱππήεσσι τίθενται.
τέτμον δ' Αἰήτην τε καὶ ἄλλων ἔθνεα Κόλχων,
τοὺς μὲν Καυκασίοισιν ἐφεσταότας σκοπέλοισιν,
τὸν δ' αὐτοῦ παρὰ χεῖλος ἑλισσόμενον ποταμοῖο.
    Αἰσονίδης δ', ὅτε δὴ πρυμνήσια δῆσαν ἑταῖροι,
δή ῥα τότε ξὺν δουρὶ καὶ ἀσπίδι βαῖν' ἐς ἄεθλον,
νηὸς ἀποπροθορών· ἄμυδις δ' ἕλε παμφανόωσαν   1280
χαλκείην πήληκα θοῶν ἔμπλειον ὀδόντων
καὶ ξίφος ἀμφ' ὤμοις, γυμνὸς δέμας, ἄλλα μὲν Ἄρει
εἴκελος, ἄλλα δέ που χρυσαόρῳ Ἀπόλλωνι.
παπτήνας δ' ἀνὰ νειὸν ἴδε ζυγὰ χάλκεα ταύρων
αὐτόγυόν τ' ἐπὶ τοῖς στιβαροῦ ἀδάμαντος ἄροτρον.
χρίμψε δ' ἔπειτα κιών, παρὰ δ' ὄβριμον ἔγχος ἔ-
    πηξεν
ὀρθὸν ἐπ' οὐριάχῳ, κυνέην δ' ἀποκάτθετ' ἐρείσας.
βῆ δ' αὐτῇ προτέρωσε σὺν ἀσπίδι νήριτα ταύρων
ἴχνια μαστεύων· οἱ δ' ἔκποθεν ἀφράστοιο
κευθμῶνος χθονίου, ἵνα τέ σφισιν ἔσκε βόαυλα   1290
καρτερὰ λιγνυόεντι πέριξ εἰλυμένα καπνῷ,
ἄμφω ὁμοῦ προγένοντο πυρὸς σέλας ἀμπνείοντες.
ἔδδεισαν δ' ἥρωες, ὅπως ἴδον. αὐτὰρ ὁ τούσγε,
εὖ διαβάς, ἐπιόντας, ἅτε σπιλὰς εἰν ἁλὶ πέτρη
μίμνει ἀπειρεσίῃσι δονεύμενα κύματ' ἀέλλαις.
πρόσθε δέ οἱ σάκος ἔσχεν ἐναντίον· οἱ δέ μιν ἄμφω
μυκηθμῷ κρατεροῖσιν ἐνέπληξαν κεράεσσιν·
οὐδ' ἄρα μιν τυτθόν περ ἀνώχλισαν ἀντιόωντες.
ὡς δ' ὅτ' ἐνὶ τρητοῖσιν εὔρρινοι χοάνοισιν

their benches they sped swiftly on to the plain of
Ares. And it lay in front of them on the opposite
side of the city, as far off as is the turning-post that a
chariot must reach from the starting-point, when the
kinsmen of a dead king appoint funeral games for
footmen and horsemen. And they found Aeetes
and the tribes of the Colchians; these were stationed
on the Caucasian heights, but the king by the winding
brink of the river.

Now Aeson's son, as soon as his comrades had
made the hawsers fast, leapt from the ship, and with
spear and shield came forth to the contest; and at
the same time he took the gleaming helmet of
bronze filled with sharp teeth, and his sword girt
round his shoulders, his body stripped, in somewise
resembling Ares and in somewise Apollo of the
golden sword. And gazing over the field he saw
the bulls' yoke of bronze and near it the plough, all
of one piece, of stubborn adamant. Then he came
near, and fixed his sturdy spear upright on its butt,
and taking his helmet off leant it against the spear.
And he went forward with shield alone to examine
the countless tracks of the bulls, and they from some
unseen lair beneath the earth, where was their
strong steading, wrapt in murky smoke, both rushed
out together, breathing forth flaming fire. And sore
afraid were the heroes at the sight. But Jason,
setting wide his feet, withstood their onset, as in the
sea a rocky reef withstands the waves tossed by the
countless blasts. Then in front of him he held his
shield; and both the bulls with loud bellowing
attacked him with their mighty horns; nor did they
stir him a jot by their onset. And as when through
the holes of the furnace the armourers' bellows anon

φῦσαι χαλκήων ὁτὲ μέν τ᾽ ἀναμαρμαίρουσιν,   1300
πῦρ ὀλοὸν πιμπρᾶσαι, ὅτ᾽ αὖ λήγουσιν ἀϋτμῆς,
δεινὸς δ᾽ ἐξ αὐτοῦ πέλεται βρόμος, ὁππότ᾽ ἀΐξῃ
νειόθεν· ὡς ἄρα τώγε θοὴν φλόγα φυσιόωντες
ἐκ στομάτων ὁμάδευν, τὸν δ᾽ ἄμφεπε δήιον αἶθος
βάλλον ἅτε στεροπή· κούρης δέ ἑ φάρμακ᾽ ἔρυτο.
καὶ ῥ᾽ ὅγε δεξιτεροῖο βοὸς κέρας ἄκρον ἐρύσσας
εἷλκεν ἐπικρατέως παντὶ σθένει, ὄφρα πελάσσῃ
ζεύγλῃ χαλκείῃ, τὸν δ᾽ ἐν χθονὶ κάββαλεν ὀκλάξ,
ῥίμφα ποδὶ κρούσας πόδα χάλκεον. ὡς δὲ καὶ
          ἄλλον
σφῆλεν γνὺξ ἐπιόντα, μιῇ βεβολημένον ὁρμῇ.   1310
εὐρὺ δ᾽ ἀποπροβαλὼν χαμάδις σάκος, ἔνθα καὶ ἔνθα
τῇ καὶ τῇ βεβαὼς ἄμφω ἔχε πεπτηῶτας
γούνασιν ἐν προτέροισι, διὰ φλογὸς εἶθαρ
          ἐλυσθείς.
θαύμασε δ᾽ Αἰήτης σθένος ἀνέρος. οἱ δ᾽ ἄρα τείως
Τυνδαρίδαι—δὴ γάρ σφι πάλαι προπεφραδμένον
          ἦεν—
ἀγχίμολον ζυγά οἱ πεδόθεν δόσαν ἀμφιβαλέσθαι.
αὐτὰρ ὁ εὖ ἐνέδησε λόφους· μεσσηγὺ δ᾽ ἀείρας
χάλκεον ἱστοβοῆα, θοῇ συνάρασσε κορώνῃ
ζεύγληθεν. καὶ τὼ μὲν ὑπὲκ πυρὸς ἂψ ἐπὶ νῆα
χαζέσθην. ὁ δ᾽ ἄρ᾽ αὖτις ἑλὼν σάκος ἔνθετο νώτῳ   1320
ἐξόπιθεν, καὶ γέντο θοῶν ἔμπλειον ὀδόντων
πήληκα βριαρὴν δόρυ τ᾽ ἄσχετον, ᾧ ῥ᾽ ὑπὸ
          μέσσας
ἐργατίνης ὥς τίς τε Πελασγίδι νύσσεν ἀκαίνῃ
οὐτάζων λαγόνας· μάλα δ᾽ ἔμπεδον εὖ ἀραρυῖαν
τυκτὴν ἐξ ἀδάμαντος ἐπιθύνεσκεν ἐχέτλην.
   Οἱ δ᾽ εἵως μὲν δὴ περιώσια θυμαίνεσκον,
λάβρον ἐπιπνείοντε πυρὸς σέλας· ὦρτο δ᾽ ἀϋτμὴ

gleam brightly, kindling the ravening flame, and
anon cease from blowing, and a terrible roar rises
from the fire when it darts up from below; so the
bulls roared, breathing forth swift flame from their
mouths, while the consuming heat played round him,
smiting like lightning; but the maiden's charms
protected him.   Then grasping the tip of the horn of
the right-hand bull, he dragged it mightily with all
his strength to bring it near the yoke of bronze, and
forced it down on to its knees, suddenly striking
with his foot the foot of bronze. So also he threw
the other bull on to its knees as it rushed upon him,
and smote it down with one blow. And throwing
to the ground his broad shield, he held them both
down where they had fallen on their fore-knees, as
he strode from side to side, now here, now there,
and rushed swiftly through the flame. But Aeetes
marvelled at the hero's might. And meantime the
sons of Tyndareus—for long since had it been thus
ordained for them—near at hand gave him the yoke
from the ground to cast round them. Then tightly
did he bind their necks; and lifting the pole of
bronze between them, he fastened it to the yoke by
its golden tip. So the twin heroes started back
from the fire to the ship. But Jason took up again
his shield and cast it on his back behind him, and
grasped the strong helmet filled with sharp teeth,
and his resistless spear, wherewith, like some plough-
man with a Pelasgian goad, he pricked the bulls
beneath, striking their flanks; and very firmly did
he guide the well fitted plough handle, fashioned
of adamant.

The bulls meantime raged exceedingly, breathing
forth furious flame of fire; and their breath rose

ἠΰτε βυκτάων ἀνέμων βρόμος, οὕστε μάλιστα
δειδιότες μέγα λαῖφος ἁλίπλοοι ἐστείλαντο.
δηρὸν δ' οὐ μετέπειτα κελευόμενοι ὑπὸ δουρὶ   1330
ἤισαν· ὀκριόεσσα δ' ἐρείκετο νειὸς ὀπίσσω,
σχιζομένη ταύρων τε βίῃ κρατερῷ τ' ἀροτῆρι.
δεινὸν δ' ἐσμαράγευν ἄμυδις κατὰ ὦλκας ἀρότρου
βώλακες ἀγνύμεναι ἀνδραχθέες· εἵπετο δ' αὐτὸς
λαῖον ἐπὶ στιβαρῷ πιέσας ποδί· τῆλε δ' ἑοῖο
βάλλεν ἀρηρομένην αἰεὶ κατὰ βῶλον ὀδόντας
ἐντροπαλιζόμενος, μή οἱ πάρος ἀντιάσειεν
γηγενέων ἀνδρῶν ὀλοὸς στάχυς· οἱ δ' ἄρ' ἐπιπρὸ
χαλκείῃς χηλῇσιν ἐρειδόμενοι πονέοντο.

Ἦμος δὲ τρίτατον λάχος ἤματος ἀνομένοιο   1340
λείπεται ἐξ ἠοῦς, καλέουσι δὲ κεκμηῶτες
ἐργατίναι γλυκερόν σφιν ἄφαρ βουλυτὸν ἱκέσθαι,
τῆμος ἀρήροτο νειὸς ὑπ' ἀκαμάτῳ ἀροτῆρι,
τετράγυός περ ἐοῦσα· βοῶν τ' ἀπελύετ' ἄροτρα.
καὶ τοὺς μὲν πεδίονδε διεπτοίησε φέβεσθαι·
αὐτὰρ ὁ ἂψ ἐπὶ νῆα πάλιν κίεν, ὄφρ' ἔτι κεινὰς
γηγενέων ἀνδρῶν ἴδεν αὔλακας. ἀμφὶ δ' ἑταῖροι
θάρσυνον μύθοισιν. ὁ δ' ἐκ ποταμοῖο ῥοάων
αὐτῇ ἀφυσσάμενος κυνέῃ σβέσεν ὕδατι δίψαν·
γνάμψε δὲ γούνατ' ἐλαφρά, μέγαν δ' ἐμπλήσατο
          θυμὸν   1350
ἀλκῆς, μαιμώων συῒ εἴκελος, ὅς ῥά τ' ὀδόντας
θήγει θηρευτῇσιν ἐπ' ἀνδράσιν, ἀμφὶ δὲ πολλὸς
ἀφρὸς ἀπὸ στόματος χαμάδις ῥεῖ [1] χωομένοιο.
οἱ δ' ἤδη κατὰ πᾶσαν ἀνασταχύεσκον ἄρουραν
γηγενέες· φρίξεν δὲ περὶ στιβαροῖς σακέεσσιν
δούρασί τ' ἀμφιγύοις κορύθεσσί τε λαμπομένῃσιν
Ἄρηος τέμενος φθισιμβρότου· ἵκετο δ' αὔγλη

---

[1] ῥεῖ Samuelsson : ῥέε MSS.

up like the roar of blustering winds, in fear of which above all seafaring men furl their large sail. But not long after that they moved on at the bidding of the spear ; and behind them the rugged fallow was broken up, cloven by the might of the bulls and the sturdy ploughman. Then terribly groaned the clods withal along the furrows of the plough as they were rent, each a man's burden ; and Jason followed, pressing down the cornfield with firm foot ; and far from him he ever sowed the teeth along the clods as each was ploughed, turning his head back for fear lest the deadly crop of earthborn men should rise against him first ; and the bulls toiled onwards treading with their hoofs of bronze.

But when the third part of the day was still left as it wanes from dawn, and wearied labourers call for the sweet hour of unyoking to come to them straightway, then the fallow was ploughed by the tireless ploughman, four plough-gates though it was ; and he loosed the plough from the oxen. Them he scared in flight towards the plain ; but he went back again to the ship, while he still saw the furrows free of the earthborn men. And all round his comrades heartened him with their shouts. And in the helmet he drew from the river's stream and quenched his thirst with the water. Then he bent his knees till they grew supple, and filled his mighty heart with courage, raging like a boar, when it sharpens its teeth against the hunters, while from its wrathful mouth plenteous foam drips to the ground. By now the earthborn men were springing up over all the field ; and the plot of Ares, the death-dealer, bristled with sturdy shields and

νειόθεν Οὐλυμπόνδε δι᾽ ἠέρος ἀστράπτουσα.
ὡς δ᾽ ὁπότ᾽ ἐς γαῖαν πολέος νιφετοῖο πεσόντος
ἂψ ἀπὸ χειμερίας νεφέλας ἐκέδασσαν ἄελλαι   1360
λυγαίῃ ὑπὸ νυκτί, τὰ δ᾽ ἀθρόα πάντ᾽ ἐφαάνθη
τείρεα λαμπετόωντα διὰ κνέφας· ὣς ἄρα τοίγε
λάμπον ἀναλδήσκοντες ὑπὲρ χθονός. αὐτὰρ Ἰήσων
μνήσατο Μηδείης πολυκερδέος ἐννεσιάων,
λάζετο δ᾽ ἐκ πεδίοιο μέγαν περιηγέα πέτρον,
δεινὸν Ἐνυαλίου σόλον Ἄρεος· οὔ κέ μιν ἄνδρες
αἰζηοὶ πίσυρες γαίης ἄπο τυτθὸν ἄειραν.
τόν ῥ᾽ ἀνὰ χεῖρα λαβὼν μάλα τηλόθεν ἔμβαλε
    μέσσοις
ἀΐξας· αὐτὸς δ᾽ ὑφ᾽ ἑὸν σάκος ἕζετο λάθρῃ
θαρσαλέως. Κόλχοι δὲ μέγ᾽ ἴαχον, ὡς ὅτε πόντος 1370
ἴαχεν ὀξείῃσιν ἐπιβρομέων σπιλάδεσσιν·
τὸν δ᾽ ἕλεν ἀμφασίῃ ῥιπῇ στιβαροῖο σόλοιο
Αἰήτην. οἱ δ᾽ ὥστε θοοὶ κύνες ἀμφιθορόντες
ἀλλήλους βρυχηδὸν ἐδήιον· οἱ δ᾽ ἐπὶ γαῖαν
μητέρα πῖπτον ἑοῖς ὑπὸ δούρασιν, ἠύτε πεῦκαι
ἢ δρύες, ἅστ᾽ ἀνέμοιο κατάικες δονέουσιν.
οἷος δ᾽ οὐρανόθεν πυρόεις ἀναπάλλεται ἀστὴρ
ὁλκὸν ὑπαυγάζων, τέρας ἀνδράσιν, οἵ μιν ἴδωνται
μαρμαρυγῇ σκοτίοιο δι᾽ ἠέρος ἀΐξαντα·
τοῖος ἄρ᾽ Αἴσονος υἱὸς ἐπέσσυτο γηγενέεσσιν,   1380
γυμνὸν δ᾽ ἐκ κολεοῖο φέρε ξίφος, οὖτα δὲ μίγδην
ἀμώων, πολέας μὲν ἔτ᾽ ἐς νηδὺν λαγόνας τε
ἡμίσεας ἀνέχοντας ἐς ἠέρα· τοὺς δὲ καὶ ἄχρις
ὤμων τελλομένους· τοὺς δὲ νέον ἑστηῶτας,
τοὺς δ᾽ ἤδη καὶ ποσσὶν ἐπειγομένους ἐς ἄρηα.
ὡς δ᾽ ὁπότ᾽, ἀμφ᾽ οὔροισιν ἐγειρομένου πολέμοιο,
δείσας γειομόρος, μή οἱ προτάμωνται ἀρούρας,

double-pointed spears and shining helmets; and the gleam reached Olympus from beneath, flashing through the air. And as when abundant snow has fallen on the earth and the storm blasts have dispersed the wintry clouds under the murky night, and all the hosts of the stars appear shining through the gloom; so did those warriors shine springing up above the earth. But Jason bethought him of the counsels of Medea full of craft, and seized from the plain a huge round boulder, a terrible quoit of Ares Enyalius; four stalwart youths could not have raised it from the ground even a little. Taking it in his hands he threw it with a rush far away into their midst; and himself crouched unseen behind his shield, with full confidence. And the Colchians gave a loud cry, like the roar of the sea when it beats upon sharp crags; and speechless amazement seized Aeetes at the rush of the sturdy quoit. And the Earthborn, like fleet-footed hounds, leaped upon one another and slew with loud yells; and on earth their mother they fell beneath their own spears, likes pines or oaks, which storms of wind beat down. And even as a fiery star leaps from heaven, trailing a furrow of light, a portent to men, whoever see it darting with a gleam through the dusky sky; in such wise did Aeson's son rush upon the earthborn men, and he drew from the sheath his bare sword, and smote here and there, mowing them down, many on the belly and side, half risen to the air—and some that had risen as far as the shoulders—and some just standing upright, and others even now rushing to battle. And as when a fight is stirred up concerning boundaries, and a husbandman, in fear lest they should ravage his

ἅρπην εὐκαμπῆ νεοθηγέα χερσὶ μεμαρπὼς
ὠμὸν ἐπισπεύδων κείρει στάχυν, οὐδὲ βολῆσιν
μίμνει ἐς ὡραίην τερσήμεναι ἠελίοιο·   1390
ὡς τότε γηγενέων κεῖρε στάχυν. αἵματι δ᾽ ὁλκοὶ
ἠύτε κρηναῖαι ἀμάραι πλήθοντο ῥοῆσιν.
πῖπτον δ᾽, οἱ μὲν ὀδὰξ τετρηχότα βῶλον ἀρούρης [1]
λαζόμενοι πρηνεῖς, οἱ δ᾽ ἔμπαλιν, οἱ δ᾽ ἐπ᾽ ἀγοστῷ
καὶ πλευροῖς, κήτεσσι δομὴν ἀτάλαντοι ἰδέσθαι.
πολλοὶ δ᾽ οὐτάμενοι, πρὶν ὑπὸ χθονὸς ἴχνος ἀεῖραι,
ὅσσον ἄνω προύτυψαν ἐς ἠέρα, τόσσον ἔραζε
βριθόμενοι πλαδαροῖσι καρήασιν ἠρήρειντο.
ἔρνεά που τοίως, Διὸς ἄσπετον ὀμβρήσαντος,
φυταλιῇ νεόθρεπτα κατημύουσιν ἔραζε   1400
κλασθέντα ῥίζηθεν, ἀλωήων πόνος ἀνδρῶν·
τὸν δὲ κατηφείη τε καὶ οὐλοὸν ἄλγος ἱκάνει
κλήρου σημαντῆρα φυτοτρόφον· ὣς τότ᾽ ἄνακτος
Αἰήταο βαρεῖαι ὑπὸ φρένας ἦλθον ἀνῖαι.
ἤιε δ᾽ ἐς πτολίεθρον ὑπότροπος ἄμμιγα Κόλχοις,
πορφύρων, ἧ κέ σφι θοώτερον ἀντιόωτο.
ἦμαρ ἔδυ, καὶ τῷ τετελεσμένος ἦεν ἄεθλος.

[1] ἀρούρης Hermann : ὀδοῦσιν MSS.

fields, seizes in his hand a curved sickle, newly sharpened, and hastily cuts the unripe crop, and waits not for it to be parched in due season by the beams of the sun; so at that time did Jason cut down the crop of the Earthborn; and the furrows were filled with blood, as the channels of a spring with water. And they fell, some on their faces biting the rough clod of earth with their teeth, some on their backs, and others on their hands and sides, like to sea-monsters to behold. And many, smitten before raising their feet from the earth, bowed down as far to the ground as they had risen to the air, and rested there with the damp of death on their brows. Even so, I ween, when Zeus has sent a measureless rain, new planted orchard-shoots droop to the ground, cut off by the root—the toil of gardening men; but heaviness of heart and deadly anguish come to the owner of the farm, who planted them; so at that time did bitter grief come upon the heart of King Aeetes. And he went back to the city among the Colchians, pondering how he might most quickly oppose the heroes. And the day died, and Jason's contest was ended.

BOOK IV

SUMMARY OF BOOK IV

INVOCATION *of the Muse* (1-5).—*Grief of Medea, who flies from the palace during the night and joins the Argonauts* (6-91).—*By the aid of Medea, Jason seizes and carries off the golden fleece, after which the Argonauts depart* (92-211).—*Pursued by the Colchians, they land in Paphlagonia, where Argus shows them the route to take* (212-293).—*The Argonauts sail up the Ister, by a branch of which they make their way into the Adriatic, where they find their progress barred by the Colchians, who had come by a shorter route* (294-337).—*Agreement between the Argonauts and the Colchians: Medea's reproaches to Jason* (338-451).—*Murder of Apsyrtus by Jason: the Colchians give up the pursuit* (452-551).—*The Argonauts sail along the Eridanus into the Rhone, and reach the abode of Circe in Italy* (552-684).—*Jason and Medea are purified by Circe: the Argonauts pass the isle of the Sirens, Scylla, Charybdis, and the Planctae* (685-981).—*Arrival among the Phaeacians: here other Colchians reclaim Medea, and, to prevent*

SUMMARY OF BOOK IV

her surrender, her marriage with Jason is celebrated (982–1169).—Departure of the Argonauts, who are driven by a storm on to the Syrtes : they carry Argo on their shoulders to the Tritonian lake (1170–1484).—Deaths of Canthus and Mopsus (1485–1536).—The god Triton conducts Argo from the lake into the sea (1537–1637).—Episode of the giant Talos in Crete (1638–1693).—Arrival at the isle Anaphe : the dream of Euphemus, which is interpreted by Jason : arrival at Aegina and at Pagasae, the end of the voyage (1694–1781).

Αὐτὴ νῦν κάματόν γε, θεά, καὶ δήνεα κούρης
Κολχίδος ἔννεπε, Μοῦσα, Διὸς τέκος. ἦ γὰρ ἔμοιγε
ἀμφασίη νόος ἔνδον ἑλίσσεται ὁρμαίνοντι,
ἠέ μιν ἄτης πῆμα δυσίμερον, ἦ τόγ' ἐνίσπω
φύζαν ἀεικελίην, ᾗ κάλλιπεν ἔθνεα Κόλχων.

Ἤτοι ὁ μὲν δήμοιο μετ' ἀνδράσιν, ὅσσοι ἄριστοι,
παννύχιος δόλον αἰπὺν ἐπὶ σφίσι μητιάασκεν
οἷσιν ἐνὶ μεγάροις, στυγερῷ ἐπὶ θυμὸν ἀέθλῳ
Αἰήτης ἄμοτον κεχολωμένος· οὐδ' ὅγε πάμπαν
θυγατέρων τάδε νόσφιν ἑῶν τελέεσθαι ἐώλπει.   10

Τῇ δ' ἀλεγεινότατον κραδίῃ φόβον ἔμβαλεν Ἥρη·
τρέσσεν δ', ἠύτε τις κούφη κεμάς, ἥντε βαθείης
τάρφεσιν ἐν ξυλόχοιο κυνῶν ἐφόβησεν ὁμοκλή.
αὐτίκα γὰρ νημερτὲς ὀίσσατο, μή μιν ἀρωγὴν
ληθέμεν, αἶψα δὲ πᾶσαν ἀναπλήσειν κακότητα.
τάρβει δ' ἀμφιπόλους ἐπιίστορας· ἐν δέ οἱ ὄσσε
πλῆτο πυρός, δεινὸν δὲ περιβρομέεσκον ἀκουαί.
πυκνὰ δὲ λαυκανίης ἐπεμάσσατο, πυκνὰ δὲ κουρὶξ
ἑλκομένη πλοκάμους γοερῇ βρυχήσατ' ἀνίῃ.
καί νύ κεν αὐτοῦ τῆμος ὑπὲρ μόρον ὤλετο κούρη,   20
φάρμακα πασσαμένη, Ἥρης δ' ἁλίωσε μενοινάς,
εἰ μή μιν Φρίξοιο θεὰ σὺν παισὶ φέβεσθαι

BOOK IV

Now do thou thyself, goddess Muse, daughter of Zeus, tell of the labour and wiles of the Colchian maiden. Surely my soul within me wavers with speechless amazement as I ponder whether I should call it the lovesick grief of mad passion or a panic flight, through which she left the Colchian folk.

Aeetes all night long with the bravest captains of his people was devising in his halls sheer treachery against the heroes, with fierce wrath in his heart at the issue of the hateful contest; nor did he deem at all that these things were being accomplished without the knowledge of his daughters.

But into Medea's heart Hera cast most grievous fear; and she trembled like a nimble fawn whom the baying of hounds hath terrified amid the thicket of a deep copse. For at once she truly forboded that the aid she had given was not hidden from her father, and that quickly she would fill up the cup of woe. And she dreaded the guilty knowledge of her handmaids; her eyes were filled with fire and her ears rung with a terrible cry. Often did she clutch at her throat, and often did she drag out her hair by the roots and groan in wretched despair. There on that very day the maiden would have tasted the drugs and perished and so have made void the purposes of Hera, had not the goddess driven her, all bewildered, to flee with the sons of Phrixus; and her

ὦρσεν ἀτυζομένην· πτερόεις δέ οἱ ἐν φρεσὶ θυμὸς
ἰάνθη· μετὰ δ' ἦγε παλίσσυτος ἀθρόα κόλπων
φάρμακα πάντ' ἄμυδις κατεχεύατο φωριαμοῖο.
κύσσε δ' ἑόν τε λέχος καὶ δικλίδας ἀμφοτέρωθεν
σταθμούς, καὶ τοίχων ἐπαφήσατο, χερσί τε μακρὸν
ῥηξαμένη πλόκαμον, θαλάμῳ μνημήια μητρὶ
κάλλιπε παρθενίης, ἀδινῇ δ' ὀλοφύρατο φωνῇ·

'Τόνδε τοι ἀντ' ἐμέθεν ταναὸν πλόκον εἶμι λιπ-
οῦσα,   30
μῆτερ ἐμή· χαίροις δὲ καὶ ἄνδιχα πολλὸν ἰούσῃ·
χαίροις Χαλκιόπη, καὶ πᾶς δόμος. αἴθε σε πόντος,
ξεῖνε, διέρραισεν, πρὶν Κολχίδα γαῖαν ἱκέσθαι.'

Ὣς ἄρ' ἔφη· βλεφάρων δὲ κατ' ἀθρόα δάκρυα
χεῦεν.

οἵη δ' ἀφνειοῖο διειλυσθεῖσα δόμοιο
ληιάς, ἥντε νέον πάτρης ἀπενόσφισεν αἶσα,
οὐδέ νύ πω μογεροῖο πεπείρηται καμάτοιο,
ἀλλ' ἔτ' ἀηθέσσουσα δύης καὶ δούλια ἔργα
εἶσιν ἀτυζομένη χαλεπὰς ὑπὸ χεῖρας ἀνάσσης·
τοίη ἄρ' ἱμερόεσσα δόμων ἐξέσσυτο κούρη.   40
τῇ δὲ καὶ αὐτόματοι θυρέων ὑπόειξαν ὀχῆες,
ὠκείαις ἄψορροι ἀναθρώσκοντες ἀοιδαῖς.
γυμνοῖσιν δὲ πόδεσσιν ἀνὰ στεινὰς θέεν οἴμους,
λαιῇ μὲν χερὶ πέπλον ἐπ' ὀφρύσιν ἀμφὶ μέτωπα
στειλαμένη καὶ καλὰ παρήια, δεξιτερῇ δὲ
ἄκρην ὑψόθι πέζαν ἀερτάζουσα χιτῶνος.
καρπαλίμως δ' ἄιδηλον ἀνὰ στίβον ἔκτοθι πύργων
ἄστεος εὐρυχόροιο φόβῳ ἵκετ'· οὐδέ τις ἔγνω
τήνγε¹ φυλακτήρων, λάθε δέ σφεας ὁρμηθεῖσα.
ἔνθεν ἵμεν νηόνδε μάλ' ἐφράσατ'· οὐ γὰρ ἄιδρις   50
ἦεν ὁδῶν, θαμὰ καὶ πρὶν ἀλωμένη ἀμφί τε νεκρούς,

¹ τήνγε W. G. Headlam : τήνδε MSS.

296

fluttering soul within her was comforted; and then she poured from her bosom all the drugs back again into the casket. Then she kissed her bed, and the folding-doors on both sides, and stroked the walls, and tearing away in her hands a long tress of hair, she left it in the chamber for her mother, a memorial of her maidenhood, and thus lamented with passionate voice:

"I go, leaving this long tress here in my stead, O mother mine; take this farewell from me as I go far hence; farewell Chalciope, and all my home. Would that the sea, stranger, had dashed thee to pieces, ere thou camest to the Colchian land!"

Thus she spake, and from her eyes shed copious tears. And as a bondmaid steals away from a wealthy house, whom fate has lately severed from her native land, nor yet has she made trial of grievous toil, but still unschooled to misery and shrinking in terror from slavish tasks, goes about beneath the cruel hands of a mistress; even so the lovely maiden rushed forth from her home. But to her the bolts of the doors gave way self-moved, leaping backwards at the swift strains of her magic song. And with bare feet she sped along the narrow paths, with her left hand holding her robe over her brow to veil her face and fair cheeks, and with her right lifting up the hem of her tunic. Quickly along the dark track, outside the towers of the spacious city, did she come in fear; nor did any of the warders note her, but she sped on unseen by them. Thence she was minded to go to the temple; for well she knew the way, having often aforetime wandered there in quest of corpses and

ἀμφί τε δυσπαλέας ῥίζας χθονός, οἷα γυναῖκες
φαρμακίδες· τρομερῷ δ᾽ ὑπὸ δείματι πάλλετο θυμός.
τὴν δὲ νέον Τιτηνὶς ἀνερχομένη περάτηθεν
φοιταλέην ἐσιδοῦσα θεὰ ἐπεχήρατο Μήνη
ἁρπαλέως, καὶ τοῖα μετὰ φρεσὶν ᾗσιν ἔειπεν·

'Οὐκ ἄρ᾽ ἐγὼ μούνη μετὰ Λάτμιον ἄντρον ἀλύσκω,
οὐδ᾽ οἴη καλῷ περιδαίομαι Ἐνδυμίωνι·
ἦ θαμὰ δὴ καὶ σεῖο κίον δολίῃσιν ἀοιδαῖς,
μνησαμένη φιλότητος, ἵνα σκοτίῃ ἐνὶ νυκτὶ   60
φαρμάσσῃς εὔκηλος, ἅ τοι φίλα ἔργα τέτυκται.
νῦν δὲ καὶ αὐτὴ δῆθεν ὁμοίης ἔμμορες ἄτης·
δῶκε δ᾽ ἀνιηρόν τοι Ἰήσονα πῆμα γενέσθαι
δαίμων ἀλγινόεις. ἀλλ᾽ ἔρχεο, τέτλαθι δ᾽ ἔμπης
καὶ πινυτή περ ἐοῦσα, πολύστονον ἄλγος ἀείρειν.'

Ὣς ἄρ᾽ ἔφη· τὴν δ᾽ αἶψα πόδες φέρον ἐγκονέου-
σαν.
ἀσπασίως δ᾽ ὄχθῃσιν ἐπηέρθη ποταμοῖο,
ἀντιπέρην λεύσσουσα πυρὸς σέλας, ὅ ῥά τ᾽ ἀέθλου
παννύχιοι ἥρωες ἐυφροσύνῃσιν ἔδαιον.
ὀξείῃ δ᾽ ἔπειτα διὰ κνέφας ὄρθια φωνῇ   70
ὁπλότατον Φρίξοιο περαιόθεν ἤπυε παίδων,
Φρόντιν· ὁ δὲ ξὺν ἑοῖσι κασιγνήτοις ὄπα κούρης
αὐτῷ τ᾽ Αἰσονίδῃ τεκμήρατο· σῖγα δ᾽ ἑταῖροι
θάμβεον, εὖτ᾽ ἐνόησαν ὃ δὴ καὶ ἐτήτυμον ἦεν.
τρὶς μὲν ἀνήυσεν, τρὶς δ᾽ ὀτρύνοντος ὁμίλου
Φρόντις ἀμοιβήδην ἀντίαχεν. οἱ δ᾽ ἄρα τείως
ἥρωες μετὰ τήνγε θοοῖς ἐλάασκον ἐρετμοῖς.
οὔπω πείσματα νηὸς ἐπ᾽ ἠπείροιο περαίης
βάλλον, ὁ δὲ κραιπνοὺς χέρσῳ πόδας ἧκεν Ἰήσων
ὑψοῦ ἀπ᾽ ἰκριόφιν· μετὰ δὲ Φρόντις τε καὶ Ἄργος,   80

298

noxious roots of the earth, as a sorceress is wont
to do; and her soul fluttered with quivering fear.
And the Titanian goddess, the moon, rising from a far
land, beheld her as she fled distraught, and fiercely
exulted over her, and thus spake to her own
heart:

"Not I alone then stray to the Latmian cave,
nor do I alone burn with love for fair Endymion;
oft times with thoughts of love have I been driven
away by thy crafty spells, in order that in the
darkness of night thou mightest work thy sorcery
at ease, even the deeds dear to thee. And now thou
thyself too hast part in a like mad passion; and
some god of affliction has given thee Jason to be
thy grievous woe. Well, go on, and steel thy heart,
wise though thou be, to take up thy burden of pain,
fraught with many sighs."

Thus spake the goddess; but swiftly the maiden's
feet bore her, hasting on. And gladly did she gain
the high bank of the river and beheld on the oppo-
site side the gleam of fire, which all night long the
heroes were kindling in joy at the contest's issue.
Then through the gloom, with clear-pealing voice
from across the stream, she called on Phrontis, the
youngest of Phrixus' sons, and he with his brothers
and Aeson's son recognised the maiden's voice; and
in silence his comrades wondered when they knew
that it was so in truth. Thrice she called, and thrice
at the bidding of the company Phrontis called out in
reply; and meantime the heroes were rowing with
swift-moving oars in search of her. Not yet were
they casting the ship's hawsers upon the opposite
bank, when Jason with light feet leapt to land from
the deck above, and after him Phrontis and Argus,

υἷε δύω Φρίξου, χαμάδις θόρον· ἡ δ' ἄρα τούσγε
γούνων ἀμφοτέρῃσι περισχομένη προσέειπεν·
  '῞Εκ με, φίλοι, ῥύσασθε δυσάμμορον, ὡς δὲ καὶ
αὐτοὺς
ὑμέας Αἰήταο, πρὸ γάρ τ' ἀναφανδὰ τέτυκται
πάντα μάλ', οὐδέ τι μῆχος ἱκάνεται. ἀλλ' ἐπὶ νηὶ
φεύγωμεν, πρὶν τόνδε θοῶν ἐπιβήμεναι ἵππων.
δώσω δὲ χρύσειον ἐγὼ δέρος, εὐνήσασα
φρουρὸν ὄφιν· τύνη δὲ θεοὺς ἐνὶ σοῖσιν ἑταίροις,
ξεῖνε, τεῶν μύθων ἐπιίστορας, οὕς μοι ὑπέστης,
ποίησαι· μηδ' ἔνθεν ἑκαστέρω ὁρμηθεῖσαν   90
χήτεϊ κηδεμόνων ὀνοτὴν καὶ ἀεικέα θείης.'
  '῎Ισκεν ἀκηχεμένη· μέγα δὲ φρένες Αἰσονίδαο
γήθεον· αἶψα δέ μιν περὶ γούνασι πεπτηυῖαν
ἦκ' ἀναειρόμενος προσπτύξατο, θάρσυνέν τε·
'Δαιμονίη, Ζεὺς αὐτὸς 'Ολύμπιος ὅρκιος ἔστω,
῞Ηρῃ τε Ζυγίῃ, Διὸς εὐνέτις, ἦ μὲν ἐμοῖσιν
κουριδίην σε δόμοισιν ἐνιστήσεσθαι ἄκοιτιν,
εὖτ' ἂν ἐς 'Ελλάδα γαῖαν ἱκώμεθα νοστήσαντες.'
  ῞Ως ηὔδα, καὶ χεῖρα παρασχεδὸν ἤραρε χειρὶ
δεξιτερήν· ἡ δέ σφιν ἐς ἱερὸν ἄλσος ἀνώγει   100
νῆα θοὴν ἐλάαν αὐτοσχεδόν, ὄφρ' ἔτι νύκτωρ
κῶας ἑλόντες ἄγοιντο παρὲκ νόον Αἰήταο.
ἔνθ' ἔπος ἠδὲ καὶ ἔργον ὁμοῦ πέλεν ἐσσυμένοισιν.
εἰς γάρ μιν βήσαντες, ἀπὸ χθονὸς αὐτίκ' ἔωσαν
νῆα· πολὺς δ' ὀρυμαγδὸς ἐπειγομένων ἐλάτῃσιν
ἦεν ἀριστήων· ἡ δ' ἔμπαλιν ἀΐσσουσα
γαίῃ χεῖρας ἔτεινεν ἀμήχανος. αὐτὰρ 'Ιήσων
θάρσυνέν τ' ἐπέεσσι, καὶ ἴσχανεν ἀσχαλόωσαν.
  ῏Ημος δ' ἀνέρες ὕπνον ἀπ' ὀφθαλμῶν ἐβάλοντο
ἀγρόται, οἵτε κύνεσσι πεποιθότες οὔποτε νύκτα   110

sons of Phrixus, leapt to the ground; and she, clasping their knees with both hands, thus addressed them:

"Save me, the hapless one, my friends, from Aeetes, and yourselves too, for all is brought to light, nor doth any remedy come. But let us flee upon the ship, before the king mounts his swift chariot. And I will lull to sleep the guardian serpent and give you the fleece of gold; but do thou, stranger, amid thy comrades make the gods witness of the vows thou hast taken on thyself for my sake; and now that I have fled far from my country, make me not a mark for blame and dishonour for want of kinsmen."

She spake in anguish; but greatly did the heart of Aeson's son rejoice, and at once, as she fell at his knees, he raised her gently and embraced her, and spake words of comfort: "Lady, let Zeus of Olympus himself be witness to my oath, and Hera, queen of marriage, bride of Zeus, that I will set thee in my halls my own wedded wife, when we have reached the land of Hellas on our return."

Thus he spake, and straightway clasped her right hand in his; and she bade them row the swift ship to the sacred grove near at hand, in order that, while it was still night, they might seize and carry off the fleece against the will of Aeetes. Word and deed were one to the eager crew. For they took her on board, and straightway thrust the ship from shore; and loud was the din as the chieftains strained at their oars, but she, starting back, held out her hands in despair towards the shore. But Jason spoke cheering words and restrained her grief.

Now at the hour when men have cast sleep from their eyes—huntsmen, who, trusting to their hounds,

ἄγχαυρον κνώσσουσιν, ἀλευάμενοι φάος ἠοῦς,
μὴ πρὶν ἀμαλδύνῃ θηρῶν στίβον ἠδὲ καὶ ὀδμὴν
θηρείην λευκῇσιν ἐνισκίμψασα βολῇσιν·
τῆμος ἄρ' Αἰσονίδης κούρη τ' ἀπὸ νηὸς ἔβησαν
ποιήεντ' ἀνὰ χῶρον, ἵνα Κριοῦ καλέονται
εὐναί, ὅθι πρῶτον κεκμηότα γούνατ' ἔκαμψεν,
νώτοισιν φορέων Μινυήιον υἷ' Ἀθάμαντος.
ἐγγύθι δ' αἰθαλόεντα πέλεν βωμοῖο θέμεθλα,
ὅν ῥά ποτ' Αἰολίδης Διὶ Φυξίῳ εἴσατο Φρίξος,
ῥέζων κεῖνο τέρας παγχρύσεον, ὥς οἱ ἔειπεν   120
Ἑρμείας πρόφρων ξυμβλήμενος. ἔνθ' ἄρα τούσγε
Ἄργου φραδμοσύνῃσιν ἀριστῆες μεθέηκαν.

Τὼ δὲ δι' ἀτραπιτοῖο μεθ' ἱερὸν ἄλσος ἵκοντο,
φηγὸν ἀπειρεσίην διζημένω, ᾗ ἔπι κῶας
βέβλητο, νεφέλῃ ἐναλίγκιον, ἥτ' ἀνιόντος
ἠελίου φλογερῇσιν ἐρεύθεται ἀκτίνεσσιν.
αὐτὰρ ὁ ἀντικρὺ περιμήκεα τείνετο δειρὴν
ὀξὺς ἀύπνοισιν προϊδὼν ὄφις ὀφθαλμοῖσιν
νισσομένους, ῥοίζει δὲ πελώριον· ἀμφὶ δὲ μακραὶ
ἠιόνες ποταμοῖο καὶ ἄσπετον ἴαχεν ἄλσος.   130
ἔκλυον οἳ καὶ πολλὸν ἑκὰς Τιτηνίδος Αἴης
Κολχίδα γῆν ἐνέμοντο παρὰ προχοῇσι Λύκοιο,
ὅστ' ἀποκιδνάμενος ποταμοῦ κελάδοντος Ἀράξεω
Φάσιδι συμφέρεται ἱερὸν ῥόον· οἱ δὲ συνάμφω
Καυκασίην ἅλαδ' εἰς ἓν ἐλαυνόμενοι προχέουσιν.
δείματι δ' ἐξέγροντο λεχωίδες, ἀμφὶ δὲ παισὶν
νηπιάχοις, οἵτε σφιν ὑπ' ἀγκαλίδεσσιν ἴαυον,
ῥοίζῳ παλλομένοις χεῖρας βάλον ἀσχαλόωσαι.
ὡς δ' ὅτε τυφομένης ὕλης ὕπερ αἰθαλόεσσαι
καπνοῖο στροφάλιγγες ἀπείριτοι εἰλίσσονται,   140
ἄλλη δ' αἶψ' ἑτέρη ἐπιτέλλεται αἰὲν ἐπιπρὸ
νειόθεν εἰλίγγοισιν ἐπήορος ἐξανιοῦσα·

never slumber away the end of night, but avoid the light of dawn lest, smiting with its white beams, it efface the track and scent of the quarry— then did Aeson's son and the maiden step forth from the ship over a grassy spot, the " Ram's couch" as men call it, where it first bent its wearied knees in rest, bearing on its back the Minyan son of Athamas. And close by, all smirched with soot, was the base of the altar, which the Aeolid Phrixus once set up to Zeus, the aider of fugitives, when he sacrificed the golden wonder at the bidding of Hermes who graciously met him on the way. There by the counsels of Argus the chieftains put them ashore.

And they two by the pathway came to the sacred grove, seeking the huge oak tree on which was hung the fleece, like to a cloud that blushes red with the fiery beams of the rising sun. But right in front the serpent with his keen sleepless eyes saw them coming, and stretched out his long neck and hissed in awful wise; and all round the long banks of the river echoed and the boundless grove. Those heard it who dwelt in the Colchian land very far from Titanian Aea, near the outfall of Lycus, the river which parts from loud-roaring Araxes and blends his sacred stream with Phasis, and they twain flow on together in one and pour their waters into the Caucasian Sea. And through fear young mothers awoke, and round their new-born babes, who were sleeping in their arms, threw their hands in agony, for the small limbs started at that hiss. And as when above a pile of smouldering wood countless eddies of smoke roll up mingled with soot, and one ever springs up quickly after another, rising aloft from beneath in wavering wreaths; so at that

ὣς τότε κεῖνο πέλωρον ἀπειρεσίας ἐλέλιξεν
ῥυμβόνας ἀζαλέῃσιν ἐπηρεφέας φολίδεσσιν.
τοῖο δ᾽ ἐλισσομένοιο κατ᾽ ὄμματα νίσσετο¹ κούρη,
Ὕπνον ἀοσσητῆρα, θεῶν ὕπατον, καλέουσα
ἡδείῃ ἐνοπῇ, θέλξαι τέρας· αὖε δ᾽ ἄνασσαν
νυκτιπόλον, χθονίην, εὐαντέα δοῦναι ἐφορμήν.
εἵπετο δ᾽ Αἰσονίδης πεφοβημένος, αὐτὰρ ὅγ᾽ ἤδη
οἴμῃ θελγόμενος δολιχὴν ἀνελύετ᾽ ἄκανθαν   150
γηγενέος σπείρης, μήκυνε δὲ μυρία κύκλα,
οἷον ὅτε βληχροῖσι κυλινδόμενον πελάγεσσιν
κῦμα μέλαν κωφόν τε καὶ ἄβρομον· ἀλλὰ καὶ ἔμπης
ὑψοῦ σμερδαλέην κεφαλὴν μενέαινεν ἀείρας
ἀμφοτέρους ὀλοῇσι περιπτύξαι γενύεσσιν.
ἡ δέ μιν ἀρκεύθοιο νέον τετμηότι θαλλῷ
βάπτουσ᾽ ἐκ κυκεῶνος ἀκήρατα φάρμακ᾽ ἀοιδαῖς,
ῥαῖνε κατ᾽ ὀφθαλμῶν· περί τ᾽ ἀμφί τε νήριτος ὀδμὴ
φαρμάκου ὕπνον ἔβαλλε· γένυν δ᾽ αὐτῇ ἐνὶ χώρῃ
θῆκεν ἐρεισάμενος· τὰ δ᾽ ἀπείρονα πολλὸν ὀπίσσω   160
κύκλα πολυπρέμνοιο διὲξ ὕλης τετάνυστο.
    Ἔνθα δ᾽ ὁ μὲν χρύσειον ἀπὸ δρυὸς αἴνυτο κῶας,
κούρης κεκλομένης· ἡ δ᾽ ἔμπεδον ἑστηυῖα
φαρμάκῳ ἔψηχεν θηρὸς κάρη, εἰσόκε δή μιν
αὐτὸς ἑὴν ἐπὶ νῆα παλιντροπάασθαι Ἰήσων
ἤνωγεν, λεῖπεν δὲ πολύσκιον ἄλσος Ἄρηος.
ὡς δὲ σεληναίην διχομήνιδα παρθένος αἴγλην
ὑψόθεν ἐξανέχουσαν ὑπωροφίου θαλάμοιο
λεπταλέῳ ἑανῷ ὑποΐσχεται· ἐν δέ οἱ ἦτορ
χαίρει δερκομένης καλὸν σέλας· ὣς τότ᾽ Ἰήσων   170
γηθόσυνος μέγα κῶας ἑαῖς ἐναείρατο χερσίν·
καί οἱ ἐπὶ ξανθῇσι παρηίσιν ἠδὲ μετώπῳ
μαρμαρυγῇ ληνέων φλογὶ εἴκελον ἷζεν ἔρευθος.

¹ κατ᾽ ὄμματα νίσσετο Merkel : κατόμματον εἴσετο LG.

time did that monster roll his countless coils
covered with hard dry scales. And as he writhed,
the maiden came before his eyes, with sweet voice
calling to her aid Sleep, highest of gods, to charm
the monster ; and she cried to the queen of the
underworld, the night-wanderer, to be propitious to
her enterprise. And Aeson's son followed in fear,
but the serpent, already charmed by her song, was
relaxing the long ridge of his giant spine, and
lengthening out his myriad coils, like a dark wave,
dumb and noiseless, rolling over a sluggish sea ; but
still he raised aloft his grisly head, eager to enclose
them both in his murderous jaws. But she with a
newly cut spray of juniper, dipping and drawing un-
tempered charms from her mystic brew, sprinkled
his eyes, while she chanted her song ; and all around
the potent scent of the charm cast sleep ; and on
the very spot he let his jaw sink down ; and far
behind through the wood with its many trees were
those countless coils stretched out.

Hereupon Jason snatched the golden fleece from
the oak, at the maiden's bidding ; and she, standing
firm, smeared with the charm the monster's head, till
Jason himself bade her turn back towards their ship,
and she left the grove of Ares, dusky with shade.
And as a maiden catches on her finely wrought robe
the gleam of the moon at the full, as it rises above
her high-roofed chamber ; and her heart rejoices as
she beholds the fair ray ; so at that time did Jason
uplift the mighty fleece in his hands ; and from the
shimmering of the flocks of wool there settled on his
fair cheeks and brow a red flush like a flame. And

ὅσση δὲ ῥινὸς βοὸς ἤνιος ἢ ἐλάφοιο
γίγνεται, ἥντ' ἀγρῶσται ἀχαιινέην καλέουσιν,
τόσσον ἔην πάντῃ χρύσεον ἐφύπερθεν ἄωτον.
βεβρίθει λήνεσσιν ἐπηρεφές· ἤλιθα δὲ χθὼν
αἰὲν ὑποπρὸ ποδῶν ἀμαρύσσετο νισσομένοιο.
ἤιε δ' ἄλλοτε μὲν λαιῷ ἐπιειμένος ὤμῳ
αὐχένος ἐξ ὑπάτοιο ποδηνεκές, ἄλλοτε δ' αὖτε   180
εἴλει ἀφασσόμενος· περὶ γὰρ δίεν, ὄφρα ἑ μή τις
ἀνδρῶν ἠὲ θεῶν νοσφίσσεται ἀντιβολήσας.

Ἠὼς μέν ῥ' ἐπὶ γαῖαν ἐκίδνατο, τοὶ δ' ἐς ὅμιλον
ἷξον.   θάμβησαν δὲ νέοι μέγα κῶας ἰδόντες
λαμπόμενον στεροπῇ ἴκελον Διός. ὦρτο δ' ἕκαστος
ψαῦσαι ἐελδόμενος δέχθαι τ' ἐνὶ χερσὶν ἑῇσιν.
Αἰσονίδης δ' ἄλλους μὲν ἐρήτυε, τῷ δ' ἐπὶ φᾶρος
κάββαλε νηγάτεον· πρύμνῃ δ' ἐνείσατο κούρην
ἀνθέμενος, καὶ τοῖον ἔπος μετὰ πᾶσιν ἔειπεν·

'Μηκέτι νῦν χάζεσθε, φίλοι, πάτρηνδε νέεσθαι.   190
ἤδη γὰρ χρειώ, τῆς εἵνεκα τήνδ' ἀλεγεινὴν
ναυτιλίην ἔτλημεν ὀιζύι μοχθίζοντες,
εὐπαλέως κούρης ὑπὸ δήνεσι κεκράανται.
τὴν μὲν ἐγὼν ἐθέλουσαν ἀνάξομαι οἴκαδ' ἄκοιτιν
κουριδίην· ἀτὰρ ὕμμες Ἀχαιίδος οἷά τε πάσης
αὐτῶν θ' ὑμείων ἐσθλὴν ἐπαρωγὸν ἐοῦσαν
σώετε.   δὴ γάρ που, μάλ' ὀίομαι, εἶσιν ἐρύξων
Αἰήτης ὁμάδῳ πόντονδ' ἴμεν ἐκ ποταμοῖο.
ἀλλ' οἱ μὲν διὰ νηός, ἀμοιβαδὶς ἀνέρος ἀνὴρ
ἑζόμενος, πηδοῖσιν ἐρέσσετε· τοὶ δὲ βοείας   200
ἀσπίδας ἡμίσεες, δήων θοὸν ἔχμα βολάων,
προσχόμενοι νόστῳ ἐπαμύνετε. νῦν δ' ἐνὶ χερσὶν
παῖδας ἑοὺς πάτρην τε φίλην, γεραρούς τε τοκῆας

306

great as is the hide of a yearling ox or stag, which huntsmen call a brocket, so great in extent was the fleece all golden above. Heavy it was, thickly clustered with flocks; and as he moved along, even beneath his feet the sheen rose up from the earth. And he strode on now with the fleece covering his left shoulder from the height of his neck to his feet, and now again he gathered it up in his hands; for he feared exceedingly, lest some god or man should meet him and deprive him thereof.

Dawn was spreading over the earth when they reached the throng of heroes; and the youths marvelled to behold the mighty fleece, which gleamed like the lightning of Zeus. And each one started up eager to touch it and clasp it in his hands. But the son of Aeson restrained them all, and threw over it a mantle newly woven; and he led the maiden to the stern and seated her there, and spake to them all as follows:

"No longer now, my friends, forbear to return to your fatherland. For now the task for which we dared this grievous voyage, toiling with bitter sorrow of heart, has been lightly fulfilled by the maiden's counsels. Her—for such is her will—I will bring home to be my wedded wife; do ye preserve her, the glorious saviour of all Achaea and of yourselves. For of a surety, I ween, will Aeetes come with his host to bar our passage from the river into the sea. But do some of you toil at the oars in turn, sitting man by man; and half of you raise your shields of oxhide, a ready defence against the darts of the enemy, and guard our return. And now in our hands we hold the fate of our children and dear country and of our aged parents; and on our venture

ἴσχομεν· ἡμετέρῃ δ' ἐπερείδεται Ἑλλὰς ἐφορμῇ,
ἠὲ κατηφείην, ἢ καὶ μέγα κῦδος ἀρέσθαι.'

Ὣς φάτο, δῦνε δὲ τεύχε' ἀρήια· τοὶ δ' ἰάχησαν
θεσπέσιον μεμαῶτες. ὁ δὲ ξίφος ἐκ κολεοῖο
σπασσάμενος πρυμναῖα νεὸς[1] ἀπὸ πείσματ' ἔκοψεν.
ἄγχι δὲ παρθενικῆς κεκορυθμένος ἰθυντῆρι
Ἀγκαίῳ παρέβασκεν· ἐπείγετο δ' εἰρεσίῃ νηῦς   210
σπερχομένων ἄμοτον ποταμοῦ ἄφαρ ἐκτὸς ἐλάσσαι.

Ἤδη δ' Αἰήτῃ ὑπερήνορι πᾶσί τε Κόλχοις
Μηδείης περίπυστος ἔρως καὶ ἔργ' ἐτέτυκτο.
ἐς δ' ἀγορὴν ἀγέροντ' ἐνὶ τεύχεσιν· ὅσσα δὲ πόντου
κύματα χειμερίοιο κορύσσεται ἐξ ἀνέμοιο,
ἢ ὅσα φύλλα χαμᾶζε περικλαδέος πέσεν ὕλης
φυλλοχόῳ ἐνὶ μηνί—τίς ἂν τάδε τεκμήραιτο;—
ὡς οἱ ἀπειρέσιοι ποταμοῦ παρεμέτρεον ὄχθας,
κλαγγῇ μαιμώοντες· ὁ δ' εὐτύκτῳ ἐνὶ δίφρῳ
Αἰήτης ἵπποισι μετέπρεπεν, οὕς οἱ ὄπασσεν   220
Ἥλιος, πνοιῇσιν ἐειδομένους ἀνέμοιο,
σκαιῇ μέν ῥ' ἐνὶ χειρὶ σάκος δινωτὸν ἀείρων,
τῇ δ' ἑτέρῃ πεύκην περιμήκεα· πὰρ δέ οἱ ἔγχος
ἀντικρὺ τετάνυστο πελώριον. ἡνία δ' ἵππων
γέντο χεροῖν Ἄψυρτος. ὑπεκπρὸ δὲ πόντον ἔταμνεν
νηῦς ἤδη κρατεροῖσιν ἐπειγομένη ἐρέτῃσιν,
καὶ μεγάλου ποταμοῖο καταβλώσκοντι ῥεέθρῳ.
αὐτὰρ ἄναξ ἄτῃ πολυπήμονι χεῖρας ἀείρας
Ἥλιον καὶ Ζῆνα κακῶν ἐπιμάρτυρας ἔργων
κέκλετο· δεινὰ δὲ παντὶ παρασχεδὸν ἤπυε λαῷ,   230
εἰ μή οἱ κούρην αὐτάγρετον, ἢ ἀνὰ γαῖαν,
ἢ πλωτῆς εὑρόντες ἔτ' εἰν ἁλὸς οἴδματι νῆα,

---

[1] νεὸς Rzach : νεὼς MSS.

all Hellas depends, to reap either the shame of failure or great renown."

Thus he spake, and donned his armour of war; and they cried aloud, wondrously eager. And he drew his sword from the sheath and cut the hawsers at the stern. And near the maiden he took his stand ready armed by the steersman Ancaeus, and with their rowing the ship sped on as they strained desperately to drive her clear of the river.

By this time Medea's love and deeds had become known to haughty Aeetes and to all the Colchians. And they thronged to the assembly in arms; and countless as the waves of the stormy sea when they rise crested by the wind, or as the leaves that fall to the ground from the wood with its myriad branches in the month when the leaves fall—who could reckon their tale?—so they in countless number poured along the banks of the river shouting in frenzy; and in his shapely chariot Aeetes shone forth above all with his steeds, the gift of Helios, swift as the blasts of the wind. In his left hand he raised his curvèd shield, and in his right a huge pine-torch, and near him in front stood up his mighty spear. And Apsyrtus held in his hands the reins of the steeds. But already the ship was cleaving the sea before her, urged on by stalwart oarsmen, and the stream of the mighty river rushing down. But the king in grievous anguish lifted his hands and called on Helios and Zeus to bear witness to their evil deeds; and terrible threats he uttered against all his people, that unless they should with their own hands seize the maiden, either on the land or still finding the ship on the swell of

ἄξουσιν, καὶ θυμὸν ἐνιπλήσει μενεαίνων
τίσασθαι τάδε πάντα, δαήσονται κεφαλῆσιν
πάντα χόλον καὶ πᾶσαν ἑὴν ὑποδέγμενοι ἄτην.

᾽Ως ἔφατ᾽ Αἰήτης· αὐτῷ δ᾽ ἐνὶ ἤματι Κόλχοι
νῆάς τ᾽ εἰρύσσαντο, καὶ ἄρμενα νηυσὶ βάλοντο,
αὐτῷ δ᾽ ἤματι πόντον ἀνήιον· οὐδέ κε φαίης
τόσσον νηίτην στόλον ἔμμεναι, ἀλλ᾽ οἰωνῶν
ἰλαδὸν ἄσπετον ἔθνος ἐπιβρομέειν πελάγεσσιν.   240

Οἱ δ᾽ ἀνέμου λαιψηρὰ θεᾶς βουλῇσιν ἀέντος
῾Ήρης, ὄφρ᾽ ὤκιστα κακὸν Πελίαο δόμοισιν
Αἰαίη Μήδεια Πελασγίδα γαῖαν ἵκηται,
ἠοῖ ἐνὶ τριτάτῃ πρυμνήσια νηὸς ἔδησαν
Παφλαγόνων ἀκτῇσι, πάροιθ᾽ ῞Αλυος ποταμοῖο.
ἡ γάρ σφ᾽ ἐξαποβάντας ἀρέσσασθαι θυέεσσιν
ἠνώγει ῾Εκάτην.   καὶ δὴ τὰ μέν, ὅσσα θυηλὴν
κούρη πορσανέουσα τιτύσκετο, μήτε τις ἴστωρ
εἴη, μήτ᾽ ἐμὲ θυμὸς ἐποτρύνειεν ἀείδειν.
ἄζομαι αὐδῆσαι· τό γε μὴν ἕδος ἐξέτι κείνου,   250
ὅ ῥα θεᾷ ἥρωες ἐπὶ ῥηγμῖσιν ἔδειμαν,
ἀνδράσιν ὀψιγόνοισι μένει καὶ τῆμος ἰδέσθαι.

Αὐτίκα δ᾽ Αἰσονίδης ἐμνήσατο, σὺν δὲ καὶ ὧλλοι
ἥρωες, Φινῆος, ὃ δὴ πλόον ἄλλον ἔειπεν
ἐξ Αἴης ἔσσεσθαι· ἀνώιστος δ᾽ ἐτέτυκτο
πᾶσιν ὁμῶς.   ῎Αργος δὲ λιλαιομένοις ἀγόρευσεν·

῾Νισσόμεθ᾽ ᾽Ορχομενὸν τὴν ἔχραεν ὔμμι περῆσαι
νημερτὴς ὅδε μάντις, ὅτῳ ξυνέβητε πάροιθεν.
ἔστιν γὰρ πλόος ἄλλος, ὃν ἀθανάτων ἱερῆες
πέφραδον, οἳ Θήβης Τριτωνίδος ἐκγεγάασιν.   260
οὔπω τείρεα πάντα, τά τ᾽ οὐρανῷ εἰλίσσονται,
οὐδέ τί πω Δαναῶν ἱερὸν γένος ἦεν ἀκοῦσαι

the open sea, and bring her back, that so he might satisfy his eager soul with vengeance for all those deeds, at the cost of their own lives they should learn and abide all his rage and revenge.

Thus spake Aeetes; and on that same day the Colchians launched their ships and cast the tackle on board, and on that same day sailed forth on the sea; thou wouldst not say so mighty a host was a fleet of ships, but that a countless flight of birds, swarm on swarm, was clamouring over the sea.

Swiftly the wind blew, as the goddess Hera planned, so that most quickly Aeaean Medea might reach the Pelasgian land, a bane to the house of Pelias, and on the third morn they bound the ship's stern cables to the shores of the Paphlagonians, at the mouth of the river Halys. For Medea bade them land and propitiate Hecate with sacrifice. Now all that the maiden prepared for offering the sacrifice may no man know, and may my soul not urge me to sing thereof. Awe restrains my lips, yet from that time the altar which the heroes raised on the beach to the goddess remains till now, a sight to men of a later day.

And straightway Aeson's son and the rest of the heroes bethought them of Phineus, how that he had said that their course from Aea should be different, but to all alike his meaning was dim. Then Argus spake, and they eagerly hearkened:

"We go to Orchomenus, whither that unerring seer, whom ye met aforetime, foretold your voyage. For there is another course, signified by those priests of the immortal gods, who have sprung from Tritonian Thebes. As yet all the stars that wheel in the heaven were not, nor yet, though one should inquire, could aught be heard of the sacred

311

πευθομένοις· οἷοι δ' ἔσαν Ἀρκάδες Ἀπιδανῆες,
Ἀρκάδες, οἳ καὶ πρόσθε σεληναίης ὑδέονται
ζώειν, φηγὸν ἔδοντες ἐν οὔρεσιν· οὐδὲ Πελασγὶς
χθὼν τότε κυδαλίμοισιν ἀνάσσετο Δευκαλίδῃσιν,
ἦμος ὅτ' Ἠερίη πολυλήιος ἐκλήιστο,
μήτηρ Αἴγυπτος προτερηγενέων αἰζηῶν,
καὶ ποταμὸς Τρίτων ἠύρροος, ᾧ ὕπο πᾶσα
ἄρδεται Ἠερίη· Διόθεν δέ μιν οὔποτε δεύει   270
ὄμβρος· ἅλις προχοῇσι δ' ἀνασταχύουσιν ἄρουραι.
ἔνθεν δή τινά φασι πέριξ διὰ πᾶσαν ὁδεῦσαι
Εὐρώπην Ἀσίην τε βίῃ καὶ κάρτεϊ λαῶν
σφωιτέρων θάρσει τε πεποιθότα· μυρία δ' ἄστη
νάσσατ' ἐποιχόμενος, τὰ μὲν ἤ ποθι ναιετάουσιν,
ἠὲ καὶ οὔ· πουλὺς γὰρ ἄδην ἐπενήνοθεν αἰών.
Αἶά γε μὴν ἔτι νῦν μένει ἔμπεδον υἱωνοί τε
τῶνδ' ἀνδρῶν, οὓς ὅσγε καθίσσατο ναιέμεν Αἶαν,
οἳ δή τοι γραπτῦς πατέρων ἔθεν εἰρύονται,
κύρβιας, οἷς ἔνι πᾶσαι ὁδοὶ καὶ πείρατ' ἔασιν   280
ὑγρῆς τε τραφερῆς τε πέριξ ἐπινισσομένοισιν.
ἔστι δέ τις ποταμός, ὕπατον κέρας Ὠκεανοῖο,
εὐρύς τε προβαθής τε καὶ ὁλκάδι νηὶ περῆσαι·
Ἴστρον μιν καλέοντες ἑκὰς διετεκμήραντο·
ὃς δή τοι τείως μὲν ἀπείρονα τέμνετ' ἄρουραν
εἷς οἶος· πηγαὶ γὰρ ὑπὲρ πνοιῆς βορέαο
Ῥιπαίοις ἐν ὄρεσσιν ἀπόπροθι μορμύρουσιν.
ἀλλ' ὁπόταν Θρηκῶν Σκυθέων τ' ἐπιβήσεται οὔρους,
ἔνθα διχῇ τὸ μὲν ἔνθα μετ' Ἰονίην[1] ἅλα βάλλει

---

[1] μετ' ἠῴην Gerhard : μεθ' ἡμετέρην Fitch after Wilamowitz-Moellendorff.

race of the Danai. Apidanean Arcadians alone
existed, Arcadians who lived even before the moon,
it is said, eating acorns on the hills ; nor at that time
was the Pelasgian land ruled by the glorious sons of
Deucalion, in the days when Egypt, mother of men of
an older time, was called the fertile Morning-land,
and the river fair-flowing Triton, by which all the
Morning-land is watered ; and never does the rain
from Zeus moisten the earth ; but from the flooding
of the river abundant crops spring up. From this
land, it is said, a king[1] made his way all round
through the whole of Europe and Asia, trusting
in the might and strength and courage of his people ;
and countless cities did he found wherever he came,
whereof some are still inhabited and some not ;
many an age hath passed since then. But Aea
abides unshaken even now and the sons of those
men whom that king settled to dwell in Aea. They
preserve the writings of their fathers, graven on
pillars, whereon are marked all the ways and the
limits of sea and land as ye journey on all sides
round. There is a river, the uttermost horn of
Ocean, broad and exceeding deep, that a merchant
ship may traverse ; they call it Ister and have marked
it far off ; and for a while it cleaves the boundless
tilth alone in one stream ; for beyond the blasts
of the north wind, far off in the Rhipaean mountains,
its springs burst forth with a roar. But when it
enters the boundaries of the Thracians and Scythians,
here, dividing its stream into two, it sends its
waters partly into the Ionian sea,[2] and partly to the

---

[1] The allusion is to Sesostris, see Herod. ii. 102 foll.

[2] Or, reading ἡμετέρην, "into our sea." The Euxine is
meant in any case and the word Ionian is therefore wrong.

τῆδ᾽ ὕδωρ, τὸ δ᾽ ὄπισθε βαθὺν διὰ κόλπον ἵησιν 290
σχιζόμενος πόντου Τρινακρίου εἰσανέχοντα,
γαίῃ ὃς ὑμετέρῃ παρακέκλιται, εἰ ἐτεὸν δὴ
ὑμετέρης γαίης Ἀχελώιος ἐξανίησιν.᾽
   Ὣς ἄρ᾽ ἔφη· τοῖσιν δὲ θεὰ τέρας ἐγγυάλιξεν
αἴσιον, ᾧ καὶ πάντες ἐπευφήμησαν ἰδόντες,
στέλλεσθαι τήνδ᾽ οἶμον. ἐπιπρὸ γὰρ ὁλκὸς ἐτύχθη
οὐρανίης ἀκτῖνος, ὅπῃ καὶ ἀμεύσιμον ἦεν.
γηθόσυνοι δὲ Λύκοιο κατ᾽ αὐτόθι παῖδα λιπόντες
λαίφεσι πεπταμένοισιν ὑπεὶρ ἅλα ναυτίλλοντο,
οὔρεα Παφλαγόνων θηεύμενοι. οὐδὲ Κάραμβιν 300
γνάμψαν, ἐπεὶ πνοιαί τε καὶ οὐρανίου πυρὸς αἴγλη
μεῖνεν, ἕως Ἴστροιο μέγαν ῥόον εἰσαφίκοντο.
   Κόλχοι δ᾽ αὖτ᾽ ἄλλοι μέν, ἐτώσια μαστεύοντες,
Κυανέας Πόντοιο διὲκ πέτρας ἐπέρησαν·
ἄλλοι δ᾽ αὖ ποταμὸν μετεκίαθον, οἷσιν ἄνασσεν
Ἄψυρτος, Καλὸν δὲ διὰ στόμα πεῖρε λιασθείς.
τῶ καὶ ὑπέφθη τούσγε βαλὼν ὕπερ αὐχένα γαίης
κόλπον ἔσω πόντοιο πανέσχατον Ἰονίοιο.
Ἴστρῳ γάρ τις νῆσος ἐέργεται οὔνομα Πεύκη,
τριγλώχιν, εὖρος μὲν ἐς αἰγιαλοὺς ἀνέχουσα, 310
στεινὸν δ᾽ αὖτ᾽ ἀγκῶνα ποτὶ ῥόον· ἀμφὶ δὲ δοιαὶ
σχίζονται προχοαί. τὴν μὲν καλέουσι Νάρηκος·
τὴν δ᾽ ὑπὸ τῇ νεάτῃ, Καλὸν στόμα. τῇ δὲ διαπρὸ
Ἄψυρτος Κόλχοι τε θοώτερον ὡρμήθησαν·
οἱ δ᾽ ὑψοῦ νήσοιο κατ᾽ ἀκροτάτης ἐνέοντο
τηλόθεν. εἰαμενῇσι δ᾽ ἐν ἄσπετα πώεα λεῖπον
ποιμένες ἄγραυλοι νηῶν φόβῳ, οἷά τε θῆρας
ὀσσόμενοι πόντου μεγακήτεος ἐξανιόντας.
οὐ γάρ πω ἁλίας γε πάρος ποθὶ νῆας ἴδοντο,
οὔτ᾽ οὖν Θρήιξιν μιγάδες Σκύθαι, οὐδὲ Σίγυννοι, 320

314

south into a deep gulf that bends upwards from the
Trinacrian sea, that sea which lies along your land,
if indeed Achelous flows forth from your land."

Thus he spake, and to them the goddess granted
a happy portent, and all at the sight shouted
approval, that this was their appointed path. For
before them appeared a trail of heavenly light,
a sign where they might pass. And gladly they
left behind there the son of Lycus and with canvas
outspread sailed over the sea, with their eyes on the
Paphlagonian mountains. But they did not round
Carambis, for the winds and the gleam of the
heavenly fire stayed with them till they reached
Ister's mighty stream.

Now some of the Colchians, in a vain search,
passed out from Pontus through the Cyanean rocks;
but the rest went to the river, and them Apsyrtus led,
and, turning aside, he entered the mouth called Fair.
Wherefore he outstripped the heroes by crossing a
neck of land into the furthest gulf of the Ionian sea.
For a certain island is enclosed by Ister, by name
Peuce, three-cornered, its base stretching along the
coast, and with a sharp angle towards the river; and
round it the outfall is cleft in two. One mouth they
call the mouth of Narex, and the other, at the lower
end, the Fair mouth. And through this Apsyrtus and
his Colchians rushed with all speed; but the heroes
went upwards far away towards the highest part of
the island. And in the meadows the country
shepherds left their countless flocks for dread of the
ships, for they deemed that they were beasts coming
forth from the monster-teeming sea. For never yet
before had they seen seafaring ships, neither the
Scythians mingled with the Thracians, nor the

οὔτ᾽ οὖν Γραυκένιοι, οὔθ᾽ οἱ περὶ Λαύριον ἤδη
Σινδοὶ ἐρημαῖον πεδίον μέγα ναιετάοντες.
αὐτὰρ ἐπεί τ᾽ Ἀγγουρον ὄρος, καὶ ἄπωθεν ἐόντα
Ἀγγούρου ὄρεος σκόπελον πάρα Καυλιακοῖο,[1]
ᾧ πέρι δὴ σχίζων Ἴστρος ῥόον ἔνθα καὶ ἔνθα
βάλλει ἁλός, πεδίον τε τὸ Λαύριον ἡμείψαντο,
δή ῥα τότε Κρονίην Κόλχοι ἅλαδ᾽ ἐκπρομολόντες
πάντῃ, μή σφε λάθοιεν, ὑπετμήξαντο κελεύθους.
οἱ δ᾽ ὄπιθεν ποταμοῖο κατήλυθον, ἐκ δ᾽ ἐπέρησαν
δοιὰς Ἀρτέμιδος Βρυγηίδας ἀγχόθι νήσους.   330
τῶν δ᾽ ἤτοι ἑτέρη μὲν ἐν ἱερὸν ἔσκεν ἔδεθλον·
ἐν δ᾽ ἑτέρῃ, πληθὺν πεφυλαγμένοι Ἀψύρτοιο,
βαῖνον· ἐπεὶ κείνας πολέων λίπον ἔνδοθι νήσους
αὔτως, ἁζόμενοι κούρην Διός· αἱ δὲ δὴ ἄλλαι
στεινόμεναι Κόλχοισι πόρους εἴρυντο θαλάσσης.
ὣς δὲ καὶ εἰς ἄλλας[2] πληθὺν λίπεν ἀγχόθι νήσους
μέσφα Σαλαγγῶνος ποταμοῦ καὶ Νέστιδος αἴης.

Ἔνθα κε λευγαλέῃ Μινύαι τότε δηιοτῆτι
παυρότεροι πλεόνεσσιν ὑπείκαθον· ἀλλὰ πάροιθεν
συνθεσίην, μέγα νεῖκος ἀλευάμενοι, ἐτάμοντο·   340
κῶας μὲν χρύσειον, ἐπεί σφισιν αὐτὸς ὑπέστη
Αἰήτης, εἰ κεῖνοι ἀναπλήσειαν ἀέθλους,
ἔμπεδον εὐδικίῃ σφέας ἑξέμεν, εἴτε δόλοισιν,
εἴτε καὶ ἀμφαδίην αὔτως ἀέκοντος ἀπηύρων·
αὐτὰρ Μήδειάν γε—τὸ γὰρ πέλεν ἀμφήριστον—
παρθέσθαι κούρῃ Λητωίδι νόσφιν ὁμίλου,
εἰσόκε τις δικάσῃσι θεμιστούχων βασιλήων,
εἴτε μιν εἰς πατρὸς χρειὼ δόμον αὖτις ἱκάνειν,
εἴτε μεθ᾽ Ἑλλάδα γαῖαν ἀριστήεσσιν ἕπεσθαι.

---

[1] Καυλιακοῖο L by correction, and a variant in scholia;
see also Steph. Byz. under Καυλικοί: Καυκασιοῖο LG.

[2] ἀκτὰς two inferior MSS.

Sigynni, nor yet the Graucenii, nor the Sindi that now inhabit the vast desert plain of Laurium. But when they had passed near the mount Angurum, and the cliff of Cauliacus, far from the mount Angurum, round which Ister, dividing his stream, falls into the sea on this side and on that, and the Laurian plain, then indeed the Colchians went forth into the Cronian sea and cut off all the ways, to prevent their foes' escape. And the heroes came down the river behind and reached the two Brygean isles of Artemis near at hand. Now in one of them was a sacred temple; and on the other they landed, avoiding the host of Apsyrtus; for the Colchians had left these islands out of many within the river, just as they were, through reverence for the daughter of Zeus; but the rest, thronged by the Colchians, barred the ways to the sea. And so on other islands too, close by, Apsyrtus left his host as far as the river Salangon and the Nestian land.

There the Minyae would at that time have yielded in grim fight, a few to many; but ere then they made a covenant, shunning a dire quarrel; as to the golden fleece, that since Aeetes himself had so promised them if they should fulfil the contests, they should keep it as justly won, whether they carried it off by craft or even openly in the king's despite; but as to Medea—for that was the cause of strife—that they should give her in ward to Leto's daughter apart from the throng, until some one of the kings that dispense justice should utter his doom, whether she must return to her father's home or follow the chieftains to the land of Hellas.

Ἔνθα δ' ἐπεὶ τὰ ἕκαστα νόῳ πεμπάσσατο κούρη, 350
δή ῥά μιν ὀξεῖαι κραδίην ἐλέλιξαν ἀνῖαι
νωλεμές· αἶψα δὲ νόσφιν Ἰήσονα μοῦνον ἑταίρων
ἐκπροκαλεσσαμένη ἄγεν ἄλλυδις, ὄφρ' ἐλίασθεν
πολλὸν ἑκάς, στονόεντα δ' ἐνωπαδὶς ἔκφατο μῦθον·
'Αἰσονίδη, τίνα τήνδε συναρτύνασθε μενοινὴν
ἀμφ' ἐμοί; ἦέ σε πάγχυ λαθιφροσύναις ἐνέηκαν
ἀγλαΐαι, τῶν δ' οὔτι μετατρέπῃ, ὅσσ' ἀγόρευες
χρειοῖ ἐνισχόμενος; ποῦ τοι Διὸς Ἱκεσίοιο
ὅρκια, ποῦ δὲ μελιχραὶ ὑποσχεσίαι βεβάασιν;
ᾗς ἐγὼ οὐ κατὰ κόσμον ἀναιδήτῳ ἰότητι 360
πάτρην τε κλέα τε μεγάρων αὐτούς τε τοκῆας
νοσφισάμην, τά μοι ἦεν ὑπέρτατα· τηλόθι δ' οἴη
λυγρῇσιν κατὰ πόντον ἅμ' ἀλκυόνεσσι φορεῦμαι
σῶν ἕνεκεν καμάτων, ἵνα μοι σόος ἀμφί τε βουσὶν
ἀμφί τε γηγενέεσσιν ἀναπλήσειας ἀέθλους.
ὕστατον αὖ καὶ κῶας, ἐπεί τ' ἐπαϊστὸν [1] ἐτύχθη,
εἷλες ἐμῇ ματίῃ· κατὰ δ' οὐλοὸν αἶσχος ἔχευα
θηλυτέραις. τῷ φημι τεῇ κούρη τε δάμαρ τε
αὐτοκασιγνήτη τε μεθ' Ἑλλάδα γαῖαν ἕπεσθαι.
πάντη νυν πρόφρων ὑπερίστασο, μηδέ με μούνην 370
σεῖο λίπῃς ἀπάνευθεν, ἐποιχόμενος βασιλῆας.
ἀλλ' αὔτως εἴρυσο· δίκη δέ τοι ἔμπεδος ἔστω
καὶ θέμις, ἣν ἄμφω συναρέσσαμεν· ἢ σύγ' ἔπειτα
φασγάνῳ αὐτίκα τόνδε μέσον διὰ λαιμὸν ἀμῆσαι,
ὄφρ' ἐπίηρα φέρωμαι ἐοικότα μαργοσύνῃσιν.
σχετλίη, εἴ κεν δή με κασιγνήτοιο δικάσσῃ
ἔμμεναι οὗτος ἄναξ, τῷ ἐπίσχετε τάσδ' ἀλεγεινὰς
ἄμφω συνθεσίας. πῶς ἵξομαι ὄμματα πατρός;

[1] ἐπεί τ' ἐπαϊστὸν] ἐφ' ᾧ πλόος ὕμμιν the Parisian MSS.

318

Now when the maiden had mused upon all this, sharp anguish shook her heart unceasingly; and quickly she called forth Jason alone apart from his comrades, and led him aside until they were far away, and before his face uttered her speech all broken with sobs:

"What is this purpose that ye are now devising about me, O son of Aeson? Has thy triumph utterly cast forgetfulness upon thee, and reckest thou nothing of all that thou spakest when held fast by necessity? whither are fled the oaths by Zeus the suppliants' god, whither are fled thy honied promises? for which in no seemly wise, with shameless will, I have left my country, the glories of my home and even my parents—things that were dearest to me; and far away all alone I am borne over the sea with the plaintive kingfishers because of thy trouble, in order that I might save thy life in fulfilling the contests with the oxen and the earthborn men. Last of all the fleece—when the matter became known, it was by my folly thou didst win it; and a foul reproach have I poured on womankind. Wherefore I say that as thy child, thy bride and thy sister, I follow thee to the land of Hellas. Be ready to stand by me to the end, abandon me not left forlorn of thee when thou dost visit the kings. But only save me; let justice and right, to which we have both agreed, stand firm; or else do thou at once shear through this neck with the sword, that I may gain the guerdon due to my mad passion. Poor wretch! if the king, to whom you both commit your cruel covenant, doom me to belong to my brother. How shall I come to my father's sight?

ἦ μάλ' εὐκλειής; τίνα δ' οὐ τίσιν, ἠὲ βαρεῖαν
ἄτην οὐ σμυγερῶς δεινῶν ὕπερ, οἷα ἔοργα,   380
ὀτλήσω; σὺ δέ κεν θυμηδέα νόστον ἕλοιο;
μὴ τόγε παμβασίλεια Διὸς τελέσειεν ἄκοιτις,
ᾗ ἐπικυδιάεις. μνήσαιο δὲ καί ποτ' ἐμεῖο,
στρευγόμενος καμάτοισι· δέρος δέ τοι ἶσον ὀνείροις
οἴχοιτ' εἰς ἔρεβος μεταμώνιον. ἐκ δέ σε πάτρης
αὐτίκ' ἐμαί σ' ἐλάσειαν Ἐρινύες· οἷα καὶ αὐτὴ
σῇ πάθον ἀτροπίῃ. τὰ μὲν οὐ θέμις ἀκράαντα
ἐν γαίῃ πεσέειν. μάλα γὰρ μέγαν ἤλιτες ὅρκον,
νηλεές· ἀλλ' οὔ θήν μοι ἐπιλλίζοντες ὀπίσσω
δὴν ἔσσεσθ' εὔκηλοι ἕκητί γε συνθεσιάων.'   390

      Ὣς φάτ' ἀναζείουσα[1] βαρὺν χόλον· ἵετο δ' ἥγε
νῆα καταφλέξαι, διά τ' ἔμπεδα πάντα κεάσσαι,
ἐν δὲ πεσεῖν αὐτὴ μαλερῷ πυρί. τοῖα δ' Ἰήσων
μειλιχίοις ἐπέεσσιν ὑποδδείσας προσέειπεν·

      'Ἴσχεο, δαιμονίη· τὰ μὲν ἁνδάνει οὐδ' ἐμοὶ αὐτῷ.
ἀλλά τιν' ἀμβολίην διζήμεθα δηιοτῆτος,
ὅσσον δυσμενέων ἀνδρῶν νέφος ἀμφιδέδηεν
εἴνεκα σεῦ. πάντες γάρ, ὅσοι χθόνα τήνδε νέμονται,
Ἀψύρτῳ μεμάασιν ἀμυνέμεν, ὄφρα σε πατρί,
οἷά τε ληισθεῖσαν, ὑπότροπον οἴκαδ' ἄγοιντο.   400
αὐτοὶ δὲ στυγερῷ κεν ὀλοίμεθα πάντες ὀλέθρῳ,
μίξαντες δαΐ χεῖρας· ὅ τοι καὶ ῥίγιον ἄλγος
ἔσσεται, εἴ σε θανόντες ἕλωρ κείνοισι λίποιμεν.
ἥδε δὲ συνθεσίη κρανέει δόλον, ᾧ μιν ἐς ἄτην
βήσομεν. οὐδ' ἂν ὁμῶς περιναιέται ἀντιόωσιν
Κόλχοις ἦρα φέροντες ὑπὲρ σέο νόσφιν ἄνακτος,

----

[1] ἀναζείουσα Ruhnken : ἀνιάζουσα MSS.

Will it be with a good name? What revenge, what heavy calamity shall I not endure in agony for the terrible deeds I have done? And wilt thou win the return that thy heart desires? Never may Zeus' bride, the queen of all, in whom thou dost glory, bring that to pass. Mayst thou some time remember me when thou art racked with anguish; may the fleece like a dream vanish into the nether darkness on the wings of the wind! And may my avenging Furies forthwith drive thee from thy country, for all that I have suffered through thy cruelty! These curses will not be allowed to fall un-accomplished to the ground. A mighty oath hast thou transgressed, ruthless one; but not long shalt thou and thy comrades sit at ease casting eyes of mockery upon me, for all your covenants."

Thus she spake, seething with fierce wrath; and she longed to set fire to the ship and to hew it utterly in pieces, and herself to fall into the raging flame. But Jason, half afraid, thus addressed her with gentle words:

"Forbear, lady; me too this pleases not. But we seek some respite from battle, for such a cloud of hostile men, like to a fire, surrounds us, on thy account. For all that inhabit this land are eager to aid Apsyrtus, that they may lead thee back home to thy father, like some captured maid. And all of us would perish in hateful destruction, if we closed with them in fight; and bitterer still will be the pain, if we are slain and leave thee to be their prey. But this covenant will weave a web of guile to lead him to ruin. Nor will the people of the land for thy sake oppose us, to favour the Colchians, when their

ὅς τοι ἀοσσητήρ τε κασίγνητός τε τέτυκται·
οὐδ᾽ ἂν ἐγὼ Κόλχοισιν ὑπείξω μὴ πολεμίζειν
ἀντιβίην, ὅτε μή με διὲξ εἴωσι νέεσθαι.᾽

Ἴσκεν ὑποσσαίνων· ἡ δ᾽ οὐλοὸν ἔκφατο μῦθον·   410
‘Φράζεο νῦν. χρειὼ γὰρ ἀεικελίοισιν ἐπ᾽ ἔργοις
καὶ τόδε μητίσασθαι, ἐπεὶ τὸ πρῶτον ἀάσθην
ἀμπλακίῃ, θεόθεν δὲ κακὰς ἤνυσσα μενοινάς.
τύνη μὲν κατὰ μῶλον ἀλέξεο δούρατα Κόλχων·
αὐτὰρ ἐγὼ κεῖνόν γε τεὰς ἐς χεῖρας ἱκέσθαι
μειλίξω· σὺ δέ μιν φαιδροῖς ἀγαπάζεο δώροις·
εἴ κέν πως κήρυκας ἀπερχομένους πεπίθοιμι
οἰόθεν οἶον ἐμοῖσι συναρθμῆσαι ἐπέεσσιν.
ἔνθ᾽ εἴ τοι τόδε ἔργον ἐφανδάνει, οὔτι μεγαίρω,
κτεῖνέ τε, καὶ Κόλχοισιν ἀείρεο δηιοτῆτα.᾽   420

Ὡς τώγε ξυμβάντε μέγαν δόλον ἠρτύνοντο
Ἀψύρτῳ, καὶ πολλὰ πόρον ξεινήια δῶρα,
οἷς μέτα καὶ πέπλον δόσαν ἱερὸν Ὑψιπυλείης
πορφύρεον. τὸν μέν ῥα Διωνύσῳ κάμον αὐταὶ
Δίῃ ἐν ἀμφιάλῳ Χάριτες θεαί· αὐτὰρ ὁ παιδὶ
δῶκε Θόαντι μεταῦτις· ὁ δ᾽ αὖ λίπεν Ὑψιπυλείῃ·
ἡ δ᾽ ἔπορ᾽ Αἰσονίδῃ πολέσιν μετὰ καὶ τὸ φέρεσθαι
γλήνεσιν εὐεργὲς ξεινήιον. οὔ μιν ἀφάσσων,
οὔτε κεν εἰσορόων γλυκὺν ἵμερον ἐμπλήσειας.
τοῦ δὲ καὶ ἀμβροσίη ὀδμὴ πέλεν ἐξέτι κείνου,   430
ἐξ οὗ ἄναξ αὐτὸς Νυσήιος ἐγκατέλεκτο
ἀκροχάλιξ οἴνῳ καὶ νέκταρι, καλὰ μεμαρπὼς
στήθεα παρθενικῆς Μινωίδος, ἥν ποτε Θησεὺς
Κνωσσόθεν ἑσπομένην Δίῃ ἔνι κάλλιπε νήσῳ.
ἡ δ᾽ ὅτε κηρύκεσσιν ἐπεξυνώσατο μύθους,

prince is no longer with them, who is thy champion and thy brother; nor will I shrink from matching myself in fight with the Colchians, if they bar my way homeward."

Thus he spake soothing her; and she uttered a deadly speech: "Take heed now. For when sorry deeds are done we must needs devise sorry counsel, since at first I was distraught by my error, and by heaven's will it was I wrought the accomplishment of evil desires. Do thou in the turmoil shield me from the Colchians' spears; and I will beguile Apsyrtus to come into thy hands—do thou greet him with splendid gifts—if only I could persuade the heralds on their departure to bring him alone to hearken to my words. Thereupon if this deed pleases thee, slay him and raise a conflict with the Colchians, I care not."

So they two agreed and prepared a great web of guile for Apsyrtus, and provided many gifts such as are due to guests, and among them gave a sacred robe of Hypsipyle, of crimson hue. The Graces with their own hands had wrought it for Dionysus in sea-girt Dia, and he gave it to his son Thoas thereafter, and Thoas left it to Hypsipyle, and she gave that fair-wrought guest-gift with many another marvel to Aeson's son to wear. Never couldst thou satisfy thy sweet desire by touching it or gazing on it. And from it a divine fragrance breathed from the time when the king of Nysa himself lay to rest thereon, flushed with wine and nectar as he clasped the beauteous breast of the maiden-daughter of Minos, whom once Theseus forsook in the island of Dia, when she had followed him from Cnossus. And when she had worked upon the

APOLLONIUS RHODIUS

θελγέμεν, εὖτ' ἂν πρῶτα θεᾶς περὶ νηὸν ἵκηται
συνθεσίῃ, νυκτός τε μέλαν κνέφας ἀμφιβάλῃσιν,
ἐλθέμεν, ὄφρα δόλον συμφράσσεται, ὥς κεν ἑλοῦσα
χρύσειον μέγα κῶας ὑπότροπος αὖτις ὀπίσσω
βαίη ἐς Αἰήταο δόμους· περὶ γάρ μιν ἀνάγκῃ
υἱῆες Φρίξοιο δόσαν ξείνοισιν ἄγεσθαι·   440
τοῖα παραιφαμένη θελκτήρια φάρμακ' ἔπασσεν
αἰθέρι καὶ πνοιῇσι, τά κεν καὶ ἄπωθεν ἐόντα
ἄγριον ἠλιβάτοιο κατ' οὔρεος ἤγαγε θῆρα.

   Σχέτλι' Ἔρως, μέγα πῆμα, μέγα στύγος ἀνθρώ-
      ποισιν,
ἐκ σέθεν οὐλόμεναί τ' ἔριδες στοναχαί τε γόοι τε,
ἄλγεά τ' ἄλλ' ἐπὶ τοῖσιν ἀπείρονα τετρήχασιν.
δυσμενέων ἐπὶ παισὶ κορύσσεο, δαῖμον, ἀερθείς,
οἷος Μηδείῃ στυγερὴν φρεσὶν ἔμβαλες ἄτην.
πῶς γὰρ δὴ μετιόντα κακῷ ἐδάμασσεν ὀλέθρῳ   450
Ἄψυρτον; τὸ γὰρ ἧμιν ἐπισχερὼ ἦεν ἀοιδῆς.

   Ἦμος ὅτ' Ἀρτέμιδος νήσῳ ἔνι τήνγ' ἐλίποντο
συνθεσίῃ, τοὶ μέν ῥα διάνδιχα νηυσὶν ἔκελσαν
σφωιτέραις κρινθέντες· ὁ δ' ἐς λόχον ἦεν Ἰήσων
δέγμενος Ἄψυρτόν τε καὶ οὓς ἐξαῦτις ἑταίρους.
αὐτὰρ ὅγ' αἰνοτάτῃσιν ὑποσχεσίῃσι δολωθεὶς
καρπαλίμως ᾗ νηὶ διὲξ ἁλὸς οἶδμα περήσας,
νύχθ' ὕπο λυγαίην ἱερῆς ἐπεβήσατο νήσου·
οἰόθι δ' ἀντικρὺ μετιὼν πειρήσατο μύθοις
εἷο κασιγνήτης, ἀταλὸς πάις οἷα χαράδρης   460
χειμερίης, ἣν οὐδὲ δι' αἰζηοὶ περόωσιν,
εἴ κε δόλον ξείνοισιν ἐπ' ἀνδράσι τεχνήσαιτο.
καὶ τὼ μὲν τὰ ἕκαστα συνήνεον ἀλλήλοισιν·
αὐτίκα δ' Αἰσονίδης πυκινοῦ ἐξᾶλτο λόχοιο,

324

heralds to induce her brother to come, as soon as she reached the temple of the goddess, according to the agreement, and the darkness of night surrounded them, that so she might devise with him a cunning plan for her to take the mighty fleece of gold and return to the home of Aeetes, for, she said, the sons of Phrixus had given her by force to the strangers to carry off; with such beguiling words she scattered to the air and the breezes her witching charms, which even from afar would have drawn down the savage beast from the steep mountain-height.

Ruthless Love, great bane, great curse to mankind, from thee come deadly strifes and lamentations and groans, and countless pains as well have their stormy birth from thee. Arise, thou god, and arm thyself against the sons of our foes in such guise as when thou didst fill Medea's heart with accursèd madness. How then by evil doom did she slay Apsyrtus when he came to meet her? For that must our song tell next.

When the heroes had left the maiden on the island of Artemis, according to the covenant, both sides ran their ships to land separately. And Jason went to the ambush to lie in wait for Apsyrtus and then for his comrades. But he, beguiled by these dire promises, swiftly crossed the swell of the sea in his ship, and in dark night set foot on the sacred island; and faring all alone to meet her he made trial in speech of his sister, as a tender child tries a wintry torrent which not even strong men can pass through, to see if she would devise some guile against the strangers. And so they two agreed together on everything; and straightway Aeson's

γυμνὸν ἀνασχόμενος παλάμῃ ξίφος· αἶψα δὲ κούρη
ἔμπαλιν ὄμματ' ἔνεικε, καλυψαμένη ὀθόνῃσιν,
μὴ φόνον ἀθρήσειε κασιγνήτοιο τυπέντος.
τὸν δ' ὅγε, βουτύπος ὥστε μέγαν κερεαλκέα ταῦρον,
πλῆξεν ὀπιπεύσας νηοῦ σχεδόν, ὅν ποτ' ἔδειμαν
Ἀρτέμιδι Βρυγοὶ περιναιέται ἀντιπέρηθεν.   470
τοῦ ὅγ' ἐνὶ προδόμῳ γνὺξ ἤριπε· λοίσθια δ' ἥρως
θυμὸν ἀναπνείων χερσὶν μέλαν ἀμφοτέρῃσιν
αἷμα κατ' ὠτειλὴν ὑποΐσχετο· τῆς δὲ καλύπτρην
ἀργυφέην καὶ πέπλον ἀλευομένης ἐρύθηνεν.
ὀξὺ δὲ πανδαμάτωρ λοξῷ ἴδεν οἷον ἔρεξαν
ὄμματι νηλειὴς ὀλοφώιον ἔργον Ἐρινύς.
ἥρως δ' Αἰσονίδης ἐξάργματα τάμνε θανόντος,
τρὶς δ' ἀπέλειξε φόνου, τρὶς δ' ἐξ ἄγος ἔπτυσ'
     ὀδόντων,
ἣ θέμις αὐθέντῃσι δολοκτασίας ἱλάεσθαι.
ὑγρὸν δ' ἐν γαίῃ κρύψεν νέκυν, ἔνθ' ἔτι νῦν περ   480
κείαται ὀστέα κεῖνα μετ' ἀνδράσιν Ἀψυρτεῦσιν.

Οἱ δ' ἄμυδις πυρσοῖο σέλας προπάροιθεν ἰδόντες,
τό σφιν παρθενικὴ τέκμαρ μετιοῦσιν ἄειρεν,
Κολχίδος ἀγχόθι νηὸς ἑὴν παρὰ νῆα βάλοντο
ἥρωες· Κόλχον δ' ὄλεκον στόλον, ἠύτε κίρκοι
φῦλα πελειάων, ἠὲ μέγα πῶυ λέοντες
ἀγρότεροι κλονέουσιν ἐνὶ σταθμοῖσι θορόντες.
οὐδ' ἄρα τις κείνων θάνατον φύγε, πάντα δ' ὅμιλον
πῦρ ἅτε δηιόωντες ἐπέδραμον· ὀψὲ δ' Ἰήσων
ἤντησεν, μεμαὼς ἐπαμυνέμεν οὐ μάλ' ἀρωγῆς   490
δευομένοις· ἤδη δὲ καὶ ἀμφ' αὐτοῖο μέλοντο.
ἔνθα δὲ ναυτιλίης πυκινὴν περὶ μητιάασκον

son leapt forth from the thick ambush, lifting his
bare sword in his hand; and quickly the maiden
turned her eyes aside and covered them with her
veil that she might not see the blood of her brother
when he was smitten. And Jason marked him and
struck him down, as a butcher strikes down a mighty
strong-horned bull, hard by the temple which the
Brygi on the mainland opposite had once built
for Artemis. In its vestibule he fell on his knees;
and at last the hero breathing out his life caught
up in both hands the dark blood as it welled from
the wound; and he dyed with red his sister's silvery
veil and robe as she shrank away. And with swift
side-glance the irresistible pitiless Fury beheld the
deadly deed they had done. And the hero, Aeson's
son, cut off the extremities of the dead man, and
thrice licked up some blood and thrice spat the
pollution from his teeth, as it is right for the slayer
to do, to atone for a treacherous murder. And the
clammy corpse he hid in the ground where even now
those bones lie among the Apsyrtians.

Now as soon as the heroes saw the blaze of a
torch, which the maiden raised for them as a sign to
pursue, they laid their own ship near the Colchian
ship, and they slaughtered the Colchian host, as
kites slay the tribes of wood-pigeons, or as lions of
the wold, when they have leapt amid the steading,
drive a great flock of sheep huddled together.
Nor did one of them escape death, but the heroes
rushed upon the whole crew, destroying them like a
flame; and at last Jason met them, and was eager to
give aid where none was needed; but already they
were taking thought for him too. Thereupon they
sat to devise some prudent counsel for their voyage,

ἑζόμενοι βουλήν· ἐπὶ δέ σφισιν ἤλυθε κούρη
φραζομένοις· Πηλεὺς δὲ παροίτατος ἔκφατο μῦθον·
'Ἤδη νῦν κέλομαι νύκτωρ ἔτι νῆ' ἐπιβάντας
εἰρεσίῃ περάαν πλόον ἀντίον, ᾧ ἐπέχουσιν
δήιοι· ἠῶθεν γὰρ ἐπαθρήσαντας ἕκαστα
ἔλπομαι οὐχ ἕνα μῦθον, ὅτις προτέρωσε δίεσθαι
ἡμέας ὀτρυνέει, τοὺς πεισέμεν· οἷα δ' ἄνακτος
εὔνιδες, ἀργαλέῃσι διχοστασίῃς κεδόωνται.   500
ῥηιδίη δέ κεν ἄμμι, κεδασθέντων δίχα λαῶν,
ἤδ' εἴη μετέπειτα κατερχομένοισι κελευθος.'
Ὣς ἔφατ'· ᾔνησαν δὲ νέοι ἔπος Αἰακίδαο.
ῥίμφα δὲ νῆ' ἐπιβάντες ἐπερρώοντ' ἐλάτῃσιν
νωλεμές, ὄφρ' ἱερὴν Ἠλεκτρίδα νῆσον ἵκοντο,
ἀλλάων ὑπάτην, ποταμοῦ σχεδὸν Ἠριδανοῖο.
    Κόλχοι δ' ὁππότ' ὄλεθρον ἐπεφράσθησαν
            ἄνακτος,
ἤτοι μὲν δίζεσθαι ἐπέχραον ἔνδοθι πάσης
Ἀργὼ καὶ Μινύας Κρονίης ἁλός. ἀλλ' ἀπέρυκεν
Ἥρη σμερδαλέῃσι κατ' αἰθέρος ἀστεροπῇσιν.   510
ὕστατον αὐτοὶ δ' αὖτε Κυταιίδος ἤθεα γαίης
στύξαν, ἀτυζόμενοι χόλον ἄγριον Αἰήταο,
ἔμπεδα δ' ἄλλυδις ἄλλοι ἐφορμηθέντες ἔνασθεν.
οἱ μὲν ἐπ' αὐτάων νήσων ἔβαν, ᾗσιν ἐπέσχον
ἥρωες, ναίουσι δ' ἐπώνυμοι Ἀψύρτοιο·
οἱ δ' ἄρ' ἐπ' Ἰλλυρικοῖο μελαμβαθέος ποταμοῖο,
τύμβος ἵν' Ἀρμονίης Κάδμοιό τε, πύργον ἔδειμαν,
ἀνδράσιν Ἐγχελέεσσιν ἐφέστιοι· οἱ δ' ἐν ὄρεσσιν
ἐνναίουσιν, ἅπερ τε Κεραύνια κικλήσκονται,
ἐκ τόθεν, ἐξότε τούσγε Διὸς Κρονίδαο κεραυνοὶ   520
νῆσον ἐς ἀντιπέραιαν ἀπέτραπον ὁρμηθῆναι.
    Ἥρωες δ', ὅτε δή σφιν ἐείσατο νόστος ἀπήμων,
δή ῥα τότε προμολόντες ἐπὶ χθονὶ πείσματ' ἔδησαν

and the maiden came upon them as they pondered, but Peleus spake his word first:

"I now bid you embark while it is still night, and take with your oars the passage opposite to that which the enemy guards, for at dawn when they see their plight I deem that no word urging to further pursuit of us will prevail with them; but as people bereft of their king, they will be scattered in grievous dissension. And easy, when the people are scattered, will this path be for us on our return."

Thus he spake; and the youths assented to the words of Aeacus' son. And quickly they entered the ship, and toiled at their oars unceasingly until they reached the sacred isle of Electra, the highest of them all, near the river Eridanus.

But when the Colchians learnt the death of their prince, verily they were eager to pursue Argo and the Minyans through all the Cronian sea. But Hera restrained them by terrible lightnings from the sky. And at last they loathed their own homes in the Cytaean land, quailing before Aeetes' fierce wrath; so they landed and made abiding homes there, scattered far and wide. Some set foot on those very islands where the heroes had stayed, and they still dwell there, bearing a name derived from Apsyrtus; and others built a fencèd city by the dark deep Illyrian river, where is the tomb of Harmonia and Cadmus, dwelling among the Encheleans; and others live amid the mountains which are called the Thunderers, from the day when the thunders of Zeus, son of Cronos, prevented them from crossing over to the island opposite.

Now the heroes, when their return seemed safe for them, fared onward and made their hawsers fast

Ὑλλήων. νῆσοι γὰρ ἐπιπρούχοντο θαμειαὶ
ἀργαλέην πλώουσιν ὁδὸν μεσσηγὺς ἔχουσαι.
οὐδέ σφιν, ὡς καὶ πρίν, ἀνάρσια μητιάασκον
Ὑλλῆες· πρὸς δ' αὐτοὶ ἐμηχανόωντο κέλευθον,
μισθὸν ἀειρόμενοι τρίποδα μέγαν Ἀπόλλωνος.
δοιοὺς γὰρ τρίποδας τηλοῦ πόρε Φοῖβος ἄγεσθαι
Αἰσονίδῃ περόωντι κατὰ χρέος, ὁππότε Πυθὼ   530
ἱρὴν πευσόμενος μετεκίαθε τῆσδ' ὑπὲρ αὐτῆς
ναυτιλίης· πέπρωτο δ', ὅπῃ χθονὸς ἱδρυνθεῖεν,
μήποτε τὴν δῃοισιν ἀναστήσεσθαι ἰοῦσιν.
τούνεκεν εἰσέτι νῦν κείνῃ ὅδε κεύθεται αἴῃ
ἀμφὶ πόλιν ἀγανὴν Ὑλληίδα, πολλὸν ἔνερθεν
οὔδεος, ὥς κεν ἄφαντος ἀεὶ μερόπεσσι πέλοιτο.
οὐ μὲν ἔτι ζώοντα καταυτόθι τέτμον ἄνακτα
Ὕλλον, ὃν εὐειδὴς Μελίτη τέκεν Ἡρακλῆι
δήμῳ Φαιήκων. ὁ γὰρ οἰκία Ναυσιθόοιο
Μάκριν τ' εἰσαφίκανε, Διωνύσοιο τιθήνην,   540
νιψόμενος παίδων ὀλοὸν φόνον· ἔνθ' ὅγε κούρην
Αἰγαίου ἐδάμασσεν ἐρασσάμενος ποταμοῖο,
νηιάδα Μελίτην· ἡ δὲ σθεναρὸν τέκεν Ὕλλον.[1]
οὐδ' ἄρ' ὅγ' ἡβήσας αὐτῇ ἐνὶ ἔλδετο νήσῳ
ναίειν, κοιρανέοντος ἐπ' ὀφρύσι Ναυσιθόοιο·
βῆ δ' ἅλαδε Κρονίην, αὐτόχθονα λαὸν ἀγείρας
Φαιήκων· σὺν γάρ οἱ ἄναξ πόρσυνε κέλευθον
ἥρως Ναυσίθοος· τόθι δ' εἴσατο, καί μιν ἔπεφνον
Μέντορες, ἀγραύλοισιν ἀλεξόμενον περὶ βουσίν.   550

    Ἀλλά, θεαί, πῶς τῆσδε παρὲξ ἁλός, ἀμφί τε
        γαῖαν
Αὐσονίην νήσους τε Λιγυστίδας, αἳ καλέονται
Στοιχάδες, Ἀργῴης περιώσια σήματα νηὸς

────────
[1] After this Brunck introduced two lines.

to the land of the Hylleans.   For the islands lay
thick in the river and made the path dangerous for
those who sailed thereby.   Nor, as aforetime, did the
Hylleans devise their hurt, but of their own accord
furthered their passage, winning as guerdon a
mighty tripod of Apollo.   For tripods twain had
Phoebus given to Aeson's son to carry afar in the
voyage he had to make, at the time when he went to
sacred Pytho to enquire about this very voyage; and
it was ordained by fate that in whatever land they
should be placed, that land should never be ravaged
by the attacks of foemen.   Therefore even now this
tripod is hidden in that land near the pleasant city
of Hyllus, far beneath the earth, that it may ever
be unseen by mortals.   Yet they found not King
Hyllus still alive in the land, whom fair Melite bare
to Heracles in the land of the Phaeacians.   For he
came to the abode of Nausithous and to Macris, the
nurse of Dionysus, to cleanse himself from the
deadly murder of his children; here he loved and
overcame the water nymph Melite, the daughter of
the river Aegaeus, and she bare mighty Hyllus.
But when he had grown up he desired not to dwell
in that island under the rule of Nausithous the king;
but he collected a host of native Phaeacians and
came to the Cronian sea; for the hero King
Nausithous aided his journey, and there he settled,
and the Mentores slew him as he was fighting for
the oxen of his field.

  Now, goddesses, say how it is that beyond this
sea, near the land of Ausonia and the Ligystian
isles, which are called Stoechades, the mighty tracks
of the ship Argo are clearly sung of?   What great

νημερτὲς πέφαται; τίς ἀπόπροθι τόσσον ἀνάγκη
καὶ χρειώ σφ' ἐκόμισσε; τίνες σφέας ἤγαγον αὖραι;
   Αὐτόν που μεγαλωστὶ δεδουπότος Ἀψύρτοιο
Ζῆνα, θεῶν βασιλῆα, χόλος λάβεν, οἷον ἔρεξαν.
Αἰαίης δ' ὀλοὸν τεκμήρατο δήνεσι Κίρκης
αἷμ' ἀπονιψαμένους, πρό τε μυρία πημανθέντας,   560
νοστήσειν. τὸ μὲν οὔτις ἀριστήων ἐνόησεν·
ἀλλ' ἔθεον γαίης Ὑλληίδος ἐξανιόντες
τηλόθι· τὰς δ' ἀπέλειπον, ὅσαι Κόλχοισι πάροιθεν
ἑξείης πλήθοντο Λιβυρνίδες εἰν ἁλὶ νῆσοι,
Ἴσσα τε Δυσκέλαδός τε καὶ ἱμερτὴ Πιτύεια.
αὐτὰρ ἔπειτ' ἐπὶ τῆσι παραὶ Κέρκυραν ἵκοντο,
ἔνθα Ποσειδάων Ἀσωπίδα νάσσατο κούρην,
ἠΰκομον Κέρκυραν, ἑκὰς Φλιουντίδος αἴης,
ἁρπάξας ὑπ' ἔρωτι· μελαινομένην δέ μιν ἄνδρες
ναυτίλοι ἐκ πόντοιο κελαινῇ πάντοθεν ὕλῃ   570
δερκόμενοι Κέρκυραν ἐπικλείουσι Μέλαιναν.
τῇ δ' ἐπὶ καὶ Μελίτην, λιαρῷ περιγηθέες οὔρῳ,
αἰπεινήν τε Κερωσσόν, ὕπερθε δὲ πολλὸν ἐοῦσαν
Νυμφαίην παράμειβον, ἵνα κρείουσα Καλυψὼ
Ἀτλαντὶς ναίεσκε· τὰ δ' ἠεροειδέα λεύσσειν
οὔρεα δοιάζοντο Κεραύνια. καὶ τότε βουλὰς
ἀμφ' αὐτοῖς Ζηνός τε μέγαν χόλον ἐφράσαθ' Ἥρη.
μηδομένη δ' ἄνυσιν τοῖο πλόου, ὦρσεν ἀέλλας
ἀντικρύ, ταῖς αὖτις ἀναρπάγδην φορέοντο
νήσου ἔπι κραναῆς Ἠλεκτρίδος. αὐτίκα δ' ἄφνω   580
ἴαχεν ἀνδρομέῃ ἐνοπῇ μεσσηγὺ θεόντων
αὐδῆεν γλαφυρῆς νηὸς δόρυ, τό ῥ' ἀνὰ μέσσην
στεῖραν Ἀθηναίη Δωδωνίδος ἥρμοσε φηγοῦ.
τοὺς δ' ὀλοὸν μεσσηγὺ δέος λάβεν εἰσαΐοντας
φθογγήν τε Ζηνός τε βαρὺν χόλον. οὐ γὰρ ἀλύξειν

constraint and need brought the heroes so far?
What breezes wafted them?

When Apsyrtus had fallen in mighty overthrow
Zeus himself, king of gods, was seized with
wrath at what they had done. And he ordained
that by the counsels of Aeaean Circe they should
cleanse themselves from the terrible stain of blood
and suffer countless woes before their return. Yet
none of the chieftains knew this; but far onward they
sped starting from the Hyllean land, and they left
behind all the islands that were beforetime thronged
by the Colchians—the Liburnian isles, isle after
isle, Issa, Dysceladus, and lovely Pityeia. Next
after them they came to Corcyra, where Poseidon
settled the daughter of Asopus, fair-haired Corcyra,
far from the land of Phlius, whence he had carried
her off through love; and sailors beholding it from
the sea, all black with its sombre woods, call it
Corcyra the Black. And next they passed Melite,
rejoicing in the soft-blowing breeze, and steep
Cerossus, and Nymphaea at a distance, where lady
Calypso, daughter of Atlas, dwelt; and they deemed
they saw the misty mountains of Thunder. And
then Hera bethought her of the counsels and wrath
of Zeus concerning them. And she devised an
ending of their voyage and stirred up storm-winds
before them, by which they were caught and borne
back to the rocky isle of Electra. And straightway
on a sudden there called to them in the midst of
their course, speaking with a human voice, the beam
of the hollow ship, which Athena had set in the
centre of the stem, made of Dodonian oak. And
deadly fear seized them as they heard the voice
that told of the grievous wrath of Zeus. For it

ἔννεπεν οὔτε πόρους δολιχῆς ἁλός, οὔτε θυέλλας
ἀργαλέας, ὅτε μὴ Κίρκη φόνον Ἀψύρτοιο
νηλέα νίψειεν· Πολυδεύκεα δ' εὐχετάασθαι
Κάστορά τ' ἀθανάτοισι θεοῖς ἤνωγε κελεύθους
Αὐσονίης ἔμπροσθε πορεῖν ἁλός, ᾗ ἔνι Κίρκην   590
δήουσιν, Πέρσης τε καὶ Ἡελίοιο θύγατρα.

Ὣς Ἀργὼ ἰάχησεν ὑπὸ κνέφας· οἱ δ' ἀνόρουσαν
Τυνδαρίδαι, καὶ χεῖρας ἀνέσχεθον ἀθανάτοισιν
εὐχόμενοι τὰ ἕκαστα· κατηφείη δ' ἔχεν ἄλλους
ἥρωας Μινύας. ἡ δ' ἔσσυτο πολλὸν ἐπιπρὸ
λαίφεσιν, ἐς δ' ἔβαλον μύχατον ῥόον Ἠριδανοῖο·
ἔνθα ποτ' αἰθαλόεντι τυπεὶς πρὸς στέρνα κεραυνῷ
ἡμιδαὴς Φαέθων πέσεν ἅρματος Ἠελίοιο
λίμνης ἐς προχοὰς πολυβενθέος· ἡ δ' ἔτι νῦν περ
τραύματος αἰθομένοιο βαρὺν ἀνακηκίει ἀτμόν.   600
οὐδέ τις ὕδωρ κεῖνο διὰ πτερὰ κοῦφα τανύσσας
οἰωνὸς δύναται βαλέειν ὕπερ· ἀλλὰ μεσηγὺς
φλογμῷ ἐπιθρώσκει πεποτημένος. ἀμφὶ δὲ κοῦραι
Ἡλιάδες ταναῇσιν ἐελμέναι αἰγείροισιν,
μύρονται κινυρὸν μέλεαι γόον· ἐκ δὲ φαεινὰς
ἠλέκτρου λιβάδας βλεφάρων προχέουσιν ἔραζε,
αἱ μέν τ' ἠελίῳ ψαμάθοις ἔπι τερσαίνονται·
εὖτ' ἂν δὲ κλύζῃσι κελαινῆς ὕδατα λίμνης
ἠιόνας πνοιῇ πολυηχέος ἐξ ἀνέμοιο,
δὴ τότ' ἐς Ἠριδανὸν προκυλίνδεται ἀθρόα πάντα   610
κυμαίνοντι ῥόῳ. Κελτοὶ δ' ἐπὶ βάξιν ἔθεντο,
ὡς ἄρ' Ἀπόλλωνος τάδε δάκρυα Λητοΐδαο
συμφέρεται δίναις, ἅ τε μυρία χεῦε πάροιθεν,
ἦμος Ὑπερβορέων ἱερὸν γένος εἰσαφίκανεν,
οὐρανὸν αἰγλήεντα λιπὼν ἐκ πατρὸς ἐνιπῆς,
χωόμενος περὶ παιδί, τὸν ἐν λιπαρῇ Λακερείῃ
δῖα Κορωνὶς ἔτικτεν ἐπὶ προχοῇς Ἀμύροιο.

proclaimed that they should not escape the paths
of an endless sea nor grievous tempests, unless Circe
should purge away the guilt of the ruthless murder
of Apsyrtus; and it bade Polydeuces and Castor
pray to the immortal gods first to grant a path
through the Ausonian sea where they should find
Circe, daughter of Perse and Helios.

Thus Argo cried through the darkness; and the
sons of Tyndareus uprose, and lifted their hands to
the immortals praying for each boon: but dejection
held the rest of the Minyan heroes. And far on sped
Argo under sail, and entered deep into the stream of
Eridanus; where once, smitten on the breast by the
blazing bolt, Phaëthon half-consumed fell from the
chariot of Helios into the opening of that deep
lake; and even now it belcheth up heavy steam
clouds from the smouldering wound. And no bird
spreading its light wings can cross that water; but
in mid-course it plunges into the flame, fluttering.
And all around the maidens, the daughters of Helios,
enclosed in tall poplars, wretchedly wail a piteous
plaint; and from their eyes they shed on the ground
bright drops of amber. These are dried by the sun
upon the sand; but whenever the waters of the
dark lake flow over the strand before the blast of
the wailing wind, then they roll on in a mass into
Eridanus with swelling tide. But the Celts have
attached this story to them, that these are the tears
of Leto's son, Apollo, that are borne along by the
eddies, the countless tears that he shed aforetime
when he came to the sacred race of the Hyper-
boreans and left shining heaven at the chiding of
his father, being in wrath concerning his son whom
divine Coronis bare in bright Lacereia at the mouth

καὶ τὰ μὲν ὡς κείνοισι μετ᾽ ἀνδράσι κεκλήισται·
τοὺς δ᾽ οὔτε βρώμης ᾔρει πόθος, οὐδὲ ποτοῖο,
οὔτ᾽ ἐπὶ γηθοσύνας τράπετο νόος. ἀλλ᾽ ἄρα τοίγε 620
ἤματα μὲν στρεύγοντο περιβληχρὸν βαρύθοντες
ὀδμῇ λευγαλέῃ, τήν ῥ᾽ ἄσχετον ἐξανίεσκον
τυφομένου Φαέθοντος ἐπιρροαὶ Ἠριδανοῖο·
νυκτὸς δ᾽ αὖ γόον ὀξὺν ὀδυρομένων ἐσάκουον
Ἡλιάδων λιγέως· τὰ δὲ δάκρυα μυρομένῃσιν
οἷον ἐλαιηραὶ στάγες ὕδασιν ἐμφορέοντο.

Ἐκ δὲ τόθεν Ῥοδανοῖο βαθὺν ῥόον εἰσαπέβησαν,
ὅστ᾽ εἰς Ἠριδανὸν μετανίσσεται· ἄμμιγα δ᾽ ὕδωρ
ἐν ξυνοχῇ βέβρυχε κυκώμενον. αὐτὰρ ὁ γαίης
ἐκ μυχάτης, ἵνα τ᾽ εἰσὶ πύλαι καὶ ἐδέθλια Νυκτός, 630
ἔνθεν ἀπορνύμενος τῇ μέν τ᾽ ἐπερεύγεται ἀκτὰς
Ὠκεανοῦ, τῇ δ᾽ αὖτε μετ᾽ Ἰονίην ἅλα βάλλει,
τῇ δ᾽ ἐπὶ Σαρδόνιον πέλαγος καὶ ἀπείρονα κόλπον
ἑπτὰ διὰ στομάτων ἵει ῥόον. ἐκ δ᾽ ἄρα τοῖο
λίμνας εἰσέλασαν δυσχείμονας, αἵτ᾽ ἀνὰ Κελτῶν
ἤπειρον πέπτανται ἀθέσφατον· ἔνθα κεν οἵγε
ἄτῃ ἀεικελίῃ πέλασαν· φέρε γάρ τις ἀπορρὼξ
κόλπον ἐς Ὠκεανοῖο, τὸν οὐ προδαέντες ἔμελλον
εἰσβαλέειν, τόθεν οὔ κεν ὑπότροποι ἐξεσάωθεν.
ἀλλ᾽ Ἥρη σκοπέλοιο καθ᾽ Ἑρκυνίου ἰάχησεν 640
οὐρανόθεν προθοροῦσα· φόβῳ δ᾽ ἐτίναχθεν αὐτῆς
πάντες ὁμῶς· δεινὸν γὰρ ἐπὶ μέγας ἔβραχεν αἰθήρ.
ἂψ δὲ παλιντροπόωντο θεᾶς ὕπο, καί ῥ᾽ ἐνόησαν
τὴν οἶμον, τῇπέρ τε καὶ ἔπλετο νόστος ἰοῦσιν.

of Amyrus. And such is the story told among these men. But no desire for food or drink seized the heroes nor were their thoughts turned to joy. But they were sorely afflicted all day, heavy and faint at heart, with the noisome stench, hard to endure, which the streams of Eridanus sent forth from Phaëthon still burning; and at night they heard the piercing lament of the daughters of Helios, wailing with shrill voice; and, as they lamented, their tears were borne on the water like drops of oil.

Thence they entered the deep stream of Rhodanus which flows into Eridanus; and where they meet there is a roar of mingling waters. Now that river, rising from the ends of the earth, where are the portals and mansions of Night, on one side bursts forth upon the beach of Ocean, at another pours into the Ionian sea, and on the third through seven mouths sends its stream to the Sardinian sea and its limitless bay.[1] And from Rhodanus they entered stormy lakes, which spread throughout the Celtic mainland of wondrous size; and there they would have met with an inglorious calamity; for a certain branch of the river was bearing them towards a gulf of Ocean which in ignorance they were about to enter, and never would they have returned from there in safety. But Hera leaping forth from heaven pealed her cry from the Hercynian rock; and all together were shaken with fear of her cry; for terribly crashed the mighty firmament. And backward they turned by reason of the goddess, and noted the path by which their return was ordained.

[1] Apollonius seems to have thought that the Po, the Rhone, and the Rhine are all connected together.

δηναιοὶ δ' ἀκτὰς ἁλιμυρέας εἰσαφίκοντο
Ἥρης ἐννεσίῃσι, δι' ἔθνεα μυρία Κελτῶι
καὶ Λιγύων περόωντες ἀδήιοι. ἀμφὶ γὰρ αἰνὴν
ἠέρα χεῦε θεὰ πάντ' ἤματα νισσομένοισιν.
μεσσότατον δ' ἄρα τοίγε διὰ στόμα νηὶ βαλόντες
Στοιχάδας εἰσαπέβαν νήσους σόοι εἵνεκα κούρων   650
Ζηνός· ὃ δὴ βωμοί τε καὶ ἱερὰ τοῖσι τέτυκται
ἔμπεδον· οὐδ' οἷον κείνης ἐπίκουροι ἕποντο
ναυτιλίης· Ζεὺς δέ σφι καὶ ὀψιγόνων πόρε νῆας.
Στοιχάδας αὖτε λιπόντες ἐς Αἰθαλίην ἐπέρησαν
νῆσον, ἵνα ψηφῖσιν ἀπωμόρξαντο καμόντες
ἱδρῶ ἅλις· χροιῇ δὲ κατ' αἰγιαλοῖο κέχυνται
εἴκελαι· ἐν δὲ σόλοι καὶ τεύχεα θέσκελα κείνων·
ἐν δὲ λιμὴν Ἀργῷος ἐπωνυμίην πεφάτισται.

Καρπαλίμως δ' ἐνθένδε διὲξ ἁλὸς οἶδμα νέοντο
Αὐσονίης ἀκτὰς Τυρσηνίδας εἰσορόωντες·   660
ἷξον δ' Αἰαίης λιμένα κλυτόν· ἐκ δ' ἄρα νηὸς
πείσματ' ἐπ' ἠιόνων σχεδόθεν βάλον. ἔνθα δὲ Κίρκην
εὗρον ἁλὸς νοτίδεσσι κάρη ἐπιφαιδρύνουσαν·
τοῖον γὰρ νυχίοισιν ὀνείρασιν ἐπτοίητο.
αἵματί οἱ θάλαμοί τε καὶ ἕρκεα πάντα δόμοιο
μύρεσθαι δόκεον· φλὸξ δ' ἀθρόα φάρμακ' ἔδαπτεν,
οἷσι πάρος ξείνους θέλγ' ἀνέρας, ὅστις ἵκοιτο·
τὴν δ' αὐτὴ φονίῳ σβέσεν αἵματι πορφύρουσαν,
χερσὶν ἀφυσσαμένη· λῆξεν δ' ὀλοοῖο φόβοιο.
τῶ καὶ ἐπιπλομένης ἠοῦς νοτίδεσσι θαλάσσης   670
ἐγρομένη πλοκάμους τε καὶ εἵματα φαιδρύνεσκεν.
θῆρες δ' οὐ θήρεσσιν ἐοικότες ὠμηστῆσιν,

And after a long while they came to the beach of
the surging sea by the devising of Hera, passing
unharmed through countless tribes of the Celts and
Ligyans. For round them the goddess poured a
dread mist day by day as they fared on. And
so, sailing through the midmost mouth, they reached
the Stoechades islands in safety by the aid of the
sons of Zeus; wherefore altars and sacred rites are
established in their honour for ever; and not that
sea-faring alone did they attend to succour; but
Zeus granted to them the ships of future sailors too.
Then leaving the Stoechades they passed on to
the island Aethalia, where after their toil they wiped
away with pebbles sweat in abundance; and pebbles
like skin in colour are strewn on the beach[1]; and
there are their quoits and their wondrous armour;
and there is the Argoan harbour called after them.

And quickly from there they passed through the
sea, beholding the Tyrrhenian shores of Ausonia;
and they came to the famous harbour of Aeaea, and
from the ship they cast hawsers to the shore near at
hand. And here they found Circe bathing her head
in the salt sea-spray, for sorely had she been scared
by visions of the night. With blood her chambers
and all the walls of her palace seemed to be running,
and flame was devouring all the magic herbs with
which she used to bewitch strangers whoever came;
and she herself with murderous blood quenched the
glowing flame, drawing it up in her hands; and she
ceased from deadly fear. Wherefore when morning
came she rose, and with sea-spray was bathing her
hair and her garments. And beasts, not resembling

---

[1] *i.e.* like the scrapings from skin, ἀποστλεγγίσματα; see
Strabo p. 224 for this adventure.

οὐδὲ μὲν οὐδ' ἄνδρεσσιν ὁμὸν δέμας, ἄλλο δ' ἀπ'
    ἄλλων
συμμιγέες μελέων, κίον ἀθρόοι, ἠΰτε μῆλα
ἐκ σταθμῶν ἅλις εἶσιν ὀπηδεύοντα νομῆι.
τοίους καὶ προτέρης ἐξ ἰλύος ἐβλάστησε
χθὼν αὐτὴ μικτοῖσιν ἀρηρεμένους μελέεσσιν,
οὔπω διψαλέῳ μάλ' ὑπ' ἠέρι πιληθεῖσα,
οὐδέ πω ἀζαλέοιο βολαῖς τόσον ἠελίοιο
ἰκμάδας αἰνυμένη· τὰ δ' ἐπὶ στίχας ἤγαγεν αἰὼν   680
συγκρίνας· τῶς οἵγε φυὴν ἀίδηλοι ἕποντο.
ἥρωας δ' ἕλε θάμβος ἀπείριτον· αἶψα δ' ἕκαστος
Κίρκης εἴς τε φυήν, εἴς τ' ὄμματα παπταίνοντες
ῥεῖα κασιγνήτην φάσαν ἔμμεναι Αἰήταο.

    Ἡ δ' ὅτε δὴ νυχίων ἀπὸ δείματα πέμψεν ὀνείρων,
αὐτίκ' ἔπειτ' ἄψορρον ἀπέστιχε· τοὺς δ' ἅμ' ἕπεσθαι,
χειρὶ καταρρέξασα, δολοφροσύνησιν ἄνωγεν.
ἔνθ' ἤτοι πληθὺς μὲν ἐφετμαῖς Αἰσονίδαο
μίμνεν ἀπηλεγέως· ὁ δ' ἐρύσσατο Κολχίδα κούρην.
ἄμφω δ' ἑσπέσθην αὐτὴν ὁδόν, ἔστ' ἀφίκοντο   690
Κίρκης ἐς μέγαρον· τοὺς δ' ἐν λιπαροῖσι κέλευεν
ἧγε θρόνοις ἕζεσθαι, ἀμηχανέουσα κιόντων.
τὼ δ' ἄνεῳ καὶ ἄναυδοι ἐφ' ἑστίῃ ἀίξαντε
ἵζανον, ἧτε δίκη λυγροῖς ἱκέτῃσι τέτυκται,
ἡ μὲν ἐπ' ἀμφοτέραις θεμένη χείρεσσι μέτωπα,
αὐτὰρ ὁ κωπῆεν μέγα φάσγανον ἐν χθονὶ πήξας,
ᾧπέρ τ' Αἰήταο πάιν κτάνεν· οὐδέ ποτ' ὄσσε
ἰθὺς ἐνὶ βλεφάροισιν ἀνέσχεθον. αὐτίκα δ' ἔγνω
Κίρκη φύξιον οἶτον ἀλιτροσύνας τε φόνοιο.
τῶ καὶ ὀπιζομένη Ζηνὸς θέμιν Ἱκεσίοιο,   700
ὃς μέγα μὲν κοτέει, μέγα δ' ἀνδροφόνοισιν ἀρήγει,
ῥέξε θυηπολίην, οἵῃ τ' ἀπολυμαίνονται

the beasts of the wild, nor yet like men in body, but with a medley of limbs, went in a throng, as sheep from the fold in multitudes follow the shepherd. Such creatures, compacted of various limbs, did earth herself produce from the primeval slime when she had not yet grown solid beneath a rainless sky nor yet had received a drop of moisture from the rays of the scorching sun; but time combined these forms and marshalled them in their ranks; in such wise these monsters shapeless of form followed her. And exceeding wonder seized the heroes, and at once, as each gazed on the form and face of Circe, they readily guessed that she was the sister of Aeetes.

Now when she had dismissed the fears of her nightly visions, straightway she fared backwards, and in her subtlety she bade the heroes follow, charming them on with her hand. Thereupon the host remained stedfast at the bidding of Aeson's son, but Jason drew with him the Colchian maid. And both followed the selfsame path till they reached the hall of Circe, and she in amaze at their coming bade them sit on brightly burnished seats. And they, quiet and silent, sped to the hearth and sat there, as is the wont of wretched suppliants. Medea hid her face in both her hands, but Jason fixed in the ground the mighty hilted sword with which he had slain Aeetes' son; nor did they raise their eyes to meet her look. And straightway Circe became aware of the doom of a suppliant and the guilt of murder. Wherefore in reverence for the ordinance of Zeus, the god of suppliants, who is a god of wrath yet mightily aids slayers of men, she began to offer the sacrifice with which ruthless suppliants are

νηλειεῖς ἱκέται, ὅτ᾽ ἐφέστιοι ἀντιόωσιν.
πρῶτα μὲν ἀτρέπτοιο λυτήριον ἦγε φόνοιο
τειναμένη καθύπερθε συὸς τέκος, ἧς ἔτι μαζοὶ
πλήμμυρον λοχίης ἐκ νηδύος, αἵματι χεῖρας
τέγγεν, ἐπιτμήγουσα δέρην· αὖτις δὲ καὶ ἄλλοις
μείλισσεν χύτλοισι, καθάρσιον ἀγκαλέουσα
Ζῆνα, παλαμναίων τιμήορον ἱκεσιάων.
καὶ τὰ μὲν ἀθρόα πάντα δόμων ἐκ λύματ᾽ ἔνεικαν   710
νηιάδες πρόπολοι, ταί οἱ πόρσυνον ἕκαστα.
ἡ δ᾽ εἴσω πελάνους μείλικτρά τε νηφαλίῃσι
καῖεν ἐπ᾽ εὐχωλῇσι παρέστιος, ὄφρα χόλοιο
σμερδαλέας παύσειεν Ἐρινύας, ἠδὲ καὶ αὐτὸς
εὐμειδής τε πέλοιτο καὶ ἤπιος ἀμφοτέροισιν,
εἴτ᾽ οὖν ὀθνείῳ μεμιασμένοι αἵματι χεῖρας,
εἴτε καὶ ἐμφύλῳ προσκηδέες ἀντιόωσιν.

Αὐτὰρ ἐπεὶ μάλα πάντα πονήσατο, δὴ τότ᾽ ἔπειτα
εἷσεν ἐπὶ ξεστοῖσιν ἀναστήσασα θρόνοισιν,
καὶ δ᾽ αὐτὴ πέλας ἷζεν ἐνωπαδίς. αἶψα δὲ μύθῳ   720
χρειὼ ναυτιλίην τε διακριδὸν ἐξερέεινεν,
ἠδ᾽ ὁπόθεν μετὰ γαῖαν ἑὴν καὶ δώματ᾽ ἰόντες
αὔτως ἱδρύνθησαν ἐφέστιοι. ἦ γὰρ ὀνείρων
μνῆστις ἀεικελίη δῦνεν φρένας ὁρμαίνουσαν·
ἵετο δ᾽ αὖ κούρης ἐμφύλιον ἴδμεναι ὀμφήν,
αὐτίχ᾽ ὅπως ἐνόησεν ἀπ᾽ οὔδεος ὄσσε βαλοῦσαν.
πᾶσα γὰρ Ἠελίου γενεὴ ἀρίδηλος ἰδέσθαι
ἦεν, ἐπεὶ βλεφάρων ἀποτηλόθι μαρμαρυγῇσιν
οἷόν τε χρυσέην ἀντώπιον ἵεσαν αἴγλην.
ἡ δ᾽ ἄρα τῇ τὰ ἕκαστα διειρομένῃ κατέλεξεν,   730
Κολχίδα γῆρυν ἱεῖσα, βαρύφρονος Αἰήταο

342

cleansed from guilt when they approach the altar.
First, to atone for the murder still unexpiated, she
held above their heads the young of a sow whose
dugs yet swelled from the fruit of the womb, and,
severing its neck, sprinkled their hands with the
blood; and again she made propitiation with other
drink offerings, calling on Zeus the Cleanser, the
protector of murder-stained suppliants. And all the
defilements in a mass her attendants bore forth from
the palace—the Naiad nymphs who ministered all
things to her. And within, Circe, standing by the
hearth, kept burning atonement-cakes without wine,
praying the while that she might stay from their
wrath the terrible Furies, and that Zeus himself
might be propitious and gentle to them both,
whether with hands stained by the blood of a
stranger or, as kinsfolk, by the blood of a kinsman,
they should implore his grace.

But when she had wrought all her task, then she
raised them up and seated them on well polished
seats, and herself sat near, face to face with them.
And at once she asked them clearly of their
business and their voyaging, and whence they had
come to her land and palace, and had thus seated
themselves as suppliants at her hearth. For in truth
the hideous remembrance of her dreams entered her
mind as she pondered; and she longed to hear
the voice of the maiden, her kinswoman, as soon as
she saw that she had raised her eyes from the
ground. For all those of the race of Helios were
plain to discern, since by the far flashing of their eyes
they shot in front of them a gleam as of gold. So
Medea told her all she asked—the daughter of
Aeetes of the gloomy heart, speaking gently in the

κούρη μειλιχίως, ἠμὲν στόλον ἠδὲ κελεύθους
ἡρώων, ὅσα τ' ἀμφὶ θοοῖς ἐμόγησαν ἀέθλοις,
ὥς τε κασιγνήτης πολυκηδέος ἤλιτε βουλαῖς,
ὥς τ' ἀπονόσφιν ἄλυξεν ὑπέρβια δείματα πατρὸς
σὺν παισὶν Φρίξοιο· φόνον δ' ἀλέεινεν ἐνισπεῖν
Ἀψύρτου. τὴν δ' οὔτι νόῳ λάθεν· ἀλλὰ καὶ ἔμπης
μυρομένην ἐλέαιρεν, ἔπος δ' ἐπὶ τοῖον ἔειπεν·

'Σχετλίη, ἦ ῥα κακὸν καὶ ἀεικέα μήσαο νόστον.
ἔλπομαι οὐκ ἐπὶ δὴν σε βαρὺν χόλον Αἰήταο   740
ἐκφυγέειν· τάχα δ' εἶσι καὶ Ἑλλάδος ἤθεα γαίης
τισόμενος φόνον υἷος, ὅτ' ἄσχετα ἔργ' ἐτέλεσσα;
ἀλλ' ἐπεὶ οὖν ἱκέτις καὶ ὁμόγνιος ἔπλευ ἐμεῖο,
ἄλλο μὲν οὔτι κακὸν μητίσομαι ἐνθάδ' ἰούσῃ·
ἔρχεο δ' ἐκ μεγάρων ξείνῳ συνοπηδὸς ἐοῦσα,
ὅντινα τοῦτον ἄιστον ἀείραο πατρὸς ἄνευθεν·
μηδέ με γουνάσσεαι ἐφέστιος, οὐ γὰρ ἔγωγε
αἰνήσω βουλάς τε σέθεν καὶ ἀεικέα φύξιν.'

Ὣς φάτο· τὴν δ' ἀμέγαρτον ἄχος λάβεν· ἀμφὶ
δὲ πέπλον
ὀφθαλμοῖσι βαλοῦσα γόον χέεν, ὄφρα μιν ἥρως   750
χειρὸς ἐπισχόμενος μεγάρων ἐξῆγε θύραζε
δείματι παλλομένην· λεῖπον δ' ἀπὸ δώματα
Κίρκης.

Οὐδ' ἄλοχον Κρονίδαο Διὸς λάθον· ἀλλά οἱ Ἶρις
πέφραδεν, εὖτ' ἐνόησεν ἀπὸ μεγάροιο κιόντας.
αὐτὴ γάρ μιν ἄνωγε δοκευέμεν, ὁππότε νῆα
στείχοιεν· τὸ καὶ αὖτις ἐποτρύνουσ' ἀγόρευεν·

Colchian tongue, both of the quest and the journeyings of the heroes, and of their toils in the swift contests, and how she had sinned through the counsels of her much-sorrowing sister, and how with the sons of Phrixus she had fled afar from the tyrannous horrors of her father; but she shrank from telling of the murder of Apsyrtus. Yet she escaped not Circe's ken; nevertheless, in spite of all, she pitied the weeping maiden, and spake thus:

"Poor wretch, an evil and shameful return hast thou planned. Not for long, I ween, wilt thou escape the heavy wrath of Aeetes; but soon will he go even to the dwellings of Hellas to avenge the blood of his son, for intolerable are the deeds thou hast done. But since thou art my suppliant and my kinswoman, no further ill shall I devise against thee at thy coming; but begone from my halls, companioning the stranger, whosoever he be, this unknown one that thou hast taken in thy father's despite; and kneel not to me at my hearth, for never will I approve thy counsels and thy shameful flight."

Thus she spake, and measureless anguish seized the maid; and over her eyes she cast her robe and poured forth a lamentation, until the hero took her by the hand and led her forth from the hall quivering with fear. So they left the home of Circe.

But they were not unmarked by the spouse of Zeus, son of Cronos; but Iris told her when she saw them faring from the hall. For Hera had bidden her watch what time they should come to the ship; so again she urged her and spake:

'Ἶρι φίλη, νῦν, εἴ ποτ' ἐμὰς ἐτέλεσσας ἐφετμάς,
εἰ δ' ἄγε λαιψηρῇσι μετοιχομένη πτερύγεσσιν,
δεῦρο Θέτιν μοι ἄνωχθι μολεῖν ἁλὸς ἐξανιοῦσαν.
κείνης γὰρ χρειώ με κιχάνεται. αὐτὰρ ἔπειτα   760
ἐλθεῖν εἰς ἀκτάς, ὅθι τ' ἄκμονες Ἡφαίστοιο
χάλκειοι στιβαρῇσιν ἀράσσονται τυπίδεσσιν·
εἰπὲ δὲ κοιμῆσαι φύσας πυρός, εἰσόκεν Ἀργὼ
τάσγε παρεξελάσῃσιν. ἀτὰρ καὶ ἐς Αἴολον ἐλθεῖν,
Αἴολον, ὅστ' ἀνέμοις αἰθρηγενέεσσιν ἀνάσσει·
καὶ δὲ τῷ εἰπέμεναι τὸν ἐμὸν νόον, ὥς κεν ἀήτας
πάντας ἀπολλήξειεν ὑπ' ἠέρι, μηδέ τις αὔρη
τρηχύνοι πέλαγος· ζεφύρου γε μὲν οὖρος ἀήτω,
ὄφρ' οἵγ' Ἀλκινόου Φαιηκίδα νῆσον ἵκωνται.'
Ὥς ἔφατ'· αὐτίκα δ' Ἶρις ἀπ' Οὐλύμποιο θοροῦσα   770
τέμνε, τανυσσαμένη κοῦφα πτερά. δῦ δ' ἐνὶ πόντῳ
Αἰγαίῳ, τόθι πέρ τε δόμοι Νηρῆος ἔασιν.
πρώτην δ' εἰσαφίκανε Θέτιν, καὶ ἐπέφραδε μῦθον
Ἥρης ἐννεσίῃς, ὦρσέν τέ μιν εἰς ἓ νέεσθαι.
δεύτερα δ' εἰς Ἥφαιστον ἐβήσατο· παῦσε δὲ τόνγε
ῥίμφα σιδηρείων τυπίδων· ἔσχοντο δ' ἀυτμῆς
αἰθαλέοι πρηστῆρες. ἀτὰρ τρίτον εἰσαφίκανεν
Αἴολον Ἱππότεω παῖδα κλυτόν. ὄφρα δὲ καὶ τῷ
ἀγγελίην φαμένη θοὰ γούνατα παῦσεν ὁδοῖο,
τόφρα Θέτις Νηρῆα κασιγνήτας τε λιποῦσα   780
ἐξ ἁλὸς Οὐλυμπόνδε θεὰν μετεκίαθεν Ἥρην·
ἡ δέ μιν ἆσσον ἑοῖο παρεῖσέ τε, φαῖνέ τε μῦθον·
'Κέκλυθι νῦν, Θέτι δῖα, τά τοι ἐπιέλδομ' ἐνισπεῖν.
οἶσθα μέν, ὅσσον ἐμῇσιν ἐνὶ φρεσὶ τίεται ἥρως
Αἰσονίδης, οἱ δ' ἄλλοι ἀοσσητῆρες ἀέθλου,
οἵως τέ σφ' ἐσάωσα διὰ πλαγκτὰς περόωντας
πέτρας, ἔνθα πυρὸς δειναὶ βρομέουσι θύελλαι,

" Dear Iris, now come, if ever thou hast fulfilled my bidding, hie thee away on light pinions, and bid Thetis arise from the sea and come hither. For need of her is come upon me. Then go to the sea-beaches where the bronze anvils of Hephaestus are smitten by sturdy hammers, and tell him to still the blasts of fire until Argo pass by them. Then go to Aeolus too, Aeolus who rules the winds, children of the clear sky ; and to him also tell my purpose so that he may make all winds cease under heaven and no breeze may ruffle the sea ; yet let the breath of the west wind blow until the heroes have reached the Phaeacian isle of Alcinous."

So she spake, and straightway Iris leapt down from Olympus and cleft her way, with light wings outspread. And she plunged into the Aegean Sea, where is the dwelling of Nereus. And she came to Thetis first and, by the promptings of Hera, told her tale and roused her to go to the goddess. Next she came to Hephaestus, and quickly made him cease from the clang of his iron hammers ; and the smoke-grimed bellows were stayed from their blast. And thirdly she came to Aeolus, the famous son of Hippotas. And when she had given her message to him also and rested her swift knees from her course, then Thetis leaving Nereus and her sisters had come from the sea to Olympus to the goddess Hera ; and the goddess made her sit by her side and uttered her word :

" Hearken now, lady Thetis, to what I am eager to tell thee. Thou knowest how honoured in my heart is the hero, Aeson's son, and the others that have helped him in the contest, and how I saved them when they passed between the Wandering

κύματά τε σκληρῇσι περιβλύει σπιλάδεσσιν.
νῦν δὲ παρὰ Σκύλλης σκόπελον μέγαν ἠδὲ Χάρυβδιν
δεινὸν ἐρευγομένην δέχεται ὁδός. ἀλλά σε γὰρ δὴ   790
ἐξέτι νηπυτίης αὐτὴ τρέφον ἠδ' ἀγάπησα
ἔξοχον ἀλλάων, αἵτ' εἰν ἁλὶ ναιετάουσιν,
οὕνεκεν οὐκ ἔτλης εὐνῇ Διὸς ἱεμένοιο
λέξασθαι. κείνῳ γὰρ ἀεὶ τάδε ἔργα μέμηλεν,
ἠὲ σὺν ἀθανάταις ἠὲ θνητῇσιν ἰαύειν.
ἀλλ' ἐμὲ αἰδομένη καὶ ἐνὶ φρεσὶ δειμαίνουσα,
ἠλεύω· ὁ δ' ἔπειτα πελώριον ὅρκον ὄμοσσεν,
μήποτέ σ' ἀθανάτοιο θεοῦ καλέεσθαι ἄκοιτιν.
ἔμπης δ' οὐ μεθίεσκεν ὀπιπεύων ἀέκουσαν,
εἰσότε οἱ πρέσβειρα Θέμις κατέλεξεν ἅπαντα,   800
ὡς δή τοι πέπρωται ἀμείνονα πατρὸς ἑοῖο
παῖδα τεκεῖν· τῷ καί σε λιλαιόμενος μεθέηκεν,
δείματι, μή τις ἑοῦ ἀντάξιος ἄλλος ἀνάσσοι
ἀθανάτων, ἀλλ' αἰὲν ἑὸν κράτος εἰρύοιτο.
αὐτὰρ ἐγὼ τὸν ἄριστον ἐπιχθονίων πόσιν εἶναι
δῶκά τοι, ὄφρα γάμου θυμηδέος ἀντιάσειας,
τέκνα τε φιτύσαιο· θεοὺς δ' ἐς δαῖτ' ἐκάλεσσα
πάντας ὁμῶς· αὐτὴ δὲ σέλας χείρεσσιν ἀνέσχον
νυμφίδιον, κείνης ἀγανόφρονος εἵνεκα τιμῆς.
ἀλλ' ἄγε καί τινά τοι νημερτέα μῦθον ἐνίψω.   810
εὖτ' ἂν ἐς Ἠλύσιον πεδίον τεὸς υἱὸς ἵκηται,
ὃν δὴ νῦν Χείρωνος ἐν ἤθεσι Κενταύροιο
νηιάδες κομέουσι τεοῦ λίπτοντα γάλακτος.

rocks,[1] where roar terrible storms of fire and the waves foam round the rugged reefs. And now past the mighty rock of Scylla and Charybdis horribly belching, a course awaits them. But thee indeed from thy infancy did I tend with my own hands and love beyond all others that dwell in the salt sea because thou didst refuse to share the couch of Zeus, for all his desire. For to him such deeds are ever dear, to embrace either goddesses or mortal women. But in reverence for me and with fear in thy heart thou didst shrink from his love; and he then swore a mighty oath that thou shouldst never be called the bride of an immortal god. Yet he ceased not from spying thee against thy will, until reverend Themis declared to him the whole truth, how that it was thy fate to bear a son mightier than his sire; wherefore he gave thee up, for all his desire, fearing lest another should be his match and rule the immortals, and in order that he might ever hold his own dominion. But I gave thee the best of the sons of earth to be thy husband, that thou mightest find a marriage dear to thy heart and bear children; and I summoned to the feast the gods, one and all. And with my own hand I raised the bridal torch, in return for the kindly honour thou didst pay me. But come, let me tell a tale that erreth not. When thy son shall come to the Elysian plain, he whom now in the home of Cheiron the Centaur water-nymphs are tending, though he still craves thy mother milk, it is fated

---

[1] The *Symplegades* are referred to, where help was given by Athena, not by Hera. It is strange that no mention is made of the *Planctae*, properly so called, past which they are soon to be helped. Perhaps some lines have fallen out.

χρειώ μιν κούρης πόσιν ἔμμεναι Αἰήταο
Μηδείης· σὺ δ' ἄρηγε νυῷ ἑκυρή περ ἐοῦσα,
ἠδ' αὐτῷ Πηλῆι. τί τοι χόλος ἐστήρικται;
ἀάσθη. καὶ γάρ τε θεοὺς ἐπινίσσεται ἄτη.
ναὶ μὲν ἐφημοσύνῃσιν ἐμαῖς "Ηφαιστον ὀίω
λωφήσειν πρήσοντα πυρὸς μένος, 'Ιπποτάδην δὲ
Αἴολον ὠκείας ἀνέμων ἄικας ἐρύξειν,   820
νόσφιν ἐυσταθέος ζεφύρου, τείως κεν ἵκωνται
Φαιήκων λιμένας· σὺ δ' ἀκηδέα μήδεο νόστον.
δεῖμα δέ τοι πέτραι καὶ ὑπέρβια κύματ' ἔασιν
μοῦνον, ἅ κεν τρέψαιο κασιγνήτῃσι σὺν ἄλλαις.
μηδὲ σύγ' ἠὲ Χάρυβδιν ἀμηχανέοντας ἐάσῃς
ἐσβαλέειν, μὴ πάντας ἀναβρόξασα φέρῃσιν,
ἠὲ παρὰ Σκύλλης στυγερὸν κευθμῶνα νέεσθαι,
Σκύλλης Αὐσονίης ὀλοόφρονος, ἣν τέκε Φόρκυι
νυκτιπόλος 'Εκάτη, τήντε κλείουσι Κράταιιν,
μή πως σμερδαλέῃσιν ἐπαΐξασα γένυσσιν   830
λεκτοὺς ἡρώων δηλήσεται. ἀλλ' ἔχε νῆα
κεῖσ', ὅτι περ τυτθή γε παραίβασις ἔσσετ' ὀλέθρου.'
    "Ως φάτο· τὴν δὲ Θέτις τοίῳ προσελέξατο μύθῳ·
'Εἰ μὲν δὴ μαλεροῖο πυρὸς μένος ἠδὲ θύελλαι
ζαχρηεῖς λήξουσιν ἐτήτυμον, ἦ τ' ἂν ἔγωγε
θαρσαλέη φαίην, καὶ κύματος ἀντιόωντος
νῆα σαωσέμεναι, ζεφύρου λίγα κινυμένοιο.
ἀλλ' ὥρη δολιχήν τε καὶ ἄσπετον οἶμον ὁδεύειν
ὄφρα κασιγνήτας μετελεύσομαι, αἵ μοι ἀρωγοὶ
ἔσσονται, καὶ νηὸς ὅθι πρυμνῇσ' ἀνῆπται,   840
ὥς κεν ὑπηῷοι μνησαίατο νόστον ἑλέσθαι.'
    'Η, καὶ ἀναΐξασα κατ' αἰθέρος ἔμπεσε δίναις
κυανέου πόντοιο· κάλει δ' ἐπαμυνέμεν ἄλλας

that he be the husband of Medea, Aeetes' daughter;
do thou aid thy daughter-in-law as a mother-in-law
should, and aid Peleus himself. Why is thy wrath so
steadfast? He was blinded by folly. For blindness
comes even upon the gods. Surely at my behest I
deem that Hephaestus will cease from kindling the
fury of his flame, and that Aeolus, son of Hippotas,
will check his swift rushing winds, all but the steady
west wind, until they reach the havens of the
Phaeacians; do thou devise a return without bane.
The rocks and the tyrannous waves are my fear, they
alone, and them thou canst foil with thy sisters' aid.
And let them not fall in their helplessness into
Charybdis lest she swallow them at one gulp, or
approach the hideous lair of Scylla, Ausonian Scylla
the deadly, whom night-wandering Hecate, who is
called Crataeis,[1] bare to Phorcys, lest swooping upon
them with her horrible jaws she destroy the chiefest
of the heroes. But guide their ship in the course
where there shall be still a hair's breadth escape
from destruction."

Thus she spake, and Thetis answered with these
words: "If the fury of the ravening flame and the
stormy winds cease in very deed, surely will I promise
boldly to save the ship, even though the waves bar
the way, if only the west wind blows fresh and clear.
But it is time to fare on a long and measureless path,
in quest of my sisters who will aid me, and to the
spot where the ship's hawsers are fastened, that at
early dawn the heroes may take thought to win their
home-return."

She spake, and darting down from the sky fell
amid the eddies of the dark blue sea; and she called

---

[1] i.e. the Mighty One.

αὐτοκασιγνήτας Νηρηίδας· αἱ δ' ἀίουσαι
ἤντεον ἀλλήλῃσι· Θέτις δ' ἀγόρευεν ἐφετμὰς
Ἥρης· αἶψα δ' ἴαλλε μετ' Αὐσονίην ἅλα πάσας.
αὐτὴ δ' ὠκυτέρη ἀμαρύγματος ἠὲ βολάων
ἠελίου, ὅτ' ἄνεισι περαίης ὑψόθι γαίης,
σεύατ' ἴμεν λαιψηρὰ δι' ὕδατος, ἔστ' ἀφίκανεν
ἀκτὴν Αἰαίην Τυρσηνίδος ἠπείροιο.   850
τοὺς δ' εὗρεν παρὰ νηὶ σόλῳ ῥιπῇσί τ' ὀιστῶν
τερπομένους· ἡ δ' ἆσσον ὀρεξαμένη χερὸς ἄκρης
Αἰακίδεω Πηλῆος· ὁ γάρ ῥά οἱ ἦεν ἀκοίτης·
οὐδέ τις εἰσιδέειν δύνατ' ἔμπεδον, ἀλλ' ἄρα τῷγε
οἴῳ ἐν ὀφθαλμοῖσιν ἐείσατο, φώνησέν τε·
    'Μηκέτι νῦν ἀκταῖς Τυρσηνίσιν ἦσθε μένοντες,
ἠῶθεν δὲ θοῆς πρυμνήσια λύετε νηός,
Ἥρῃ πειθόμενοι ἐπαρηγόνι. τῆς γὰρ ἐφετμῆς
πασσυδίῃ κοῦραι Νηρηίδες ἀντιόωσιν,
νῆα διὲκ πέτρας, αἵτε Πλαγκταὶ καλέονται,   860
ῥυσόμεναι. κείνη γὰρ ἐναίσιμος ὔμμι κέλευθος,
ἀλλὰ σὺ μή τῳ ἐμὸν δείξῃς δέμας, εὖτ' ἂν ἴδηαι
ἀντομένην σὺν τῇσι· νόῳ δ' ἔχε, μή με χολώσῃς
πλεῖον ἔτ', ἢ τὸ πάροιθεν ἀπηλεγέως ἐχόλωσας.'
    Ἦ, καὶ ἔπειτ' ἀίδηλος ἐδύσατο βένθεα πόντου·
τὸν δ' ἄχος αἰνὸν ἔτυψεν, ἐπεὶ πάρος οὐκέτ' ἰοῦσαν
ἔδρακεν, ἐξότε πρῶτα λίπεν θάλαμόν τε καὶ εὐνὴν
χωσαμένη Ἀχιλῆος ἀγαυοῦ νηπιάχοντος.
ἡ μὲν γὰρ βροτέας αἰεὶ περὶ σάρκας ἔδαιεν
νύκτα διὰ μέσσην φλογμῷ πυρός. ἤματα δ' αὖτε   870
ἀμβροσίῃ χρίεσκε τέρεν δέμας, ὄφρα πέλοιτο

to aid her the rest of the Nereids, her own sisters; and they heard her and gathered together; and Thetis declared to them Hera's behests, and quickly sped them all on their way to the Ausonian sea. And herself, swifter than the flash of an eye or the shafts of the sun, when it rises upwards from a far-distant land, hastened swiftly through the sea, until she reached the Aeaean beach of the Tyrrhenian mainland. And the heroes she found by the ship taking their pastime with quoits and shooting of arrows; and she drew near and just touched the hand of Aeacus' son Peleus, for he was her husband; nor could anyone see her clearly, but she appeared to his eyes alone, and thus addressed him:

"No longer now must ye stay sitting on the Tyrrhenian beach, but at dawn loosen the hawsers of your swift ship, in obedience to Hera, your helper. For at her behest the maiden daughters of Nereus have met together to draw your ship through the midst of the rocks which are called Planctae,[1] for that is your destined path. But do thou show my person to no one, when thou seest us come to meet thee, but keep it secret in thy mind, lest thou anger me still more than thou didst anger me before so recklessly."

She spake, and vanished into the depths of the sea; but sharp pain smote Peleus, for never before had he seen her come, since first she left her bridal chamber and bed in anger, on account of noble Achilles, then a babe. For she ever encompassed the child's mortal flesh in the night with the flame of fire; and day by day she anointed with ambrosia his tender frame, so that he might become immortal

---

[1] *i.e.* the Wanderers.

ἀθάνατος, καί οἱ στυγερὸν χροῒ γῆρας ἀλάλκοι.
αὐτὰρ ὅγ' ἐξ εὐνῆς ἀνεπάλμενος εἰσενόησεν
παῖδα φίλον σπαίροντα διὰ φλογός· ἧκε δ' ἀυτὴν
σμερδαλέην ἐσιδών, μέγα νήπιος· ἡ δ' ἀίουσα
τὸν μὲν ἄρ' ἁρπάγδην χαμάδις βάλε κεκληγῶτα,
αὐτὴ δὲ πνοιῇ ἰκέλη δέμας, ἠύτ' ὄνειρος,
βῆ ῥ' ἴμεν ἐκ μεγάροιο θοῶς, καὶ ἐσήλατο πόντον
χωσαμένη· μετὰ δ' οὔτι παλίσσυτος ἵκετ' ὀπίσσω.
τῶ μιν ἀμηχανίη δῆσεν φρένας· ἀλλὰ καὶ ἔμπης   880
πᾶσαν ἐφημοσύνην Θέτιδος μετέειπεν ἑταίροις.
οἱ δ' ἄρα μεσσηγὺς λῆξαν καὶ ἔπαυσαν ἀέθλους
ἐσσυμένως, δόρπον τε χαμεύνας τ' ἀμφεπένοντο,
τῆς ἔνι δαισάμενοι νύκτ' ἄεσαν, ὡς τὸ πάροιθεν.

Ἦμος δ' ἄκρον ἔβαλλε φαεσφόρος οὐρανὸν Ἠώς,
δὴ τότε λαιψηροῖο κατηλυσίῃ ζεφύροιο
βαῖνον ἐπὶ κληῖδας ἀπὸ χθονός· ἐκ δὲ βυθοῖο
εὐναίας εἷλκον περιγηθέες ἄλλα τε πάντα
ἄρμενα μηρύοντο κατὰ χρέος· ὕψι δὲ λαῖφος
εἴρυσσαν τανύσαντες ἐν ἱμάντεσσι κεραίης.   890
νῆα δ' εὐκραὴς ἄνεμος φέρεν. αἶψα δὲ νῆσον
καλήν, Ἀνθεμόεσσαν ἐσέδρακον, ἔνθα λίγειαι
Σειρῆνες σίνοντ' Ἀχελωίδες ἡδείῃσιν
θέλγουσαι μολπῇσιν, ὅτις παρὰ πεῖσμα βάλοιτο.
τὰς μὲν ἄρ' εὐειδὴς Ἀχελωίῳ εὐνηθεῖσα
γείνατο Τερψιχόρη, Μουσέων μία· καί ποτε Δηοῦς
θυγατέρ' ἰφθίμην ἀδμῆτ' ἔτι πορσαίνεσκον
ἄμμιγα μελπόμεναι· τότε δ' ἄλλο μὲν οἰωνοῖσιν,
ἄλλο δὲ παρθενικῆς ἐναλίγκιαι ἔσκον ἰδέσθαι.
αἰεὶ δ' εὐόρμου δεδοκημέναι ἐκ περιωπῆς   900
ἦ θαμὰ δὴ πολέων μελιηδέα νόστον ἕλοντο,

354

and that she might keep off from his body loathsome old age. But Peleus leapt up from his bed and saw his dear son gasping in the flame; and at the sight he uttered a terrible cry, fool that he was; and she heard it, and catching up the child threw him screaming to the ground, and herself like a breath of wind passed swiftly from the hall as a dream and leapt into the sea, exceeding wroth, and thereafter returned not again. Wherefore blank amazement fettered his soul; nevertheless he declared to his comrades all the bidding of Thetis. And they broke off in the midst and hurriedly ceased their contests, and prepared their meal and earth-strewn beds, whereon after supper they slept through the night as aforetime.

Now when dawn the light-bringer was touching the edge of heaven, then at the coming of the swift west wind they went to their thwarts from the land; and gladly did they draw up the anchors from the deep and made the tackling ready in due order; and above spread the sail, stretching it taut with the sheets from the yard-arm. And a fresh breeze wafted the ship on. And soon they saw a fair island, Anthemoessa, where the clear-voiced Sirens, daughters of Achelous, used to beguile with their sweet songs whoever cast anchor there, and then destroy him. Them lovely Terpsichore, one of the Muses, bare, united with Achelous; and once they tended Demeter's noble daughter still unwed, and sang to her in chorus; and at that time they were fashioned in part like birds and in part like maidens to behold. And ever on the watch from their place of prospect with its fair haven, often from many had they taken away their sweet return, consuming

τηκεδόνι φθινύθουσαι· ἀπηλεγέως δ' ἄρα καὶ τοῖς
ἵεσαν ἐκ στομάτων ὅπα λείριον. οἱ δ' ἀπὸ νηὸς
ἤδη πείσματ' ἔμελλον ἐπ' ἠιόνεσσι βαλέσθαι,
εἰ μὴ ἄρ' Οἰάγροιο πάις Θρηίκιος Ὀρφεὺς
Βιστονίην ἐνὶ χερσὶν ἑαῖς φόρμιγγα τανύσσας
κραιπνὸν ἐυτροχάλοιο μέλος κανάχησεν ἀοιδῆς,
ὄφρ' ἄμυδις κλονέοντος ἐπιβρομέωνται ἀκουαὶ
κρεγμῷ· παρθενικὴν δ' ἐνοπὴν ἐβιήσατο φόρμιγξ.
νῆα δ' ὁμοῦ ζέφυρός τε καὶ ἠχῆεν φέρε κῦμα   910
πρυμνόθεν ὀρνύμενον· ταὶ δ' ἄκριτον ἵεσαν αὐδήν.
ἀλλὰ καὶ ὣς Τελέοντος ἐὺς πάις, οἶος ἑταίρων
προφθάμενος, ξεστοῖο κατὰ ζυγοῦ ἔνθορε πόντῳ
Βούτης, Σειρήνων λιγυρῇ ὀπὶ θυμὸν ἰανθείς·
νῆχε δὲ πορφυρέοιο δι' οἴδματος, ὄφρ' ἐπιβαίη,
σχέτλιος. ἦ τέ οἱ αἶψα καταυτόθι νόστον ἀπηύρων,
ἀλλά μιν οἰκτείρασα θεὰ Ἔρυκος μεδέουσα
Κύπρις ἔτ' ἐν δίναις ἀνερείψατο, καί ῥ' ἐσάωσεν
πρόφρων ἀντομένη Λιλυβηίδα ναιέμεν ἄκρην.
οἱ δ' ἄχεϊ σχόμενοι τὰς μὲν λίπον, ἄλλα δ' ὄπαζον   920
κύντερα μιξοδίῃσιν ἁλὸς ῥαιστήρια νηῶν.
      Τῇ μὲν γὰρ Σκύλλης λισσὴ προυφαίνετο πέτρη·
τῇ δ' ἄμοτον βοάασκεν ἀναβλύζουσα Χάρυβδις·
ἄλλοθι δὲ Πλαγκταὶ μεγάλῳ ὑπὸ κύματι πέτραι
ῥόχθεον, ἧχι πάροιθεν ἀπέπτυεν αἰθομένη φλὸξ
ἄκρων ἐκ σκοπέλων, πυριθαλπέος ὑψόθι πέτρης,
καπνῷ δ' ἀχλυόεις αἰθὴρ πέλεν, οὐδέ κεν αὐγὰς
ἔδρακες ἠελίοιο. τότ' αὖ λήξαντος ἀπ' ἔργων
Ἡφαίστου θερμὴν ἔτι κήκιε πόντος ἀυτμήν.
ἔνθα σφιν κοῦραι Νηρηίδες ἄλλοθεν ἄλλαι   930

356

them with wasting desire ; and suddenly to the heroes, too, they sent forth from their lips a lily-like voice. And they were already about to cast from the ship the hawsers to the shore, had not Thracian Orpheus, son of Oeagrus, stringing in his hands his Bistonian lyre, rung forth the hasty snatch of a rippling melody so that their ears might be filled with the sound of his twanging; and the lyre overcame the maidens' voice. And the west wind and the sounding wave rushing astern bore the ship on ; and the Sirens kept uttering their ceaseless song. But even so the goodly son of Teleon alone of the comrades leapt before them all from the polished bench into the sea, even Butes, his soul melted by the clear ringing voice of the Sirens ; and he swam through the dark surge to mount the beach, poor wretch. Quickly would they have robbed him of his return then and there, but the goddess that rules Eryx, Cypris, in pity snatched him away, while yet in the eddies, and graciously meeting him saved him to dwell on the Lilybean height. And the heroes, seized by anguish, left the Sirens, but other perils still worse, destructive to ships, awaited them in the meeting-place of the seas.

For on one side appeared the smooth rock of Scylla ; on the other Charybdis ceaselessly spouted and roared ; in another part the Wandering rocks were booming beneath the mighty surge, where before the burning flame spurted forth from the top of the crags, above the rock glowing with fire, and the air was misty with smoke, nor could you have seen the sun's light. Then, though Hephaestus had ceased from his toils, the sea was still sending up a warm vapour. Hereupon on this side and on that

ἤντεον· ἡ δ' ὄπιθεν πτέρυγος θίγε πηδαλίοιο
δῖα Θέτις, Πλαγκτῆσιν ἐνὶ σπιλάδεσσιν ἐρύσσαι.
ὡς δ' ὁπόταν δελφῖνες ὑπὲξ ἁλὸς εὐδιόωντες
σπερχομένην ἀγεληδὸν ἑλίσσωνται περὶ νῆα,
ἄλλοτε μὲν προπάροιθεν ὁρώμενοι, ἄλλοτ' ὄπισθεν,
ἄλλοτε παρβολάδην, ναύτῃσι δὲ χάρμα τέτυκται·
ὡς αἱ ὑπεκπροθέουσαι ἐπήτριμοι εἱλίσσοντο
Ἀργῴῃ περὶ νηί, Θέτις δ' ἴθυνε κέλευθον.
καί ῥ' ὅτε δὴ Πλαγκτῆσιν ἐνιχρίμψεσθαι ἔμελλον,
αὐτίκ' ἀνασχόμεναι λευκοῖς ἐπὶ γούνασι πέζας,   940
ὑψοῦ ἐπ' αὐτάων σπιλάδων καὶ κύματος ἀγῆς
ῥώοντ' ἔνθα καὶ ἔνθα διασταδὸν ἀλλήλῃσιν.
τὴν δὲ παρηορίην κόπτεν ῥόος· ἀμφὶ δὲ κῦμα
λάβρον ἀειρόμενον πέτραις ἐπικαχλάζεσκεν,
αἵθ' ὁτὲ μὲν κρημνοῖς ἐναλίγκιαι ἠέρι κῦρον,
ἄλλοτε δὲ βρύχιαι νεάτῳ ὑπὸ πυθμένι πόντου
ἠρήρειν, τὸ δὲ πολλὸν ὑπείρεχεν ἄγριον οἶδμα.
αἱ δ', ὥστ' ἠμαθόεντος ἐπισχεδὸν αἰγιαλοῖο
παρθενικαί, δίχα κόλπον ἐπ' ἰξύας εἱλίξασαι,
σφαίρῃ ἀθύρουσιν περιηγέι· αἱ μὲν ἔπειτα   950
ἄλλη ὑπ' ἐξ ἄλλης δέχεται καὶ ἐς ἠέρα πέμπει
ὕψι μεταχρονίην· ἡ δ' οὔποτε πίλναται οὔδει·
ὡς αἱ νῆα θέουσαν ἀμοιβαδὶς ἄλλοθεν ἄλλη
πέμπε διηερίην ἐπὶ κύμασιν, αἰὲν ἄπωθεν
πετράων· περὶ δέ σφιν ἐρευγόμενον ζέεν ὕδωρ.
τὰς δὲ καὶ αὐτὸς ἄναξ κορυφῆς ἔπι λισσάδος ἄκρης
ὀρθὸς ἐπὶ στελεῇ τυπίδος βαρὺν ὦμον ἐρείσας
Ἥφαιστος θηεῖτο, καὶ αἰγλήεντος ὕπερθεν
οὐρανοῦ ἑστηυῖα Διὸς δάμαρ· ἀμφὶ δ' Ἀθήνῃ

the daughters of Nereus met them; and behind, lady Thetis set her hand to the rudder-blade, to guide them amid the Wandering rocks. And as when in fair weather herds of dolphins come up from the depths and sport in circles round a ship as it speeds along, now seen in front, now behind, now again at the side—and delight comes to the sailors; so the Nereids darted upward and circled in their ranks round the ship Argo, while Thetis guided its course. And when they were about to touch the Wandering rocks, straightway they raised the edge of their garments over their snow-white knees, and aloft, on the very rocks and where the waves broke, they hurried along on this side and on that apart from one another. And the ship was raised aloft as the current smote her, and all around the furious wave mounting up broke over the rocks, which at one time touched the sky like towering crags, at another, down in the depths, were fixed fast at the bottom of the sea and the fierce waves poured over them in floods. And the Nereids, even as maidens near some sandy beach roll their garments up to their waists out of their way and sport with a shapely-rounded ball; then they catch it one from another and send it high into the air; and it never touches the ground; so they in turn one from another sent the ship through the air over the waves, as it sped on ever away from the rocks; and round them the water spouted and foamed. And lord Hephaestus himself standing on the summit of a smooth rock and resting his massy shoulder on the handle of his hammer, beheld them, and the spouse of Zeus beheld them as she stood above the gleaming heaven; and she threw her arms round Athena, such

βάλλε χέρας, τοῖόν μιν ἔχεν δέος εἰσορόωσαν.　960
ὅσση δ᾽ εἰαρινοῦ μηκύνεται ἥματος αἶσα,
τοσσάτιον μογέεσκον ἐπὶ χρόνον, ὀχλίζουσαι
νῆα διὲκ πέτρας πολυηχέας· οἱ δ᾽ ἄνεμοιο
αὖτις ἐπαυρόμενοι προτέρω θέον· ὦκα δ᾽ ἄμειβον
Θρινακίης λειμῶνα, βοῶν τροφὸν Ἠελίοιο.
ἔνθ᾽ αἱ μὲν κατὰ βένθος ἀλίγκιαι αἰθυίῃσιν
δῦνον, ἐπεί ῥ᾽ ἀλόχοιο Διὸς πόρσυνον ἐφετμάς.
τοὺς δ᾽ ἄμυδις βληχή τε δι᾽ ἠέρος ἵκετο μήλων,
μυκηθμός τε βοῶν αὐτοσχεδὸν οὔατ᾽ ἔβαλλεν.
καὶ τὰ μὲν ἑρσήεντα κατὰ δρία ποιμαίνεσκεν　970
ὁπλοτέρη Φαέθουσα θυγατρῶν Ἠελίοιο,
ἀργύρεον χαῖον παλάμῃ ἔνι πηχύνουσα·
Λαμπετίη δ᾽ ἐπὶ βουσὶν ὀρειχάλκοιο φαεινοῦ
πάλλεν ὀπηδεύουσα καλαύροπα. τὰς δὲ καὶ αὐτοὶ
βοσκομένας ποταμοῖο παρ᾽ ὕδασιν εἰσορόωντο
ἂμ πεδίον καὶ ἕλος λειμώνιον· οὐδέ τις ἦεν
κυανέη μετὰ τῇσι δέμας, πᾶσαι δὲ γάλακτι
εἰδόμεναι, χρυσέοισι κεράασι κυδιάασκον.
καὶ μὲν τὰς παράμειβον ἐπ᾽ ἤματι· νυκτὶ δ᾽ ἰούσῃ
πεῖρον ἁλὸς μέγα λαῖτμα κεχαρμένοι, ὄφρα καὶ αὖτις　980
Ἠὼς ἠριγενὴς φέγγος βάλε νισσομένοισιν.

Ἔστι δέ τις πορθμοῖο παροιτέρη Ἰονίοιο
ἀμφιλαφὴς πίειρα Κεραυνίῃ εἰν ἁλὶ νῆσος,
ᾗ ὕπο δὴ κεῖσθαι δρέπανον φάτις—ἵλατε Μοῦσαι,
οὐκ ἐθέλων ἐνέπω προτέρων ἔπος—ᾧ ἀπὸ πατρὸς
μήδεα νηλειῶς ἔταμεν Κρόνος· οἱ δέ ἑ Δηοῦς
κλείουσι χθονίης καλαμητόμον ἔμμεναι ἅρπην.
Δηὼ γὰρ κείνῃ ἐνὶ δή ποτε νάσσατο γαίῃ,
Τιτῆνας δ᾽ ἔδαε στάχυν ὄμπνιον ἀμήσασθαι,

fear seized her as she gazed. And as long as the space of a day is lengthened out in springtime, so long a time did they toil, heaving the ship between the loud-echoing rocks; then again the heroes caught the wind and sped onward; and swiftly they passed the mead of Thrinacia, where the kine of Helios fed. There the nymphs, like sea-mews, plunged beneath the depths, when they had fulfilled the behests of the spouse of Zeus. And at the same time the bleating of sheep came to the heroes through the mist and the lowing of kine, near at hand, smote their ears. And over the dewy leas Phaëthusa, the youngest of the daughters of Helios, tended the sheep, bearing in her hand a silver crook; while Lampetia, herding the kine, wielded a staff of glowing orichalcum [1] as she followed. These kine the heroes saw feeding by the river's stream, over the plain and the water-meadow; not one of them was dark in hue but all were white as milk and glorying in their horns of gold. So they passed them by in the day-time, and when night came on they were cleaving a great sea-gulf, rejoicing, until again early rising dawn threw light upon their course.

Fronting the Ionian gulf there lies an island in the Ceraunian sea, rich in soil, with a harbour on both sides, beneath which lies the sickle, as legend saith—grant me grace, O Muses, not willingly do I tell this tale of olden days—wherewith Cronos pitilessly mutilated his father; but others call it the reaping-hook of Demeter, goddess of the nether world. For Demeter once dwelt in that island, and taught the Titans to reap the ears of corn, all for

---

[1] A fabulous metal, resembling gold in appearance.

Μάκριδα φιλαμένη. Δρεπάνη τόθεν ἐκλήισται   990
οὔνομα, Φαιήκων ἱερὴ τροφός· ὡς δὲ καὶ αὐτοὶ
αἵματος Οὐρανίοιο γένος Φαίηκες ἔασιν.
τοὺς Ἀργὼ πολέεσσιν ἐνισχομένη καμάτοισιν
Θρινακίης αὔρης ἵκετ' ἐξ ἁλός· οἱ δ' ἀγανῇσιν
Ἀλκίνοος λαοί τε θυηπολίῃσιν ἰόντας
δειδέχατ' ἀσπασίως· ἐπὶ δέ σφισι καγχαλάασκεν
πᾶσα πόλις· φαίης κεν ἑοῖς ἐπὶ παισὶ γάνυσθαι.
καὶ δ' αὐτοὶ ἥρωες ἀνὰ πληθὺν κεχάροντο,
τῷ ἴκελοι, οἷόν τε μεσαιτάτῃ ἐμβεβαῶτες
Αἱμονίῃ· μέλλον δὲ βοῇ ἔνι θωρήξεσθαι·   1000
ὧδε μάλ' ἀγχίμολον στρατὸς ἄσπετος ἐξεφαάνθη
Κόλχων, οἳ Πόντοιο κατὰ στόμα καὶ διὰ πέτρας
Κυανέας μαστῆρες ἀριστήων ἐπέρησαν.
Μήδειαν δ' ἔξαιτον ἑοῦ ἐς πατρὸς ἄγεσθαι
ἵεντ' ἀπροφάτως, ἠὲ στονόεσσαν αὐτὴν
νωμήσειν χαλεπῇσιν ὁμόκλεον ἀτροπίῃσιν
αὖθί τε καὶ μετέπειτα σὺν Αἰήταο κελεύθῳ.
ἀλλά σφεας κατέρυκεν ἐπειγομένους πολέμοιο
κρείων Ἀλκίνοος. λελίητο γὰρ ἀμφοτέροισιν
δηιοτῆτος ἄνευθεν ὑπέρβια νείκεα λῦσαι.   1010
κούρη δ' οὐλομένῳ ὑπὸ δείματι πολλὰ μὲν αὐτοὺς
Αἰσονίδεω ἑτάρους μειλίσσετο, πολλὰ δὲ χερσὶν
Ἀρήτης γούνων ἀλόχου θίγεν Ἀλκινόοιο·
    'Γουνοῦμαι, βασίλεια· σὺ δ' ἵλαθι, μηδέ με Κόλ-
        χοις
ἐκδώῃς ᾧ πατρὶ κομιζέμεν, εἴ νυ καὶ αὐτὴ
ἀνθρώπων γενεῆς μία φέρβεαι, οἷσιν ἐς ἄτην
ὠκύτατος κούφῃσι θέει νόος ἀμπλακίῃσιν.
ὡς ἐμοὶ ἐκ πυκιναὶ ἔπεσον φρένες, οὐ μὲν ἕκητι
μαργοσύνης. ἴστω δ' ἱερὸν φάος Ἠελίοιο,

the love of Macris. Whence it is called Drepane,[1] the sacred nurse of the Phaeacians; and thus the Phaeacians themselves are by birth of the blood of Uranus. To them came Argo, held fast by many toils, borne by the breezes from the Thrinacian sea; and Alcinous and his people with kindly sacrifice gladly welcomed their coming; and over them all the city made merry; thou wouldst say they were rejoicing over their own sons. And the heroes themselves strode in gladness through the throng, even as though they had set foot in the heart of Haemonia; but soon were they to arm and raise the battle-cry; so near to them appeared a boundless host of Colchians, who had passed through the mouth of Pontus and between the Cyanean rocks in search of the chieftains. They desired forthwith to carry off Medea to her father's house apart from the rest, or else they threatened with fierce cruelty to raise the dread war-cry both then and thereafter on the coming of Aeetes. But lordly Alcinous checked them amid their eagerness for war. For he longed to allay the lawless strife between both sides without the clash of battle. And the maiden in deadly fear often implored the comrades of Aeson's son, and often with her hands touched the knees of Arete, the bride of Alcinous:

"I beseech thee, O queen, be gracious and deliver me not to the Colchians to be borne to my father, if thou thyself too art one of the race of mortals, whose heart rushes swiftly to ruin from light transgressions. For my firm sense forsook me—it was not for wantonness. Be witness the sacred light of Helios, be witness the rites of the maiden that

---

[1] *i.e.* the Sickle-island.

ἴστω νυκτιπόλου Περσηίδος ὄργια κούρης,　1020
μὴ μὲν ἐγὼν ἐθέλουσα σὺν ἀνδράσιν ἀλλοδαποῖσιν
κεῖθεν ἀφωρμήθην· στυγερὸν δέ με τάρβος ἔπεισεν
τῆσγε φυγῆς μνήσασθαι, ὅτ᾽ ἤλιτον· οὐδέ τις ἄλλη
μῆτις ἔην. ἔτι μοι μίτρη μένει, ὡς ἐνὶ πατρὸς
δώμασιν, ἄχραντος καὶ ἀκήρατος. ἀλλ᾽ ἐλέαιρε,
πότνα, τεόν τε πόσιν μειλίσσεο· σοὶ δ᾽ ὀπάσειαν
ἀθάνατοι βίοτόν τε τελεσφόρον ἀγλαΐην τε
καὶ παῖδας καὶ κῦδος ἀπορθήτοιο πόληος.᾽
　Τοῖα μὲν Ἀρήτην γουνάζετο δάκρυ χέουσα·
τοῖα δ᾽ ἀριστήων ἐναμοιβαδὶς ἄνδρα ἕκαστον·　1030
‘Ὑμέων, ὦ πέρι δὴ μέγα φέρτατοι, ἀμφί τ᾽ ἀέθλοις
ὧν κάμον [1] ὑμετέροισιν, ἀτύζομαι· ἧς ἰότητι
ταύρους τ᾽ ἐζεύξασθε, καὶ ἐκ θέρος οὐλοὸν ἀνδρῶν
κείρατε γηγενέων· ἧς εἵνεκεν Αἱμονίηνδε
χρύσεον αὐτίκα κῶας ἀνάξετε νοστήσαντες.
ἥδ᾽ ἐγώ, ἣ πάτρην τε καὶ οὓς ὤλεσσα τοκῆας,
ἣ δόμον, ἣ σύμπασαν ἐυφροσύνην βιότοιο.
ὕμμι δὲ καὶ πάτρην καὶ δώματα ναιέμεν αὖτις
ἤνυσα· καὶ γλυκεροῖσιν ἔτ᾽ εἰσόψεσθε τοκῆας
ὄμμασιν· αὐτὰρ ἐμοὶ ἀπὸ δὴ βαρὺς εἵλετο δαίμων　1040
ἀγλαΐας· στυγερὴ δὲ σὺν ὀθνείοις ἀλάλημαι.
δείσατε συνθεσίας τε καὶ ὅρκια, δείσατ᾽ Ἐρινὺν
Ἱκεσίην, νέμεσίν τε θεῶν, ἐς χεῖρας ἰοῦσαν
Αἰήτεω λώβῃ πολυπήμονι δῃωθῆναι.
οὐ νηούς, οὐ πύργον ἐπίρροθον, οὐκ ἀλεωρὴν
ἄλλην, οἰόθι δὲ προτιβάλλομαι ὑμέας αὐτούς.
σχέτλιοι ἀτροπίης καὶ ἀνηλέες· οὐδ᾽ ἐνὶ θυμῷ
αἰδεῖσθε ξείνης μ᾽ ἐπὶ γούνατα χεῖρας ἀνάσσης
δερκόμενοι τείνουσαν ἀμήχανον· ἀλλά κε πᾶσιν,

　　　　[1] ὧν κάμον Merkel : οὕνεκεν MSS.

wanders by night, daughter of Perses. Not willingly did I haste from my home with men of an alien race; but a horrible fear wrought on me to bethink me of flight when I sinned; other device was there none. Still my maiden's girdle remains, as in the halls of my father, unstained, untouched. Pity me, lady, and turn thy lord to mercy; and may the immortals grant thee a perfect life, and joy, and children, and the glory of a city unravaged!"

Thus did she implore Arete, shedding tears, and thus each of the chieftains in turn:

"On your account, ye men of peerless might, and on account of my toils in your ventures am I sorely afflicted; even I, by whose help ye yoked the bulls, and reaped the deadly harvest of the earthborn men; even I, through whom on your homeward path ye shall bear to Haemonia the golden fleece. Lo, here am I, who have lost my country and my parents, who have lost my home and all the delights of life; to you have I restored your country and your homes; with eyes of gladness ye will see again your parents; but from me a heavy-handed god has reft all joy; and with strangers I wander, an accursed thing. Fear your covenant and your oaths, fear the Fury that avenges suppliants and the retribution of heaven, if I fall into Aeetes' hands and am slain with grievous outrage. To no shrines, no tower of defence, no other refuge do I pay heed, but only to you. Hard and pitiless in your cruelty! No reverence have ye for me in your heart though ye see me helpless, stretching my hands towards the knees of a stranger queen; yet, when ye longed to seize the fleece,

κῶας ἑλεῖν μεμαῶτες, ἐμίξατε δούρατα Κόλχοις   1050
αὐτῷ τ᾽ Αἰήτῃ ὑπερήνορι· νῦν δ᾽ ἐλάθεσθε
ἠνορέης, ὅτε μοῦνοι ἀποτμηγέντες ἔασιν.᾽
    Ὣς φάτο λισσομένη· τῶν δ᾽ ὅντινα γουνάζοιτο,
ὅς μιν θαρσύνεσκεν ἐρητύων ἀχέουσαν.
σεῖον δ᾽ ἐγχείας εὐήκεας ἐν παλάμῃσιν,
φάσγανά τ᾽ ἐκ κολεῶν· οὐδὲ σχήσεσθαι ἀρωγῆς
ἔννεπον, εἴ κε δίκης ἀλιτήμονος ἀντιάσειεν.
στρευγομένοις δ᾽ ἀν᾽ ὅμιλον ἐπήλυθεν εὐνήτειρα
Νὺξ ἔργων ἄνδρεσσι, κατευκήλησε δὲ πᾶσαν
γαῖαν ὁμῶς· τὴν δ᾽ οὔτι μίνυνθά περ εὔνασεν ὕπνος,   1060
ἀλλά οἱ ἐν στέρνοις ἀχέων εἰλίσσετο θυμός.
οἷον ὅτε κλωστῆρα γυνὴ ταλαεργὸς ἑλίσσει
ἐννυχίη· τῇ δ᾽ ἀμφὶ κινύρεται ὀρφανὰ τέκνα
χηροσύνῃ πόσιος· σταλάει δ᾽ ὑπὸ δάκρυ παρειὰς
μνωομένης, οἵη μιν ἐπὶ σμυγερὴ λάβεν αἶσα·
ὣς τῆς ἰκμαίνοντο παρηίδες· ἐν δέ οἱ ἦτορ
ὀξείῃς εἰλεῖτο πεπαρμένον ἀμφ᾽ ὀδύνῃσιν.
    Τὼ δ᾽ ἔντοσθε δόμοιο κατὰ πτόλιν, ὡς τὸ πά-
        ροιθεν,
κρείων Ἀλκίνοος πολυπότνιά τ᾽ Ἀλκινόοιο
Ἀρήτη ἄλοχος, κούρης πέρι μητιάασκον   1070
οἷσιν ἐνὶ λεχέεσσι διὰ κνέφας· οἷα δ᾽ ἀκοίτην
κουρίδιον θαλεροῖσι δάμαρ προσπτύσσετο μύθοις·
    ʽΝαὶ φίλος, εἰ δ᾽ ἄγε μοι πολυκηδέα ῥύεο Κόλ-
        χων
παρθενικήν, Μινύῃσι φέρων χάριν. ἐγγύθι δ᾽ Ἄργος
ἡμετέρης νήσοιο καὶ ἀνέρες Αἱμονιῆες·
Αἰήτης δ᾽ οὔτ᾽ ἂν ναίει σχεδόν, οὐδέ τι ἴδμεν
Αἰήτην, ἀλλ᾽ οἷον ἀκούομεν· ἥδε δὲ κούρη
αἰνοπαθὴς κατά μοι νόον ἔκλασεν ἀντιόωσα.

ye would have met all the Colchians face to face
and haughty Aeetes himself; but now ye have
forgotten your courage, now that they are all alone
and cut off."

Thus she spake, beseeching; and to whomsoever
she bowed in prayer, that man tried to give her
heart and to check her anguish. And in their
hands they shook their sharp pointed spears, and
drew the swords from their sheaths; and they swore
they would not hold back from giving succour, if she
should meet with an unrighteous judgement. And
the host were all wearied and Night came on them,
Night that puts to rest the works of men, and lulled
all the earth to sleep; but to the maid no sleep
brought rest, but in her bosom her heart was wrung
with anguish. Even as when a toiling woman turns
her spindle through the night, and round her moan
her orphan children, for she is a widow, and down
her cheeks fall the tears, as she bethinks her how
dreary a lot hath seized her; so Medea's cheeks
were wet; and her heart within her was in agony,
pierced with sharp pain.

Now within the palace in the city, as aforetime,
lay lordly Alcinous and Arete, the revered wife of
Alcinous, and on their couch through the night they
were devising plans about the maiden; and him, as
her wedded husband, the wife addressed with loving
words:

"Yea, my friend, come, save the woe-stricken
maid from the Colchians and show grace to the
Minyae. Argos is near our isle and the men of
Haemonia; but Aeetes dwells not near, nor do we
know of Aeetes one whit: we hear but his name;
but this maiden of dread suffering hath broken my

μή μιν, ἄναξ, Κόλχοισι πόροις ἐς πατρὸς ἄγεσθαι.
ἀάσθη, ὅτε πρῶτα βοῶν θελκτήρια δῶκεν   1080
φάρμακά οἱ· σχεδόθεν δὲ κακῷ κακόν, οἷά τε
    πολλὰ
ῥέζομεν ἀμπλακίῃσιν, ἀκειομένη ὑπάλυξεν
πατρὸς ὑπερφιάλοιο βαρὺν χόλον. αὐτὰρ Ἰήσων,
ὡς ἀίω, μεγάλοισιν ἐνίσχεται ἐξ ἔθεν ὅρκοις,
κουριδίην θήσεσθαι ἐνὶ μεγάροισιν ἄκοιτιν.
τῶ, φίλε, μήτ᾽ οὖν αὐτὸν ἑκὼν ἐπίορκον ὀμόσσαι
θείης Αἰσονίδην, μήτ᾽ ἄσχετα σεῖο ἕκητι
παῖδα πατὴρ θυμῷ κεκοτηότι δηλήσαιτο.
λίην γὰρ δύσζηλοι ἑαῖς ἐπὶ παισὶ τοκῆες·
οἷα μὲν Ἀντιόπην εὐώπιδα μήσατο Νυκτεύς·   1090
οἷα δὲ καὶ Δανάη πόντῳ ἔνι πήματ᾽ ἀνέτλη,
πατρὸς ἀτασθαλίῃσι· νέον γε μέν, οὐδ᾽ ἀποτηλοῦ,
ὑβριστὴς Ἔχετος γλήναις ἔνι χάλκεα κέντρα
πῆξε θυγατρὸς ἑῆς· στονόεντι δὲ κάρφεται οἴτῳ
ὀρφναίῃ ἐνὶ χαλκὸν ἀλετρεύουσα καλιῇ.᾽
    Ὣς ἔφατ᾽ ἀντομένη· τοῦ δὲ φρένες ἰαίνοντο
ἧς ἀλόχου μύθοισιν, ἔπος δ᾽ ἐπὶ τοῖον ἔειπεν·
    ῾Ἀρήτη, καί κεν σὺν τεύχεσιν ἐξελάσαιμι
Κόλχους, ἡρώεσσι φέρων χάριν, εἵνεκα κούρης.
ἀλλὰ Διὸς δείδοικα δίκην ἰθεῖαν ἀτίσσαι.   1100
οὐδὲ μὲν Αἰήτην ἀθεριζέμεν, ὡς ἀγορεύεις,
λώιον· οὐ γάρ τις βασιλεύτερος Αἰήταο.
καί κ᾽ ἐθέλων, ἔκαθέν περ, ἐφ᾽ Ἑλλάδι νεῖκος
    ἄγοιτο.
τῶ μ᾽ ἐπέοικε δίκην, ἥτις μετὰ πᾶσιν ἀρίστη
ἔσσεται ἀνθρώποισι, δικαζέμεν· οὐδέ σε κεύσω.
παρθενικὴν μὲν ἐοῦσαν ἑῷ ἀπὸ πατρὶ κομίσσαι
ἰθύνω· λέκτρον δὲ σὺν ἀνέρι πορσαίνουσαν

368

heart by her prayers. O king, give her not up to the Colchians to be borne back to her father's home. She was distraught when first she gave him the drugs to charm the oxen; and next, to cure one ill by another, as in our sinning we do often, she fled from her haughty sire's heavy wrath. But Jason, as I hear, is bound to her by mighty oaths that he will make her his wedded wife within his halls. Wherefore, my friend, make not, of thy will, Aeson's son to be forsworn, nor let the father, if thou canst help, work with angry heart some intolerable mischief on his child. For fathers are all too jealous against their children; what wrong did Nycteus devise against Antiope, fair of face! What woes did Danae endure on the wide sea through her sire's mad rage! Of late, and not far away, Echetus in wanton cruelty thrust spikes of bronze in his daughter's eyes; and by a grievous fate is she wasting away, grinding grains of bronze in a dungeon's gloom."

Thus she spake, beseeching; and by his wife's words his heart was softened, and thus he spake:

"Arete, with arms I could drive forth the Colchians, showing grace to the heroes for the maiden's sake. But I fear to set at nought the righteous judgment of Zeus. Nor is it well to take no thought of Aeetes, as thou sayest: for none is more lordly than Aeetes. And, if he willed, he might bring war upon Hellas, though he dwell afar. Wherefore it is right for me to deliver the judgement that in all men's eyes shall be best; and I will not hide it from thee. If she be yet a maid I decree that they carry her back to her father; but if she shares a husband's bed, I will not separate her from her lord; nor, if

APOLLONIUS RHODIUS

οὔ μιν ἑοῦ πόσιος νοσφίσσομαι· οὐδέ, γενέθλην
εἴ τιν' ὑπὸ σπλάγχνοισι φέρει, δῄοισιν ὀπάσσω.'
    *Ὣς ἄρ' ἔφη· καὶ τὸν μὲν ἐπισχεδὸν εὔνασεν
        ὕπνος.   1110

ἡ δ' ἔπος ἐν θυμῷ πυκινὸν βάλετ'· αὐτίκα δ' ὦρτο
ἐκ λεχέων ἀνὰ δῶμα· συνήιξαν δὲ γυναῖκες
ἀμφίπολοι, δέσποιναν ἑὴν μέτα ποιπνύουσαι.
σῖγα δ' ἑὸν κήρυκα καλεσσαμένη προσέειπεν,
ᾗσιν ἐπιφροσύνῃσιν ἐποτρυνέουσα μιγῆναι
Αἰσονίδην κούρῃ, μηδ' Ἀλκίνοον βασιλῆα
λίσσεσθαι· τὸ γὰρ αὐτὸς ἰὼν Κόλχοισι δικάσσει,
παρθενικὴν μὲν ἐοῦσαν ἑοῦ ποτὶ δώματα πατρὸς
ἐκδώσειν, λέκτρον δὲ σὺν ἀνέρι πορσαίνουσαν
οὐκέτι κουριδίης μιν ἀπομήξειν φιλότητος.   1120

    *Ὣς ἄρ' ἔφη· τὸν δ' αἶψα πόδες φέρον ἐκ μεγάροιο,
ὥς κεν Ἰήσονι μῦθον ἐναίσιμον ἀγγείλειεν
Ἀρήτης βουλάς τε θεουδέος Ἀλκινόοιο.
τοὺς δ' εὗρεν παρὰ νηὶ σὺν ἔντεσιν ἐγρήσσοντας
Ὑλλικῷ ἐν λιμένι, σχεδὸν ἄστεος· ἐκ δ' ἄρα πᾶσαν
πέφραδεν ἀγγελίην· γήθησε δὲ θυμὸς ἑκάστου
ἡρώων· μάλα γάρ σφιν ἑαδότα μῦθον ἔειπεν.

    Αὐτίκα δὲ κρητῆρα κερασσάμενοι μακάρεσσιν
ἢ θέμις, εὐαγέως ἐπιβώμια μῆλ' ἐρύσαντες,
αὐτονυχὶ κούρῃ θαλαμήιον ἔντυον εὐνὴν   1130
ἄντρῳ ἐν ἠγαθέῳ, τόθι δή ποτε Μάκρις ἔναιεν,
κούρη Ἀρισταίοιο μελίφρονος, ὅς ῥα μελισσέων
ἔργα πολυκμήτοιό τ' ἀνεύρατο πῖαρ ἐλαίης.
κείνη δὴ πάμπρωτα Διὸς Νυσήιον υἷα
Εὐβοίης ἔντοσθεν Ἀβαντίδος ᾧ ἐνὶ κόλπῳ
δέξατο, καὶ μέλιτι ξηρὸν περὶ χεῖλος ἔδευσεν,
εὖτέ μιν Ἑρμείας φέρεν ἐκ πυρός· ἔδρακε δ' Ἥρη,
καί ἑ χολωσαμένη πάσης ἐξήλασε νήσου.

she bear a child beneath her breast, will I give it up to an enemy."

Thus he spake, and at once sleep laid him to rest. And she stored up in her heart the word of wisdom, and straightway rose from her couch and went through the palace; and her handmaids came hasting together, eagerly tending their mistress. But quietly she summoned her herald and addressed him, in her prudence urging Aeson's son to wed the maiden, and not to implore Alcinous; for he himself, she said, will decree to the Colchians that if she is still a maid he will deliver her up to be borne to her father's house, but that if she shares a husband's bed he will not sever her from wedded love.

Thus she spake, and quickly from the hall his feet bore him, that he might declare to Jason the fair-omened speech of Arete and the counsel of god-fearing Alcinous. And he found the heroes watching in full armour in the haven of Hyllus, near the city; and out he spake the whole message; and each hero's heart rejoiced; for the word that he spake was welcome.

And straightway they mingled a bowl to the blessed ones, as is right, and reverently led sheep to the altar, and for that very night prepared for the maiden the bridal couch in the sacred cave, where once dwelt Macris, the daughter of Aristaeus, lord of honey, who discovered the works of bees and the fatness of the olive, the fruit of labour. She it was that first received in her bosom the Nysean son of Zeus in Abantian Euboea, and with honey moistened his parched lips when Hermes bore him out of the flame. And Hera beheld it, and in wrath drove her from the whole island. And she accordingly came

ἡ δ᾽ ἄρα Φαιήκων ἱερῷ ἐνὶ τηλόθεν ἄντρῳ
νάσσατο, καὶ πόρεν ὄλβον ἀθέσφατον ἐνναέτῃσιν. 1140
ἔνθα τότ᾽ ἐστόρεσαν λέκτρον μέγα· τοῖο δ᾽ ὕπερθεν
χρύσεον αἴγλῆεν κῶας βάλον, ὄφρα πέλοιτο
τιμήεις τε γάμος καὶ ἀοίδιμος. ἄνθεα δέ σφιν
νύμφαι ἀμεργόμεναι λευκοῖς ἐνὶ ποικίλα κόλποις
ἐσφόρεον· πάσας δὲ πυρὸς ὡς ἄμφεπεν αἴγλη·
τοῖον ἀπὸ χρυσέων θυσάνων ἀμαρύσσετο φέγγος.
δαῖε δ᾽ ἐν ὀφθαλμοῖς γλυκερὸν πόθον· ἴσχε δ᾽
    ἑκάστην
αἰδὼς ἱεμένην περ ὅμως ἐπὶ χεῖρα βαλέσθαι.
αἱ μέν τ᾽ Αἰγαίου ποταμοῦ καλέοντο θύγατρες·
αἱ δ᾽ ὄρεος κορυφὰς Μελιτηίου ἀμφενέμοντο· 1150
αἱ δ᾽ ἔσαν ἐκ πεδίων ἀλσηίδες. ὦρσε γὰρ αὐτὴ
Ἥρη Ζηνὸς ἄκοιτις, Ἰήσονα κυδαίνουσα.
κεῖνο καὶ εἰσέτι νῦν ἱερὸν κληίζεται ἄντρον
Μηδείης, ὅθι τούσγε σὺν ἀλλήλοισιν ἔμιξαν
τεινάμεναι ἑανοὺς εὐώδεας. οἱ δ᾽ ἐνὶ χερσὶν
δούρατα νωμήσαντες ἀρήια, μὴ πρὶν ἐς ἀλκὴν
δυσμενέων ἀίδηλος ἐπιβρίσειεν ὅμιλος,
κράατα δ᾽ εὐφύλλοις ἐστεμμένοι ἀκρεμόνεσσιν,
ἐμμελέως, Ὀρφῆος ὑπαὶ λίγα φορμίζοντος
νυμφιδίαις ὑμέναιον ἐπὶ προμολῇσιν ἄειδον. 1160
οὐ μὲν ἐν Ἀλκινόοιο γάμον μενέαινε τελέσσαι
ἥρως Αἰσονίδης, μεγάροις δ᾽ ἐνὶ πατρὸς ἑοῖο,
νοστήσας ἐς Ἰωλκὸν ὑπότροπος· ὣς δὲ καὶ αὐτὴ
Μήδεια φρονέεσκε· τότ᾽ αὖ χρεὼ ἦγε μιγῆναι.
ἀλλὰ γὰρ οὔποτε φῦλα δυηπαθέων ἀνθρώπων
τερπωλῆς ἐπέβημεν ὅλῳ ποδί· σὺν δέ τις αἰεὶ
πικρὴ παρμέμβλωκεν εὐφροσύνῃσιν ἀνίη.

to dwell far off, in the sacred cave of the Phaeacians, and granted boundless wealth to the inhabitants. There at that time did they spread a mighty couch; and thereon they laid the glittering fleece of gold, that so the marriage might be made honoured and the theme of song. And for them nymphs gathered flowers of varied hue and bore them thither in their white bosoms; and a splendour as of flame played round them all, such a light gleamed from the golden tufts. And in their eyes it kindled a sweet longing; yet for all her desire, awe withheld each one from laying her hand thereon. Some were called daughters of the river Aegaeus; others dwelt round the crests of the Meliteian mount; and others were woodland nymphs from the plains. For Hera herself, the spouse of Zeus, had sent them to do honour to Jason. That cave is to this day called the sacred cave of Medea, where they spread the fine and fragrant linen and brought these two together. And the heroes in their hands wielded their spears for war, lest first a host of foes should burst upon them for battle unawares, and, their heads enwreathed with leafy sprays, all in harmony, while Orpheus' harp rang clear, sang the marriage song at the entrance to the bridal chamber. Yet not in the house of Alcinous was the hero, Aeson's son, minded to complete his marriage, but in his father's hall when he had returned home to Iolcus; and such was the mind of Medea herself; but necessity led them to wed at this time. For never in truth do we tribes of woe-stricken mortals tread the path of delight with sure foot; but still some bitter affliction keeps pace with our joy. Wherefore they too, though their souls were melted

τῷ καὶ τοὺς γλυκερῇ περ ἰαινομένους φιλότητι
δεῖμ᾽ ἔχεν, εἰ τελέοιτο διάκρισις Ἀλκινόοιο.

Ἠὼς δ᾽ ἀμβροσίοισιν ἀνερχομένη φαέεσσιν   1170
λῦε κελαινὴν νύκτα δι᾽ ἠέρος· αἱ δ᾽ ἐγέλασσαν
ἠιόνες νήσοιο καὶ ἑρσήεσσαι ἄπωθεν
ἀτραπιτοὶ πεδίων· ἐν δὲ θρόος ἔσκεν ἀγυιαῖς·
κίνυντ᾽ ἐνναέται μὲν ἀνὰ πτόλιν, οἱ δ᾽ ἀποτηλοῦ
Κόλχοι Μακριδίης ἐπὶ πείρασι χερνήσοιο.
αὐτίκα δ᾽ Ἀλκίνοος μετεβήσετο συνθεσίῃσιν
ὃν νόον ἐξερέων κούρης ὕπερ· ἐν δ᾽ ὅγε χειρὶ
σκῆπτρον ἔχεν χρυσοῖο δικασπόλον, ᾧ ὕπο λαοὶ
ἰθείας ἀνὰ ἄστυ διεκρίνοντο θέμιστας.
τῷ δὲ καὶ ἐξείης πολεμήια τεύχεα δύντες   1180
Φαιήκων οἱ ἄριστοι ὁμιλαδὸν ἐστιχόωντο.
ἥρωας δὲ γυναῖκες ἀολλέες ἔκτοθι πύργων
βαῖνον ἐποψόμεναι· σὺν δ᾽ ἀνέρες ἀγροιῶται
ἤντεον εἰσαΐοντες, ἐπεὶ νημερτέα βάξιν
Ἥρη ἐπιπροέηκεν. ἄγεν δ᾽ ὁ μὲν ἔκκριτον ἄλλων
ἀρνειὸν μήλων, ὁ δ᾽ ἀεργηλὴν ἔτι πόρτιν·
ἄλλοι δ᾽ ἀμφιφορῆας ἐπισχεδὸν ἵστασαν οἴνου
κίρνασθαι· θυέων δ᾽ ἀποτηλόθι κῆκιε λιγνύς.
αἱ δὲ πολυκμήτους ἑανοὺς φέρον, οἷα γυναῖκες,
μείλιά τε χρυσοῖο καὶ ἀλλοίην ἐπὶ τοῖσιν   1190
ἀγλαΐην, οἵην τε νεόζυγες ἐντύνονται·
θάμβευν δ᾽ εἰσορόωσαι ἀριπρεπέων ἡρώων
εἴδεα καὶ μορφάς, ἐν δέ σφισιν Οἰάγροιο
υἱὸν ὑπαὶ φόρμιγγος ἐυκρέκτου καὶ ἀοιδῆς
ταρφέα σιγαλόεντι πέδον κροτέοντα πεδίλῳ.
νύμφαι δ᾽ ἄμμιγα πᾶσαι, ὅτε μνήσαιτο γάμοιο
ἱμερόενθ᾽ ὑμέναιον ἀνήπυον· ἄλλοτε δ᾽ αὖτε

with sweet love, were held by fear, whether the sentence of Alcinous would be fulfilled.

Now dawn returning with her beams divine scattered the gloomy night through the sky; and the island beaches laughed out and the paths over the plains far off, drenched with dew, and there was a din in the streets; the people were astir throughout the city, and far away the Colchians were astir at the bounds of the isle of Macris. And straightway to them went Alcinous, by reason of his covenant, to declare his purpose concerning the maiden, and in his hand he held a golden staff, his staff of justice, whereby the people had righteous judgments meted out to them throughout the city. And with him in order due and arrayed in their harness of war went marching, band by band, the chiefs of the Phaeacians. And from the towers came forth the women in crowds to gaze upon the heroes; and the country folk came to meet them when they heard the news, for Hera had sent forth a true report. And one led the chosen ram of his flock, and another a heifer that had never toiled; and others set hard by jars of wine for mixing; and the smoke of sacrifice leapt up far away. And women bore fine linen, the fruit of much toil, as women will, and gifts of gold and varied ornaments as well, such as are brought to newly-wedded brides; and they marvelled when they saw the shapely forms and beauty of the gallant heroes, and among them the son of Oeagrus, oft beating the ground with gleaming sandal, to the time of his loud-ringing lyre and song. And all the nymphs together, whenever he recalled the marriage, uplifted the lovely bridal-chant; and at times again they sang alone as they

οἱόθεν οἷαι ἄειδον ἑλισσόμεναι περὶ κύκλον,
Ἥρη, σεῖο ἕκητι· σὺ γὰρ καὶ ἐπὶ φρεσὶ θῆκας
Ἀρήτῃ, πυκινὸν φάσθαι ἔπος Ἀλκινόοιο.   1200
αὐτὰρ ὅγ᾽ ὡς τὰ πρῶτα δίκης ἀνὰ πείρατ᾽ ἔειπεν
ἰθείης, ἤδη δὲ γάμου τέλος ἐκλήιστο,
ἔμπεδον ὡς ἀλέγυνε διαμπερές· οὐδέ ἑ τάρβος
οὐλοόν, οὐδὲ βαρεῖαι ἐπήλυθον Αἰήταο
μήνιες, ἀρρήκτοισι δ᾽ ἐνιζεύξας ἔχεν ὅρκοις.
τῶ καὶ ὅτ᾽ ἠλεμάτως Κόλχοι μάθον ἀντιόωντες,
καί σφεας ἠὲ θέμιστας ἑὰς εἴρυσθαι ἄνωγεν,
ἢ λιμένων γαίης τ᾽ ἀποτηλόθι νῆας ἐέργειν,
δὴ τότε μιν βασιλῆος ἑοῦ τρομέοντες ἐνιπὰς
δέχθαι μειλίξαντο συνήμονας· αὖθι δὲ νήσῳ   1210
δὴν μάλα Φαιήκεσσι μετ᾽ ἀνδράσι ναιετάασκον,
εἰσότε Βακχιάδαι, γενεὴν Ἐφύρηθεν ἐόντες,
ἀνέρες ἐννάσσαντο μετὰ χρόνον· οἱ δὲ περαίην
νῆσον ἔβαν· κεῖθεν δὲ Κεραύνια μέλλον Ἀβάντων
οὔρεα, Νεσταίους τε καὶ Ὠρικὸν εἰσαφικέσθαι·
ἀλλὰ τὰ μὲν στείχοντος ἄδην αἰῶνος ἐτύχθη.
Μοιράων δ᾽ ἔτι κεῖσε θύη ἐπέτεια δέχονται
καὶ Νυμφέων Νομίοιο καθ᾽ ἱερὸν Ἀπόλλωνος
βωμοί, τοὺς Μήδεια καθίσσατο. πολλὰ δ᾽ ἰοῦσιν
Ἀλκίνοος Μινύαις ξεινήια, πολλὰ δ᾽ ὄπασσεν   1220
Ἀρήτῃ· μετὰ δ᾽ αὖτε δυώδεκα δῶκεν ἕπεσθαι
Μηδείῃ δμωὰς Φαιηκίδας ἐκ μεγάροιο.
ἤματι δ᾽ ἑβδομάτῳ Δρεπάνην λίπον· ἦλθε δ᾽ οὖρος
ἀκραὴς ἠῶθεν ὑπὲκ Διός· οἱ δ᾽ ἀνέμοιο
πνοιῇ ἐπειγόμενοι προτέρω θέον. ἀλλὰ γὰρ οὔπω

circled in the dance, Hera, in thy honour; for
it was thou that didst put it into the heart of
Arete to proclaim the wise word of Alcinous.
And as soon as he had uttered the decree of his
righteous judgement, and the completion of the
marriage had been proclaimed, he took care that
thus it should abide fixed; and no deadly fear
touched him nor Aeetes' grievous wrath, but he kept
his judgement fast bound by unbroken oaths. So
when the Colchians learnt that they were beseeching
in vain and he bade them either observe his
judgements or hold their ships away from his
harbours and land, then they began to dread the
threats of their own king and besought Alcinous
to receive them as comrades; and there in the island
long time they dwelt with the Phaeacians, until in
the course of years, the Bacchiadae, a race sprung
from Ephyra,[1] settled among them; and the Colchians
passed to an island opposite; and thence they were
destined to reach the Ceraunian hills of the Abantes,
and the Nestaeans and Oricum; but all this was
fulfilled after long ages had passed. And still the
altars which Medea built on the spot sacred to
Apollo, god of shepherds, receive yearly sacrifices in
honour of the Fates and the Nymphs. And when
the Minyae departed many gifts of friendship did
Alcinous bestow, and many Arete; moreover she
gave Medea twelve Phaeacian handmaids from the
palace, to bear her company. And on the seventh
day they left Drepane; and at dawn came a fresh
breeze from Zeus. And onward they sped borne
along by the wind's breath. Howbeit not yet was

---

[1] The old name of Corinth.

αἴσιμον ἦν ἐπιβῆναι Ἀχαιίδος ἡρώεσσιν,
ὄφρ' ἔτι καὶ Λιβύης ἐπὶ πείρασιν ὀτλήσειαν.
Ἤδη μέν ποθι κόλπον ἐπώνυμον Ἀμβρακιήων,
ἤδη Κουρῆτιν ἔλιπον χθόνα πεπταμένοισιν
λαίφεσι καὶ στεινὰς αὐταῖς σὺν Ἐχινάσι νήσους   1230
ἑξείης, Πέλοπος δὲ νέον κατεφαίνετο γαῖα·
καὶ τότ' ἀναρπάγδην ὀλοὴ βορέαο θύελλα
μεσσηγὺς πελαγόσδε Λιβυστικὸν ἐννέα πάσας
νύκτας ὁμῶς καὶ τόσσα φέρ' ἤματα, μέχρις ἵκοντο
προπρὸ μάλ' ἔνδοθι Σύρτιν, ὅθ' οὐκέτι νόστος
    ὀπίσσω
νηυσὶ πέλει, ὅτε τόνγε βιώατο κόλπον ἱκέσθαι.
πάντῃ γὰρ τέναγος, πάντῃ μνιόεντα βυθοῖο
τάρφεα· κούφη δέ σφιν ἐπιβλύει ὕδατος ἄχνη·
ἠερίη δ' ἄμαθος παρακέκλιται· οὐδέ τι κεῖσε
ἑρπετόν, οὐδὲ ποτητὸν ἀείρεται. ἔνθ' ἄρα τούσγε   1240
πλημμυρίς—καὶ γάρ τ' ἀναχάζεται ἠπείροιο
ἢ θαμὰ δὴ τόδε χεῦμα, καὶ ἂψ ἐπερεύγεται ἀκτὰς
λάβρον ἐποιχόμενον—μυχάτῃ ἐνέωσε τάχιστα
ἠιόνι, τρόπιος δὲ μάλ' ὕδασι παῦρον ἔλειπτο.
οἱ δ' ἀπὸ νηὸς ὄρουσαν, ἄχος δ' ἕλεν εἰσορόωντας
ἠέρα καὶ μεγάλης νῶτα χθονὸς ἠέρι ἶσα,
τηλοῦ ὑπερτείνοντα διηνεκές· οὐδέ τιν' ἀρδμόν,
οὐ πάτον, οὐκ ἀπάνευθε κατηυγάσσαντο βοτήρων
αὔλιον, εὐκήλῳ δὲ κατείχετο πάντα γαλήνῃ.
ἄλλος δ' αὖτ' ἄλλον τετιημένος ἐξερέεινεν·   1250
    'Τίς χθὼν εὔχεται ἥδε; πόθι ξυνέωσαν ἄελλαι
ἡμέας; αἴθ' ἔτλημεν, ἀφειδέες οὐλομένοιο
δείματος, αὐτὰ κέλευθα διαμπερὲς ὁρμηθῆναι
πετράων. ἦ τ' ἂν καὶ ὑπὲρ Διὸς αἶσαν ἰοῦσιν
βέλτερον ἦν μέγα δή τι μενοινώοντας ὀλέσθαι.
νῦν δὲ τί κεν ῥέξαιμεν, ἐρυκόμενοι ἀνέμοισιν

it ordained for the heroes to set foot on Achaea, until they had toiled even in the furthest bounds of Libya.

Now had they left behind the gulf named after the Ambracians, now with sails wide spread the land of the Curetes, and next in order the narrow islands with the Echinades, and the land of Pelops was just descried; even then a baleful blast of the north wind seized them in mid-course and swept them towards the Libyan sea nine nights and as many days, until they came far within Syrtis, wherefrom is no return for ships, when they are once forced into that gulf. For on every hand are shoals, on every hand masses of seaweed from the depths; and over them the light foam of the wave washes without noise; and there is a stretch of sand to the dim horizon; and there moveth nothing that creeps or flies. Here accordingly the flood-tide—for this tide often retreats from the land and bursts back again over the beach coming on with a rush and roar—thrust them suddenly on to the innermost shore, and but little of the keel was left in the water. And they leapt forth from the ship, and sorrow seized them when they gazed on the mist and the levels of vast land stretching far like a mist and continuous into the distance; no spot for water, no path, no steading of herdsmen did they descry afar off, but all the scene was possessed by a dead calm. And thus did one hero, vexed in spirit, ask another:

"What land is this? Whither has the tempest hurled us? Would that, reckless of deadly fear, we had dared to rush on by that same path between the clashing rocks! Better were it to have overleapt the will of Zeus and perished in venturing some mighty deed. But now what should we do, held back

αὖθι μένειν τυτθόν περ ἐπὶ χρόνον; οἷον ἐρήμη
πέζα διωλυγίης ἀναπέπταται ἠπείροιο.'

Ὣς ἄρ' ἔφη· μετὰ δ' αὐτὸς ἀμηχανίῃ κακότητος
ἰθυντὴρ Ἀγκαῖος ἀκηχέμενος ἀγόρευσεν·   1260
'Ὠλόμεθ' αἰνότατον δῆθεν μόρον, οὐδ' ὑπάλυξις
ἔστ' ἄτης· πάρα δ' ἄμμι τὰ κύντατα πημανθῆναι
τῇδ' ὑπ' ἐρημαίῃ πεπτηότας, εἰ καὶ ἀῆται
χερσόθεν ἀμπνεύσειαν· ἐπεὶ τεναγώδεα λεύσσω
τῆλε περισκοπέων ἅλα πάντοθεν· ἤλιθα δ' ὕδωρ
ξαινόμενον πολιῇσιν ἐπιτροχάει ψαμάθοισιν.
καί κεν ἐπισμυγερῶς διὰ δὴ πάλαι ἠδ' ἐκεάσθη
νηῦς ἱερὴ χέρσου πολλὸν πρόσω· ἀλλά μιν αὐτὴ
πλημμυρὶς ἐκ πόντοιο μεταχθονίην ἐκόμισσεν.
νῦν δ' ἡ μὲν πελαγόσδε μετέσσυται, οἶθι δ' ἅλμη   1270
ἄπλοος εἰλεῖται, γαίης ὕπερ ὅσσον ἔχουσα.
τούνεκ' ἐγὼ πᾶσαν μὲν ἀπ' ἐλπίδα φημὶ κεκόφθαι
ναυτιλίης νόστου τε. δαημοσύνην δέ τις ἄλλος
φαίνοι ἑήν·[1] πάρα γάρ οἱ ἐπ' οἰήκεσσι θαάσσειν
μαιομένῳ κομιδῆς. ἀλλ' οὐ μάλα νόστιμον ἦμαρ
Ζεὺς ἐθέλει καμάτοισιν ἐφ' ἡμετέροισι τελέσσαι.'

Ὣς φάτο δακρυόεις· σὺν δ' ἔννεπον ἀσχαλόωντι
ὅσσοι ἔσαν νηῶν δεδαημένοι· ἐν δ' ἄρα πᾶσιν
παχνώθη κραδίη, χύτο δὲ χλόος ἀμφὶ παρειάς.
οἷον δ' ἀψύχοισιν ἐοικότες εἰδώλοισιν   1280
ἀνέρες εἰλίσσονται ἀνὰ πτόλιν, ἢ πολέμοιο
ἢ λοιμοῖο τέλος ποτιδέγμενοι, ἠέ τιν' ὄμβρον
ἄσπετον, ὅστε βοῶν κατὰ μυρία ἔκλυσεν ἔργα,
ἢ ὅταν αὐτόματα ξόανα ῥέῃ ἱδρώοντα
αἵματι, καὶ μυκαὶ σηκοῖς ἔνι φαντάζωνται,
ἠὲ καὶ ἠέλιος μέσῳ ἤματι νύκτ' ἐπάγῃσιν

---

[1] φαίνοι ἑήν Madvig : φαίνοιεν LG.

by the winds to stay here, if ever so short a time?
How desolate looms before us the edge of the
limitless land!"

Thus one spake; and among them Ancaeus the
helmsman, in despair at their evil case, spoke with
grieving heart: "Verily we are undone by a terrible
doom; there is no escape from ruin; we must suffer
the cruellest woes, having fallen on this desolation,
even though breezes should blow from the land; for,
as I gaze far around, on every side do I behold a sea
of shoals, and masses of water, fretted line upon line,
run over the hoary sand. And miserably long ago
would our sacred ship have been shattered far from
the shore; but the tide itself bore her high on to the
land from the deep sea. But now the tide rushes
back to the sea, and only the foam, whereon no ship
can sail, rolls round us, just covering the land. Where-
fore I deem that all hope of our voyage and of our
return is cut off. Let someone else show his skill;
let him sit at the helm—the man that is eager for
our deliverance. But Zeus has no will to fulfil our
day of return after all our toils."

Thus he spake with tears, and all of them that had
knowledge of ships agreed thereto; but the hearts of
all grew numb, and pallor overspread their cheeks.
And as, like lifeless spectres, men roam through a
city awaiting the issue of war or of pestilence, or
some mighty storm which overwhelms the countless
labours of oxen, when the images of their own
accord sweat and run down with blood, and bellowings
are heard in temples, or when at mid-day the sun
draws on night from heaven, and the stars shine

οὐρανόθεν, τὰ δὲ λαμπρὰ δι' ἠέρος ἄστρα φαείνῃ·[1]
ὡς τότ' ἀριστῆες δολιχοῦ πρόπαρ αἰγιαλοῖο
ἥλυον ἐρπύζοντες. ἐπήλυθε δ' αὐτίκ' ἐρεμνὴ
ἕσπερος· οἱ δ' ἐλεεινὰ χεροῖν σφέας ἀμφιβαλόντες   1290
δακρύοειν ἀγάπαζον, ἵν' ἄνδιχα δῆθεν ἕκαστος
θυμὸν ἀποφθίσειαν ἐνὶ ψαμάθοισι πεσόντες.
βὰν δ' ἴμεν ἄλλυδις ἄλλος ἑκαστέρω αὖλιν ἑλέσθαι·
ἐν δὲ κάρη πέπλοισι καλυψάμενοι σφετέροισιν
ἄκμηνοι καὶ ἄπαστοι ἐκείατο νύκτ' ἔπι πᾶσαν
καὶ φάος, οἰκτίστῳ θανάτῳ ἔπι. νόσφι δὲ κοῦραι
ἀθρόαι Αἰήταο παρεστενάχοντο θυγατρί.
ὡς δ' ὅτ' ἐρημαῖοι πεπτηότες ἔκτοθι πέτρης
χηραμοῦ ἀπτῆνες λιγέα κλάζουσι νεοσσοί·
ἢ ὅτε καλὰ νάοντος ἐπ' ὀφρύσι Πακτωλοῖο   1300
κύκνοι κινήσωσιν ἑὸν μέλος, ἀμφὶ δὲ λειμὼν
ἑρσήεις βρέμεται ποταμοῖό τε καλὰ ῥέεθρα·
ὡς αἱ ἐπὶ ξανθὰς θέμεναι κονίῃσιν ἐθείρας
παννύχιαι ἐλεεινὸν ἰήλεμον ὠδύροντο.
καί νύ κεν αὐτοῦ πάντες ἀπὸ ζωῆς ἐλίασθεν
νώνυμνοι καὶ ἄφαντοι ἐπιχθονίοισι δαῆναι
ἡρώων οἱ ἄριστοι ἀνηνύστῳ ἐπ' ἀέθλῳ·
ἀλλά σφεας ἐλέηραν ἀμηχανίῃ μινύθοντας
ἡρῷσσαι, Λιβύης τιμήοροι, αἵ ποτ' Ἀθήνην,
ἦμος ὅτ' ἐκ πατρὸς κεφαλῆς θόρε παμφαίνουσα,   1310
ἀντόμεναι Τρίτωνος ἐφ' ὕδασι χυτλώσαντο.
ἔνδιον ἦμαρ ἔην, περὶ δ' ὀξύταται θέρον αὐγαὶ
ἠελίου Λιβύην· αἱ δὲ σχεδὸν Αἰσονίδαο
ἔσταν, ἕλον δ' ἀπὸ χερσὶ καρήατος ἠρέμα πέπλον.
αὐτὰρ ὅγ' εἰς ἑτέρωσε παλιμπετὲς ὄμματ' ἔνεικεν,
δαίμονας αἰδεσθείς· αὐτὸν δέ μιν ἀμφαδὸν οἶον
μειλιχίοις ἐπέεσσιν ἀτυζόμενον προσέειπον·

¹ φαείνῃ Brunck : φαείνοι L : φαείνει G.

clear through the mist; so at that time along the endless strand the chieftains wandered, groping their way. Then straightway dark evening came upon them; and piteously did they embrace each other and say farewell with tears, that they might, each one apart from his fellow, fall on the sand and die. And this way and that they went further to choose a resting-place; and they wrapped their heads in their cloaks and, fasting and unfed, lay down all that night and the day, awaiting a piteous death. But apart the maidens huddled together lamented beside the daughter of Aeetes. And as when, forsaken by their mother, unfledged birds that have fallen from a cleft in the rock chirp shrilly; or when by the banks of fair-flowing Pactolus, swans raise their song, and all around the dewy meadow echoes and the river's fair stream; so these maidens, laying in the dust their golden hair, all through the night wailed their piteous lament. And there all would have parted from life without a name and unknown to mortal men, those bravest of heroes, with their task unfulfilled; but as they pined in despair, the heroine-nymphs, warders of Libya, had pity on them, they who once found Athena, what time she leapt in gleaming armour from her father's head, and bathed her by Trito's waters. It was noon-tide and the fiercest rays of the sun were scorching Libya; they stood near Aeson's son, and lightly drew the cloak from his head. And the hero cast down his eyes and looked aside, in reverence for the goddesses, and as he lay bewildered all alone they addressed him openly with gentle words:

'Κάμμορε, τίπτ' ἐπὶ τόσσον ἀμηχανίη βεβό-
    λησαι;
ἴδμεν ἐποιχομένους χρύσεον δέρος· ἴδμεν ἕκαστα
ὑμετέρων καμάτων, ὅσ' ἐπὶ χθονός, ὅσσα τ' ἐφ' ὑγρὴν   1320
πλαζόμενοι κατὰ πόντον ὑπέρβια ἔργ' ἐκάμεσθε.
οἰοπόλοι δ' εἰμὲν χθόνιαι θεαὶ αὐδήεσσαι,
ἡρῷσαι, Λιβύης τιμήοροι ἠδὲ θύγατρες.
ἀλλ' ἄνα· μηδ' ἔτι τοῖον ὀιζύων ἀκάχησο·
ἄνστησον δ' ἑτάρους. εὖτ' ἂν δέ τοι Ἀμφιτρίτη
ἅρμα Ποσειδάωνος ἐύτροχον αὐτίκα λύσῃ,
δή ῥα τότε σφετέρῃ ἀπὸ μητέρι τίνετ' ἀμοιβὴν
ὧν ἔκαμεν δηρὸν κατὰ νηδύος ὕμμε φέρουσα·
καὶ κεν ἔτ' ἠγαθέην ἐς Ἀχαιίδα νοστήσαιτε.'
  Ὣς ἄρ' ἔφαν, καὶ ἄφαντοι ἵν' ἔσταθεν, ἔνθ' ἄρα
    ταίγε   1330
φθογγῇ ὁμοῦ ἐγένοντο παρασχεδόν. αὐτὰρ Ἰήσων
παπτήνας ἀν' ἄρ' ἕζετ' ἐπὶ χθονός, ὧδέ τ' ἔειπεν·
  'Ἵλατ' ἐρημονόμοι κυδραὶ θεαί· ἀμφὶ δὲ νόστῳ
οὔτι μάλ' ἀντικρὺ νοέω φάτιν. ἦ μὲν ἑταίρους
εἰς ἓν ἀγειράμενος μυθήσομαι, εἴ νύ τι τέκμωρ
δήωμεν κομιδῆς· πολέων δέ τε μῆτις ἀρείων.'
  Ἦ, καὶ ἀναΐξας ἑτάρους ἐπὶ μακρὸν ἀύτει,
αὐσταλέος κονίῃσι, λέων ὥς, ὅς ῥά τ' ἀν' ὕλην
σύννομον ἣν μεθέπων ὠρύεται· αἱ δὲ βαρείῃ
φθογγῇ ὑποτρομέουσιν ἀν' οὔρεα τηλόθι βῆσσαι·   1340
δείματι δ' ἄγραυλοί τε βόες μέγα πεφρίκασιν
βουπελάται τε βοῶν· τοῖς δ' οὔ νύ τι γῆρυς ἐτύχθη
ῥιγεδανὴ ἑτάροιο φίλους ἐπικεκλομένοιο.
ἀγχοῦ δ' ἠγερέθοντο κατηφέες· αὐτὰρ ὁ τούσγε
ἀχνυμένους ὅρμοιο πέλας μίγα θηλυτέρῃσιν
ἱδρύσας, μυθεῖτο πιφαυσκόμενος τὰ ἕκαστα·

" Ill-starred one, why art thou so smitten with despair? We know how ye went in quest of the golden fleece; we know each toil of yours, all the mighty deeds ye wrought in your wanderings over land and sea. We are the solitary ones, goddesses of the land, speaking with human voice, the heroines, Libya's warders and daughters. Up then; be not thus afflicted in thy misery, and rouse thy comrades. And when Amphitrite has straightway loosed Poseidon's swift-wheeled car, then do ye pay to your mother a recompense for all her travail when she bare you so long in her womb; and so ye may return to the divine land of Achaea."

Thus they spake, and with the voice vanished at once, where they stood. But Jason sat upon the earth as he gazed around, and thus cried:

" Be gracious, noble goddesses of the desert, yet the saying about our return I understand not clearly. Surely I will gather together my comrades and tell them, if haply we can find some token of our escape, for the counsel of many is better."

He spake, and leapt to his feet, and shouted afar to his comrades, all squalid with dust, like a lion when he roars through the woodland seeking his mate; and far off in the mountains the glens tremble at the thunder of his voice; and the oxen of the field and the herdsmen shudder with fear; yet to them Jason's voice was no whit terrible—the voice of a comrade calling to his friends. And with looks downcast they gathered near, and hard by where the ship lay he made them sit down in their grief and the women with them, and addressed them and told them everything:

'Κλῦτε, φίλοι· τρεῖς γάρ μοι ἀνιάζοντι θεάων,
στέρφεσιν αἰγείοις ἐζωσμέναι ἐξ ὑπάτοιο
αὐχένος ἀμφί τε νῶτα καὶ ἰξύας, ἠΰτε κοῦραι,
ἔσταν ὑπὲρ κεφαλῆς μάλ' ἐπισχεδόν· ἂν δ' ἐκά-
    λυψαν   1350
πέπλον ἐρυσσάμεναι κούφῃ χερί, καί μ' ἐκέλοντο
αὐτόν τ' ἔγρεσθαι, ἀνά θ' ὑμέας ὄρσαι ἰόντα·
μητέρι δὲ σφετέρῃ μενοεικέα τῖσαι ἀμοιβὴν
ὧν ἔκαμεν δηρὸν κατὰ νηδύος ἄμμε φέρουσα
ὁππότε κεν λύσῃσιν ἐΰτροχον Ἀμφιτρίτη
ἅρμα Ποσειδάωνος. ἐγὼ δ' οὐ πάγχυ νοῆσαι
τῆσδε θεοπροπίης ἴσχω πέρι. φάν γε μὲν εἶναι
ἡρῷσσαι, Λιβύης τιμήοροι ἠδὲ θύγατρες·
καὶ δ' ὁπόσ' αὐτοὶ πρόσθεν ἐπὶ χθονὸς ἠδ' ὅσ' ἐφ'
    ὑγρὴν
ἔτλημεν, τὰ ἕκαστα διίδμεναι εὐχετόωντο.   1360
οὐδ' ἔτι τάσδ' ἀνὰ χῶρον ἐσέδρακον, ἀλλά τις
    ἀχλὺς
ἠὲ νέφος μεσσηγὺ φαεινομένας ἐκάλυψεν.'

Ὣς ἔφαθ'· οἱ δ' ἄρα πάντες ἐθάμβεον εἰσαΐοντες.
ἔνθα τὸ μήκιστον τεράων Μινύῃσιν ἐτύχθη.
ἐξ ἁλὸς ἤπειρόνδε πελώριος ἔκθορεν ἵππος,
ἀμφιλαφής, χρυσέῃσι μετήορος αὐχένα χαίταις·
ῥίμφα δὲ σεισάμενος γυίων ἄπο νήχυτον ἅλμην
ὦρτο θέειν, πνοιῇ ἴκελος πόδας. αἶψα δὲ Πηλεὺς
γηθήσας ἑτάροισιν ὁμηγερέεσσι μετηύδα·
'Ἅρματα μὲν δή φημι Ποσειδάωνος ἔγωγε   1370
ἤδη νῦν ἀλόχοιο φίλης ὑπὸ χερσὶ λελύσθαι·
μητέρα δ' οὐκ ἄλλην προτιόσσομαι, ἠέ περ αὐτὴν
νῆα πέλειν· ἧ γὰρ κατὰ νηδύος ἄμμε φέρουσα
νωλεμὲς ἀργαλέοισιν ὀιζύει καμάτοισιν.
ἀλλά μιν ἀστεμφεῖ τε βίῃ καὶ ἀτειρέσιν ὤμοις

" Listen, friends ; as I lay in my grief, three goddesses girded with goat-skins from the neck downwards round the back and waist, like maidens, stood over my head nigh at hand ; and they uncovered me, drawing my cloak away with light hand, and they bade me rise up myself and go and rouse you, and pay to our mother a bounteous recompense for all her travail when she bare us so long in her womb, when Amphitrite shall have loosed Poseidon's swift-wheeled car. But I cannot fully understand concerning this divine message. They said indeed that they were heroines, Libya's warders and daughters ; and all the toils that we endured aforetime by land and sea, all these they declared that they knew full well. Then I saw them no more in their place, but a mist or cloud came between and hid them from my sight."

Thus he spake, and all marvelled as they heard. Then was wrought for the Minyae the strangest of portents. From the sea to the land leapt forth a monstrous horse, of vast size, with golden mane tossing round his neck ; and quickly from his limbs he shook off abundant spray and started on his course, with feet like the wind. And at once Peleus rejoiced and spake among the throng of his comrades :

" I deem that Poseidon's car has even now been loosed by the hands of his dear wife, and I divine that our mother is none else than our ship herself ; for surely she bare us in her womb and groans unceasingly with grievous travailing. But with unshaken strength and untiring shoulders will we

ὑψόθεν ἀνθέμενοι ψαμαθώδεος ἔνδοθι γαίης
οἴσομεν, ἢ προτέρωσε ταχὺς πόδας ἤλασεν ἵππος.
οὐ γὰρ ὅγε ξηρὴν ὑποδύσεται· ἴχνια δ' ἡμῖν
σημανέειν τιν' ἔολπα μυχὸν καθύπερθε θαλάσσης.'

Ὣς ηὔδα· πάντεσσι δ' ἐπήβολος ἤνδανε μῆτις.   1380
Μουσάων ὅδε μῦθος· ἐγὼ δ' ὑπακουὸς ἀείδω
Πιερίδων, καὶ τήνδε πανατρεκὲς ἔκλυον ὀμφήν,
ὑμέας, ὦ πέρι δὴ μέγα φέρτατοι υἷες ἀνάκτων,
ἦ βίῃ ἦ τ' ἀρετῇ Λιβύης ἀνὰ θῖνας ἐρήμους
νῆα μεταχρονίην ὅσα τ' ἔνδοθι νηὸς ἄγεσθε,
ἀνθεμένους ὤμοισι φέρειν δυοκαίδεκα πάντα
ἤμαθ' ὁμοῦ νύκτας τε. δύην γε μὲν ἢ καὶ ὀιζὺν
τίς κ' ἐνέποι, τὴν κεῖνοι ἀνέπλησαν μογέοντες;
ἔμπεδον ἀθανάτων ἔσαν αἵματος, οἷον ὑπέσταν
ἔργον, ἀναγκαίῃ βεβιημένοι. αὐτὰρ ἐπιπρὸ   1390
τῆλε μάλ' ἀσπασίως Τριτωνίδος ὕδασι λίμνης
ὣς φέρον, ὣς εἰσβάντες ἀπὸ στιβαρῶν θέσαν ὤμων.

Λυσσαλέοις δ' ἤπειτ' ἴκελοι κυσὶν ἀίσσοντες
πίδακα μαστεύεσκον· ἐπὶ ξηρῇ γὰρ ἔκειτο
δίψα δυηπαθίῃ τε καὶ ἄλγεσιν, οὐδ' ἐμάτησαν
πλαζόμενοι· ἷξον δ' ἱερὸν πέδον, ᾧ ἔνι Λάδων
εἰσέτι που χθιζὸν παγχρύσεα ῥύετο μῆλα
χώρῳ ἐν Ἄτλαντος, χθόνιος ὄφις· ἀμφὶ δὲ νύμφαι
Ἑσπερίδες ποίπνυον, ἐφίμερον ἀείδουσαι.
δὴ τότε δ' ἤτοι τῆμος ὑφ' Ἡρακλῆι δαϊχθεὶς   1400
μήλειον βέβλητο ποτὶ στύπος· οἰόθι δ' ἄκρῃ
οὐρῇ ἔτι σκαίρεσκεν· ἀπὸ κρατὸς δὲ κελαινὴν
ἄχρις ἐπ' ἄκνηστιν κεῖτ' ἄπνοος· ἐκ δὲ λιπόντων
ὕδρης Λερναίης χόλον αἵματι πικρὸν ὀιστῶν
μυῖαι πυθομένοισιν ἐφ' ἕλκεσι τερσαίνοντο.
ἀγχοῦ δ' Ἑσπερίδες κεφαλαῖς ἔπι χεῖρας ἔχουσαι

lift her up and bear her within this country of sandy wastes, where yon swift-footed steed has sped before. For he will not plunge beneath the earth; and his hoof-prints, I ween, will point us to some bay above the sea."

Thus he spake, and the fit counsel pleased all. This is the tale the Muses told; and I sing obedient to the Pierides, and this report have I heard most truly; that ye, O mightiest far of the sons of kings, by your might and your valour over the desert sands of Libya raised high aloft on your shoulders the ship and all that ye brought therein, and bare her twelve days and nights alike. Yet who could tell the pain and grief which they endured in that toil? Surely they were of the blood of the immortals, such a task did they take on them, constrained by necessity. How forward and how far they bore her gladly to the waters of the Tritonian lake! How they strode in and set her down from their stalwart shoulders!

Then, like raging hounds, they rushed to search for a spring; for besides their suffering and anguish, a parching thirst lay upon them, and not in vain did they wander; but they came to the sacred plain where Ladon, the serpent of the land, till yesterday kept watch over the golden apples in the garden of Atlas; and all around the nymphs, the Hesperides, were busied, chanting their lovely song. But at that time, stricken by Heracles, he lay fallen by the trunk of the apple-tree; only the tip of his tail was still writhing; but from his head down his dark spine he lay lifeless; and where the arrows had left in his blood the bitter gall of the Lernaean hydra, flies withered and died over the festering wounds. And close at hand the Hesperides, their white arms

ἀργυφέας ξανθῆσι λίγ' ἔστενον· οἱ δ' ἐπέλασσαν
ἄφνω ὁμοῦ· ταὶ δ' αἶψα κόνις καὶ γαῖα, κιόντων
ἐσσυμένως, ἐγένοντο καταυτόθι. νώσατο δ' Ὀρφεὺς
θεῖα τέρα, τὰς δέ σφι παρηγορέεσκε λιτῇσιν·   1410
'Δαίμονες ὦ καλαὶ καὶ εὔφρονες, ἵλατ', ἄνασσαι,
εἴτ' οὖν οὐρανίαις ἐναρίθμιοί ἐστε θεῇσιν,
εἴτε καταχθονίαις, εἴτ' οἰοπόλοι καλέεσθε
νύμφαι· ἴτ', ὦ νύμφαι, ἱερὸν γένος Ὠκεανοῖο,
δείξατ' ἐελδομένοισιν ἐνωπαδὶς ἄμμι φανεῖσαι
ἤ τινα πετραίην χύσιν ὕδατος, ἤ τινα γαίης
ἱερὸν ἐκβλύοντα, θεαί, ῥόον, ᾧ ἀπὸ δίψαν
αἰθομένην ἄμοτον λωφήσομεν. εἰ δέ κεν αὖτις
δή ποτ' Ἀχαιίδα γαῖαν ἱκώμεθα ναυτιλίῃσιν,
δὴ τότε μυρία δῶρα μετὰ πρώτῃσι θεάων   1420
λοιβάς τ' εἰλαπίνας τε παρέξομεν εὐμενέοντες.'
    Ὣς φάτο λισσόμενος ἀδινῇ ὀπί· ταὶ δ' ἐλέαιρον
ἐγγύθεν ἀχνυμένους· καὶ δὴ χθονὸς ἐξανέτειλαν
ποίην πάμπρωτον· ποίης γε μὲν ὑψόθι μακροὶ
βλάστεον ὄρπηκες· μετὰ δ' ἔρνεα τηλεθάοντα
πολλὸν ὑπὲρ γαίης ὀρθοσταδὸν ἠέξοντο.
Ἑσπέρη, αἴγειρος, πτελέη δ' Ἐρυθηὶς ἔγεντο·
Αἴγλη δ' ἰτέης ἱερὸν στύπος. ἐκ δέ νυ κείνων
δενδρέων, οἷαι ἔσαν, τοῖαι πάλιν ἔμπεδον αὔτως
ἐξέφανεν, θάμβος περιώσιον, ἔκφατο δ' Αἴγλη   1430
μειλιχίοις ἐπέεσσιν ἀμειβομένη χατέοντας·
    'Ἦ ἄρα δὴ μέγα πάμπαν ἐφ' ὑμετέροισιν ὄνειαρ
δεῦρ' ἔμολεν καμάτοισιν ὁ κύντατος, ὅστις ἀπούρας
φρουρὸν ὄφιν ζωῆς παγχρύσεα μῆλα θεάων
οἴχετ' ἀειράμενος· στυγερὸν δ' ἄχος ἄμμι λέλειπται.
ἤλυθε γὰρ χθιζός τις ἀνὴρ ὀλοώτατος ὕβριν

390

flung over their golden heads, lamented shrilly;
and the heroes drew near suddenly; but the
maidens, at their quick approach, at once became
dust and earth where they stood. Orpheus marked
the divine portent, and for his comrades addressed
them in prayer: "O divine ones, fair and kind,
be gracious, O queens, whether ye be numbered
among the heavenly goddesses, or those beneath
the earth, or be called the Solitary nymphs;
come, O nymphs, sacred race of Oceanus, appear
manifest to our longing eyes and show us some
spring of water from the rock or some sacred flow
gushing from the earth, goddesses, wherewith we
may quench the thirst that burns us unceasingly.
And if ever again we return in our voyaging to the
Achaean land, then to you among the first of
goddesses with willing hearts will we bring countless
gifts, libations and banquets."

So he spake, beseeching them with plaintive
voice; and they from their station near pitied their
pain; and lo! first of all they caused grass to spring
from the earth; and above the grass rose up tall
shoots; and then flourishing saplings grew standing
upright far above the earth. Hespere became a
poplar and Eretheis an elm, and Aegle a willow's
sacred trunk. And forth from these trees their
forms looked out, as clear as they were before, a
marvel exceeding great, and Aegle spake with
gentle words answering their longing looks:

"Surely there has come hither a mighty succour
to your toils, that most accursèd man, who robbed
our guardian serpent of life and plucked the golden
apples of the goddesses and is gone; and has left
bitter grief for us. For yesterday came a man most

καὶ δέμας· ὄσσε δέ οἱ βλοσυρῷ ὑπέλαμπε μετώπῳ·
νηλής· ἀμφὶ δὲ δέρμα πελωρίου ἔστο λέοντος
ὠμόν, ἀδέψητον· στιβαρὸν δ' ἔχεν ὄζον ἐλαίης
τόξα τε, τοῖσι πέλωρ τόδ' ἀπέφθισεν ἰοβολήσας.   1440
ἤλυθε δ' οὖν κἀκεῖνος, ἄτε χθόνα πεζὸς ὁδεύων,
δίψῃ καρχαλέος· παίφασσε δὲ τόνδ' ἀνὰ χῶρον,
ὕδωρ ἐξερέων, τὸ μὲν οὔ ποθι μέλλεν ἰδέσθαι.
ἤδε δέ τις πέτρη Τριτωνίδος ἐγγύθι λίμνης·
τὴν ὅγ' ἐπιφρασθείς, ἢ καὶ θεοῦ ἐννεσίῃσιν,
λὰξ ποδὶ τύψεν ἔνερθε· τὸ δ' ἀθρόον ἔβλυσεν ὕδωρ.
αὐτὰρ ὅγ' ἄμφω χεῖρε πέδῳ καὶ στέρνον ἐρείσας
ῥωγάδος ἐκ πέτρης πίεν ἄσπετον, ὄφρα βαθεῖαν
νηδύν, φορβάδι ἶσος ἐπιπροπεσών, ἐκορέσθη.᾿
    Ὣς φάτο· τοὶ δ' ἀσπαστὸν ἵνα σφίσι πέφραδεν
        Αἴγλη   1450
πίδακα, τῇ θέον αἶψα κεχαρμένοι, ὄφρ' ἐπέκυρσαν.
ὡς δ' ὁπότε στεινὴν περὶ χηραμὸν εἰλίσσονται
γειομόροι μύρμηκες ὁμιλαδόν, ἢ ὅτε μυῖαι
ἀμφ' ὀλίγην μέλιτος γλυκεροῦ λίβα πεπτηυῖαι
ἄπλητον μεμάασιν ἐπήτριμοι· ὣς τότ' ἀολλεῖς
πετραίῃ Μινύαι περὶ πίδακι δινεύεσκον.
καί πού τις διεροῖς ἐπὶ χείλεσιν εἶπεν ἰανθείς·
    '῏Ω πόποι, ἦ καὶ νόσφιν ἐὼν ἐσάωσεν ἑταίρους
Ἡρακλέης δίψῃ κεκμηότας. ἀλλά μιν εἴ πως
δήοιμεν στείχοντα δι' ἠπείροιο κιόντες.᾿   1460
    ῏Η, καὶ ἀμειβομένων, οἵτ' ἄρμενοι ἐς τόδε ἔργον,
ἔκριθεν ἄλλυδις ἄλλος ἐπαΐξας ἐρεείνειν.
ἴχνια γὰρ νυχίοισιν ἐπηλίνδητ' ἀνέμοισιν

392

fell in wanton violence, most grim in form; and his eyes flashed beneath his scowling brow; a ruthless wretch; and he was clad in the skin of a monstrous lion of raw hide, untanned; and he bare a sturdy bow of olive, and a bow, wherewith he shot and killed this monster here. So he too came, as one traversing the land on foot, parched with thirst; and he rushed wildly through this spot, searching for water, but nowhere was he like to see it. Now here stood a rock near the Tritonian lake; and of his own device, or by the prompting of some god, he smote it below with his foot; and the water gushed out in full flow. And he, leaning both his hands and chest upon the ground, drank a huge draught from the rifted rock, until, stooping like a beast of the field, he had satisfied his mighty maw."

Thus she spake; and they gladly with joyful steps ran to the spot where Aegle had pointed out to them the spring, until they reached it. And as when earth-burrowing ants gather in swarms round a narrow cleft, or when flies lighting upon a tiny drop of sweet honey cluster round with insatiate eagerness; so at that time, huddled together, the Minyae thronged about the spring from the rock. And thus with wet lips one cried to another in his delight:

"Strange! In very truth Heracles, though far away, has saved his comrades, fordone with thirst. Would that we might find him on his way as we pass through the mainland!"

So they spake, and those who were ready for this work answered, and they separated this way and that, each starting to search. For by the night winds the footsteps had been effaced where the sand

κινυμένης ἀμάθου. Βορέαο μὲν ὡρμήθησαν
υἷε δύω, πτερύγεσσι πεποιθότε· ποσσὶ δὲ κούφοις
Εὔφημος πίσυνος, Λυγκεύς γε μὲν ὀξέα τηλοῦ
ὄσσε βαλεῖν· πέμπτος δὲ μετὰ σφίσιν ἔσσυτο
    Κάνθος.
τὸν μὲν ἄρ' αἶσα θεῶν κείνην ὁδὸν ἠνορέη τε
ὦρσεν, ἵν' Ἡρακλῆος ἀπηλεγέως πεπύθοιτο,
Εἰλατίδην Πολύφημον ὅπῃ λίπε· μέμβλετο γάρ οἱ   1470
οὗ ἕθεν ἀμφ' ἑτάροιο μεταλλῆσαι τὰ ἕκαστα.
ἀλλ' ὁ μὲν οὖν Μυσοῖσιν ἐπικλεὲς ἄστυ πολίσσας
νόστου κηδοσύνῃσιν ἔβη διζήμενος Ἀργὼ
τῆλε δι' ἠπείροιο· τέως δ' ἐξίκετο γαῖαν
ἀγχιάλων Χαλύβων· τόθι μιν καὶ Μοῖρ' ἐδάμασ-
    σεν.
καί οἱ ὑπὸ βλωθρὴν ἀχερωίδα σῆμα τέτυκται
τυτθὸν ἁλὸς προπάροιθεν. ἀτὰρ τότε γ' Ἡρακλῆα
μοῦνον ἀπειρεσίης τηλοῦ χθονὸς εἴσατο Λυγκεὺς
τὼς ἰδέειν, ὡς τίς τε νέῳ ἐνὶ ἤματι μήνην
ἢ ἴδεν, ἢ ἐδόκησεν ἐπαχλύουσαν ἰδέσθαι.   1480
ἐς δ' ἑτάρους ἀνιὼν μυθήσατο, μή μιν ἔτ' ἄλλον
μαστῆρα στείχοντα κιχησέμεν· οἱ δὲ καὶ αὐτοὶ
ἤλυθον, Εὔφημός τε πόδας ταχὺς υἷέ τε δοιὼ
Θρηικίου Βορέω, μεταμώνια μοχθήσαντε.

  Κάνθε, σὲ δ' οὐλόμεναι Λιβύῃ ἔνι Κῆρες ἕλοντο.
πώεσι φερβομένοισι συνήντεες· εἵπετο δ' ἀνὴρ
αὐλίτης, ὅ σ' ἑῶν μήλων πέρι, τόφρ' ἑτάροισι
δευομένοις κομίσειας, ἀλεξόμενος κατέπεφνεν
λᾶι βαλών· ἐπεὶ οὐ μὲν ἀφαυρότερός γ' ἐτέτυκτο,
υἱωνὸς Φοίβοιο Λυκωρείοιο Κάφαυρος   1490
κούρης τ' αἰδοίης Ἀκακαλλίδος, ἥν ποτε Μίνως

was stirred. The two sons of Boreas started up,
trusting in their wings; and Euphemus, relying on
his swift feet, and Lynceus to cast far his piercing
eyes; and with them darted off Canthus, the fifth.
He was urged on by the doom of the gods and his
own courage, that he might learn for certain from
Heracles where he had left Polyphemus, son of
Eilatus; for he was minded to question him on every
point concerning his comrade. But that hero had
founded a glorious city among the Mysians, and,
yearning for his home-return, had passed far over the
mainland in search of Argo; and in time he reached
the land of the Chalybes, who dwell near the sea;
there it was that his fate subdued him. And to him
a monument stands under a tall poplar, just facing
the sea. But that day Lynceus thought he saw
Heracles all alone, far off, over measureless land, as
a man at the month's beginning sees, or thinks he
sees, the moon through a bank of cloud. And he
returned and told his comrades that no other
searcher would find Heracles on his way, and they
also came back, and swift-footed Euphemus and
the twin sons of Thracian Boreas, after a vain
toil.

But thee, Canthus, the fates of death seized in
Libya. On pasturing flocks didst thou light; and
there followed a shepherd who, in defence of his
own sheep, while thou wert leading them off [1] to thy
comrades in their need, slew thee by the cast of a
stone; for he was no weakling, Caphaurus, the
grandson of Lycoreian Phoebus and the chaste
maiden Acacallis, whom once Minos drove from home

---

[1] This seems to be the only possible translation, but the
optative is quite anomalous. We should expect ἐκόμιζες.

ἐς Λιβύην ἀπένασσε θεοῦ βαρὺ κῦμα φέρουσαν,
θυγατέρα σφετέρην· ἡ δ' ἀγλαὸν υἱέα Φοίβῳ
τίκτεν, ὃν Ἀμφίθεμιν Γαράμαντά τε κικλή-
σκουσιν.
Ἀμφίθεμις δ' ἄρ' ἔπειτα μίγη Τριτωνίδι νύμφῃ·
ἡ δ' ἄρα οἱ Νασάμωνα τέκεν κρατερόν τε Κάφαυ-
ρον,
ὃς τότε Κάνθον ἔπεφνεν ἐπὶ ῥήνεσσιν ἑοῖσιν.
οὐδ' ὅγ' ἀριστήων χαλεπὰς ἠλεύατο χεῖρας,
ὡς μάθον οἷον ἔρεξε.   νέκυν δ' ἀνάειραν ὀπίσσω
πευθόμενοι Μινύαι, γαίῃ δ' ἐνὶ ταρχύσαντο   1500
μυρόμενοι· τὰ δὲ μῆλα μετὰ σφέας οἵγ' ἐκόμισσαν.
   Ἔνθα καὶ Ἀμπυκίδην αὐτῷ ἐνὶ ἤματι Μόψον
νηλειὴς ἕλε πότμος· ἀδευκέα δ' οὐ φύγεν αἶσαν
μαντοσύναις· οὐ γάρ τις ἀποτροπίη θανάτοιο.
κεῖτο δ' ἐπὶ ψαμάθοισι μεσημβρινὸν ἦμαρ ἀλύ-
σκων
δεινὸς ὄφις, νωθὴς μὲν ἑκὼν ἀέκοντα χαλέψαι·
οὐδ' ἂν ὑποτρέσσαντος ἐνωπαδὶς ἀίξειεν.
ἀλλὰ μὲν ᾧ τὰ πρῶτα μελάγχιμον ἰὸν ἐνείη
ζωόντων, ὅσα γαῖα φερέσβιος ἔμπνοα βόσκει,
οὐδ' ὁπόσον πήχυιον ἐς Ἄιδα γίγνεται οἶμος,   1510
οὐδ' εἰ Παιήων, εἴ μοι θέμις ἀμφαδὸν εἰπεῖν,
φαρμάσσοι, ὅτε μοῦνον ἐνιχρίμψῃσιν ὀδοῦσιν.
εὖτε γὰρ ἰσόθεος Λιβύην ὑπερέπτατο Περσεὺς
Εὐρυμέδων—καὶ γὰρ τὸ κάλεσκέ μιν οὔνομα
μήτηρ—
Γοργόνος ἀρτίτομον κεφαλὴν βασιλῆι κομίζων,
ὅσσαι κυανέου στάγες αἵματος οὐδας ἵκοντο,
αἱ πᾶσαι κείνων ὀφίων γένος ἐβλάστησαν.
τῷ δ' ἄκρην ἐπ' ἄκανθαν ἐνεστηρίξατο Μόψος
λαιὸν ἐπιπροφέρων ταρσὸν ποδός· αὐτὰρ ὁ μέσσην

to dwell in Libya, his own daughter, when she was bearing the gods' heavy load; and she bare to Phoebus a glorious son, whom they call Amphithemis and Garamas. And Amphithemis wedded a Tritonian nymph; and she bare to him Nasamon and strong Caphaurus, who on that day in defending his sheep slew Canthus. But he escaped not the chieftains' avenging hands, when they learned the deed he had done. And the Minyae, when they knew it, afterwards took up the corpse and buried it in the earth, mourning; and the sheep they took with them.

Thereupon on the same day a pitiless fate seized Mopsus too, son of Ampycus; and he escaped not a bitter doom by his prophesying; for there is no averting of death. Now there lay in the sand, avoiding the midday heat, a dread serpent, too sluggish of his own will to strike at an unwilling foe, nor yet would he dart full face at one that would shrink back. But into whatever of all living beings that life-giving earth sustains that serpent once injects his black venom, his path to Hades becomes not so much as a cubit's length, not even if Paeëon, if it is right for me to say this openly, should tend him, when its teeth have only grazed the skin. For when over Libya flew godlike Perseus Eurymedon— for by that name his mother called him—bearing to the king the Gorgon's head newly severed, all the drops of dark blood that fell to the earth, produced a brood of those serpents. Now Mopsus stepped on the end of its spine, setting thereon the sole of his left foot; and it writhed round in pain and bit and

397

κερκίδα καὶ μυῶνα, πέριξ ὀδύνῃσιν ἑλιχθείς, 1520
σάρκα δακὼν ἐχάραξεν. ἀτὰρ Μήδεια καὶ ἄλλαι
ἔτρεσαν ἀμφίπολοι· ὁ δὲ φοίνιον ἕλκος ἄφασσεν
θαρσαλέως, ἕνεκ' οὔ μιν ὑπέρβιον ἄλγος ἔτειρεν.
σχέτλιος· ἦ τέ οἱ ἤδη ὑπὸ χροῒ δύετο κῶμα
λυσιμελές, πολλὴ δὲ κατ' ὀφθαλμῶν χέετ' ἀχλύς.
αὐτίκα δὲ κλίνας δαπέδῳ βεβαρηότα γυῖα
ψύχετ' ἀμηχανίῃ· ἕταροι δέ μιν ἀμφαγέροντο
ἥρως τ' Αἰσονίδης, ἀδινῇ περιθαμβέες ἄτῃ.
οὐδὲ μὲν οὐδ' ἐπὶ τυτθὸν ἀποφθίμενός περ ἔμελλεν
κεῖσθαι ὑπ' ἠελίῳ. πύθεσκε γὰρ ἔνδοθι σάρκας 1530
ἰὸς ἄφαρ, μυδόωσα δ' ἀπὸ χροὸς ἔρρεε λάχνη.
αἶψα δὲ χαλκείῃσι βαθὺν τάφον ἐξελάχαινον
ἐσσυμένως μακέλῃσιν· ἐμοιρήσαντο δὲ χαίτας
αὐτοί ὁμῶς κούραί τε, νέκυν ἐλεεινὰ παθόντα
μυρόμενοι· τρὶς δ' ἀμφὶ σὺν ἔντεσι δινηθέντες
εὖ κτερέων ἴσχοντα, χυτὴν ἐπὶ γαῖαν ἔθεντο.

Ἀλλ' ὅτε δή ῥ' ἐπὶ νηὸς ἔβαν, πρήσοντος ἀήτεω
ἂμ πέλαγος νοτίοιο, πόρους τ' ἀπετεκμαίροντο
λίμνης ἐκπρομολεῖν Τριτωνίδος, οὔτινα μῆτιν
δὴν ἔχον, ἀφραδέως δὲ πανημέριοι φορέοντο. 1540
ὡς δὲ δράκων σκολιὴν εἱλιγμένος ἔρχεται οἶμον,
εὖτέ μιν ὀξύτατον θάλπει σέλας ἠελίοιο·
ῥοίζῳ δ' ἔνθα καὶ ἔνθα κάρη στρέφει, ἐν δέ οἱ ὄσσε
σπινθαρύγεσσι πυρὸς ἐναλίγκια μαιμώοντι
λάμπεται, ὄφρα μυχόνδε διὰ ῥωχμοῖο δύηται·
ὣς Ἀργὼ λίμνης στόμα ναύπορον ἐξερέουσα
ἀμφεπόλει δηναιὸν ἐπὶ χρόνον. αὐτίκα δ' Ὀρφεὺς
κέκλετ' Ἀπόλλωνος τρίποδα μέγαν ἔκτοθι νηὸς
δαίμοσιν ἐγγενέταις νόστῳ ἔπι μείλια θέσθαι.
καὶ τοὶ μὲν Φοίβου κτέρας ἵδρυον ἐν χθονὶ βάντες· 1550

398

tore the flesh between the shin and the muscles. And Medea and her handmaids fled in terror; but Canthus bravely felt the bleeding wound; for no excessive pain harassed him. Poor wretch! Already a numbness that loosed his limbs was stealing beneath his skin, and a thick mist was spreading over his eyes. Straightway his heavy limbs sank helplessly to the ground and he grew cold; and his comrades and the hero, Aeson's son, gathered round, marvelling at the close-coming doom. Nor yet though dead might he lie beneath the sun even for a little space. For at once the poison began to rot his flesh within, and the hair decayed and fell from the skin. And quickly and in haste they dug a deep grave with mattocks of bronze; and they tore their hair, the heroes and the maidens, bewailing the dead man's piteous suffering; and when he had received due burial rites, thrice they marched round the tomb in full armour, and heaped above him a mound of earth.

But when they had gone aboard, as the south wind blew over the sea, and they were searching for a passage to go forth from the Tritonian lake, for long they had no device, but all the day were borne on aimlessly. And as a serpent goes writhing along his crooked path when the sun's fiercest rays scorch him; and with a hiss he turns his head to this side and that, and in his fury his eyes glow like sparks of fire, until he creeps to his lair through a cleft in the rock; so Argo seeking an outlet from the lake, a fairway for ships, wandered for a long time. Then straightway Orpheus bade them bring forth from the ship Apollo's massy tripod and offer it to the gods of the land as propitiation for their return. So they went forth and set Apollo's gift on the shore; then

τοῖσιν δ' αἰζηῷ ἐναλίγκιος ἀντεβόλησεν
Τρίτων εὐρυβίης, γαίης δ' ἀνὰ βῶλον ἀείρας
ξείνι' ἀριστήεσσι προΐσχετο, φώνησέν τε·
'Δέχθε, φίλοι· ἐπεὶ οὐ περιώσιον ἐγγυαλίξαι
ἐνθάδε νῦν πάρ' ἐμοὶ ξεινήιον ἀντομένοισιν.
εἰ δέ τι τῆσδε πόρους μαίεσθ' ἁλός, οἷά τε πολλὰ
ἄνθρωποι χατέουσιν ἐν ἀλλοδαπῇ περόωντες,
ἐξερέω. δὴ γάρ με πατὴρ ἐπιίστορα πόντου
θῆκε Ποσειδάων τοῦδ' ἔμμεναι. αὐτὰρ ἀνάσσω
παρραλίης, εἰ δή τιν' ἀκούετε νόσφιν ἐόντες   1560
Εὐρύπυλον Λιβύῃ θηροτρόφῳ ἐγγεγαῶτα.'
    Ὣς ηὔδα· πρόφρων δ' ὑπερέσχεθε βώλακι
        χεῖρας
Εὔφημος, καὶ τοῖα παραβλήδην προσέειπεν·
    ''Ἀπίδα¹ καὶ πέλαγος Μινώιον εἴ νύ που, ἥρως,
ἐξεδάης, νημερτὲς ἀνειρομένοισιν ἔνισπε.
δεῦρο γὰρ οὐκ ἐθέλοντες ἱκάνομεν, ἀλλὰ βαρείαις
χρίμψαντες γαίης ἐπὶ πείρασι τῆσδε θυέλλαις
νῆα μεταχρονίην ἐκομίσσαμεν ἐς τόδε λίμνης
χεῦμα δι' ἠπείρου βεβαρημένοι· οὐδέ τι ἴδμεν,
πῇ πλόος ἐξανέχει Πελοπηίδα γαῖαν ἱκέσθαι.'   1570
    Ὣς ἄρ' ἔφη· ὁ δὲ χεῖρα τανύσσατο, δεῖξε δ'
        ἄπωθεν
φωνήσας πόντον τε καὶ ἀγχιβαθὲς στόμα λίμνης·
'Κείνη μὲν πόντοιο διήλυσις, ἔνθα μάλιστα
βένθος ἀκίνητον μελανεῖ· ἑκάτερθε δὲ λευκαὶ
ῥηγμῖνες φρίσσουσι διαυγέες· ἡ δὲ μεσηγὺ
ῥηγμίνων στεινὴ τελέθει ὁδὸς ἐκτὸς ἐλάσσαι.
κεῖνο δ' ὑπηέριον θείην Πελοπηίδα γαῖαν
εἰσανέχει πέλαγος Κρήτης ὕπερ· ἀλλ' ἐπὶ χειρὸς

____
¹ Ἀπίδα a variant in scholia : Ἀθίδα MSS.

before them stood, in the form of a youth, far-swaying Triton, and he lifted a clod from the earth and offered it as a stranger's gift, and thus spake:

"Take it, friends, for no stranger's gift of great worth have I here by me now to place in the hands of those who beseech me. But if ye are searching for a passage through this sea, as often is the need of men passing through a strange land, I will declare it. For my sire Poseidon has made me to be well versed in this sea. And I rule the shore—if haply in your distant land you have ever heard of Eurypylus, born in Libya, the home of wild beasts."

Thus he spake, and readily Euphemus held out his hands towards the clod, and thus addressed him in reply:

"If haply, hero, thou knowest aught of Apis[1] and the sea of Minos, tell us truly, who ask it of you. For not of our will have we come hither, but by the stress of heavy storms have we touched the borders of this land, and have borne our ship aloft on our shoulders to the waters of this lake over the mainland, grievously burdened; and we know not where a passage shows itself for our course to the land of Pelops."

So he spake; and Triton stretched out his hand and showed afar the sea and the lake's deep mouth, and then addressed them: "That is the outlet to the sea, where the deep water lies unmoved and dark; on each side roll white breakers with shining crests; and the way between for your passage out is narrow. And that sea stretches away in mist to the divine land of Pelops beyond Crete;

[1] An old name of the Peloponnesus.

δεξιτερῆς, λίμνηθεν ὅτ᾽ εἰς ἁλὸς οἶδμα βάλητε,
τόφρ᾽ αὐτὴν παρὰ χέρσον ἐεργμένοι ἰθύνεσθε,　　1580
ἔστ᾽ ἂν ἄνω τείνῃσι· περιρρήδην δ᾽ ἑτέρωσε
κλινομένης χέρσοιο, τότε πλόος ὔμμιν ἀπήμων
ἀγκῶνος τέτατ᾽ ἰθὺς ἀπὸ προύχοντος ἰοῦσιν.
ἀλλ᾽ ἴτε γηθόσυνοι, καμάτοιο δὲ μήτις ἀνίη
γιγνέσθω, νεότητι κεκασμένα γυῖα μογῆσαι.᾽
  Ἴσκεν ἐυφρονέων· οἱ δ᾽ αἶψ᾽ ἐπὶ νηὸς ἔβησαν
λίμνης ἐκπρομολεῖν λελιημένοι εἰρεσίῃσιν.
καὶ δὴ ἐπιπρονέοντο μεμαότες· αὐτὰρ ὁ τείως
Τρίτων ἀνθέμενος τρίποδα μέγαν, εἴσατο λίμνην
εἰσβαίνειν· μετὰ δ᾽ οὔτις ἐσέδρακεν, οἷον ἄφαντος　1590
αὐτῷ σὺν τρίποδι σχεδὸν ἔπλετο. τοῖσι δ᾽ ἰάνθη
θυμός, ὃ δὴ μακάρων τις ἐναίσιμος ἀντεβόλησεν.
καί ῥά οἱ Αἰσονίδην μήλων ὅ τι φέρτατον ἄλλων
ἤνωγον ῥέξαι καὶ ἐπευφημῆσαι ἑλόντα.
αἶψα δ᾽ ὅγ᾽ ἐσσυμένως ἐκρίνατο, καί μιν ἀείρας
σφάξε κατὰ πρύμνης, ἐπὶ δ᾽ ἔννεπεν εὐχωλῇσιν·
  ᾽Δαῖμον, ὅτις λίμνης ἐπὶ πείρασι τῆσδ᾽ ἐφαάνθης,
εἴτε σέγε Τρίτων᾽, ἅλιον τέρας, εἴτε σε Φόρκυν,
ἢ Νηρῆα θύγατρες ἐπικλείουσ᾽ ἁλοσύδναι,
ἵλαθι, καὶ νόστοιο τέλος θυμηδὲς ὄπαζε.᾽　　　1600
  Ἦ ῥ᾽, ἅμα δ᾽ εὐχωλῇσιν ἐς ὕδατα λαιμοτομήσας
ἧκε κατὰ πρύμνης· ὁ δὲ βένθεος ἐξεφαάνθη
τοῖος ἐών, οἷός περ ἐτήτυμος ἦεν ἰδέσθαι.
ὡς δ᾽ ὅτ᾽ ἀνὴρ θοὸν ἵππον ἐπ᾽ εὐρέα κύκλον ἀγῶνος
στέλλῃ, ὀρεξάμενος λασίης εὐπειθέα χαίτης,
εἶθαρ ἐπιτροχάων, ὁ δ᾽ ἐπ᾽ αὐχένι γαῦρος ἀερθεὶς
ἕσπεται, ἀργινόεντα δ᾽ ἐνὶ στομάτεσσι χαλινὰ

but hold to the right, when ye have entered the
swell of the sea from the lake, and steer your course
hugging the land, as long as it trends to the north;
but when the coast bends, falling away in the other
direction, then your course is safely laid for you if
ye go straight forward from the projecting cape.
But go in joy, and as for labour let there be no
grieving that limbs in youthful vigour should still
toil."

He spake with kindly counsel; and they at once
went aboard, intent to come forth from the lake
by the use of oars. And eagerly they sped on;
meanwhile Triton took up the mighty tripod, and
they saw him enter the lake; but thereafter did no one
mark how he vanished so near them along with the
tripod. But their hearts were cheered, for that one
of the blessed had met them in friendly guise. And
they bade Aeson's son offer to him the choicest of
the sheep and when he had slain it chant the hymn
of praise. And straightway he chose in haste and
raising the victim slew it over the stern, and prayed
with these words:

"Thou god, who hast manifested thyself on the
borders of this land, whether the daughters born of
the sea call thee Triton, the great sea-marvel, or
Phorcys, or Nereus, be gracious, and grant the return
home dear to our hearts."

He spake, and cut the victim's throat over the
water and cast it from the stern. And the god rose
up from the depths in form such as he really was.
And as when a man trains a swift steed for the
broad race-course, and runs along, grasping the
bushy mane, while the steed follows obeying his
master, and rears his neck aloft in his pride, and the

ἀμφὶς ὀδακτάζοντι παραβλήδην κροτέονται·
ὡς ὅγ' ἐπισχόμενος γλαφυρῆς ὁλκήιον Ἀργοῦς
ἦγ' ἅλαδε προτέρωσε· δέμας δέ οἱ ἐξ ὑπάτοιο   1610
κράατος, ἀμφί τε νῶτα καὶ ἰξύας ἔστ' ἐπὶ νηδὺν
ἀντικρὺ μακάρεσσι φυὴν ἔκπαγλον ἔικτο·
αὐτὰρ ὑπαὶ λαγόνων δίκραιρά οἱ ἔνθα καὶ ἔνθα
κήτεος ὁλκαίη μηκύνετο· κόπτε δ' ἀκάνθαις
ἄκρον ὕδωρ, αἵτε σκολιοῖς ἐπινειόθι κέντροις
μήνης ὡς κεράεσσιν ἐειδόμεναι διχόωντο.
τόφρα δ' ἄγεν, τείως μιν ἐπιπροέηκε θαλάσσῃ
νισσομένην· δῦ δ' αἶψα μέγαν βυθόν· οἱ δ' ὁμάδη-
    σαν
ἥρωες, τέρας αἰνὸν ἐν ὀφθαλμοῖσιν ἰδόντες.
ἔνθα μὲν Ἀργῷός τε λιμὴν καὶ σήματα νηὸς   1620
ἠδὲ Ποσειδάωνος ἰδὲ Τρίτωνος ἔασιν
βωμοί· ἐπεὶ κεῖν' ἦμαρ ἐπέσχεθον. αὐτὰρ ἐς ἠῶ
λαίφεσι πεπταμένοις αὐτὴν ἐπὶ δεξί' ἔχοντες
γαῖαν ἐρημαίην, πνοιῇ ζεφύροιο θέεσκον.
ἦρι δ' ἔπειτ' ἀγκῶνά θ' ὁμοῦ μυχάτην τε θάλασσαν
κεκλιμένην ἀγκῶνος ὕπερ προὔχοντος ἴδοντο.
αὐτίκα δὲ ζέφυρος μὲν ἐλώφεεν, ἦλυθε δ' αὔρη
ἀργεστᾶο νότου· κεχάροντο δὲ θυμὸν ἰωῇ.
ἦμος δ' ἠέλιος μὲν ἔδυ, ἀνὰ δ' ἤλυθεν ἀστὴρ
αὔλιος, ὅστ' ἀνέπαυσεν ὀιζυροὺς ἀροτῆρας,   1630
δὴ τότ' ἔπειτ' ἀνέμοιο κελαινῇ νυκτὶ λιπόντος
ἱστία λυσάμενοι περιμήκεά τε κλίναντες
ἱστόν, ἐυξέστῃσιν ἐπερρώοντ' ἐλάτῃσιν
παννύχιοι καὶ ἐπ' ἦμαρ, ἐπ' ἤματι δ' αὖτις ἰοῦσαν
νύχθ' ἑτέρην. ὑπέδεκτο δ' ἀπόπροθι παιπαλόεσσα
Κάρπαθος· ἔνθεν δ' οἵγε περαιώσεσθαι ἔμελλον
Κρήτην, ἥτ' ἄλλων ὑπερέπλετο εἰν ἁλὶ νήσων.

404

gleaming bit rings loud as he champs it in his jaws from side to side; so the god, seizing hollow Argo's keel, guided her onward to the sea. And his body, from the crown of his head, round his back and waist as far as the belly, was wondrously like that of the blessed ones in form; but below his sides the tail of a sea monster lengthened far, forking to this side and that; and he smote the surface of the waves with the spines, which below parted into curving fins, like the horns of the new moon. And he guided Argo on until he sped her into the sea on her course; and quickly he plunged into the vast abyss; and the heroes shouted when they gazed with their eyes on that dread portent. There is the harbour of Argo and there are the signs of her stay, and altars to Poseidon and Triton; for during that day they tarried. But at dawn with sails outspread they sped on before the breath of the west wind, keeping the desert land on their right. And on the next morn they saw the headland and the recess of the sea, bending inward beyond the jutting headland. And straightway the west wind ceased, and there came the breeze of the clear south wind; and their hearts rejoiced at the sound it made. But when the sun sank and the star returned that bids the shepherd fold, which brings rest to wearied ploughmen, at that time the wind died down in the dark night; so they furled the sails and lowered the tall mast and vigorously plied their polished oars all night and through the day, and again when the next night came on. And rugged Carpathus far away welcomed them; and thence they were to cross to Crete, which rises in the sea above other islands.

Τοὺς δὲ Τάλως χάλκειος, ἀπὸ στιβαροῦ σκοπέ-
λοιο
ῥηγνύμενος πέτρας, εἶργε χθονὶ πεῖσμat' ἀνάψαι,
Δικταίην ὅρμοιο κατερχομένους ἐπιωγήν.   1640
τὸν μὲν χαλκείης μελιηγενέων ἀνθρώπων
ῥίζης λοιπὸν ἐόντα μετ' ἀνδράσιν ἡμιθέοισιν
Εὐρώπῃ Κρονίδης νήσου πόρεν ἔμμεναι οὖρον,
τρὶς περὶ χαλκείοις Κρήτην ποσὶ δινεύοντα.
ἀλλ' ἤτοι τὸ μὲν ἄλλο δέμας καὶ γυῖα τέτυκτο
χάλκεος ἠδ' ἄρρηκτος· ὑπαὶ δέ οἱ ἔσκε τένοντος
σύριγξ αἱματόεσσα κατὰ σφυρόν· αὐτὰρ ὁ τήνγε
λεπτὸς ὑμήν, ζωῆς, ἔχε, πείρατα καὶ θανάτοιο.
οἱ δέ, δύῃ μάλα περ δεδμημένοι, αἶψ' ἀπὸ χέρσου
νῆα περιδδείσαντες ἀνακρούεσκον ἐρετμοῖς.   1650
καί νύ κ' ἐπισμυγερῶς Κρήτης ἑκὰς ἠέρθησαν,
ἀμφότερον δίψῃ τε καὶ ἄλγεσι μοχθίζοντες,
εἰ μή σφιν Μήδεια λιαζομένοις ἀγόρευσεν·
    'Κέκλυτέ μευ. μούνη γὰρ ὀίομαι ὔμμι δαμάσ-
σειν
ἄνδρα τόν, ὅστις ὅδ' ἐστί, καὶ εἰ παγχάλκεον ἴσχει
ὃν δέμας, ὁππότε μή οἱ ἐπ' ἀκάματος πέλοι αἰών.
ἀλλ' ἔχετ' αὐτοῦ νῆα θελήμονες ἐκτὸς ἐρωῆς
πετράων, εἴως κεν ἐμοὶ εἴξειε δαμῆναι.'
    Ὣς ἄρ' ἔφη· καὶ τοὶ μὲν ὑπὲκ βελέων ἐρύσαντο
νῆ' ἐπ' ἐρετμοῖσιν, δεδοκημένοι ἥντινα ῥέξει   1660
μῆτιν ἀνωίστως· ἡ δὲ πτύχα πορφυρέοιο
προσχομένη πέπλοιο παρειάων ἑκάτερθεν
βῆσατ' ἐπ' ἰκριόφιν· χειρὸς δέ ἑ χειρὶ μεμαρπὼς
Αἰσονίδης ἐκόμιζε διὰ κληῖδας ἰοῦσαν.
ἔνθα δ' ἀοιδῇσιν μειλίσσετο, μέλπε δὲ Κῆρας
θυμοβόρους, Ἀίδαο θοὰς κύνας, αἳ περὶ πᾶσαν

And Talos, the man of bronze, as he broke off rocks from the hard cliff, stayed them from fastening hawsers to the shore, when they came to the road-stead of Dicte's haven. He was of the stock of bronze, of the men sprung from ash-trees, the last left among the sons of the gods; and the son of Cronos gave him to Europa to be the warder of Crete and to stride round the island thrice a day with his feet of bronze. Now in all the rest of his body and limbs was he fashioned of bronze and invulnerable; but beneath the sinew by his ankle was a blood-red vein; and this, with its issues of life and death, was covered by a thin skin. So the heroes, though outworn with toil, quickly backed their ship from the land in sore dismay. And now far from Crete would they have been borne in wretched plight, distressed both by thirst and pain, had not Medea addressed them as they turned away:

"Hearken to me. For I deem that I alone can subdue for you that man, whoever he be, even though his frame be of bronze throughout, unless his life too is everlasting. But be ready to keep your ship here beyond the cast of his stones, till he yield the victory to me."

Thus she spake; and they drew the ship out of range, resting on their oars, waiting to see what plan unlooked for she would bring to pass; and she, holding the fold of her purple robe over her cheeks on each side, mounted on the deck; and Aeson's son took her hand in his and guided her way along the thwarts. And with songs did she propitiate and invoke the Death-spirits, devourers of life, the swift hounds of Hades, who, hovering through all

ἠέρα δινεύουσαι ἐπὶ ζωοῖσιν ἄγονται.
τὰς γουναζομένη τρὶς μὲν παρεκέκλετ' ἀοιδαῖς,
τρὶς δὲ λιταῖς· θεμένη δὲ κακὸν νόον, ἐχθοδοποῖσιν
ὄμμασι χαλκείοιο Τάλω ἐμέγηρεν ὀπωπάς·   1670
λευγαλέον δ' ἐπὶ οἱ πρῖεν χόλον, ἐκ δ' ἀΐδηλα
δείκηλα προΐαλλεν, ἐπιζάφελον κοτέουσα.

Ζεῦ πάτερ, ἦ μέγα δή μοι ἐνὶ φρεσὶ θάμβος ἄηται,
εἰ δὴ μὴ νούσοισι τυπῇσί τε λυγρὸς ὄλεθρος
ἀντιάει, καὶ δή τις ἀπόπροθεν ἄμμε χαλέπτει.
ὡς ὅγε χάλκειός περ ἐὼν ὑπόειξε δαμῆναι
Μηδείης βρίμῃ πολυφαρμάκου. ἂν δὲ βαρείας
ὀχλίζων λάιγγας, ἐρυκέμεν ὅρμον ἱκέσθαι,
πετραίῳ στόνυχι χρίμψε σφυρόν· ἐκ δέ οἱ ἰχὼρ
τηκομένῳ ἴκελος μολίβῳ ῥέεν· οὐδ' ἔτι δηρὸν   1680
εἱστήκει προβλῆτος ἐπεμβεβαὼς σκοπέλοιο.
ἀλλ' ὡς τίς τ' ἐν ὄρεσσι πελωρίη ὑψόθι πεύκη,
τήντε θοοῖς πελέκεσσιν ἔθ' ἡμιπλῆγα λιπόντες
ὑλοτόμοι δρυμοῖο κατήλυθον· ἡ δ' ὑπὸ νυκτὶ
ῥιπῇσιν μὲν πρῶτα τινάσσεται, ὕστερον αὖτε
πρυμνόθεν ἐξαγεῖσα κατήριπεν· ὡς ὅγε ποσσὶν
ἀκαμάτοις τείως μὲν ἐπισταδὸν ἠωρεῖτο,
ὕστερον αὖτ' ἀμενηνὸς ἀπείρονι κάππεσε δούπῳ.
κεῖνο μὲν οὖν Κρήτῃ ἐνὶ δὴ κνέφας ηὐλίζοντο
ἥρωες· μετὰ δ' οἵγε νέον φαέθουσαν ἐς ἠῶ   1690
ἱρὸν Ἀθηναίης Μινωίδος ἱδρύσαντο,
ὕδωρ τ' εἰσαφύσαντο καὶ εἰσέβαν, ὥς κεν ἐρετμοῖς
παμπρώτιστα βάλοιεν ὑπὲρ Σαλμωνίδος ἄκρης.

Αὐτίκα δὲ Κρηταῖον ὑπὲρ μέγα λαῖτμα θέοντας
νὺξ ἐφόβει, τήνπερ τε κατουλάδα κικλήσκουσιν·
νύκτ' ὀλοὴν οὐκ ἄστρα διίσχανεν, οὐκ ἀμαρυγαὶ
μήνης· οὐρανόθεν δὲ μέλαν χάος, ἠέ τις ἄλλη
408

the air, swoop down on the living. Kneeling in
supplication, thrice she called on them with songs,
and thrice with prayers; and, shaping her soul to
mischief, with her hostile glance she bewitched the
eyes of Talos, the man of bronze; and her teeth
gnashed bitter wrath against him, and she sent forth
baneful phantoms in the frenzy of her rage.

Father Zeus, surely great wonder rises in my
mind, seeing that dire destruction meets us not
from disease and wounds alone, but lo! even from
afar, may be, it tortures us! So Talos, for all his
frame of bronze, yielded the victory to the might of
Medea the sorceress. And as he was heaving massy
rocks to stay them from reaching the haven, he
grazed his ankle on a pointed crag; and the ichor
gushed forth like melted lead; and not long there-
after did he stand towering on the jutting cliff. But
even as some huge pine, high up on the mountains,
which woodmen have left half hewn through by their
sharp axes when they returned from the forest—at
first it shivers in the wind by night, then at last
snaps at the stump and crashes down; so Talos for
a while stood on his tireless feet, swaying to and fro,
then at last, all strengthless, fell with a mighty thud.
For that night there in Crete the heroes lay; then,
just as dawn was growing bright, they built a shrine
to Minoan Athena, and drew water and went
aboard, so that first of all they might by rowing pass
beyond Salmone's height.

But straightway as they sped over the wide
Cretan sea night scared them, that night which
they name the Pall of Darkness; the stars pierced not
that fatal night nor the beams of the moon, but black
chaos descended from heaven, or haply some other

ὡρώρει σκοτίη μυχάτων ἀνιοῦσα βερέθρων.
αὐτοὶ δ', εἴτ' Ἀίδῃ, εἴθ' ὕδασιν ἐμφορέοντο,
ἠείδειν οὐδ' ὅσσον· ἐπέτρεψαν δὲ θαλάσσῃ   1700
νόστον, ἀμηχανέοντες, ὅπῃ φέροι. αὐτὰρ Ἰήσων
χεῖρας ἀνασχόμενος μεγάλῃ ὀπὶ Φοῖβον ἀύτει,
ῥύσασθαι καλέων· κατὰ δ' ἔρρεεν ἀσχαλόωντι
δάκρυα· πολλὰ δὲ Πυθοῖ ὑπέσχετο, πολλὰ δ'
        Ἀμύκλαις,
πολλὰ δ' ἐς Ὀρτυγίην ἀπερείσια δῶρα κομίσσειν.
Λητοΐδη, τύνη δὲ κατ' οὐρανοῦ ἵκεο πέτρας
ῥίμφα Μελαντίους ἀριήκοος, αἵτ' ἐνὶ πόντῳ
ἧνται· δοιάων δὲ μιῆς ἐφύπερθεν ὀρούσας,
δεξιτερῇ χρύσειον ἀνέσχεθες ὑψόθι τόξον·
μαρμαρέην δ' ἀπέλαμψε βιὸς περὶ πάντοθεν αἴγλην.   1710
τοῖσι δέ τις Σποράδων βαιὴ ἀπὸ τόφρ' ἐφαάνθη
νῆσος ἰδεῖν, ὀλίγης Ἱππουρίδος ἀντία νήσου,
ἔνθ' εὐνὰς ἐβάλοντο καὶ ἔσχεθον· αὐτίκα δ' ἠὼς
φέγγεν ἀνερχομένη· τοὶ δ' ἀγλαὸν Ἀπόλλωνι
ἄλσει ἐνὶ σκιερῷ τέμενος σκιόεντά τε βωμὸν
ποίεον, Αἰγλήτην μὲν εὐσκόπου εἵνεκεν αἴγλης
Φοῖβον κεκλόμενοι· Ἀνάφην δέ τε λισσάδα νῆσον
ἴσκον, ὃ δὴ Φοῖβός μιν ἀτυζομένοις ἀνέφηνεν.
ῥέζον δ' ὅσσα περ ἄνδρες ἐρημαίῃ ἐνὶ ῥέζειν
ἀκτῇ ἐφοπλίσσειαν· ὃ δή σφεας ὁππότε δαλοῖς   1720
ὕδωρ αἰθομένοισιν ἐπιλλείβοντας ἴδοντο
Μηδείης δμωαὶ Φαιηκίδες, οὐκέτ' ἔπειτα
ἴσχειν ἐν στήθεσσι γέλω σθένον, οἷα θαμειὰς
αἰὲν ἐν Ἀλκινόοιο βοοκτασίας ὁρόωσαι.
τὰς δ' αἰσχροῖς ἥρωες ἐπεστοβέεσκον ἔπεσσιν
χλεύῃ γηθόσυνοι· γλυκερὴ δ' ἀνεδαίετο τοῖσιν

darkness came, rising from the nethermost depths. And the heroes, whether they drifted in Hades or on the waters, knew not one whit; but they committed their return to the sea in helpless doubt whither it was bearing them. But Jason raised his hands and cried to Phoebus with mighty voice, calling on him to save them; and the tears ran down in his distress; and often did he promise to bring countless offerings to Pytho, to Amyclae, and to Ortygia. And quickly, O son of Leto, swift to hear, didst thou come down from heaven to the Melantian rocks, which lie there in the sea. Then darting upon one of the twin peaks, thou raisedst aloft in thy right hand thy golden bow; and the bow flashed a dazzling gleam all round. And to their sight appeared a small island of the Sporades, over against the tiny isle Hippuris, and there they cast anchor and stayed; and straightway dawn arose and gave them light; and they made for Apollo a glorious abode in a shady wood, and a shady altar, calling on Phoebus the "Gleamer," because of the gleam far-seen; and that bare island they called Anaphe,[1] for that Phoebus had revealed it to men sore bewildered. And they sacrificed all that men could provide for sacrifice on a desolate strand; wherefore when Medea's Phaeacian handmaids saw them pouring water for libations on the burning brands, they could no longer restrain laughter within their bosoms, for that ever they had seen oxen in plenty slain in the halls of Alcinous. And the heroes delighted in the jest and attacked them with taunting words; and merry railing and contention flung to and fro were kindled among

---

[1] *i.e.* the isle of Revealing.

κερτομίη καὶ νεῖκος ἐπεσβόλον. ἐκ δέ νυ κείνης
ιολπῆς ἡρώων νήσῳ ἔνι τοῖα γυναῖκες
ἀνδράσι δηριόωνται, ὅτ' Ἀπόλλωνα θυηλαῖς
Αἰγλήτην Ἀνάφης τιμήορον ἱλάσκωνται.   1730

    Ἀλλ' ὅτε δὴ κἀκεῖθεν ὑπεύδια πείσματ' ἔλυσαν,
μνήσατ' ἔπειτ' Εὔφημος ὀνείρατος ἐννυχίοιο,
ἁζόμενος Μαίης υἷα κλυτόν. εἴσατο γάρ οἱ
δαιμονίη βῶλαξ ἐπιμάστιος ᾧ ἐν ἀγοστῷ
ἄρδεσθαι λευκῇσιν ὑπὸ λιβάδεσσι γάλακτος,
ἐκ δὲ γυνὴ βώλοιο πέλειν ὀλίγης περ ἐούσης
παρθενικῇ ἰκέλη· μίχθη δέ οἱ ἐν φιλότητι
ἄσχετον ἱμερθείς· ὀλοφύρετο δ' ἠύτε κούρην
ζευξάμενος, τήν τ' αὐτὸς ἑῷ ἀτίταλλε γάλακτι·
ἡ δέ ἑ μειλιχίοισι παρηγορέεσκ' ἐπέεσσιν·   1740
    'Τρίτωνος γένος εἰμί, τεῶν τροφός, ὦ φίλε,
        παίδων,
οὐ κούρη· Τρίτων γὰρ ἐμοὶ Λιβύη τε τοκῆες.
ἀλλά με Νηρῆος παρακάτθεο παρθενικῇσιν
ἂμ πέλαγος ναίειν Ἀνάφης σχεδόν· εἶμι δ' ἐς αὐγὰς
ἠελίου μετόπισθε, τεοῖς νεπόδεσσιν ἑτοίμη.'

    Τῶν ἄρ' ἐπὶ μνῆστιν κραδίῃ βάλεν, ἔκ τ' ὀνό-
        μηνεν
Αἰσονίδῃ· ὁ δ' ἔπειτα θεοπροπίας Ἑκάτοιο
θυμῷ πεμπάζων ἀνενείκατο φώνησέν τε·
    '῏Ω πέπον, ἦ μέγα δή σε καὶ ἀγλαὸν ἔμμορε
        κῦδος.
βώλακα γὰρ τεύξουσι θεοὶ πόντονδε βαλόντι   1750
νῆσον, ἵν' ὁπλότεροι παίδων σέθεν ἐννάσσονται
παῖδες· ἐπεὶ Τρίτων ξεινήιον ἐγγυάλιξεν
τήνδε τοι ἠπείροιο Λιβυστίδος. οὔ νύ τις ἄλλος
ἀθανάτων, ἢ κεῖνος, ὅ μιν πόρεν ἀντιβολήσας.'

them. And from that sport of the heroes such
scoffs do the women fling at the men in that island
whenever they propitiate with sacrifices Apollo the
gleaming god, the warder of Anaphe.

But when they had loosed the hawsers thence in
fair weather, then Euphemus bethought him of a
dream of the night, reverencing the glorious son of
Maia. For it seemed to him that the god-given
clod of earth held in his palm close to his breast was
being suckled by white streams of milk, and that
from it, little though it was, grew a woman like a
virgin ; and he, overcome by strong desire, lay with
her in love's embrace ; and united with her he pitied
her, as though she were a maiden whom he was
feeding with his own milk ; but she comforted him
with gentle words :

"Daughter of Triton am I, dear friend, and nurse
of thy children, no maiden ; Triton and Libya are
my parents. But restore me to the daughters of
Nereus to dwell in the sea near Anaphe ; I shall
return again to the light of the sun, to prepare
a home for thy descendants."

Of this he stored in his heart the memory, and
declared it to Aeson's son ; and Jason pondered a
prophecy of the Far-Darter and lifted up his voice
and said :

"My friend, great and glorious renown has
fallen to thy lot. For of this clod when thou hast
cast it into the sea, the gods will make an island,
where thy children's children shall dwell ; for
Triton gave this to thee as a stranger's gift from
the Libyan mainland. None other of the im-
mortals it was than he that gave thee this when
he met thee."

APOLLONIUS RHODIUS

Ὡς ἔφατ'· οὐδ' ἁλίωσεν ὑπόκρισιν Αἰσονίδαο
Εὔφημος· βῶλον δέ, θεοπροπίῃσιν ἰανθείς,
ἧκεν ὑποβρυχίην. τῆς δ' ἔκτοθι νῆσος ἀέρθη
Καλλίστη, παίδων ἱερὴ τροφὸς Εὐφήμοιο,
οἳ πρὶν μέν ποτε δὴ Σιντηίδα Λῆμνον ἔναιον,
Λήμνου τ' ἐξελαθέντες ὑπ' ἀνδράσι Τυρσηνοῖσιν   1760
Σπάρτην εἰσαφίκανον ἐφέστιοι· ἐκ δὲ λιπόντας
Σπάρτην Αὐτεσίωνος ἐὺς πάις ἤγαγε Θήρας
Καλλίστην ἐπὶ νῆσον, ἀμείψατο δ' οὔνομα Θήρης
ἐξ ἕθεν. ἀλλὰ τὰ μὲν μετόπιν γένετ' Εὐφήμοιο.

Κεῖθεν δ' ἀπτερέως διὰ μυρίον οἶδμα λιπόντες
Αἰγίνης ἀκτῆσιν ἐπέσχεθον· αἶψα δὲ τοίγε
ὑδρείης πέρι δῆριν ἀμεμφέα δηρίσαντο,
ὅς κεν ἀφυσσάμενος φθαίη μετὰ νῆάδ' ἱκέσθαι.
ἄμφω γὰρ χρειώ τε καὶ ἄσπετος οὖρος ἔπειγεν.
ἔνθ' ἔτι νῦν πλήθοντας ἐπωμαδὸν ἀμφιφορῆας   1770
ἀνθεμένοι κούφοισιν ἄφαρ κατ' ἀγῶνα πόδεσσιν
κοῦροι Μυρμιδόνων νίκης πέρι δηριόωνται.

Ἵλατ' ἀριστήων μακάρων γένος· αἵδε δ' ἀοιδαὶ
εἰς ἔτος ἐξ ἔτεος γλυκερώτεραι εἶεν ἀείδειν
ἀνθρώποις. ἤδη γὰρ ἐπὶ κλυτὰ πείραθ' ἱκάνω
ὑμετέρων καμάτων· ἐπεὶ οὔ νύ τις ὔμμιν ἄεθλος
αὖτις ἀπ' Αἰγίνηθεν ἀνερχομένοισιν ἐτύχθη,
οὔτ' ἀνέμων ἐριωλαὶ ἐνέσταθεν· ἀλλὰ ἕκηλοι
γαίην Κεκροπίην παρά τ' Αὐλίδα μετρήσαντες
Εὐβοίης ἔντοσθεν Ὀπούντιά τ' ἄστεα Λοκρῶν   1780
ἀσπασίως ἀκτὰς Παγασηίδας εἰσαπέβητε.

Thus he spake ; and Euphemus made not vain the answer of Aeson's son ; but, cheered by the prophecy, he cast the clod into the depths. Therefrom rose up an island, Calliste, sacred nurse of the sons of Euphemus, who in former days dwelt in Sintian Lemnos, and from Lemnos were driven forth by Tyrrhenians and came to Sparta as suppliants ; and when they left Sparta, Theras, the goodly son of Autesion, brought them to the island Calliste, and from himself he gave it the name of Thera. But this befell after the days of Euphemus.

And thence they steadily left behind long leagues of sea and stayed on the beach of Aegina ; and at once they contended in innocent strife about the fetching of water, who first should draw it and reach the ship. For both their need and the ceaseless breeze urged them on. There even to this day do the youths of the Myrmidons take up on their shoulders full-brimming jars, and with swift feet strive for victory in the race.

Be gracious, race of blessed chieftains ! And may these songs year after year be sweeter to sing among men. For now have I come to the glorious end of your toils ; for no adventure befell you as ye came home from Aegina, and no tempest of winds opposed you ; but quietly did ye skirt the Cecropian land and Aulis inside of Euboea and the Opuntian cities of the Locrians, and gladly did ye step forth upon the beach of Pagasae.

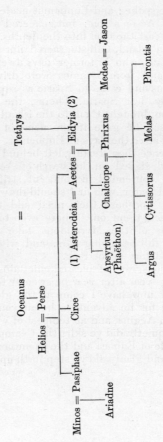

STEMMA MEDEAE

```
                    Oceanus  =  Tethys
                       |
            Helios = Perse
               |
           Circe                    Aeetes = Eidyia (2)
            |                 (1) Asterodeia = 
    Minos = Pasiphae                    |
            |          Apsyrtus   Chalciope = Phrixus   Medea = Jason
        Ariadne       (Phaëthon)       |
                                  Argus  Cytissorus  Melas  Phrontis
```

INDEX

INDEX

References to the following names are not given in full on account of their large number : Aeetes, Aesonides, Colchians, Hellas, Jason, Medea, Zeus.

419

INDEX

Aesonides, son of Aeson, Jason, I, 33, 46, etc.; II, 437, 444, etc.; III, 58, 60 etc.; IV, 73, 92, etc.

Aesonis, a city of Magnesia, I, 411

Aethalia, an island, now Elba, IV, 654

Aethalides, son of Hermes, an Argonaut, I, 54, 641, 649; III, 1175

Aetolian, I, 146: in plur. as *subst.*, I, 198

Agamestor, II, 850

Agenor, II, 237

Agenorides, son of Agenor, Phineus, II, 178, 240, 293, 426, 490, 618; III, 943, 1186

Alcimede, mother of Jason, I, 47, 233, 251, 259, 277

Alcinous, king of the Phaeacians, IV, 769, 995, 1009, 1013, 1069, 1116, 1123, 1161, 1169, 1176, 1200, 1220, 1724

Alcon, I, 97

Aleus, I, 163, 166, 170; II, 1046

Aloïades, sons of Aloeus, I, 482, 489

Alope, a city of Thessaly, I, 51

Amarantes, a people of Colchis, II, 399

Amarantian, epithet of the river Phasis, III, 1220

Amazonian, II, 977

Amazons, II, 374, 386, 912, 965, 985, 987, 995, 1173

Ambracians, inhabitants of Ambracia, a city of Epirus, IV, 1228

Amnisus, a river of Crete, III, 877, 882

Amphidamas, an Argonaut, I, 161; II, 1046

Amphion, (1) an Argonaut, I, 176 : (2) son of Zeus and Antiope, I, 736, 740

Amphithemis, son of Phoebus and Acacallis, also called Garamas, IV, 1494, 1495

Amphitrite, wife of Poseidon, IV, 1325, 1355

Amphrysus, a river of Thessaly, I, 54

Ampycides, son of Ampycus, Mopsus, an Argonaut, I, 1083, 1106; II, 923; III, 917, 926; IV, 1502

Amyclae, a city of Laconia, IV, 1704

Amycus, king of the Bebrycians, II, 1, 48, 51, 90, 110, 136, 303, 754, 768, 792

Amymone, daughter of Danaus, I. 137

Amyrus, a river of Thessaly, I, 596; IV, 617

Anaphe, an island, one of the Sporades, IV, 1717, 1730, 1744

Anaurus, a river of Thessaly, I, 9; III, 67

Ancaeus, (1) son of Lycurgus, an Argonaut, I, 164, 398, 426, 429, 531; II, 118 : (2) son of Poseidon, an Argonaut, I, 188; II, 865, 894, 898, 1276; IV, 210, 1260

Anchiale, a nymph, I, 1130

Angurım, a mountain in Scythia, IV, 323, 324

Anthemoeisian lake, in Bithynia, II, 724

Anthemoessa, the island of the Sirens, in the Tyrrhenian sea, IV, 892

Antianeira, I, 56

Antiope, (1) daughter of Asopus, I, 735 : (2) daughter of Nycteus, IV, 1090 : (3) a queen of the Amazons, II, 387

Aonian, Boeotian, III, 1178, 1185

Aphareïan, of Aphareus, I, 485; III, 556, 1252

Apharetiadae, sons of Aphareus. I, 151

Apheidantian allotment, in Arcadia, I, 162

Aphetae, starting-place of Argo, I, 591

Apidaneans, name of Arcadians, IV, 263

Apidanus, a river of Thessaly, I, 36, 38; II, 515

Apis, a name of the Peloponnese, IV, 1564

Apollo, I, 307, 360, 403, 410, 759, II, 493, 502, 927, 952; III, 1181, 1283; IV, 528, 612, 1548, 1714, 1729 : god of the shore ('Ακτιος), 1,404 : of disembarcation ('Εκβάσιος), I, 966, 1186 : of embarcation ('Εμβάσιος), I, 359, 404 : of the dawn ('Εώιος), II, 686, 700 : of shepherds (Νόμιος), IV, 1218 : the Healer ('Ιήιος), II, 712 : the

420

INDEX

gleaner (Αἰγλήτης), IV, 1716, 1730

Apsyrtians, IV, 481

Apsyrtus, son of Aeetes, III, 241, 604; IV, 225, 306, 314, 332, 399, 422, 451, 455, 515, 557, 587, 737

Araethyrea, a city of Argolis, I, 115

Araxis, a river of Armenia, IV, 133

Arcadia, I, 125, 161; II, 1052

Arcadians, IV, 263, 264

Arcton, "of bears," a mountain near Cyzicus, I, 941, 1150

Arcturus, II, 1099

Areius, son of Bias, an Argonaut, I, 118

Areïus, adj., of Ares, II, 1033, 1268; III, 325, 409, 495, 1270

Arene, a city of Messenia, I, 152, 471

Ares, I, 743; II, 385, 404, 989, 990, 991, 1169, 1205, 1230; III, 411, 754, 1187, 1227, 1282, 1357, 1366; IV, 166

Arestorides, son of Arestor, Argus, I, 112, 325

Arete, wife of Alcinous, IV, 1013, 1029, 1070, 1098, 1101, 1123, 1200, 1221

Aretias, (1) daughter of Ares, Melanippe, II, 966 : (2) fem. adj. II, 1031, 1047; III, 1180

Aretus, a Bebrycian, II, 65, 114

Arganthonian mountain, in Bithynia, I, 1178

Argo, I, 4, 386, 525, 501, 039, 724, 953; II, 340; IV, 509, 592, 763, 993, 1473, 1546, 1609

Argoan, I, 319; II, 211; IV, 554, 658, 938, 1620

Argos, (1) a city of the Peloponnese, I, 125, 140, 1317 : (2) put for Greece in general, IV, 1074

Argus, (1) son of Arestor, an Argonaut, I, 19, 111, 226, 321, 325, 367, 912, 1119; II, 613, 1188 : (2) son of Phrixus, II, 1122, 1140, 1156, 1199, 1260, 1281; III, 318, 367, 440, 474, 521, 554, 568, 610, 722, 826, 902, 914, 944, 1200; IV, 80, 122, 256

Ariadne, a daughter of Minos, III, 998, 1003, 1007, 1107

Aristaeus, son of Apollo and Cyrene, II, 506; IV, 1132

Artaceus, one of the Doliones, I, 1047

Artacie, a spring near Cyzicus, I, 957

Artemis, I, 312, 571, 1225; III, 774; IV, 330, 452, 470

Asia, i.e. Asia Minor, I, 444; II, 777; IV, 273

Asopis, daughter of Asopus, (1) Antiope, I, 735; (2) Corcyra, IV, 567

Asopus, (1) a river of the Peloponnese, I, 117; (2) father of Sinope, II, 947

Assyrian, II, 946, 964

Asterion, an Argonaut, I, 35

Asterius, an Argonaut, I, 176

Asterodeia, mother of Apsyrtus, III, 242

Astypalaea, mother of Ancaeus, II, 866

Atalanta, I, 769

Athamantian plain, in Thessaly, II, 514

Athamantis, daughter of Athamas, Helle, I, 927

Athamas, son of Aeolus, king of Orchomenus, II, 653, 1153, 1162; III, 266, 360, 361; IV, 117

Athena, I, 19, 110, 226, 300, 527, 551, 629, 768, 960; II, 537, 598, 602, 612, 1187; III, 8, 10, 17, 30, 91, 111, 340; IV, 583, 959, 1309, 1691

Athos, a mountain in Chalcidice, I, 601

Atlantis, daughter of Atlas, (1) Electra, I, 916 : (2) Calypso, IV, 575

Atlas, IV, 1398

Attic island, Salamis, I, 93

Augeias, an Argonaut, I, 172; III, 197, 363, 440

Aulion, a cave in Bithynia, II, 910

Aulis, a city of Boeotia, IV, 1779

Ausonian, Italian, IV, 553, 590, 660, 828, 846

Autesion, IV, 1762

Autolycus, a son of Deimachus, II, 956

Bacchiadae, the ruling race in Corinth, IV, 1212

Basileus, one of the Doliones I, 1043

Bebryces, a people of Bithynia, II, 2, 13, 70, 98, 121, 129, 758, 768, 792, 798

INDEX

INDEX

INDEX

424

INDEX

425

INDEX

INDEX

427

INDEX

INDEX

429

INDEX

430

INDEX

Taphians, inhabitants of islands off the coast of Acarnania, same as the Teleboae, I, 750

Tegea, a city of Arcadia, I, 162, 398

Telamon, son of Aeacus, an Argonaut, I, 93, 1043, 1289, 1330; III, 196, 363, 440, 515, 1174

Teleboans, *see* Taphians, I, 748

Telecles, one of the Doliones, I, 1040

Teleon, (1) father of Eribotes, I, 72, 73 : (2) father of Butes, I, 96; IV, 912

Tenos, an island in the Aegaean sea, I, 1305

Terpsichore, one of the Muses, IV, 896

Tethys, wife of Oceanus, mother of Eidyia, III, 244

Thebes, I, 736; II, 906; III, 1178; IV, 1762

Theiodamas, king of the Dryopians, I, 1213, 1216. 1355

Themis, IV, 800

Themiscyreian headland, II, 371, 995

Thera, an island in the Aegaean sea, IV, 1763

Therapnaean, of Therapnae, a city of Laconia, II, 163

Theras, IV, 1762

Thermodon, a river of Pontus, II, 370, 805, 970

Theseus, I, 101; III, 997; IV, 433

Thespians, I, 106

Thestiades, son of Thestius, Iphiclus, I, 201

Thetis, a Nereid, wife of Peleus, IV, 759, 773, 780, 783, 800, 833, 845, 881, 932, 938

Thoantias, daughter of Thoas, Hypsipyle, I, 637, 712

Thoas, former king of Lemnos, I, 621, 625, 718, 798, 829; IV, 426

Thrace, I, 213, 614, 799, 826, 1113

Thracian, I, 24, 29, 214, 602, 678, 795, 954, 1110, 1300; II, 427; IV, 905, 1484 : as *subst.* in plur., I, 632, 637, 821, 923; II, 238; IV, 288, 320

Thrinacia, the island Sicily, IV, 965

Thrinacian sea, IV, 994

Thyiades, Bacchants, I, 636

Thynian, II, 350, 460, 485, 548, 673 : as *subst.* in plur., II, 529

Tibareni, a people of Pontus, II, 377, 1010

Tiphys, the pilot of Argo, I, 105, 381, 401, 522, 561, 956, 1274, 1296; II, 175, 557, 574, 584, 610, 622, 854

Tisaean headland, in Thessaly, I, 568

Titanian, III, 865; IV, 54, 131

Titans, I, 507; II, 1233; IV, 989

Titaresian, of Titaresus, a river of Thessaly, I, 65

Titias, (1) one of the Idaean Dactyls, I, 1126 : (2) a boxer, II, 783

Tityos, I, 181, 761

Trachis, a city of Thessaly, I, 1356

Triccaean, of Tricca, a city of Thessaly, II, 955

Trinacrian sea, IV, 291

Triton, (1) a sea-god, IV, 1552, 1589, 1598, 1621, 1741, 1742, 1752: (2) the river Nile, IV, 269 : (3) a lake in Libya, IV, 1311

Tritonian, I, 721, 768; III, 1183; IV, 260, 1391, 1444, 1495, 1539

Tyndareus, I, 148; III, 517

Tyndarides, the son of Tyndareus, Polydeuces, II, 30, 41, 74, 798: in plur., Castor and Polydeuces, I, 1045; II, 806; III, 1315; IV, 593

Typhaon, II, 1211

Typhaonian rock, II, 1210

Typhoeus, II, 38

Tyrrhenian, Etruscan, III, 312; IV, 660, 850, 856 : as *subst.* in plur., IV, 1760

Uranides, son of Uranus, Cronos, II, 1232 : in plur., the gods, II, 342

Uranus, III, 699, 746; IV, 992

Xanthus, a river of Lycia, I, 309

Xynian lake, in Thessaly, I, 68

Zelys, one of the Doliones, I, 1042

Zetes, son of Boreas, an Argonaut, I, 211; II, 243, 282, 430

431

INDEX

PRINTED IN GREAT BRITAIN BY RICHARD CLAY AND COMPANY, LTD., BUNGAY, SUFFOLK

THE LOEB CLASSICAL LIBRARY

VOLUMES ALREADY PUBLISHED

Latin Authors

AMMIANUS MARCELLINUS. Translated by J. C. Rolfe. 3 Vols. (2nd Imp. revised.)

APULEIUS: THE GOLDEN ASS (METAMORPHOSES). W. Adlington (1566). Revised by S. Gaselee. (7th Imp.)

ST. AUGUSTINE, CONFESSIONS OF. W. Watts (1631). 2 Vols. (Vol. I. 7th Imp., Vol. II. 6th Imp.)

ST. AUGUSTINE, SELECT LETTERS. J. H. Baxter. (2nd Imp.)

AUSONIUS. H. G. Evelyn White. 2 Vols. (2nd Imp.)

BEDE. J. E. King. 2 Vols. (2nd Imp.)

BOETHIUS: TRACTS and DE CONSOLATIONE PHILOSOPHIAE. Rev. H. F. Stewart and E. K. Rand. (6th Imp.)

CAESAR: ALEXANDRIAN, AFRICAN and SPANISH WARS. A. G. Way.

CAESAR: CIVIL WARS. A. G. Peskett. (5th Imp.)

CAESAR: GALLIC WAR. H. J. Edwards. (10th Imp.)

CATO: DE RE RUSTICA; VARRO: DE RE RUSTICA. H. B. Ash and W. D. Hooper. (3rd Imp.)

CATULLUS. F. W. Cornish; TIBULLUS. J. B. Postgate; PERVIGILIUM VENERIS. J. W. Mackail. (12th Imp.)

CELSUS: DE MEDICINA. W. G. Spencer. 3 Vols. (Vol. I. 3rd Imp. revised, Vols. II. and III. 2nd Imp.)

CICERO: BRUTUS, and ORATOR. G. L. Hendrickson and H. M. Hubbell. (3rd Imp.)

[CICERO]: AD HERENNIUM. H. Caplan.

CICERO: DE FATO; PARADOXA STOICORUM; DE PARTITIONE ORATORIA. H. Rackham (With De Oratore, Vol. II.) (2nd Imp.)

CICERO: DE FINIBUS. H. Rackham. (4th Imp. revised.)

CICERO: DE INVENTIONE, etc. H. M. Hubbell.

CICERO: DE NATURA DEORUM and ACADEMICA. H. Rackham. (2nd Imp.)

CICERO: DE OFFICIIS. Walter Miller. (6th Imp.)

CICERO: DE ORATORE. 2 Vols. E. W. Sutton and H. Rackham. (2nd Imp.)

CICERO: DE REPUBLICA and DE LEGIBUS. Clinton W. Keyes. (4th Imp.)

CICERO: DE SENECTUTE, DE AMICITIA, DE DIVINATIONE. W. A. Falconer. (6th Imp.)

CICERO: IN CATILINAM, PRO FLACCO, PRO MURENA, PRO SULLA. Louis E. Lord. (3rd Imp. revised.)

CICERO: LETTERS TO ATTICUS. E. O. Winstedt. 3 Vols. (Vol. I. 6th Imp., Vols. II. and III. 4th Imp.)

1

CICERO: LETTERS TO HIS FRIENDS. W. Glynn Williams. 3 Vols. (Vols. I. and II. 3rd Imp., Vol. III. 2nd Imp. revised.)
CICERO: PHILIPPICS. W. C. A. Ker. (3rd Imp. revised.)
CICERO: PRO ARCHIA, POST REDITUM, DE DOMO, DE HARUSPICUM RESPONSIS, PRO PLANCIO. N. H. Watts. (4th Imp.)
CICERO: PRO CAECINA, PRO LEGE MANILIA, PRO CLUENTIO, PRO RABIRIO. H. Grose Hodge. (3rd Imp.)
CICERO: PRO MILONE, IN PISONEM, PRO SCAURO, PRO FONTEIO, PRO RABIRIO POSTUMO, PRO MARCELLO, PRO LIGARIO, PRO REGE DEIOTARO. N. H. Watts. (2nd Imp.)
CICERO: PRO QUINCTIO, PRO ROSCIO AMERINO, PRO ROSCIO COMOEDO, CONTRA RULLUM. J. H. Freese. (3rd Imp.)
CICERO: TUSCULAN DISPUTATIONS. J. E. King. (4th Imp.)
CICERO: VERRINE ORATIONS. L. H. G. Greenwood. 2 Vols. (Vol. I. 3rd Imp., Vol. II. 2nd Imp.)
CLAUDIAN. M. Platnauer. 2 Vols. (2nd Imp.)
COLUMELLA: DE RE RUSTICA, DE ARBORIBUS. H. B. Ash, E. S. Forster and E. Heffner. 3 Vols. (Vol. I. 2nd Imp.)
CURTIUS, Q.: HISTORY OF ALEXANDER. J. C. Rolfe. 2 Vols. (2nd Imp.)
FLORUS. E. S. Forster and CORNELIUS NEPOS. J. C. Rolfe. (2nd Imp.)
FRONTINUS: STRATAGEMS and AQUEDUCTS. C. E. Bennett and M. B. McElwain. (Vol. I. 3rd Imp., Vol. II. 2nd Imp.)
FRONTO: CORRESPONDENCE. C. R. Haines. 2 Vols. (Vol. I. 3rd Imp., Vol. II. 2nd Imp.)
GELLIUS. J. C. Rolfe. 3 Vols. (Vol. I. 3rd Imp., Vols. II. and III. 2nd Imp.)
HORACE: ODES and EPODES. C. E. Bennett. (14th Imp. revised.)
HORACE: SATIRES, EPISTLES, ARS POETICA. H. R. Fairclough. (9th Imp. revised.)
JEROME: SELECTED LETTERS. F. A. Wright. (2nd Imp.)
JUVENAL and PERSIUS. G. G. Ramsay. (7th Imp.)
LIVY. B. O. Foster, F. G. Moore, Evan T. Sage, and A. C. Schlesinger. 14 Vols. Vols. I.–XIII. (Vol. I. 4th Imp., Vols. II., III., V., and IX. 3rd Imp.; Vols. IV., VI.–VIII., X.–XII. 2nd Imp. revised.)
LUCAN. J. D. Duff. (3rd Imp.)
LUCRETIUS. W. H. D. Rouse. (7th Imp. revised.)
MARTIAL. W. C. A. Ker. 2 Vols. (Vol. I. 5th Imp., Vol. II. 4th Imp. revised.)
MINOR LATIN POETS: from PUBLILIUS SYRUS to RUTILIUS NAMATIANUS, including GRATTIUS, CALPURNIUS SICULUS, NEMESIANUS, AVIANUS, and others with "Aetna" and the "Phoenix." J. Wight Duff and Arnold M. Duff. (3rd Imp.)
OVID: THE ART OF LOVE AND OTHER POEMS. J. H. Mozley. (3rd Imp.)
OVID: FASTI. Sir James G. Frazer. (2nd Imp.)
OVID: HEROIDES and AMORES. Grant Showerman. (5th Imp.)
OVID: METAMORPHOSES. F. J. Miller. 2 Vols. (Vol. I. 10th Imp., Vol. II. 8th Imp.)

OVID : TRISTIA and EX PONTO. A. L. Wheeler. (3rd Imp.)
PERSIUS. Cf. JUVENAL.
PETRONIUS. M. Heseltine; SENECA APOCOLOCYNTOSIS.
W. H. D. Rouse. (8th Imp. revised.)
PLAUTUS. Paul Nixon. 5 Vols. (Vols. I. and II. 5th Imp., Vol.
III. 3rd Imp., Vols. IV. and V. 2nd Imp.)
PLINY : LETTERS. Melmoth's Translation revised by W. M. L.
Hutchinson. 2 Vols. (6th Imp.)
PLINY : NATURAL HISTORY. H. Rackham and W. H. S. Jones.
10 Vols. Vols. I.-V. and IX. H. Rackham. Vols. VI. and VII.
W. H. S. Jones. (Vols. I.–III. 3rd Imp., Vol. IV. 2nd Imp.)
PROPERTIUS. H. E. Butler. (6th Imp.)
PRUDENTIUS. H. J. Thomson. 2 Vols.
QUINTILIAN. H. E. Butler. 4 Vols. (3rd Imp.)
REMAINS OF OLD LATIN. E. H. Warmington. 4 Vols. Vol. I.
(ENNIUS AND CAECILIUS.) Vol. II. (LIVIUS, NAEVIUS,
PACUVIUS, ACCIUS.) Vol. III. (LUCILIUS and LAWS OF XII
TABLES.) Vol. IV. (2nd Imp.) (ARCHAIC INSCRIPTIONS.)
SALLUST. J. C. Rolfe. (4th Imp. revised.)
SCRIPTORES HISTORIAE AUGUSTAE. D. Magie. 3 Vols. (Vol. I.
3rd Imp. revised, Vols. II. and III. 2nd Imp.)
SENECA : APOCOLOCYNTOSIS. Cf. PETRONIUS.
SENECA : EPISTULAE MORALES. R. M. Gummere. 3 Vols.
(Vol. I. 4th Imp., Vols. II. and III. 2nd Imp.)
SENECA : MORAL ESSAYS. J. W. Basore. 3 Vols. (Vol. II.
3rd Imp., Vols. I. and III. 2nd Imp. revised.)
SENECA : TRAGEDIES. F. J. Miller. 2 Vols. (Vol. I. 4th Imp.,
Vol. II. 3rd Imp. revised.)
SIDONIUS : POEMS AND LETTERS. W. B. Anderson. 2 Vols.
(Vol. I. 2nd Imp.)
SILIUS ITALICUS. J. D. Duff. 2 Vols. (Vol. I. 2nd Imp.,
Vol. II. 3rd Imp,)
STATIUS. J. H. Mozley. 2 Vols. (2nd Imp.)
SUETONIUS. J. C. Rolfe. 2 Vols. (Vol. I. 7th Imp., Vol. II.
6th Imp. revised.)
TACITUS : DIALOGUS. Sir Wm. Peterson. AGRICOLA and
GERMANIA. Maurice Hutton. (6th Imp.)
TACITUS : HISTORIES AND ANNALS. C. H. Moore and J. Jack-
son. 4 Vols. (Vols. I. and II. 3rd Imp., Vols. III. and IV.
2nd Imp.)
TERENCE. John Sargeaunt. 2 Vols. (7th Imp.)
TERTULLIAN : APOLOGIA and DE SPECTACULIS. T. R. Glover.
MINUCIUS FELIX. G. H. Rendall. (2nd Imp.)
VALERIUS FLACCUS. J. H. Mozley. (2nd Imp. revised.)
VARRO : DE LINGUA LATINA. R. G. Kent. 2 Vols. (2nd Imp.
revised.)
VELLEIUS PATERCULUS and RES GESTAE DIVI AUGUSTI. F. W.
Shipley. (2nd Imp.)
VIRGIL. H. R. Fairclough. 2 Vols. (Vol. I. 18th Imp., Vol. II.
14th Imp. revised.)
VITRUVIUS : DE ARCHITECTURA. F. Granger. 2 Vols. (Vol. I.
3rd Imp., Vol. II. 2nd Imp.)

3

Greek Authors

ACHILLES TATIUS. S. Gaselee. (*2nd Imp.*)

AENEAS TACTICUS, ASCLEPIODOTUS and ONASANDER. The Illinois Greek Club. (*2nd Imp.*)

AESCHINES. C. D. Adams. (*2nd Imp.*)

AESCHYLUS. H. Weir Smyth. 2 Vols. (Vol. I. 6*th Imp.*, Vol. II. 5*th Imp.*)

ALCIPHRON, AELIAN, PHILOSTRATUS LETTERS. A. R. Benner and F. H. Fobes.

ANDOCIDES, ANTIPHON. Cf. MINOR ATTIC ORATORS.

APOLLODORUS. Sir James G. Frazer. 2 Vols. (Vol. I. 3*rd Imp.*, Vol. II. 2*nd Imp.*)

APOLLONIUS RHODIUS. R. C. Seaton. (*5th Imp.*)

THE APOSTOLIC FATHERS. Kirsopp Lake. 2 Vols. (Vol. I. 8*th Imp.*, Vol. II. 6*th Imp.*)

APPIAN : ROMAN HISTORY. Horace White. 4 Vols. (Vol. I. 4*th Imp.*, Vols. II. and IV. 3*rd Imp.*, Vol. III. 2*nd Imp.*)

ARATUS. Cf. CALLIMACHUS.

ARISTOPHANES. Benjamin Bickley Rogers. 3 Vols. Verse trans. (*5th Imp.*)

ARISTOTLE : ART OF RHETORIC. J. H. Freese. (*3rd Imp.*)

ARISTOTLE : ATHENIAN CONSTITUTION, EUDEMIAN ETHICS, VICES AND VIRTUES. H. Rackham. (*3rd Imp.*)

ARISTOTLE : GENERATION OF ANIMALS. A. L. Peck. (*2nd Imp.*)

ARISTOTLE : METAPHYSICS. H. Tredennick. 2 Vols. (*3rd Imp.*)

ARISTOTLE : METEOROLOGICA. H. D. P. Lee.

ARISTOTLE : MINOR WORKS. W. S. Hett. On Colours, On Things Heard, On Physiognomies, On Plants, On Marvellous Things Heard, Mechanical Problems, On Indivisible Lines, On Situations and Names of Winds, On Melissus, Xenophanes, and Gorgias. (*2nd Imp.*)

ARISTOTLE : NICOMACHEAN ETHICS. H. Rackham. (6*th Imp. revised.*)

ARISTOTLE : OECONOMICA and MAGNA MORALIA. G. C. Armstrong; (with Metaphysics, Vol. II.). (*3rd Imp.*)

ARISTOTLE : ON THE HEAVENS. W. K. C. Guthrie. (3*rd Imp. revised.*)

ARISTOTLE : On Sophistical Refutations, On Coming to be and Passing Away, On the Cosmos. E. S. Forster and D. J. Furley.

ARISTOTLE : ON THE SOUL, PARVA NATURALIA, ON BREATH. W. S. Hett. (*2nd Imp. revised.*)

ARISTOTLE : ORGANON. CATEGORIES : On Interpretation, Prior Analytics. H. P. Cooke and H. Tredennick. (*3rd Imp.*)

ARISTOTLE : PARTS OF ANIMALS. A. L. Peck; MOTION AND PROGRESSION OF ANIMALS. E. S. Forster. (3*rd Imp. revised.*)

ARISTOTLE : PHYSICS. Rev. P. Wicksteed and F. M. Cornford. 2 Vols. (Vol. I. 2*nd Imp.*, Vol. II. 3*rd Imp.*)

ARISTOTLE : POETICS and LONGINUS. W. Hamilton Fyfe; DEMETRIUS ON STYLE. W. Rhys Roberts. (5*th Imp. revised.*)

ARISTOTLE : POLITICS. H. Rackham. (4*th Imp. revised.*)

ARISTOTLE : PROBLEMS. W. S. Hett. 2 Vols. (2*nd Imp. revised.*)

4

ARISTOTLE : RHETORICA AD ALEXANDRUM (with PROBLEMS. Vol. II.). H. Rackham.
ARRIAN : HISTORY OF ALEXANDER and INDICA. Rev. E. Iliffe Robson. 2 Vols. (Vol. I. 3rd Imp., Vol. II. 2nd Imp.)
ATHENAEUS : DEIPNOSOPHISTAE. C. B. Gulick. 7 Vols. (Vols. I., IV.–VII. 2nd Imp.)
ST. BASIL : LETTERS. R. J. Deferrari. 4 Vols. (2nd Imp.)
CALLIMACHUS, Hymns and Epigrams, and LYCOPHRON. A. W. Mair ; ARATUS. G. R. Mair. (2nd Imp.)
CLEMENT OF ALEXANDRIA. Rev. G. W. Butterworth. (3rd Imp.)
COLLUTHUS. Cf. OPPIAN.
DAPHNIS AND CHLOE. Thornley's Translation revised by J. M. Edmonds : and PARTHENIUS. S. Gaselee. (4th Imp.)
DEMOSTHENES I : OLYNTHIACS, PHILIPPICS and MINOR ORATIONS. I.–XVII. AND XX. J. H. Vince. (2nd Imp.)
DEMOSTHENES II : DE CORONA and DE FALSA LEGATIONE. C. A. Vince and J. H. Vince. (3rd Imp. revised.)
DEMOSTHENES III : MEIDIAS, ANDROTION, ARISTOCRATES, TIMOCRATES and ARISTOGEITON, I. AND II. J. H. Vince. (2nd Imp.)
DEMOSTHENES IV–VI : PRIVATE ORATIONS and IN NEAERAM. A. T. Murray. (Vol. IV. 2nd Imp.)
DEMOSTHENES VII : FUNERAL SPEECH, EROTIC ESSAY, EXORDIA and LETTERS. N. W. and N. J. DeWitt.
DIO CASSIUS : ROMAN HISTORY. E. Cary. 9 Vols. (Vols. I. and II. 3rd Imp., Vols. III.–IX. 2nd Imp.)
DIO CHRYSOSTOM. J. W. Cohoon and H. Lamar Crosby. 5 Vols. Vols. I.–IV. 2nd Imp.)
DIODORUS SICULUS. 12 Vols. Vols. I.–VI. C. H. Oldfather. Vol. VII. C. L. Sherman. Vols. IX. and X. R. M. Geer. (Vols. I.–IV. 2nd Imp.)
DIOGENES LAERTIUS. R. D. Hicks. 2 Vols. (Vol. I. 4th Imp., Vol. II. 3rd Imp.)
DIONYSIUS OF HALICARNASSUS : ROMAN ANTIQUITIES. Spelman's translation revised by E. Cary. 7 Vols. (Vols. I.–V. 2nd Imp.)
EPICTETUS. W. A. Oldfather. 2 Vols. (2nd Imp.)
EURIPIDES. A. S. Way. 4 Vols. (Vols. I. and II. 7th Imp., III. and IV. 6th Imp.) Verse trans.
EUSEBIUS : ECCLESIASTICAL HISTORY. Kirsopp Lake and J. E. L. Oulton. 2 Vols. (Vol. I. 3rd Imp., Vol. II. 4th Imp.)
GALEN : ON THE NATURAL FACULTIES. A. J. Brock. (4th Imp.)
THE GREEK ANTHOLOGY. W. R. Paton. 5 Vols. (Vols. I. and II. 5th Imp., Vol. III. 4th Imp., Vols. IV. and V. 3rd Imp.)
GREEK ELEGY AND IAMBUS with the ANACREONTEA. J. M. Edmonds. 2 Vols. (Vol. I. 3rd Imp., Vol. II. 2nd Imp.)
THE GREEK BUCOLIC POETS (THEOCRITUS, BION, MOSCHUS). J. M. Edmonds. (7th Imp. revised.)
GREEK MATHEMATICAL WORKS. Ivor Thomas. 2 Vols. (2nd Imp.)
HERODES. Cf. THEOPHRASTUS : CHARACTERS.

5

HERODOTUS. A. D. Godley. 4 Vols. (Vols. I.–III. *4th Imp.,* Vol. IV. *3rd Imp.*)

HESIOD AND THE HOMERIC HYMNS. H. G. Evelyn White. (*7th Imp. revised and enlarged.*)

HIPPOCRATES and the FRAGMENTS OF HERACLEITUS. W. H. S. Jones and E. T. Withington. 4 Vols. (*3rd Imp.*)

HOMER: ILIAD. A. T. Murray. 2 Vols. (Vol. I. *7th Imp.,* Vol. II. *6th Imp.*)

HOMER: ODYSSEY. A. T. Murray. 2 Vols. (*8th Imp.*)

ISAEUS. E. W. Forster. (*3rd Imp.*)

ISOCRATES. George Norlin and LaRue Van Hook. 3 Vols. (*2nd Imp.*)

ST. JOHN DAMASCENE: BARLAAM AND IOASAPH. Rev. G. R. Woodward and Harold Mattingly. (*3rd Imp. revised.*)

JOSEPHUS. H. St. J. Thackeray and Ralph Marcus. 9 Vols. Vols. I.–VII. (Vol. V. *3rd Imp.,* Vols. I.–IV., VI. and VII. *2nd Imp.*)

JULIAN. Wilmer Cave Wright. 3 Vols. (Vols. I. and II. *3rd Imp.,* Vol. III. *2nd Imp.*)

LUCIAN. A. M. Harmon. 8 Vols. Vols. I.–V. (Vols. I. and II. *4th Imp.,* Vol. III. *3rd Imp.,* Vols. IV. and V. *2nd Imp.*)

LYCOPHRON. Cf. CALLIMACHUS.

LYRA GRAECA. J. M. Edmonds. 3 Vols. (Vol. I. *4th Imp.,* Vol. II. *revised and enlarged,* and III. *3rd Imp.*)

LYSIAS. W. R. M. Lamb. (*2nd Imp.*)

MANETHO. W. G. Waddell: PTOLEMY: TETRABIBLOS. F. E. Robbins. (*2nd Imp.*)

MARCUS AURELIUS. C. R. Haines. (*4th Imp. revised.*)

MENANDER. F. G. Allinson. (*3rd Imp. revised.*)

MINOR ATTIC ORATORS (ANTIPHON, ANDOCIDES, LYCURGUS, DEMADES, DINARCHUS, HYPEREIDES). K. J. Maidment and J. O. Burrt. 2 Vols. (Vol. I. *2nd Imp.*)

NONNOS: DIONYSIACA. W. H. D. Rouse. 3 Vols. (*2nd Imp.*)

OPPIAN, COLLUTHUS, TRYPHIODORUS. A. W. Mair. (*2nd Imp.*)

PAPYRI. NON-LITERARY SELECTIONS. A. S. Hunt and C. C. Edgar. 2 Vols. (Vol. I. *2nd Imp.*) LITERARY SELECTIONS. Vol. I. (Poetry). D. L. Page. (*3rd Imp.*)

PARTHENIUS. Cf. DAPHNIS AND CHLOE.

PAUSANIAS: DESCRIPTION OF GREECE. W. H. S. Jones. 5 Vols. and Companion Vol. arranged by R. E. Wycherley. (Vols. I. and III. *3rd Imp.,* Vols. II., IV. and V. *2nd Imp.*)

PHILO. 10 Vols. Vols. I.–V.; F. H. Colson and Rev. G. H. Whitaker. Vols. VI.–IX.; F. H. Colson. (Vols. II.–III. V.–IX. *2nd Imp.,* Vols. I. and IV., *3rd Imp.*)

PHILO: two supplementary Vols. (*Translation only.*) Ralph Marcus.

PHILOSTRATUS: THE LIFE OF APPOLLONIUS OF TYANA. F. C. Conybeare. 2 Vols. (Vol. I. *4th Imp.,* Vol. II. *3rd Imp.*)

PHILOSTRATUS: IMAGINES; CALLISTRATUS: DESCRIPTIONS. A. Fairbanks.

PHILOSTRATUS and EUNAPIUS: LIVES OF THE SOPHISTS. Wilmer Cave Wright. (*2nd Imp.*)

PINDAR. Sir J. E. Sandys. (*7th Imp. revised.*)
PLATO : CHARMIDES, ALCIBIADES, HIPPARCHUS, THE LOVERS, THEAGES, MINOS and EPINOMIS. W. R. M. Lamb. (*2nd Imp.*)
PLATO : CRATYLUS, PARMENIDES, GREATER HIPPIAS, LESSER HIPPIAS. H. N. Fowler. (*4th Imp.*)
PLATO : EUTHYPHRO, APOLOGY, CRITO, PHAEDO, PHAEDRUS. H. N. Fowler. (*11th Imp.*)
PLATO : LACHES, PROTAGORAS, MENO, EUTHYDEMUS. W. R. M. Lamb. (*3rd Imp. revised.*)
PLATO : LAWS. Rev. R. G. Bury. 2 Vols. (*3rd Imp.*)
PLATO : LYSIS, SYMPOSIUM, GORGIAS. W. R. M. Lamb. (*5th Imp. revised.*)
PLATO : REPUBLIC. Paul Shorey. 2 Vols. (Vol. I. *5th Imp.*, Vol. II. *4th Imp.*)
PLATO : STATESMAN, PHILEBUS. H. N. Fowler; ION. W. R. M. Lamb. (*4th Imp.*)
PLATO : THEAETETUS and SOPHIST. H. N. Fowler. (*4th Imp.*)
PLATO : TIMAEUS, CRITIAS, CLITOPHO, MENEXENUS, EPISTULAE. Rev. R. G. Bury. (*3rd Imp.*)
PLUTARCH : MORALIA. 14 Vols. Vols. I.-V. F. C. Babbitt; Vol. VI. W. C. Helmbold; Vol. X. H. N. Fowler. (Vols. I.-VI. and X. *2nd Imp.*)
PLUTARCH : THE PARALLEL LIVES. B. Perrin. 11 Vols. (Vols. I., II., VI., VII., and XI. *3rd Imp.* Vols. III.-V. and VIII.-X. *2nd Imp.*)
POLYBIUS. W. R. Paton. 6 Vols. (*2nd Imp.*)
PROCOPIUS : HISTORY OF THE WARS. H. B. Dewing. 7 Vols. (Vol. I. *3rd Imp.*, Vols. II.-VII. *2nd Imp.*)
PTOLEMY : TETRABIBLOS. Cf. MANETHO.
QUINTUS SMYRNAEUS. A. S. Way. Verse trans. (*3rd Imp.*)
SEXTUS EMPIRICUS. Rev. R. G. Bury. 4 Vols. (Vol. I. *3rd Imp.*, Vols. II. and III. *2nd Imp.*)
SOPHOCLES. F. Storr. 2 Vols. (Vol. I. *10th Imp.* Vol. II. *6th Imp.*) Verse trans.
STRABO : GEOGRAPHY. Horace L. Jones. 8 Vols. (Vols. I., V., and VIII. *3rd Imp.*, Vols. II., III., IV., VI., and VII. *2nd Imp.*)
THEOPHRASTUS : CHARACTERS. J. M. Edmonds. HERODES, etc. A. D. Knox. (*3rd Imp.*)
THEOPHRASTUS : ENQUIRY INTO PLANTS. Sir Arthur Hort, Bart. 2 Vols. (*2nd Imp.*)
THUCYDIDES. C. F. Smith. 4 Vols. (Vol. I. *4th Imp.*, Vols. II., III., and IV. *3rd Imp. revised.*)
TRYPHIODORUS. Cf. OPPIAN.
XENOPHON : CYROPAEDIA. Walter Miller. 2 Vols. (Vol. I. *4th Imp.*, Vol. II. *3rd Imp.*)
XENOPHON : HELLENICA, ANABASIS, APOLOGY, and SYMPOSIUM. C. L. Brownson and O. J. Todd. 3 Vols. (Vols. I. and III. *3rd Imp.*, Vol. II. *4th Imp.*)
XENOPHON : MEMORABILIA and OECONOMICUS. E. C. Marchant. (*3rd Imp.*)
XENOPHON : SCRIPTA MINORA. E. C. Marchant. (*2nd Imp.*)

IN PREPARATION

Greek Authors

ARISTOTLE : HISTORY OF ANIMALS. A. L. Peck.
CALLIMACHUS : FRAGMENTS. C. A. Trypanis.
PLOTINUS : A. H. Armstrong.

Latin Authors

ST. AUGUSTINE : CITY OF GOD.
CICERO : PRO SESTIO, IN VATINIUM, PRO CAELIO, DE PROVINCIIS
    CONSULARIBUS, PRO BALBO. J. H. Freese and R. Gardner.
PHAEDRUS. Ben E. Perry.

DESCRIPTIVE PROSPECTUS ON APPLICATION

London
Cambridge, Mass.

WILLIAM HEINEMANN LTD
HARVARD UNIVERSITY PRESS